JN027785

ミステリ・ライブラリ・インヴェスティゲーション

Mystery Library Investigation

戦後翻訳ミステリ叢書探訪

川出正樹
Masaki Kawade

東京創元社

【世界推理小説全集】背表紙一覧

ボウ町の怪事件他

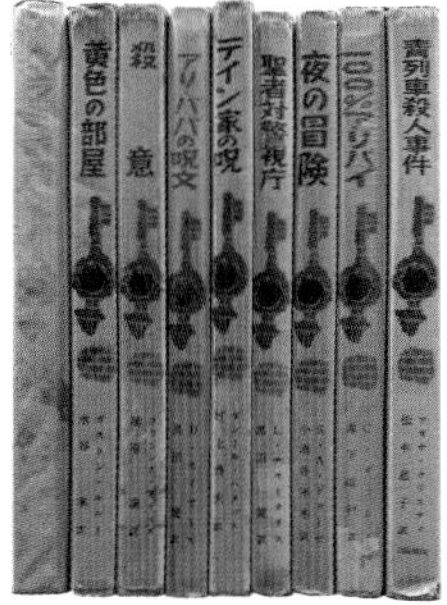

【異色探偵小説選集】
背表紙一覧

アリ・ババの呪文

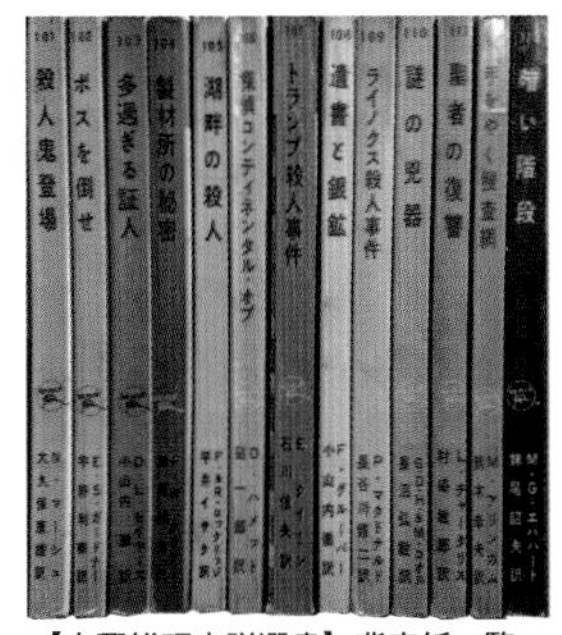

【六興推理小説選書】背表紙一覧

殺人鬼登場

【クライム・クラブ】背表紙一覧

パリを見て死ね!

殺人の朝

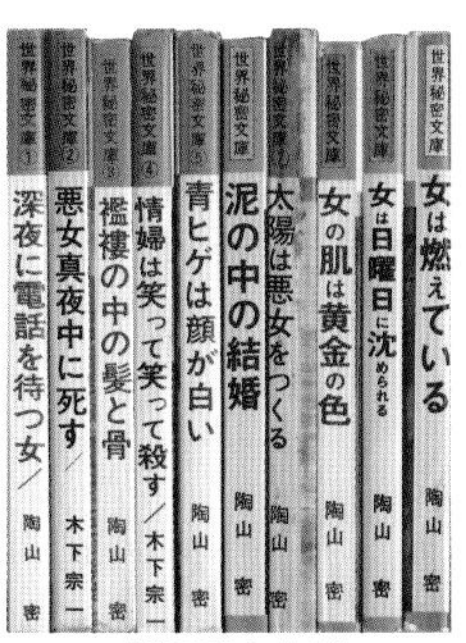

【世界秘密文庫】
背表紙一覧

深夜に電話を待つ女

【Q-T ブックス】背表紙一覧

殺人鬼を追え

【ウイークエンド・ブックス】背表紙一覧

唇からナイフ

愚なる裏切り（裏表紙）

飛べ！フェニックス号

犯罪機械

【ヒッチコック・
スリラーシリーズ】
背表紙一覧

死霊の館

【ゴマノベルス】
背表紙一覧

もう一つの最終レース

【松本清張編・海外推理傑作選】
背表紙一覧

【イフ・ノベルズ】背表紙一覧

ショットガンを持つ男

暴走族殺人事件

【ワールド・スーパーノヴェルズ】背表紙一覧

マスクのかげに

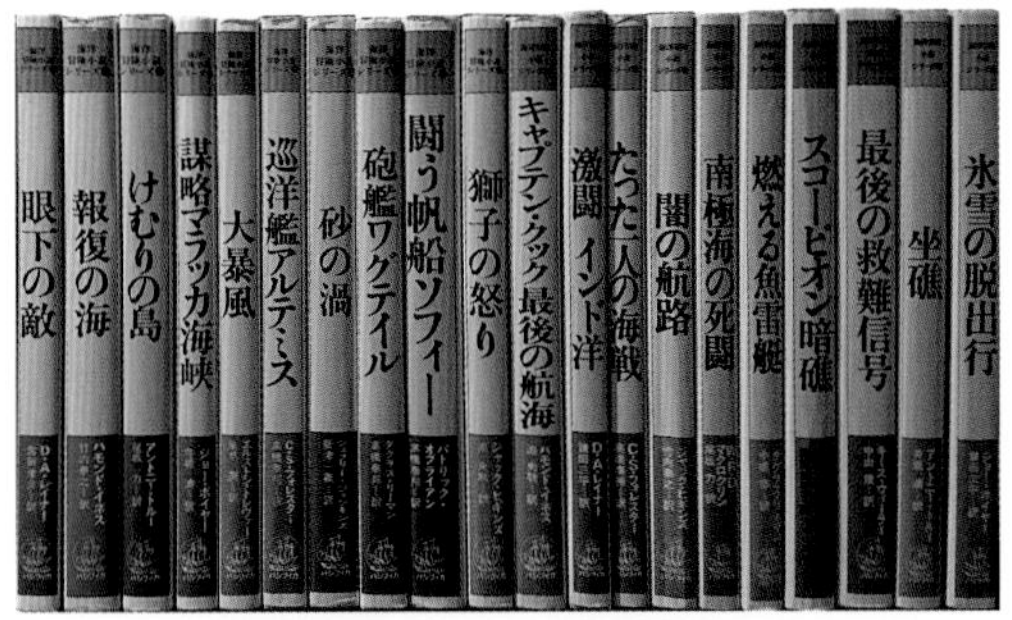

【海洋冒険小説シリーズ】背表紙一覧

眼下の敵

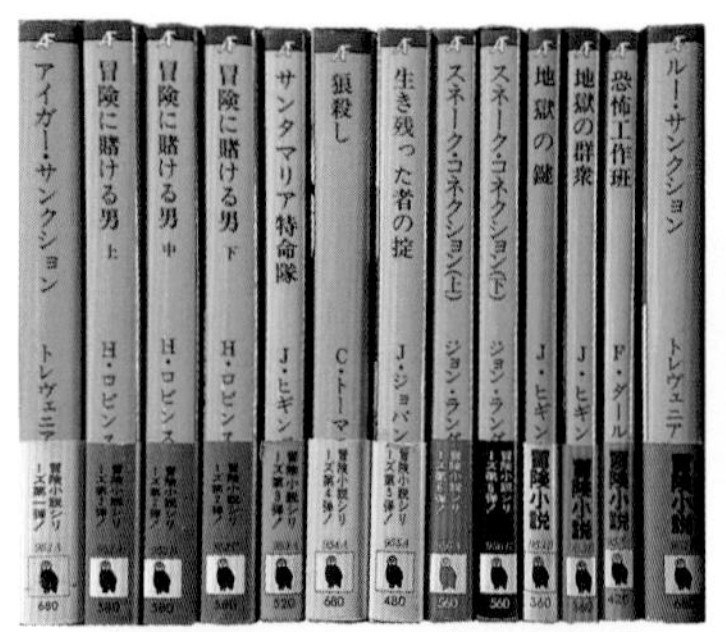

【河出冒険小説シリーズ】背表紙一覧

アイガー・サンクション

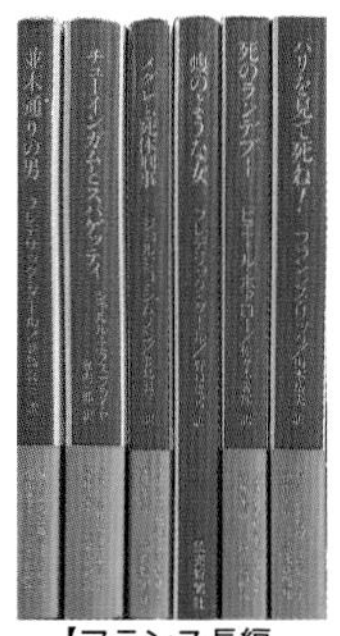

【フランス長編
ミステリー傑作集】
背表紙一覧

並木通りの男

【シリーズ 百年の物語】
背表紙一覧

イヴの物語

目次

ミステリ・ライブラリ・インヴェスティゲーション

戦後翻訳ミステリ叢書探訪

凡例

作品名等については、左記の通り約物を付した。

【】……翻訳ミステリ叢書・全集
〔〕……翻訳ミステリ以外の叢書・全集
『』……単行本ならびに長篇小説
「」……中篇小説・短篇小説の題名、映像・音声作品の題名、日本の雑誌・新聞
《》……シリーズ及び原書の叢書・全集、海外の雑誌・新聞

（）内の数字は、原著刊行年は算用数字で、翻訳刊行年は漢数字で表記した。別の訳題がある場合は、作品名の後（）内に記載した。

まえがきにかえて

赤、橙、黄、緑、青、藍、紫、赤紫、深緑、群青、朽葉、ピンク、ラベンダー、カーキ、グレー、ターコイズブルー。

それはまさに色の洪水だった。ずらりと並んだ一枚一枚異なる色合いの美しい背表紙が作り出した横に長いモザイク画。そんなきらびやかな背景とは裏腹に、その上では禍々しい中ゴシックの文字が躍っていた。〝墓場〟、〝棺〟、〝死体〟、〝血〟、〝闇〟、〝悪夢〟そして〝殺人〟。

子供部屋に設えられた床から天井まである巨大な書架の一番下の棚に整列した〝それ〟は、二段ベッドの下段に横たわるとまるで狙っていたかのように頭と同じ高さとなり、否応なく幼い子供の眼に飛び込んできた。小学校低学年の児童にとって〝それ〟は、しばしば悪夢の引き金となった。

にもかかわらず完全に無視することはできなかった。埃よけのガラス戸の内に大切に収められ、親から触れることを固く禁じられていた〝それ〟が放つ怪しげな魅力に引き寄せられて、陽のあるうちに怖いもの見たさでそこに書かれた文字を読み、想像を巡らせてゆく。

『閉ざされぬ墓場』には幽霊が蠢（うごめ）いているのかな？『首のない女』はどんなオバケなんだろう？なんで『棺のない死体』が放置されているんだ。『雪の上の血』は怖いけれど綺麗だろうな。『闇からの声』なんて聞きたくない！『黒い羊の毛をきれ』って言われたってどうすりゃいいんだ、等々。

なんともはや。まだポプラ社版の【少年探偵 江戸川乱歩全集】によってミステリを発見する前の子供には、背表紙に書かれた〝推理小説〟という文字は〝大人が読む怖い本〟を意味しているとしか思えなかったのだ。

こうしてミステリの〝ミ〟の字も知らないうちからミステリ叢書の代表ともいえる東京創元社の【世界推理小説全集】との邂逅を果たしてしまった小学生は、じきに《少年探偵団》シリーズに熱中し、ようやく〝推理〟の意味を知る。けれども人殺しが出て来る話なんて怖くて読めなかったので、父親の蔵書を振り返ることもなく名探偵と怪盗が対決する怪しくも居心地のよい世界に入り浸っていた（ゆえに死体が出て来る『蜘蛛男』を読んだときには裏切られた気がしたものだ。人は殺さないんじゃなかったのかよ！）。

そんなナイーブな少年も、やがて《刑事コロンボ》と出逢い、一九七〇年代後半の横溝正史ブームの洗礼を受け、強烈なインパクトを放つ杉本一文によるカバー画の〝黒い本〟を通学鞄に常

備するませた中学生となる。立派なミステリ・マニアの誕生である。やがて正史が愛読したというアガサ・クリスティやエラリー・クイーン、ジョン・ディクスン・カーという作家に興味を覚えたとき、初めて思い出したのだ。あの美しい背表紙の中にそれらの名前があったことを。『アクロイド殺害事件』や『Xの悲劇』の面白さに圧倒され（『帽子蒐集狂事件』はイマイチだったが）、翻訳ミステリの魅力に目覚めた少年は、かくしてようやく〝あれ〟の偉大さを実感することになる。それまで背表紙でしか認識していなかった世界は、幼い頃にたくましくしていた妄想とはまるで異なる知的好奇心を刺激する魅力溢れるものだったのだ。

しかも作品の内容だけでなく、本そのものの作りもまた強く心を惹きつけるものだった。背も含めて全体の上半分を色紙で覆われた、ベージュ色のボール紙製のシンプルだけれども洒落た（しゃれ）デザインの外箱。それとは異なる色合いの表紙に原題のアルファベットがかっこよく配された本体。上下二

推　　理

世界推理小説全集
第１回配本第14巻付録（1）
東京都新宿区新小川町１～16
東京　創　元　社　振替東京41247

探偵小説の探偵小説

中村真一郎

探偵小説を読むと――推理小説といっても同じことだが――でてくる人物が探偵的推理能力を必ず非凡に備えているのに驚かされる。それを探偵小説の約束事なんだときめてかかって読みはじめれば、当然のこととして先へ進んで行けるが、ひとたびそうした物語にリアリティーを感じようということになると、主人公は実に気味の悪い天才に見えてくる。ぼくらの日常生活のなかで、誰かこうした能力の所有者がもし身辺にいるのだと想像すれば、愈々慄然たらざるをえないだろう。誰でも「壁に耳あり」と年中、思って生きて行ける訳はないのだから。

探偵小説も小説である以上、写実という文学的技巧なしでは、読者は身がいらないだろうから、そうした探偵的能力の所有者をいかに本当らしく作り上げるかに、作者の苦心がかかっているだろう。そこに失敗して物語全体が単なる絵空事に見えてしまえば、もうどんなトリックを発明しようが、読者は驚かなくなってしまう。

そうした探偵的能力そのものに巧妙なリアリティーを感じさせられたものに、アガサ・クリスティの戦後の作品があった。戦争中、疎開で田舎の村に、それまでは縁もゆかりもなかった都会人が入って行って住みつく。すると村人たちは、そういう異邦人の財産状態や過去の経歴などについて、いろいろと異様なまでの詮索をする。日本でも探偵に取り巻かれて暮しているような気持で疎開生活を送った人たちが、随分いたはずである。

1

段にびっしりと組まれた活字。月報に掲載されたミステリに関する情報や蘊蓄、見知らぬ作家の名前が連なる刊行予告、そして登場人物とあらすじが記された栞。

金田一耕助の物語はもちろん抜群に面白くて、小遣いをやり繰りして買った文庫本はどれも大切な宝物だったけれども、そこからではうかがい知ることが出来ない〈ミステリの世界〉と〈本の世界〉があることを【世界推理小説全集】は初めて教えてくれたのだ。

そうしたまだ見ぬ沃野を指し示し、数多くの面白い翻訳ミステリと——わずかではあるが肌に合わない作品とも——出会わせてくれた叢書や全集の魅力について語りたい。

そのためにまずは、戦後、翻訳ミステリの叢書・全集がどれだけ編まれたかを調べてみた。選出基準は以下の通り。

- 翻訳ミステリによって構成されていること。SFのみ、ホラーのみといった他のジャンルに特化したものは対象外とする。ただし、東京創元社の【大ロマン全集】と【世界恐怖小説全集】の二つのシリーズは、当時同社が刊行した一連の叢書との関連からリストに残すこととする。
- ミステリとそれ以外のジャンルの作品とが混在する場合、一定以上の割合をミステリが占めること。具体的には三割以上を目安とする。ただし［ハヤカワ・ノヴェルズ］（早川書房）、［海外ベストセラー・シリーズ］（角川書店）、［Playboy Books］（集英社）に関しては、広く小説全体を対象としており、いずれのジャンルも公平に扱っているため、結果的にミステリの占める割合が高く重要な作品も多数収録されてはいるが対象外とする。

- 複数の作家の作品を収録していること。個人全集は対象外とする。
- 一九四五年以降に編纂（へんさん）されていること。戦前に編まれたものは対象外とする。理由は、抄訳が多い上に入手困難で、かつ大半が戦後に完訳されているため。
- シリーズ名が謳（うた）われていること。ある出版社から一定の期間にまとめてミステリが出版された場合でも、出版の意図や目的が明示されていないものは除く。
- 文庫は対象外とする。理由はシリーズとして出版することを第一義としていないため。ただし、シリーズ名を謳い既に完結しているものは含めることとした。それ以外の翻訳ミステリ主体の文庫についても、参考までにリスト内に記載しておく。
- 雑誌は対象外とする。ただし【別冊宝石　世界探偵小説名作選】と【別冊宝石　世界探偵小説全集】の二点は、実態として翻訳ミステリの叢書であり、当時のミステリ・シーン及びその後の紹介史に果たした影響も大きいため、含めることとする。

以上七つの基準に照らしてリストアップしたのが【戦後翻訳ミステリ叢書・全集一覧】（412ページ〜428ページ）だ。一九四五年から二〇二三年までの七十八年間に、実に百近くものシリーズが編纂されている。

ただその中には、オールタイム・ベスト・クラスの名作を並べたシリーズや、さらにそれを再編集したものもある。こうした〝名作全集〟の意義は充分に認めよう。けれども既に評価が定まっている著名作品の集まりをあらためて訪れるよりも、編者の意図が強くうかがえる、方向性が明確なシリーズのもとを訪ねたい。言い換えると、個性豊かな顔立ちのものを掘り下げていきたいのだ。

それらが、いつ、どこの版元から、誰の手で、どんな目的で編纂され、どのような作品が収録されたのか。現在手軽に読めるのはどれで入手困難なのはどれか。そうしたあれやこれやを改めて調査・整理した上で各々の作品を読み返して、今読んで面白いものと、そっとしておいた方が良いものとを判別していく。さらには、年代を追って訪れることで、ある叢書が当時のミステリ・シーンやその後の翻訳ミステリの紹介にどんな影響を与えたのかといった全体としての意義も探りたい。

個別作品に対する書評兼ブックガイドとしての側面と、戦後の翻訳ミステリ紹介史という大きな存在に対するちょこっとした考察という側面をあわせ持ち、そこに少しばかり自分語りを加えたヌエのようなものを目指したい。

本書は、そんな構想に基づき、東京創元社の雑誌「ミステリーズ！」誌上に、二〇一一年十二月（vol.50）から一七年八月（vol.84）まで途中一回の休載をはさみ全三十三回にわたって掲載された「ミステリ・ライブラリ・インヴェスティゲーション――魅惑の翻訳ミステリ叢書探訪記」を単行本化したものである。

連載中は、その時々で気になった叢書・全集を気ままに探訪していたが、単行本化に際して各叢書の発刊順に並べ替え、加筆・訂正の上、全体を整えた。こうして時系列順に組み替えることで、叢書を通じて戦後に翻訳ミステリがどのように紹介され普及していったかを、より鮮明にすることができたと思う。

足かけ七年に及ぶ連載期間中にも、翻訳ミステリを巡る状況は変化し続けた。本書で訪れた叢書・全集は、二〇〇〇年以前に刊行されたもの――敢えて二十一世紀以降に踏み込まなかった理由は、あとがきに記す――なので、内容・論旨に影響はない。ただし、連載当時の翻訳シーン全体の状況説明や個別作家の紹介に関しては大きく変わっている点もある。それらに関しては、各編の末尾に［附記］として追記した。

【異色探偵小説選集】編

第一章

一

戦後七十八年間に編纂(へんさん)された翻訳ミステリの叢書・全集は全部で百近くある。手掛けた版元は五十社余り。

その中で、ジャンルの活性化や後世に対する影響度という点から、ここを抜きにして翻訳ミステリ紹介史は語れないという重要な版元がいくつかある。例えば世界最大級のミステリ・シリーズ「〈ポケミス〉こと【ハヤカワ・ミステリ】（一九五三年〜）を刊行し続けている早川書房、スマートな装幀の【世界推理小説全集】（五六〜六〇年）で戦前からの探偵小説のイメージを一新し、新たな読者層を生み出した東京創元社、【世界探偵小説全集】（九四〜二〇〇七年）で古典ミステリ再評価の先鞭(せんべん)をつけた国書刊行会及び藤原(ふじわら)編集室などだ。さらに翻訳ミステリ専門の叢書ではないが、「海外ベストセラー・シリーズ」（一九七〇〜）で七〇年代初頭からミステリ中心に数多くのエンターテインメント作品を刊行した角川書店、文庫形態で、七〇年代後半からコンスタントに紹介し続けている文藝春秋と新潮社が、翻訳ミステリ読者数の拡大に果たした役割もとても大きい。

【異色探偵小説選集】の版元・日本出版協同も、そんな鍵を握る出版社の一つだ。というのも同社は、退潮していた海外ミステリ紹介の動きをリブートした立役者の一人だからだ。

四九年四月にＧＨＱ（連合国最高司令官総司令部）が「日本に於(お)ける外国人所有の著作権の登録及び保護」に関する覚書(おぼえがき)を出し、著作権仲介業が許可され、戦後の海外ミステリ紹介が本格的にスタートし、叢書・全集が堰(せき)を切って刊行されていく。

まず同年十二月末に新樹社(しんじゅしゃ)が、日本初紹介となる新人パット・マクガー（マガー）の『怖るべき娘達（七人のおば）』（1947）を皮切りに【ぶらっく選書】（全十八巻）を発刊、半年後の五十年五月に雄鶏社(おんどりしゃ)が、ジョルジュ・シムノンの『黄色い犬』（1931）の再刊に始まる【雄鶏みすてりーず〈おんどり・みすてりぃ〉】（全十八巻）の刊行を開始。五一年二月から翌年一月にかけて、早川書房がアガサ・クリスティの初訳三作を含む【世界傑作探偵小説シリーズ】（全十巻）を刊行、同年十月から翌年六月にかけて月曜書房が、延原(のぶはら)謙(けん)の個人訳により戦後初めてホームズ物を全て訳出した【シャーロック・ホームズ全集】（全十三巻）を上梓する。

　だが、これらはすべて失敗に終わった。「やっと解禁になった翻訳出版が多数の読書人の永年の知的渇望をいやし、盛大な翻訳書時代が現出していた」（野原一夫『編集者三十年』サンケイ出版）裏には、フォルスター事務所が翻訳権仲介業をほぼ牛耳り、高額の前払い印税に加えて、刷り部数に応じた印税も検印後一カ月以内に取り立てるという苛酷な現実があった。売れば売るほど損をするという状況も珍しくなく、結果、新樹社と月曜書房は倒産、雄鶏社は翻訳ものを大幅に縮小、早川書房も一時撤退を余儀なくされる。

　当時の状況について月曜書房の編集者だった野原一夫は、『編集者三十年』の中で「問題になるのは翻訳権料とその支払い条件だけであり」「小出版社だからとてハンディキャップを負わずにすむ翻訳出版の分野に活路を求めようとした」と語っている。

　海外小説の紹介に道が開けたのと時を同じくして、戦中から続いていた物資不足による印刷用紙の統制が撤廃され、大手老舗出版社が刊行点数を飛躍的に増やす中、生き残るために翻訳出版に賭けたのだ。

　けれども、これが裏目に出る。「命取りになったのは、延原謙個人訳の『シャーロック・ホームズ全集全八巻〔引用者注：十三巻の誤り〕』ではなかったかと思う。推理小説のブームが起こりはじめた頃で、その波に乗ろうとした場当たりの企画なのだが、無惨に失敗した。溺れる者が藁を摑みそこなった醜態である」（野原一夫、前掲書）。

二

　かくて、急速に失速してしまった海外ミステリ紹介の機運だが、五三年秋に突如再燃する。着火剤となったのはミッキー・スピレーンだ。四七年の衝撃的なデビュー作『裁くのは俺だ』から五二年の『燃える接吻』（ともにハヤカワ・ミステリ文庫）までの七作合計で、六年間に全米で二千万部を売り上げ、所謂〝スピレーン旋風〟を巻き起こした驚異の新人。「朝日新聞」の「暮の出版界に推理小説ブーム」（五三年十二月十二日）という記事を読むと、日本でも凄まじい人気を博したことがよくわかる。

　「スピレイン・ブームで暮の出版界は戦後二度目の推理小説景気を呼ぼうとしている。推理小説への人気は戦後一時ぱあっと燃えたきり、ここ二、三年はルパン全集のようなチャンバラものの外は見込みがなかった。ところが三年前〔引用者注：六年前の誤り〕に突然アメリカの出版界に現われた三十四歳の新人ミッキー・スピレインが、わずか三年間〔引用者注：六年間の誤り〕に、八冊〔引用者注：七冊の誤り〕の推理小説で二千万部売り切ったことが、日本の出版界を刺激し、文芸春秋新社、早川書房、日本出版協同、宝石など四社の間で翻訳権争奪戦を展開した。

まず十月に文春新社の「オール読物」が二カ月連続でスピレインをのせたのをトップに、早川書房のポケットミステリー、出版協同のスピレイン選集などと、こちらもまたスピレインが続出した。「オール読物」はスピレインものの十一、十二月号〔引用者注：十月、十一月号の誤り〕とも三十万部ずつ売りきったほか、早川書房も二カ月の間にスピレイン一点で一万六千部を売るという推理もののレコードを作ったと同社ではいっている。このスピレイン景気のおかげで、推理小説が久しぶりに出版界に復活のチャンスをとらえ、十月はじめから二カ月間に海外の推理小説が十八点も出るという出版界はじまって以来の推理もののブームとなった」（江戸川乱歩「翻訳ブームの燭光」、『探偵小説四十年』光文社文庫、所収）

詳細を述べると、五三年九月にスタートした〈ポケミス〉は、記念すべき第一回配本の一冊として『大いなる殺人』（1951）を出したのに続き、十一月に『裁くのは俺だ』を刊行。日本出版協同は、五三年十月から五四年二月まで【ミッキー・スピレーン選集】全五巻（『俺の拳銃は素早い』（1950）、『寂しい夜の出来事』（1951）、『復讐は俺の手に』（1950）、『果された期待』（1950）、『燃える接吻を（燃える接吻）』）を毎月刊行した後、四月に雑誌「オール讀物」に分載された中篇「私は狙われている」（1953）を第六巻と

してラインナップに加えた。

三

この【ミッキー・スピレーン選集】を核に、日本出版協同は、五一年から五四年にかけて四つの個人選集と二つの叢書を立て続けに発刊し、早川書房の〈ポケミス〉とともに、下火となっていた海外ミステリ紹介の動きを活性化させていく。

以下、スタートした順に挙げていくと、

①【アルセーヌ・ルパン全集】（全二十三巻、別巻二）〔五一年九月～五三年十二月〕
②【地下鉄サム傑作選集】（全四巻）〔五二年十二月～五三年七月〕
③【サスペンス・ノベル選集】（全九巻）〔五三年六月～五四年六月〕
④【異色探偵小説選集】（全九巻）〔五三年七月～五四年九月〕
⑤【ミッキー・スピレーン選集】（全六巻）〔五三年十月～五四年四月〕
⑥【ジェームス・ケイン選集】（全四巻）〔五四年一月～六月〕

であり、丸三年間に実に五十七冊もの翻訳エンターテインメントを出版した。

こうした日本出版協同のアグレッシブな展開に対して、当時、江戸川乱歩は、「昨年秋あたりから、内外探てい小説のそう書類が、相当活発に刊行され始めた。そのキッカケはアメリカの新しい痛快探てい小説ミッキイ・スピレインの翻訳出版が成功したことにあるとされているが、実はその前に日本出版協同社の『ルパン全集』二十五巻がある。これが好売れ行きを示し版を重ねたので、同社がいくつもの探ていものそう書を企画し、同時に以前から探ていものに経験のある早川書房がアメリカのシグネット本を模して気のきいた形のポケット・ミステリイを出版しはじめこの両社の活動が中心となったものである」（江戸川乱歩「推理小説ばやり――五つの全集・文庫を見る――」「讀売新聞」昭和二十九年三月十四日掲載、『子不語随筆』江戸川乱歩推理文庫、所収）と述べて、早川書房とともに同社の活躍を大いに評価している。

中でも【異色探偵小説選集】は、【ミッキー・スピレーン選集】と並んで、同社の主軸となったシリーズだ。五三年七月の第一回配本フランセス・N・ハート『ベラミ裁判』を皮切りに、第一期全六巻を刊行。幸い好評を以て迎えられ、続けて第二期六巻のラインナップを発表。ところが同社は、手形操作のミスにより五四年四月に不渡りを出してしまい営業停止となり、あっさりと倒産してしまった。結局、M・R・ラインハート『螺旋階段』、ジェームス・ヒルトン『学校殺人事件』、S＝A・ステーマン『六死人』の三冊は刊行されることなく全九作で中断してしまう。

ちなみに未刊の三冊のうち最初の二冊は予告通り延原謙と乾信一郎の訳で、本シリーズ中断後半年を待たずして〈ポケミス〉から刊行されており、倒産時点でほぼ翻訳が完成していたと思われるが、『六死人』だけは三十年後の八四年になって、ようやく三輪秀彦の訳により東京創元社から刊行された。なぜ、翻訳者として予告されていた水谷準の手を離れたのか、そしてこれほど時間がかかったのかは、今となっては藪の中だ。

閑話休題。『ベラミ裁判』の巻末に、第一期の収録作リストとともに記された「恐怖と戦慄――リアルな取材、思いがけぬ筋書の展開、世界最高傑作を集めて探偵小説界に大波紋を投ずる革新的異色選集！」という宣伝文句は、かなり煽り気味だけれども、確かに先達と比べて、オーソドックスな探偵小説の割合は低い。

ただし、先述した「讀売新聞」の記事の中で、乱歩が「必ずしも新しいものをねらわず、探てい小説史上定評のある古典作品のうちから未訳の面白そうなものを選んでいる」と評しているように、『ベラミ裁判』

のような戦前から翻訳が待たれていた評判作や、『黄色の部屋（黄色い部屋の謎）』のように抄訳しかなかった作品が大半を占めている。その中にあって特筆すべきは、フランシス・アイルズの『殺意』を初めて翻訳した点で、この作品を収録しているという一点のみでも、〝異色〟を名乗るに値する。

四

さて、個々の収録作についての深掘りは後ほど行うとして、先に本造りについて見てみよう。装釘を担当したのは、「暮しの手帖」の名編集長にして装釘者でもあった花森安治（はなもりやすじ）。「一冊の本というものは、著者と装釘者と印刷者の共同作品である」（花森安治「装釘と著作権」、『花森安治戯文集1』LLPブックエンド、所収）という信念を持つ花森はまた、学生時代からクロフツを始めとして原書で海外ミステリを読んできた筋金入りのファンでもあった。

【異色探偵小説選集】は、そんな花森が初めて手掛けたミステリの叢書である。従来の探偵小説の装幀に対して、「ガス燈の横にやもりがはりついているとか、短剣に血が滴っているとか蜘蛛の巣があるという」

「まるで招魂祭の見世物みたいな雰囲気のものが多い。私はファンの一人としてそれが嫌でしたね」（【世界推理小説全集】第二十巻の月報「推理」掲載）と常常感じていた花森は、個々の作品内容をアピールすることはせず、全巻統一のデザインとした。それは、ランプや鍵といったお気に入りの素材を的確に配しつつ、余白の効果を最大限に活かしたもので、

これぞ花森作品という仕上がりとなっている。表紙には、鉄製のフェンスを備えたものを中心に赤いレンガ塀を三つと青い方形、そして緑のランプを一つ配し、レタリングした作品名の上段に赤く小さい活字でシリーズ名を、下段に黒字で作者名と翻訳者名を記した。背表紙には緑と青を組み合わせた鍵と赤レンガを中心に、上には表紙同様の作品名を、下には作者名と翻訳者名を併記。裏表紙には、シリーズ収録作を並べている。また扉には、作品名・作者名・翻訳者名に加えて、これもまた好んで用いた素材であるキャンドルを四種類描いた。

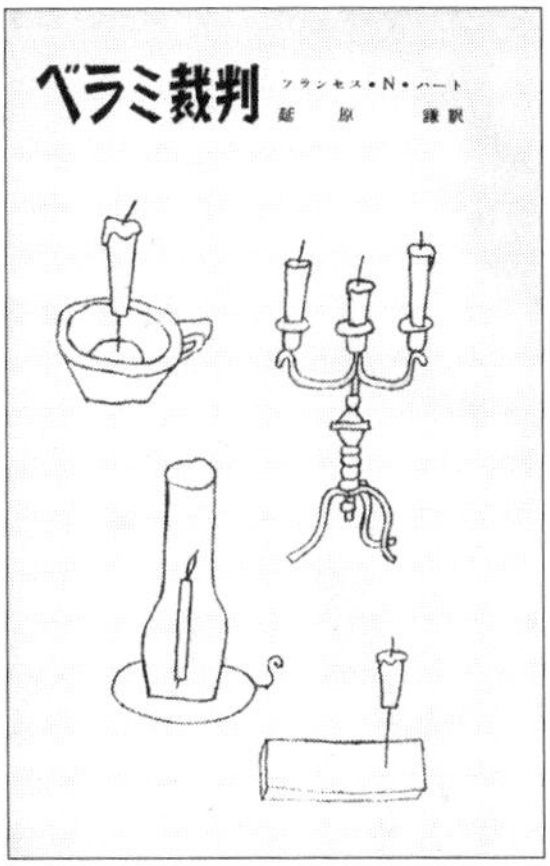

【サスペンス・ノベル選集】や【ミッキー・スピレーン選集】とは異なり、本叢書には帯がない。これは花森が、帯で表紙絵が隠れることを極端に嫌ったためだと思われる。その代わりに、カバーの上から掛けられたセロファンに、当時の最新技術を用いて表紙絵をじゃましないように、宣伝文句や作品紹介が印刷されている。ちなみに、【ジェームス・ケイン選集】も同様の造りとなっているが、こちらも装幀者である岡本太郎の〝作品〟を損なわないための処置だろう。

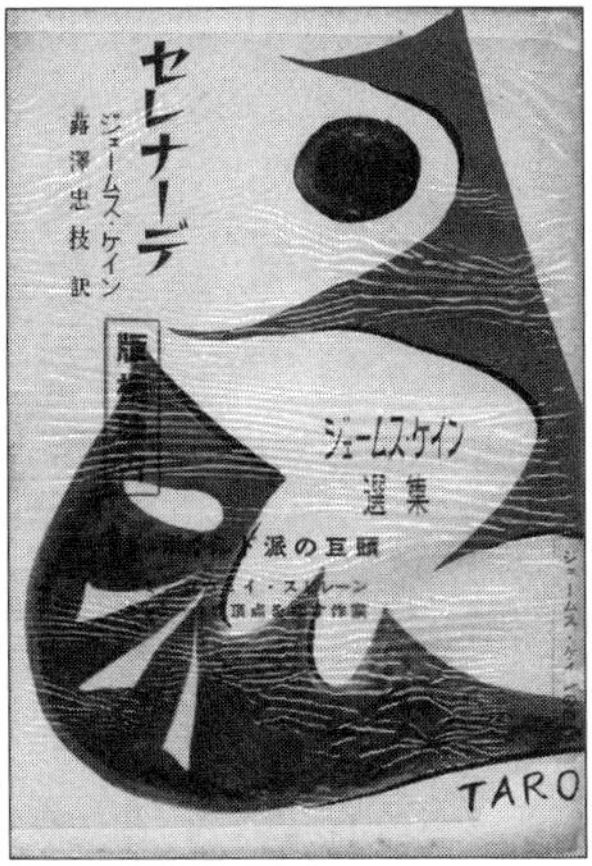

　本叢書の装釘を手掛けた二年半後に花森は、【世界推理小説全集】のシンプルかつ洒落(しゃれ)たデザインで、当時の〝常識〟であった怪しい具象画を一気に時代遅れなものとすると同時に、それまで〝探偵小説〟を手に取るのを躊躇(ためら)っていた潜在読者の背中を押して、ミステリの普及に大いに貢献することになる。その実験場と言ってしまっては【異色探偵小説選集】に対して失礼だけれども、後の東京創元社での仕事の完

成度の高さに鑑みるに、本叢書の装釘を花森安治が担当した意義はとても大きいと思う。

第二章

一

さて、それでは【異色探偵小説選集】の収録作のうち、まずは第一期六巻について見ていこう。

記念すべき第一回配本となったフランセス・N・ハート『ベラミ裁判』は、エラリー・クイーンやハワード・ヘイクラフトが激賞し、日本でもミステリ評論家の草分け・井上良夫が、戦前、雑誌「ぷろふいる」誌上で、「探偵小説の研究家にとっては、看過することの出来ない作」「徹頭徹尾舞台を裁判所の一室に制限し通し、読者を傍聴者の一人たらしめる形式の作品は、このベラミイ事件を以ってその嚆矢とする」（井上良夫『探偵小説のプロフィル』国書刊行会）と紹介した里程標となる名作であり、戦中、江戸川乱歩と井上が交わした往復書簡の中でも俎上に載せられた。もっとも乱歩の考えるミステリの本道からは大きく外れていたようで、氏は力作だとは認めつつも、「探偵小説ではない」と四百字足らずの文面で四回も断言している。

一方、翻訳を担当した延原謙は本作を高く評価しており、四七年にGHQに訳出の許可を求めたが断られたため、翻訳解禁を待って自身が監修した【雄鶏みすてりーず〈おんどり・みすてりぃ〉】のラインナップに加える。だが同叢書は中断。その三年後、ようやく【異色探偵小説選集】の口切り役として日の目を見る。終戦を待たずして早世した井上による初紹介から二十年、裏表紙のセロファンに謳われた「待望の書、いよいよ発売！　犯罪と心理の深淵を暴露する推理の妙趣！」という惹句からは、当時の関係者の熱い思いが伝わってきて感慨深い。

二二年にニュージャージー州で起きたホール＝ミルズ事件をベースにした本作は、「若く美しく魅力あふれる人妻ベラミを殺害したのは誰か？検事対弁護士の虚々実々の応酬、告発された二人の被告は果して真犯人か？」とコピーにあるように、八日間にわたる審判の様子を克明に記した、このジャンルの嚆矢となる迫真の法廷ドラマだ。

徹底した再現ぶり故、やや冗長に感じられるものの、堅固なプロットと意外だが説得力のある真相は、今読んでも十分に面白い。一度も再刊されたことがなく、入手困難なままなのは、ちょっともったいないと思う。

第二回配本の『黄色の部屋（黄色い部屋の秘密）』

を、博文館の【世界探偵小説全集】の一冊として水谷準が最初に訳したのは、二九年のことだ。その後三七年に、彼が雑誌「新青年」の編集長を務めていた時に実施した海外探偵小説十傑（じっけつ）を選ぶアンケートで、本書は見事一位に輝いたにもかかわらず、戦後、なかなか再刊されずじまいだった。

　その理由は、訳者あとがきによると、「既訳のこの作をそのままだすに忍びなかった。原書とつき合せて、より完全なものにしたかったからだが、あいにく原書を紛失していてどうにもならなかった。ところが石川（いしかわ）達三（たつぞう）氏が訪欧する機会をとらえ、この原書を求めて来て貰い、やっと手に入った」ためだ。

「密室犯罪の最高傑作、「鬼（マニア）」必読の書！　江戸川乱歩選世界ベストテン第二位！」「その構成美、論理性の完璧、登場人物の見事な描写において古今探偵小説の典型とされるガストン・ルルー不朽の名作」と盛大にアピールされたこの古典中の古典は、これまでに文庫版だけで八社から刊行されている。

　今回再読して感じたのだけれど、史上初の完全密室のトリックは実にスマートなもので、いまだにその輝きを失っていない。新聞連載小説（フィユトン）特有の章ごとに山場を持ってくる構成による全体バランスの悪さという欠点はあるものの、謎と冒険がてんこ盛りの活劇スリラーとして、発表から一世紀以上経った今、かえって新鮮に感じられ面白く読めた。

　今更と思って未読の方は、二〇二〇年に、〈名作ミステリ新訳プロジェクト〉の一環として、創元推理文庫からジャン・コクトーの序文を付した決定版が出たところなので、ぜひご一読のほどを。そして東京創元社は、ぜひぜひ続編『黒衣婦人の香り』（1908）も、新訳版で出して下さい。

　第三回配本となったフランシス・アイルズによる犯罪小説の金字塔『殺意』こそは、本叢書の白眉（はくび）だ。「心理的サスペンスの鼻祖（びそ）！　前人未到（ぜんじんみとう）の完全犯罪！」「犯罪者を襲う偏執観念のプロセス、殺人魔の心理を剔抉してあますところない本格派探偵小説の最高傑作!!」という煽り文句は、決して大げさなものではなく、発表から九十年を経ても尚、輝きを失っていない。

その理由は、単に倒叙推理小説という新形式を完成させたからではない。劣等感を直接の動機とする犯罪者の心境の変化を、殺人計画の進行に沿って克明に描写した点こそが肝なのだ。動機にあまり頓着しない謎解きミステリが全盛だった時代に、こんな現代的かつ普遍的なテーマを掘り下げた作品を書いたアイルズ恐るべし。

ちなみに四六年に植草甚一と双葉十三郎から、その面白さを教えられていた乱歩は、本書刊行直前の九月十六日付の「東京新聞」に寄せた「続々出る翻訳推理文学」というコラムの冒頭で【異色探偵小説選集】を取り上げ、「つづいて同社から出るものの中では、アイルズの『殺意』（延原訳）が最も期待される。これは私が戦後読みあさった英米作品では、最高の賛辞を贈ったものの一つで、これに注意する出版者がないことを、腹立たしくさえ思っていたものである」（『子不語随筆』所収）と、お叱りの言葉を添えつつ盛大なエールを送っている。

そんな本作が訳出された経緯が、訳者・延原謙によるあとがきに記されていて興味深い。「新青年」や「雄鶏通信」の編集長を務め、【ぶらっく選書】や【雄鶏みすてりーず〈おんどり・みすてりぃ〉】の選定にも携わった延原は、「新青年」初代編集長の森下雨村から頼まれて訳したアーサー・モリスン『緑のダイヤ』（1904、東京創元社）とわずかな短篇を除き、自ら渉猟して気に入った作品のみを紹介する目利きであった。

Three Famous Murder Novels という『犯行以前』（1932、ハヤカワ・ミステリ）、『トレント最後の事件』（1913、創元推理文庫）、『矢の家』（1924、創元推理文庫）の合本を入手した延原は、映画「断崖」の原作ということで *Before the Fact* を訳そうと思っ

たが多忙で後回しにしているうちに第一作『殺意』の存在を知り、どうせなら一作目から紹介しようと考え、月曜書房版【シャーロック・ホームズ全集】という大仕事を完結した後、八ヵ月かけて訳出した。

ただし、「浅学な私には難解なところもあり、殊にコンプレックス関係のところなぞ間違った訳をしているのではないかと不安に思っている。それがためではないけれども*Before the Fact*〔『犯行以前』〕のほうはもう訳する気がなくなっている」(『殺意』あとがき、〔〕内、引用者補足)と難業であったことを吐露している。

五六年に東京創元社の【世界推理小説全集】に再録されたものの、六一年刊の同社の【世界名作推理小説大系】では大久保康雄による新訳版に差し替えられている背景には、あるいは訳文の完成度に自他共に厳しかった延原の意思が働いていたのかも知れない。

第四回配本の『聖者対警視庁』の主人公〈聖者〉ことサイモン・テンプラーは、「フランスにルパンあり、イギリスに聖者あり」「水谷準・推奨　作者の分身として活躍する聖者の機智とユーモアが交錯するイギリス風の渋味あふるる大人の読物!!」というキャッチコピーが端的に示しているように、世界を股に掛けて犯罪者と渡り合い、国際的な陰謀を暴く、所謂、現代のロビンフッドだ。世界五大義賊の一人に数えられる〈聖者〉の冒険譚は、長篇十四、中篇三十四、短篇九十五に及ぶ(ちなみに他の四人を登場順に挙げると以下の通り。即ち、E・W・ホーナングの紳士泥棒ラッフルズ――『二人で泥棒を　ラッフルズとバニー』(1899、論創社)――、モーリス・ルブランの怪盗紳士アルセーヌ・ルパン、F・I・アンダースンの百発百中のゴダール――『怪盗ゴダールの冒険』(1914、国書刊行会)――、エドガー・ウォーレスのフォー・スクエア・ジェーン――『淑女怪盗ジェーンの冒険　アルセーヌ・ルパンの後継者たち』(1929、論創社)――だ。

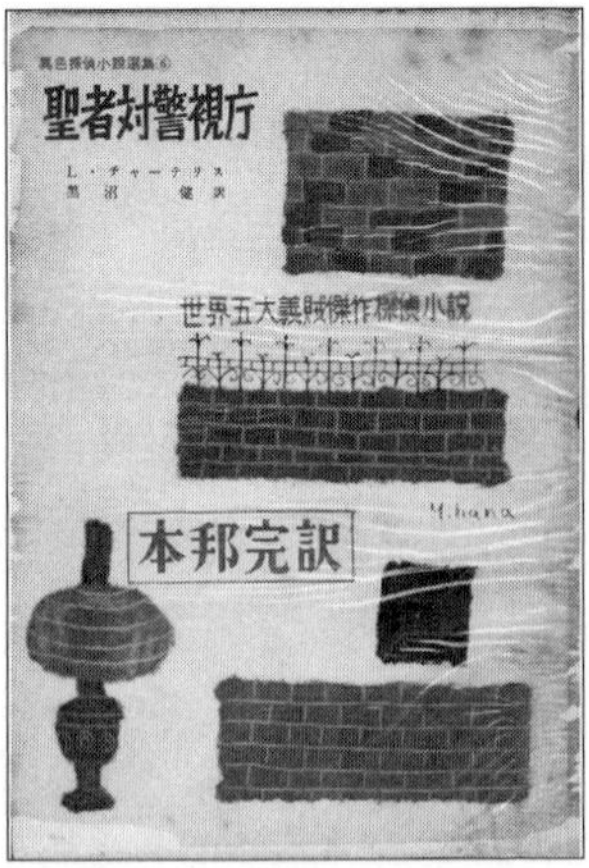

本書は、三八年に刊行された *Follow the Saint* に収められた三つの中篇の中から「「奇蹟のお茶」事件」と「ホグスボサム事件」を訳出したものだ。三本目の *The Invisible Millionaire* が抜けているにもかかわらず表紙のセロファンに「本邦完訳」と記されているのは、訳者の黒沼健（くろぬまけん）が、戦前、雑誌「新青年」に抄訳した「聖者対警視庁」を「「奇蹟のお茶」事件」と改題し完訳したためだ。その上で、本書の邦題として『聖者対警視庁』を採用しているのだからややこしい。

もっとも、*The Saint vs. Scotland Yard*（1932）という中篇集は別に存在し、以後この作品が翻訳された際に混同を避けるために、新潮文庫に再録した際には、『奇跡のお茶事件』に改題した。ただし実際には、六四年にあかね書房の【少年少女世界推理文学全集】の一冊として訳された際には『あかつきの怪人』というタイトルになってしまったのだが。

四つの偶然が連鎖して、宿敵ティール警部の胃痛が最終的には国際的な陰謀の暴露へと繋がる「「奇蹟のお茶」事件」、公徳を訴え人様の不品行を糾弾する廉潔（れんけつ）の士に一泡吹かせようとした〈聖者（セイント）〉が銀行強盗事件に巻き込まれる「ホグスボサム事件」。いずれも最後のオチが綺麗に決まる小洒落た娯楽読み物です。

第五回配本は、ダシール・ハメット『デイン家の呪（デイン家の呪い）』。「謎と推理の構成を超え探偵小説界に一紀元を「劃」したアメリカ行動派の最高力作!!」「現在アメリカで一番多くの読者を持つジェームス・ケイン、ミッキー・スピレーンを育んだハード・ボイルド派の先駆者ハメットが描く異色探偵小説の傑作!!」という煽り文句はいくら何でもやり過ぎだろう。【雄鶏みすてりーず〈おんどり・みすてりぃ〉】で『影なき男』（1934）が、ライバルの〈ポケミス〉で『赤い収穫』（1929）が既に訳されており、『マルタの鷹』（1930）と『ガラスの鍵』（1931）の刊行も予告済みだったため、これしか長篇が残っていなかった故の選択だとは思うけれども。

DASHIELL HAMMETT
デイン家の呪い
新訳版
THE DAIN CURSE
ダシール・ハメット 小鷹信光[訳]
ハメット研究の第一人者による
半世紀ぶりの新訳なる！
続発する怪事件、驚愕の結末。
ハードボイルドの巨匠の異色作。
ハヤカワ文庫

ハヤカワ・ミステリ文

庫で、五十六年ぶりの新訳版を担当した小鷹信光の訳者あとがきによると「当のハメット自身が〝バカげた物語〟とけなしたという話も伝わってきた」こともあって「ゴシック・ロマン風のおどろおどろしいお話という〝評価〟がいつのまにか広まってしまったのだ」そうだ。

旧大陸から新大陸へと持ち越された一族の呪いを主軸に、ダイヤモンド盗難事件に神秘教団による誘拐事件、遺産相続に血の復讐と、これでもかとばかりに詰め込まれたハードボイルドとゴシック・ロマンのハイブリッド。本叢書の看板である〝異色〟の二文字が最も当てはまる収録作だ。

第一期最終配本は、裏表紙に「瀟洒な貴族探偵ウイムゼイ卿登場！　最高の女流探偵作家珠玉の傑作集！」「社会的事象を巧みに取容れるプロット構成の妙。女性特有な心憎いまでの繊細な描写と雰囲気の醸成に異彩を放つ風格ある名作！」と謳われたドロシー・L・セイヤーズの短篇集『アリ・ババの呪文』だ。

訳者は、「左右田（黒沼健）さんの方は専らドロシー・セイヤーズの翻訳の一点張りだった」（乾信一郎『「新青年」の頃』早川書房）と回顧されている黒沼健で、三六年に日本公論社の【翻訳叢書】の一冊として同タイトルの短篇集を訳出しているが、収録作品には異同があるので、整理してみよう。

本叢書に収録された十三篇は以下の通り（括弧の中の題名は同作品の別題）。

①「アリ・ババの呪文（アリババの呪文）」、②「銅指男（銅の指をもつ男の悲惨な話）」、③「殺人第一課（浴槽殺人事件の終局）」、④「二人のピーター卿（二人のウィムジイ卿、趣味の問題）」、⑤「エッグ君の鼻（金言集第一項、毒入りダウ'08年物ワイン）」、⑥「噴水の戯れ（飛沫の悪魔）」、⑦「緑色の頭髪（バッド氏の霊感）」、⑧「鏡に映った影（第四次元の世界、鏡の映像）」、⑨「白いクイーン（白のクイーン）」、⑩「メール・シャラール・ハッシュバッス（マヘル・シャラル・ハシュバズ）」、⑪「香水の戯れ（香水を追跡する）」、⑫「嗤う跫音（逃げる足音、逃げる足音が絡んだ恨み話）」、⑬「妖魔遁走曲（ピーター・ウィムジイ卿の奇怪な失踪）」

この中で《ピーター・ウィムジイ卿》ものは、①②④⑧⑨⑫⑬。《モンタギュー・エッグ》ものが⑤⑩⑪。残りの三篇はノン・シリーズ短篇だ。日本公論社版に収められていた❶「ライラック荘の惨劇（完全アリバイ）」と❷「呪いの矢（屋根を越えた矢）」が外され、⑩⑪⑫⑬が追加された。

　創元推理文庫版では、『ピーター卿の事件簿』（一九七九年）に②⑧⑬❶が、『ピーター卿の事件簿Ⅱ　顔のない男』（二〇〇一年）に④⑨が収録されている。

　本書収録作の中では、猟奇的な②もいいのだけれど、むしろコント風味の《モンタギュー・エッグ》もの三作及び⑥がお薦めです。セイヤーズって、こんな小洒落た小咄も書けたんですね。


　第二期最初の作品『夜の冒険』の作者S・A・ドゥーゼは、《ミレニアム》シリーズ紹介以前の日本で、《マルティン・ベック》シリーズの作者マイ・シューヴァル&ペール・ヴァールーと並ぶ希少な北欧ミステリの書き手としてミステリ・ファンの間では知られていたものの、某有名作の仕掛けを先駆けた『スミルノ博士の日記』（1917、【世界推理小説大系】5　東都書房収録）に比べると、本書についてはあまり語られることがなかったように思う。

「着想の新奇卓抜とプロット構成の抜群絶妙、加うるに点綴するミステリー」「巧みな描写が、読者を瞠目させ、推理させ、魅了の淵にたたき込む、北欧スウェーデンの生んだ不世出の名篇‼　20世紀本格派探偵小説の金字塔！　江戸川乱歩氏絶賛の一書！」というキャッチコピーも内容に関して一切伝えてくれない。原題直訳の邦題も漠然としすぎていて食欲をそそらないが、実は、偶然と奸計が複雑に絡み合った結果、従兄弟殺しの嫌疑をかけられた恋と冒険を求めてやまない無実の青年を、名探偵が快刀乱麻を断つ推理で救い出す様を描いた、謎解きとスリラーの魅力を併せ持つなかなかに面白い作品なのだ。

　二三年に、小酒井不木が「新青年」に訳出し、二九年、博文館から【世界探偵小説全集】の一作として刊行され本叢書に採られたが、その後、一度も再刊されていないのは、ちょっともったいない。

　第二期二冊目の『青列車殺人事件（青列車の秘密）』は、二八年に発表された《エルキュール・ポアロ》シリーズの第五作であり、原著刊行の三年後には、松本恵子によって雑誌「探偵」（後に「犯罪実話」と改題）に「列車殺人事件」として訳出されたものの、書籍化はされなかった。

本叢書収録作はその完訳版であり、初紹介から実に二十三年目の刊行となる。ちなみに半月ほど前には〈ポケミス〉で『オリエント急行の殺人』(1934、クリスティー文庫)が出たばかりで、期せずしてクリスティが列車を舞台に選んだ対照的な佳作が同時期に並んだわけだが、当時はどちらが評判になったのだろうか? 一度読んだら絶対に忘れない大ネタを仕込んだ後者のような気がするが、なかなかどうして本書も捨てがたい。

「饒舌と自信家の名探偵「ポアロ」の登場!! ポアロを知らずして探偵小説を語れない」「現代女流探偵作家の第一人者クリスチイが描く登場人物の確実さは、純文学界をも瞠目たらしめている。全ヨーロッパからアメリカを舞台に、ホームズをしのぐフランス風な名探偵ポアロの活躍!!!」というポアロが出てくるんだから黙って読め、と言わんばかりの謳い文句はともかくとして、三人称多視点による小気味よい展開、シンプルかつ意外な真相と、ミステリとして見るべき点は多い。

『アガサ・クリスティー完全攻略』(クリスティー文庫)の中で霜月蒼(しもつきあおい)が鋭く指摘するように、「語り口だけでなく道具立てまでもスリラーから借用してしまった」ために「経年変化によって腐敗してしまった」国際謀略という要素を許容できるか否かで、評価は大きく変わるだろう。

さて、乱歩の『探偵小説四十年』によると、本書『青列車殺人事件』を出した五四年四月頃に、日本出版協同は不渡りを出してしまい、営業が続けられなくなったらしい。

最終配本となった『100%アリバイ』の刊行は五ヵ月後の九月で、これが同社としての最後の刊行物となったようだ。恒例のセロファンへの印刷がなされた同書の存在は確認できておらず、どうやら資金不足で省かれてしまった可能性が高い。

犯人は捕まり事件は解決したものの、一〇〇%完璧なアリバイを崩すことが出来なかった――しかも解決のきっかけが、最近村に越してきた婦人の作るお菓子が美味しいと評判をとったことと、市長の息子による無謀な大西洋横断飛行の成功にある、と記されたプロローグは、謎解きミステリ・ファンの好奇心をくすぐってくる。中盤以降、アリバイを崩すために、あっと驚く行動に出た名探偵ルドウィック・トラヴァースと探偵小説作家の間で交わされるやりとりも刺激的かつ斬新で、クリストファー・ブッシュの既訳作の中では、『失われた時間』（1937、論創社）と並ぶ傑作だ。

　訳者は「新青年」初代編集長の森下雨村。アリバイものといえば必ず名前が挙げられるF・W・クロフツ『樽』（1920、創元推理文庫）を、三二年に初めて翻訳したが、実質的な訳者は井上良夫だと言われている。井上は、三六年にブッシュの『完全殺人事件』（1929、創元推理文庫）を訳出しており、本書の翻訳を雨村が行った背景には、そんな繋がりがあったのかも知れない。

　版元の倒産により、以上九冊を以て【異色探偵小説選集】は中断。同じく刊行中だった【サスペンス・ノベル選集】も三冊が、【ジェームス・ケイン選集】も六冊が未刊に終わった。ちなみに本叢書の未刊作品三作（『螺旋階段』『学校殺人事件』『六死人』）以外は、現在に至るまでどこからも訳されておらず、何とも残念な限りだ。

二

　五一年から五四年にかけて二つの叢書と四つの個人選集で合わせて五十七冊もの海外エンターテインメントを刊行し、下火になっていた翻訳ミステリ紹介の機運を再始動した日本出版協同株式会社。終戦間際の四五年三月に出版用紙確保のために設立された卸機関「日本出版助成株式会社」を改組した同社が、なぜ翻訳ミステリの紹介に積極的に乗り出したのだろうか。

　その答えは、乱歩の『探偵小説四十年』の中に記されていた。曰く、「昭和二十八年の中ごろだったと思うが、私は日本出版協同株式会社の社長福林正之（ふくばやしまさゆき）君と知り合いになった」「福林社長のもとに、編集長として谷井正澄（たにいまさずみ）君が働いていた。今の「宝石」編集長である。谷井君は昭和十二、三年ごろ水谷準君のもとに「新青年」編集部にいたこともあり、そんな関係から、私が「宝石」編集を引受けるとき、編集長として入社してもらったのである」と。

【異色探偵小説選集】に関わった翻訳者八人のうち、森下雨村・延原謙・水谷準・乾信一郎の四人は、「新青年」の編集長を務めた強者であり、小酒井不木・黒沼健も同誌を活動の中心としていた。このシリーズは、水谷・谷井の二人が核となって、「新青年」縁の人々に呼びかけて編纂したと考えて間違いないだろう。

　ちなみに同社からは、水谷準訳『ふらんす粋艶集』というカミの短篇を含む作品集が二冊刊行されており、繋がりの強さがうかがえる。また、【アルセーヌ・ルパン全集】の訳者・保篠龍緒も、【地下鉄サム傑作選集】の訳者・坂本義雄と装幀者・松野一夫も「新青年」とは切っても切れない人たちだ。

　戦前「新青年」という梁山泊で活躍した猛者たちが、最後に今一度集結した夢の砦。その砦が崩落してから一年半を待たずして、東京創元社が【世界推理小説全集】でミステリの分野に参入し、新たな読者を掘り起こしていく。時代は確実に変わりだしていたのだ。

［附記］

　二〇一八年にドロシー・L・セイヤーズの著作権が消滅したこともあって、【論創海外ミステリ】から、『モンタギュー・エッグ氏の事件簿』（二〇二〇年）と『ピーター卿の遺体検分記』（二〇二一年）という二冊の日本オリジナル短篇集が刊行された。その結果、『アリ・ババの呪文』収録作のうち、創元推理文庫版に未収録だった①⑤⑥⑦⑩⑪❷が前者に、⑫が後者に収録され、未収録作品はノン・シリーズ短篇の③のみとなった。

　さらに二〇二〇年には、創元推理文庫版で唯一未刊行だった《ピーター・ウィムジイ卿》シリーズの十一作目の長篇『大忙しの蜜月旅行（忙しい蜜月旅行）』（1937）が、後日譚「〈トールボーイズ〉余話」を併録する形で刊行された。

　全十巻の刊行予告のうち『セレナーデ』（1937）、『深夜の告白（原題：倍額保険）』（1943）、『バタフライ』（1947）、『郵便屋はいつも二度ベルを鳴らす』（1934）の四作のみが訳されるにとどまった【ジェームス・ケイン選集】だが、二〇一四年には、《Hard Case Crime》の創始者チャールズ・アルダイによって発掘された幻の遺作『カクテル・ウェイトレス』（2012）が新潮文庫から田口俊樹（たぐちとしき）訳で刊行、『郵便配達は二度ベルを鳴らす』の新訳も同文庫と光文社古典新訳文庫から、同年にほぼ同時になされている。さらに二一年になって幻戯書房の〔ルリユール叢書〕の一冊として『ミルドレッド・ピアース　未必の故意』（1941）が刊行されたように、ケイン作品の翻訳は決して途絶えてしまったわけではない。

　残り五作『ハ長調の生涯』*Career in C Major*（1938）、『公金消費者』*The Embezzler*（1938）、『屈辱の彼方』*Past All Dishonor*（1946）、『蛾』*The Moth*（1948）、『ガラテア』*Galatea*（1953）もいずれどこかで訳されて欲しいものだ。

《【異色探偵小説選集】収録作品リスト》

日本出版協同　全九巻（一九五三年七月から一九五四年九月まで刊行）全十二巻予告（8・11・12未刊）
●装釘：花森安治　●判型・体裁：B6判並製小口折・紙カバー・セロファンカバー
●訳者あとがき：1～6・9・10　●解説：7……江戸川乱歩

No.	邦題	原題（原著刊行年）	作者	翻訳者	発行年月日	国籍
1	ベラミ裁判	The Bellamy Trial（1927）	フランセス・N・ハート	延原謙	1953/7/20	米
2	黄色の部屋	Le Mystère de la Chambre Jaune（1907）	ガストン・ルルー	水谷準	1953/8/20	仏
3	殺意	Malice Aforethought（1931）	フランシス・アイルズ	延原謙	1953/9/20	英
4	アリ・ババの呪文		D・セイヤーズ	黒沼健	1954/1/1	英
5	デイン家の呪	The Dain Curse（1929）	ダシール・ハメット	村上啓夫	1953/12/5	米
6	聖者対警視庁	Follow the Saint（1939）	L・チャーテリス	黒沼健	1953/10/20	米
7	夜の冒険	Det nattliga äventyret（1914）	S・A・ドゥーゼ	小酒井不木	1954/2/25	瑞
8	（螺旋階段）	The Circular Staircase（1908）	M・R・ラインハート	延原謙	未刊	米
9	100％アリバイ	The Case of the 100% Alibis（1934）	C・ブッシュ	森下雨村	1954/9/15	英
10	青列車殺人事件	The Mystery of the Blue Train（1928）	アガサ・クリスチイ	松本恵子	1954/4/5	英
11	（学校殺人事件）	Murder at School（1931）	ジェームス・ヒルトン	乾信一郎	未刊	英
12	（六死人）	Six Hommes Morts（1931）	アンドレ・ステーマン	水谷準	未刊	白

※　米＝アメリカ、英＝イギリス、仏＝フランス、瑞＝スウェーデン、白＝ベルギー

新訳・再刊等　（　）内は発行年月日

2『黄色い部屋の謎』世界推理小説全集／東京創元社（1956/3/31）→創元推理文庫（1959/5/5）→世界名作推理小説大系（1960/11/25）→創元推理文庫、宮崎嶺雄訳（1965/6/21）→創元推理文庫、平岡敦訳（2020/6/30）。『黄色い部屋の謎』ハヤカワ・ミステリ、日影丈吉（1956/2/15）→改題『黄色い部屋の秘密』ハヤカワ・ミステリ文庫（1978/8/15）→［新訳版］ハヤカワ・ミステリ文庫、高野優監訳・竹若理衣訳（2015/10/25）。『黄色い部屋の秘密』探偵小説文庫／新潮社、堀口大學訳（1956/5/15）→新潮文庫（1959/9/20）。『黄色い部屋の謎』世界推理名作全集／中央公論社、宮崎嶺雄訳（1961/6/25）→世界推理小説名作選（1962/11/15）→グレート・ミステリーズ／嶋中文庫（2005/5/20）。『黄色い部屋の秘密』角川文庫、木村庄三郎訳（1962/5/10）。『黄色い部屋の秘密』世界推理小説大系／東都書房、石川湧訳（1962/12/20）→世界推理小説大系／講談社（1973/3/30）→講談社文庫（1974/12/15）。『黄色い部屋の謎』旺文社文庫、吉田映子訳（1979/10/20）。『黄色い部屋の謎』乱歩が選ぶ黄金時代ミステリーBEST10／集英社文庫（1998/10/25）

3世界推理小説全集／東京創元社（1956/3/25）→世界名作推理小説大系、大久保康雄訳（1961/8/10）→創元推理文庫（1971/10/22）。世界推理名作全集／中央公論社、中村能三訳（1960/12/25）→世界推理小説名作選（1962/6/15）→角川文庫（1973/11/20）。世界推理小説大系／東都書房、宮西豊逸訳（1962/11/20）

5ハヤカワ・ミステリ（1956/2/29）→改題『デイン家の呪い』［新訳版］ハヤカワ・ミステリ文庫、小鷹信光訳（2009/11/15）

6『奇跡のお茶事件』新潮文庫（1959/7/30）

9『一〇〇%アリバイ』ハヤカワ・ミステリ（1956/2/29）

10クリスチー探偵小説集・ポワロ探偵シリーズ／講談社（1955/12/15）→角川文庫（1966/10/20）。『青列車の秘密』ハヤカワ・ミステリ、田村隆一訳（1959/5/15）→ハヤカワ・ミステリ文庫（1982/2/28）→クリスティー文庫、青木久惠訳（2004/7/15）。『青列車の謎』創元推理文庫、長沼弘毅訳（1959/12/25）。『青列車の謎』講談社文庫、久万嘉寿恵訳（1976/5/15）。『ブルートレイン殺人事件』新潮文庫、中村妙子訳（1983/1/25）

《【サスペンス・ノベル選集】収録作品リスト》

日本出版協同　全九巻　（一九五三年六月から一九五四年六月まで刊行）全十二巻予告（10・11・12未刊）

●装幀：2・8・9……松野一夫　6・7……映画スチール　1・3・4・5……記載無し

●判型・体裁：B6判並製・紙カバー・セロファンカバー・帯　●全巻訳者まえがき、訳者あとがき：1〜6・8・9

No.	邦題	原題（原著刊行年）	作者	翻訳者	発行年月日	国籍
1	ゼンダ城の虜	The Prisoner of Zenda（1894）	アントニー・ホープ	村上啓夫	1953/6/10	英
2	自殺倶楽部	New Arabian Nights（1882）	R・L・スティーヴンソン	村上啓夫	1953/7/5	英
3	黒いチューリップ	La Tulipe Noire（1850）	アレキサンドル・デューマ	横塚光雄	1953/8/5	仏
4	フランケンシュタイン	Frankenstein; Or, The Modern Prometheus（1818）	マリー・シェリー	宍戸儀一	1953/8/20	英
5	シラノの冒険	Le Capitaine Satan（1876）	ルイ・ガレ	宇多五郎	1953/9/15	仏
6	宇宙戦争	The War of the Worlds（1898）	H・G・ウェルズ	高木眞太郎	1953/9/20	英
7	ソロモン王の宝窟	King Solomon's Mines（1885）	H・R・ハガード	那須辰造	1953/11/20	英
8	ミシシッピーの海賊	Die Flußpiraten des Mississippi（1848）	F・ゲルシュテッカー	宇多五郎	1954/5/5	独
9	ノートルダムの傴僂男	Notre-Dame de Paris（1831）	V・ユーゴー	水谷準	1954/6/15	仏
10	（三つの情火）	Hearts of Three（1920）	ジャック・ロンドン	菊地武一	未刊	米
11	（鹿殺し）	The Deerslayer（1841）	ジェイムズ・フェニモア・クーパー	乾信一郎	未刊	米
12	（海の鷹）	The Sea Hawk（1915）	ラファエル・サバチニ	瀬沼茂樹	未刊	英

※　米＝アメリカ、英＝イギリス、仏＝フランス、独＝ドイツ

新訳・再刊等　（　）内は発行年月日

1 世界大ロマン全集／東京創元社、井上勇訳（1958/6/25）→創元推理文庫（1970/2/20）

2『自殺クラブ』講談社文庫、河田智雄訳（1978/2/15）→福武文庫（1989/3/17）。『新アラビア夜話』光文社古典新訳文庫、南條竹則・坂本あおい訳（2007/9/20）

3 世界大ロマン全集／東京創元社、宗左近訳（1958/6/28）→創元推理文庫（1971/3/26）

4 角川文庫、山本政喜訳（1953/9/30）。ゴシック叢書／国書刊行会、臼田昭訳（1979/9/1）。創元推理文庫、森下弓子訳（1984/2/24）。『フランケンシュタインあるいは現代のプロメシュース』共同文化社、菅沼慶一訳（2003/9/10）。光文社古典新訳文庫、小林章夫訳（2010/10/13）。新潮文庫、芹澤恵訳（2014/12/22）。角川文庫、田内志文訳（2015/2/25）

6 ハヤカワＳＦシリーズ／早川書房、宇野利泰訳（1963/11/15）→世界ＳＦ全集（1970/3/31）→ハヤカワ文庫ＳＦ、斎藤伯好訳（2005/4/15）。角川文庫、中村能三訳（1967/2/28）→角川文庫、小田麻紀訳（2005/5/25）。創元推理文庫、井上勇訳（1969/6/13）→創元ＳＦ文庫、中村融訳（2005/5/31）

7 世界大衆小説全集／生活百科刊行会、大木惇夫訳（1955/2/25）。世界ロマン文庫／筑摩書房、伊藤礼訳（1970/1/31）→世界ロマン文庫・新装版（1978/1/20）。『ソロモン王の洞窟』創元推理文庫、大久保康雄訳（1972/8/25）

9『ノートル・ダム・ド・パリ』（上・中・下）岩波文庫、辻昶・松下和則訳（1956/11/26、1957/1/7、1957/1/25）→『全訳ノートル・ダムのせむし男』河出書房（1957/2/25）→『ノートル＝ダム・ド・パリ』（上・下）潮文庫（1973/5/20）→ヴィクトル・ユゴー文学館／潮出版社（2000/11/1）→（上・下）岩波文庫（2016/5/18、2016/6/17）。『ノートルダムのせむし男』三笠書房、鈴木力衛訳（1957/2/25）。『ノートル＝ダム・ド・パリ』角川文庫、大友徳明訳（2022/2/22）

【六興推理小説選書〈ROCCO CANDLE MYSTERIES〉】編

第一章

一

第二次世界大戦後の翻訳ミステリ叢書の刊行は、終戦から五年を経た一九五〇年になってようやく本格的にスタートした。

前年十二月末、新樹社が日本初紹介となる新人パット・マガーの『怖るべき娘達（七人のおば）』を皮切りに【ぶらっく選書】（全十八巻）を発刊、次いで五〇年五月に雄鶏社が、ジョルジュ・シムノンの『黄色い犬』の再刊に始まる【雄鶏みすてりーず〈おんどり・みすてりぃ〉】（全十八巻）の刊行を開始する。この二つの叢書はどちらも、「新青年」や「雄鶏通信」の編集長を務め、戦前からミステリの翻訳に深く携わってきた延原謙が選定に当たっているが、編纂（へんさん）方針にはっきりとした違いが見られるのが面白い。

前者は、「アメリカ探偵小説界で最も人気のある「クライム・クラブ」叢書中の最新作をはじめ世界探偵小説の最高傑作をことごとく網羅」という発刊の辞にあるように、ヴァン・ダインとクイーンの諸作が半数を占めつつも、再刊は六作に抑えて、クレイグ・ライスやパット・マガー、ジョナサン・ラティマーといった三〇年代半ば以降にデビューしたアメリカの新人を初めて紹介したシリーズだ。

一方後者は、「本叢書は、古典的傑作の復刊と未だかつて訳されたことのない秀篇の紹介とに努力したい」という弁に違（たが）わず、十四作が戦前に訳されたクロフツやシムノンといった大家の代表作の再刊であり、初訳は、戦争前から紹介されていたカーの二作を除くと二つだけ——いずれも二〇年代デビューのベテラン作家、G・D・H&M・コールの『百万長者の死』（1925）とジョン・ロード『プレード街の殺人』（1928）——に留まっている。

作家の国籍という点からも、【ぶらっく選書】では、第二回配本のルーファス・キング『青髯の妻』

(1946)の巻末に附された「藝人の辯」で述べているように、編者の延原謙自身は、「どちらかといふと一九二〇年代のイギリスの作品が私の好み」であったが、編集部の要請によりアメリカの《ダブルデイ・クライム・クラブ》から優先的に選ばざるを得なかったのに対して、自社のシリーズである【雄鶏みすてりーず(おんどり・みすてりぃ)】では、自らの好みを全面的に押し出していて、イギリスの作品が十一冊と大半を占めている点も対照的だ。

コインの裏と表のような二つの叢書に続いて、五一年二月から翌年一月にかけて、早川書房が【世界傑作探偵小説シリーズ】(全十巻)を刊行。半数にあたる五作をアガサ・クリスティが占め、内三作が初訳であったにもかかわらず、この選書は売れなかった。その敗因を、ハードカバーという器にあったと判断した早川書房は、二年後の五三年九月にアメリカの《シグネット・ブックス》を真似して、ペイパーバックスと同じ判型で【ハヤカワ・ミステリ】を発刊する。江戸川乱歩によるセレクトと全巻解説を売りに、ミッキー・スピレイン『大いなる殺人』とJ・H・ウォーリス『飾窓の女』(1942)の二作同時刊行で始まったこのシリーズは、〈ポケミス〉の愛称で親しまれ、二〇二三年十二月現在で収録作千八百九十八冊を数える、世界的にもトップクラスの規模と質を誇るミステリ叢書として継続中だ。

そんな〈ポケミス〉の刊行点数が、発刊から三年弱で百五十点を超えた五六年六月、「エラリイ・クイーンズ・ミステリ・マガジン(現・ハヤカワミステリマガジン)」が創刊された。同誌は、初代編集長・都筑道夫の広い視野に立つ方針のもと、〈ポケミス〉と両輪となって、謎解きミステリ中心に紹介されてきた翻訳ミステリの市場に新風を吹き込んでいくことになる。

こうした早川書房の動きと時を同じくして東京創元社も、五六年一月に【世界推理小説全集】で翻訳ミステリ市場に参入。五四年の倒産からの再建途上にあった同社にとって、同全集は社運を賭けたプロジェクトであり、監修者として江戸川乱歩を筆頭に、植草甚一、大岡昇平、吉田健一を戴く力の入れようであった。幸い、好評をもって迎えられ、当初予定の全二十八巻から最終的には全八十巻にも及ぶ大全集となり、六〇年五月に完結。その間、五九年四月に日本初のミステリ専門文庫、創元推理文庫を創刊する。

その後今日に至るまで、早川書房と並ぶ二大ブランドとして翻訳ミステリのマーケットを牽引していくことになる礎（いしずえ）は、この企画の成功により築かれた。

こうして早川と創元がミステリの老舗（しにせ）として歩み始めた五三年から五六年にかけては、翻訳ミステリの出版が急速に盛んになっていった時期で、それまで慎重に構えていた大手版元も参入し始める。講談社は松本恵子訳による個人選集【クリスチー探偵小説集／ポワロ探偵シリーズ】（全十一巻）を、新潮社は【探偵小説文庫】（全十一巻）を刊行、後者は大手版元による戦後初の翻訳ミステリ叢書だが、全て著名な古典の再刊という手堅いだけで魅力に乏しいシリーズに終わったのは残念だった。

一方、従来同様、中小の版元からいくつもの叢書が誕生したが、それらは概ね（おおむね）短命に終わっている。中でも日本出版協同株式会社は、フランセス・N・ハート『ベラミ裁判』に始まる【異色探偵小説選集】とアントニー・ホープ『ゼンダ城の虜』（1894）に始まる【サスペンス・ノベル選集】を九巻ずつ刊行、加えてミッキー・スピレーンとジェームス・ケインの個人選集を出版するというように積極的な展開をしていたが、会社倒産によりいずれも中絶してしまった。

他にも、【世界大衆小説全集】（全十二巻、生活百科刊行会）、【推理選書】（全十一巻、芸術社）、【モダン・ミステリー】（全三巻、現代文芸社）といった個性的なシリーズが生まれたが、いずれも商業的には芳（かんば）しくなかったようで、叢書終刊から間もなく営業を停止した。

二

今回探訪する【六興推理小説選書〈ROCCO CANDLE MYSTERIES〉】は、同時期に東京創元社が刊行した【現代推理小説全集】及びその後継企画である【クライム・クラブ】と並んで、五〇年代に巻き起こった翻訳ミステリ叢書刊行ブームの掉尾を飾るにふさわしい独特な魅力を備えたシリーズだ。

版元の六興・出版部は、元々は工作機械を扱う商事会社だった六興商会の出版部門、六興出版会として、一九四〇年に発足した。四九年に、六興出版社に社名変更したが、その後、六興・出版部に再変更、さらに株式会社六興出版と改名し、九二年、不動産登記の失敗が原因となって倒産に至った。

畑違いの出版に乗り出した経緯については、四二年から戦争を挟んで同社に九年間在籍した、映画字幕監修者であり翻訳者でもある清水俊二の『映画字幕五十年』（ハヤカワ文庫NF）に詳しく記されているのだが、これが人との縁の不思議さを感じさせるもので、とても面白い。

即ち、東宝でPR誌を編集していた清水の旧友の大門一男が、訳書『風と共に去りぬ』（1936、三笠書房）が大ベストセラーとなった知人の大久保康雄から、「翻訳をやりなさい、手づるがあるなら出版をやりなさい」と勧められていたところ、たまたまかつての勤務先が入っているビルの地下にあるバーで、同じくオフィスを構えていた六興商会の社長・小田部諦と出会い意気投合。軍需景気で儲けた金を何か意義のあることに使いたい、という小田部に、出版をやってみる気はないかと持ちかけ、熱弁を振るった結果、六興出版会が誕生したのだ。

汚れた土地
TRAGIC GROUND
Erskine Caldwell
アースキン
コールドウェル
清水俊二訳

戦後、吉川英治の実弟吉川晋が入社した縁で、『宮本武蔵』『新書太閤記』『三国志』を始めとする人気作家吉川英治の作品を多数出版。その一方で、清水俊二訳のアースキン・コー

ルドウェル『汚れた土地（悲劇の土地）』（1944）や大門一男訳のジョン・スタインベックの諸作、さらにはセバスチアン・ジャプリゾが本名のジャン＝バティスト・ロッシイ名義で書いた処女作『不幸な出発（愛は終り一つの憶い出に一つの祈りそして一粒の涙）』（1950）や三度映画化されたパーシバル・クリストファー・レンの冒険小説『ボージェスト』（1924）といった海外文学も定期的に刊行していく。

加えて、中間小説誌「小説公園 臨時増刊 現代アメリカ小説集」（五二年八月、第三巻第十号）で、スタインベックやリング・ラードナー、デイモン・ラニアンと並んで、ダシール・ハメット「スペエドという男（スペイドという男）」とクレイグ・ライスのJ・J・マローンものの代表作「彼の心は断ち切れた（胸が張り裂ける）」を訳出している。

【六興推理小説選書〈ROCCO CANDLE MYSTERIES〉】は、そんな、翻訳小説と浅からぬ縁にあった版元から、五七年四月二十日に、ナイオ・マーシュ『殺人鬼登場（殺人者登場）』、E・S・ガードナー（A・A・フェア）『ボスを倒せ（屠所の羊）』、ドロシイ・L・セイヤーズ『多過ぎる証人（雲なす証言）』の三冊同時出版でスタートし、以後、毎月一冊ペースで、五八年一月にミニオン・G・エバハート『暗い階段』で終刊するまでに十三冊が刊行された。

装幀は、雑誌「宝石」の表紙絵で当時の推理小説ファンに馴染み深かった画家の永田力が担当（氏は、後年、カッパ・ノベルス版《三毛猫ホームズ》シリーズの表紙を手がけている）。表紙と裏表紙の上部及び背を同一色とし、邦題と作者名・訳者名を表紙に横書きで表記。赤レンガを積み上げた壁に貼られた風に煽られ破れかけた紙に、原題及び表紙と同色でROCCO CANDLE MYSTERIESという英文シリーズ名、そして叢書名の由来となった六興・出版部のシンボルマークである手燭のイラストが記されたデザインは、全巻統一のものだ。

背表紙の天辺に記されたシリーズの連番が101から始まっている点といい、B6変型判ソフトカバービニール装という外観といい、先行する〈ポケミス〉をかなり意識した造りになっている。

ちなみに、〈ポケミス〉が始めた101番からスタートとするスタイルは、当時ちょっと流行ったもので、「おんどり・ぽけっと・ぶっく」（全十二巻）や「新鋭社西部小説シリーズ」（全六巻）も真似ていたが、ミステリのシリーズとしては本叢書が唯一のものだ。

中身に目を転じると、キャッチコピーで、「どこの叢書にも選書にも重複していない本邦初訳!!」と謳っているように、未紹介作品の発掘をウリにしており、中でもナイオ・マーシュの長篇は、本叢書が日本初お目見え、ガードナーがA・A・フェア名義で書いた《私立探偵バーサ・クール&ロナルド・ラム》シリーズも、後に二十九作品を収録することになる〈ポケミス〉よりも、半年以上先駆けて日本に初めて紹介している。

もっともラインナップ（72ページ）を見ると判るように、クロフツ、クイーン、ハメットは言うに及ばずセイヤーズやアリンガムも、当時既に複数の長篇が刊行されており、決して新奇さを狙った尖った叢書というわけではない。むしろ、F&R・ロックリッジやミニオン・G・エバハート、そしてレスリー・チャータリスといった、欧米では絶大な人気を誇っていたにもかかわらず日本ではまだ馴染みの薄かった作家や、『製材所の秘密』や『トランプ殺人事件（ハートの4）』のような巨匠の作品の中でも訳し残された秀作をすくい上げることに重点を置いていたようだ。

この点で、サスペンス色の強いスマートな海外の新刊ミステリの紹介に注力した【現代推理小説全集】及び【クライム・クラブ】とは、まったく反対の方向を目指しているのは、とても興味深い。

三

こうした違いは、それぞれの叢書の編纂にあたった植草甚一と田中潤司という、強烈な個性の持ち主である二人の目利きの好みや考え方の相違に起因する。

植草甚一は、海外ミステリに関するコラム集『雨降りだからミステリーでも勉強しよう』（晶文社→ちくま文庫）のあとがきで編纂当時を振り返って、「本格派の推理小説は、あまり夢中になれない」「文章に個性があるスタイルの変格派の作品のほうがすき」と語るように、伝統や因習に囚われずに、まだ誰も知らない作家の手になる新しくて変わった作品を追い求め、紹介することに悦びを見出し続けた。

　一方、田中潤司は、本叢書の口開けである『殺人鬼登場』の解説で、「探偵小説本来の面白さというものが、江戸川乱歩氏の定義されたように、『主として犯罪に関する難解な秘密が、論理的に、徐々に解かれてゆく径路（ママ）の面白さ』にあるのだから、これは本格探偵小説でなければ味わえないもの、と云っても過言ではあるまい」と明言した上で、ミステリの変化と発展の経緯を踏まえて、「それまでの本格ものに見られた非現実性をすべて排除」し、「登場人物も、あくまで人間本来の性格に従って描写した」「新しい本格探偵小説」に、今後のミステリの本道を求めた。

　ともに当代随一の海外ミステリ通であった二人は、かつて、〈ポケミス〉発刊の際に江戸川乱歩に請われて、氏のブレーンとして収録作の選定に当たっていた。だが、やがて植草は、その独特の好み故に次第にセレクトした作品が出版されなくなり、二年ばかり経った頃に編集部と喧嘩別れして去って行く。

　一方、早川書房の社員となった田中は、〈ポケミス〉の作品選択と編集に加えて、乱歩に代わって巻末解説を書くようになる。ところが、五六年五月七日、新雑誌「エラリイ・クイーンズ・ミステリ・マガジン」の編集中に社長と衝突し、退職してしまう。発売を一ヵ月後に控えた創刊記念パーティーの前日のことであった。

　そのために急遽、都筑道夫が招聘（しょうへい）されて初代編集長となり、〈ポケミス〉のセレクションも引き継ぐ羽目になる。ちなみに都筑は当時、前述した【探偵小説文庫】の続巻をセレクトしかけていた。新しい作品も加えたいという新潮社の意向を受けた乱歩と宇野利泰（うのとしやす）（都筑の翻訳の師）からの依頼だったが、この〝事件〟のために続巻の企画は頓挫してしまう。この交代劇なかりせば、その後の翻訳ミステリの紹介はおろか、日本人作家による創作も、今とはまるで異なったものになっていたに違いないのだが、それはまた別のお話。

　閑話休題。こうして、相前後して〈ポケミス〉から離れた二人の内、植草甚一は、やがて東京創元社のシリーズに関わっていくのだが、早晩、そこも去ることになる。その経緯は、【クライム・クラブ】編で詳しく触れることにする。

片や田中潤司は、雑誌「宝石」を舞台に翻訳に手を染めるかたわら、五六年六月から五七年二月にかけて刊行された芸術社の【推理選書】の編纂に携わった。

ちなみに最終巻となった第十一巻『四つ辻にて』はオリジナル短篇集で、収録された八作品は、すべて田中潤司自身が五六年五月号から五七年二月号にかけて「宝石」誌上に訳出したものであり、まさに綱渡りの所産といってもよいだろう。

森英俊編著『世界ミステリ作家事典【本格派篇】』（国書刊行会）によると、この叢書は、「戦前の旧訳を訳者名を変えて出し直したり、〈宝石〉に掲載された翻訳を再録したもの」であった。しかも戦後の初紹介長篇は、E・D・ビガーズの『鍵のない家』（1925、論創社）のみ。同時期に田中が関わっていた現代文芸社の【モダン・ミステリー】も、「別冊宝石」に掲載された三作を刊行したところで中断、シムノンの『自由酒場（紺碧海岸のメグレ）』（1932）を含む戦前に抄訳が出たきりの四作は、予告のみで終わっている。ここから先は憶測になるが、田中にとって決して満足できる仕事ではなかったと思う。

そんな彼が次に取り組んだ翻訳ミステリのシリーズが、【六興推理小説選書〈ROCCO CANDLE MYSTERIES〉】なのだ。装幀といい収録作品といい、〈ポケミス〉でやり残した仕事のリターン・マッチをした、という田中潤司の意気込みがしっかりと伝わってくる。

しかも、G・D・H&M・コオルの『謎の兇器』に収録された二中篇を除いて、翻訳権を取得する必要のない作品の中からセレクトすることで、中小出版社である版元の懐具合に配慮しつつ、自身の信じる推理小説の本道を歩む「新しい本格探偵小説」を中心に作品を揃えた所に、田中の矜持と自信のほどがうかがえる。

第二章

一

【六興推理小説選書〈ROCCO CANDLE MYSTERIES〉】は、独創的だけれども手堅い叢書である。隙がない、といってもいい。

　編纂に当たった田中潤司は、第一巻『殺人鬼登場』の解説で述べているように、「絶対に痕跡をとどめぬ毒薬だとか、馬鹿々々しい殺人の仕掛けなど、それまでの本格ものに見られた非現実性をすべて排除」し、「登場人物も、あくまで人間本来の性格に従って描写した」「新しい本格探偵小説」に、今後のミステリの本道を求めた。

　いきおい本叢書のラインナップも、そうした作品が大勢を占めているが、いくつか例外もある。そのうちの一冊が、ダシール・ハメットの日本オリジナル短篇集『探偵コンティネンタル・オプ』だ。

　なぜ〈ハードボイルド〉の始祖の作品が採られたのか？　それは田中潤司が、ハメットという作家を大変重視し、その独自性を高く評価していたためだ。氏は、巻末の解説で、第一次世界大戦後に登場し、アメリカ探偵小説の黄金時代を築き上げた三人の巨匠として、ヴァン・ダイン、エラリー・クイーン、そしてダシール・ハメットの名前を挙げ、次のように述べている。曰（いわ）く、 

「もちろん、ヴァン・ダインもエラリイ・クイーンも探偵小説史上に名を残す偉大な作家であるには違いないが、なかでも特筆すべきは、ハードボイルド派——時には行動派とも呼ばれる新しい型の探偵小説を創造したダシェル・ハメットの出現であろう。彼ハメットは、ポーによって創始され、それ以後、海を渡ってイギリスに伝承された探偵小説の作風に新風を吹きこみ、純粋のアメリカ探偵小説とも呼称し得るような新しい作風のものを創造したのである」〔傍点引用者〕

氏がいかにハメットを買っていたかは、日本で初めてハメットの短篇をアンソロジーに収録したことからも明らかだ。早川書房在職時の五六年に編んだ『名探偵登場③』に収載された《コンチネンタル・オプ》シリーズの一篇「カウフィグナル島の掠奪」(砧一郎 訳)が、それ。続く『名探偵登場④』では『マルタの鷹』の主人公《私立探偵サム・スペード》の短篇初登場作「スペードという男」(同訳)を、『四つ辻にて』では自身が雑誌「宝石」で訳した同シリーズの一篇「貴様を二度は縊れない(二度は死刑にできない)」を、というように、わずか一年以内に立て続けに三作を収録しているのだ。

ちなみに「スペイドという男」の戦後初の翻訳は、前章に記したように五二年八月に、本叢書の版元である六興出版社の雑誌「小説公園 臨時増刊 現代アメリカ小説集」に掲載された。翻訳者の由利湛は、後に『血の収穫』や『マルタの鷹』を訳した田中西二郎の別名義で、五七年、東京創元社の【世界推理小説全集】の一冊である江戸川乱歩編『世界短篇傑作集(二)』に収められた。ただし、六一年に『世界短編傑作集4』(現・『世界短編推理傑作集4』)として再編・文庫化された際には、田中小実昌訳に置き換わっている。その理由は、中央公論社の【世界推理名作全集】の一冊として六〇年に刊行された『ハメット/ガードナー』の巻に、この作品が収載されてしまったためだろう。戦前、田中西二郎が同社の編集者であった縁ではないかと思われるのだが、今となっては藪の中だ。

閑話休題。そうした流れの中で田中潤司が、【六興推理小説選書〈ROCCO CANDLE MYSTERIES〉】の一冊としてハメットを採用したのはむしろ当然のことといえよう。その際、五作の長篇すべてが既に翻訳されていたため、オリジナル短篇集を編むこととし、未訳の作品ばかりを揃えるという本叢書のモットーを貫いた。

収録されたのは、ティファナを舞台にした失踪人探しが皮肉でひねりの利いたラストへと収斂する「金の馬蹄(黄金の蹄鉄)」、悪党同士の抗争に巻き込まれたオプが、彼らを煽動し殺し合わせる「フウジス小僧(フージズ・キッド)」を始め、「支那人の死(シナ人の死)」「メインの死(ジェフリー・メインの死)」「誰がボブ・ティールを殺したか」の五篇。いずれも、ハメットがピンカートン探偵社の探偵だった時の上司をモデルとして生み出した、名前の示されない中年男の探偵が活躍する《コンチネンタル・オプ》ものである。『血の収穫』（創元推理文庫）と『デイン家の呪い』（ハヤカワ・ミステリ文庫）の長篇二作と中短篇二十八作からなるこのシリーズは、二つの短篇を除いてすべて伝説のパルプ・マガジン「ブラック・マスク」（一九二〇～五一年刊行）に掲載された。本叢書収録作以外では、「放火罪および……」「十番目の手掛かり」「新任保安官」「カウフィグナル島の掠奪」「裏切りの迷路」「ターク通りの家」「緑色の目の女」が、特にお薦めです。

二

さて、【六興推理小説選書〈ROCCO CANDLE MYSTERIES〉】には、ハメットと同じく「ブラック・マスク」を舞台に活躍した小説家が二人いる。アメリカ最大のベストセラー作家E・S・ガードナーと、B級ミステリと西部小説（ウエスタン）の帝王フランク・グルーバーだ。

このうちハメットと並ぶ看板作家だったガードナーは、一九二四年から四三年の二十年間に「ブラック・マスク」に百四作を発表し、最多掲載作家となった。彼が生み出したヒーロー《幻の怪盗エド・ジェンキンズ》は七十三作に登場し、見事最多登場ヒーローの座に輝いている。

一方、グルーバーは一九三七年から四〇年にかけて十四作と数的には決して多くはないものの、このうちの十作が、代表作である〈人間百科事典〉ことオリヴァー・クエイドと巨漢の相棒チャーリー・ボストンものであり、同誌との繋がりは深かった。

ともに「ブラック・マスク」を始め、いくつものパルプ・マガジンに複数のペン・ネームを用いて四百を超える短篇を発表し、弱肉強食のパルプ・ジャングルを生き抜き、作家として成功した二人のうち、まずはガードナーの作品から見ていこう。

本叢書に採られた『ボスを倒せ（屠所の羊）』は、三九年にA・A・フェア名義で発表された《私立探偵バーサ・クール&ロナルド・ラム》シリーズの第一作で、全部で百三十作あるガードナーの長篇のなかでは、十九番目の作品となる。

夫に先立たれ、金に目がない六十代の女丈夫バーサ・L・クールが経営する探偵事務所に雇われた青年ドナルド・ラムが手がけることになったのは、警官絡みの汚職事件の証人として手配され失踪中の男の妻からの、夫を探し出して離婚訴訟の召喚状を渡して欲しいという依頼だった。単純かつおいしい儲け話と思われたが……。

二百ポンド超（約九十一キロ）で出不精の探偵と百二十七ポンド（約五十七キロ）しかない行動的な助手という設定は、レックス・スタウトが生んだ《ネロ・ウルフ&アーチー・グッドウィン》シリーズからヒントを得たのだろう。ただし、男同士ではなく男女のコンビとし、しかも高齢の女性をボスとした上、実際に謎を解くのは頭脳明晰で口八丁な小男の青年とした点にガードナーの非凡さがある。

そして、「昨今は多くの手がかりが行動で示される（中略）登場人物のひとりがとった何らかの「行動」が重要な鍵となる（中略）現代探偵小説は論理的でなければならない。最近はテンポも速く、より現実に即した信憑性のある筋立てになりつつある」（「黎明期の問題――行動派探偵小説の起源」、ハワード・ヘイクラフト編『ミステリの美学』成甲書房、所収）という持論に違わず、一見単純な依頼の奥に秘められた入り組んだ事情をテンポ良く解き明かす、謎解きとアクションの妙味を兼ね備えたシリーズを生み出した。

ところで当時既に、三三年に発表した長篇第一作『ビロードの爪』（創元推理文庫）に始まる《弁護士ペリー・メイスン》シリーズのヒットにより人気作家の座を射止め、二本目の柱となる《検事ダグラス・セルビイ》ものも開始していたガードナーが、わざわざ別名義で新たな主人公を生み出したのには、切羽詰まった理由があった。

彼とそりが合わず契約を打ち切られた元エージェントが逆恨みして、「ガードナーはもう書けなくなった」という陰湿なデマを出版業界で言いふらしたために、経済的な痛手を被ってしまっていたのだ。と同時に、《ペリー・メイスン》ものに対して「作品が類型的な一定の型に落ちこんでいくに任せた結果、もはやその型から抜け出せなくなってしまった」（ドロシイ・B・ヒューズ『E・S・ガードナー伝　ペリイ・メイスン自身の事件』早川書房）と感じていたガードナーは、事態打開のために、それまでとは異なりコンビ探偵が活躍するユーモラスで軽快なミステリを、正体を隠して売り込んだのだ。ただし、すぐに正体はばれてしまったという。作者の思惑とは異なり、「フェアの稼ぎがガードナーをうわまわる」（同）ことにはならなかったが、このシリーズは生涯にわたって書き継がれ、七〇年発表の二十九作目『草は緑ではない』（ハヤカワ・ミステリ）は、彼の遺作となった。

多作な上に、全作絶版・品切れ状態なので、一世を風靡（ふうび）したガードナーも今やほとんど読まれていないようだけれど、このシリーズに限っても本書を始め、『大当りをあてろ』（1941）、『倍額保険』（1941）、『蝙蝠は夕方に飛ぶ』（1942）、『猫は夜中に散歩する』（1943、すべてハヤカワ・ミステリ文庫）、『カウント9』（1958、ハヤカワ・ミステリ）等、傑作が目白押しなので、探して読んでみて欲しい。古書価もさして高くないので。

続いてはフランク・グルーバーを。【六興推理小説選書〈ROCCO CANDLE MYSTERIES〉】が発刊した時点では、彼の長篇は、ボディ・ビルのハウツー本を売り歩く自称全米ナンバーワン・セールスマンのジョニー・フレッチャーと生きた商品見本のサム・C・クラッグが養狐業者&狐殺しの容疑者にされてしまう『笑う狐（笑うきつね）』（1940）が五五年に「別冊宝石」に掲載された以外には、インディアンの襲撃により全滅したと言われる砦（とりで）で起きた事件の真相を遺児が探る西部小説（ウエスタン）『六番目の男』（1953、ハヤカワ・ポケット・ブックス）が、五六年の映画公開に合わせて刊行されているのみだった。

本叢書に収められた『遺書と銀鉱』は、書籍として翻訳刊行された初のミステリだ。全部で三作書かれた《私立探偵オティス・ビーグル&ジョオ・ピール》シリーズの第一作として、チャールズ・K・ボストン名義――〈人間百科事典〉の相棒の名前――で四一年に発表されたこの作品は、給料は払わないくせに倶楽部の会費は滞納したくない見栄っ張りのビーグルが、依頼人が来ないのなら作ってしまえばいいと思いつき、気弱そうな倶楽部の会員の後をピールにつけさせることで不安感を煽（あお）って、ビーグルに相談を持ち掛けるように仕向けるシーンで幕を開ける。このまさかの案が成功し喜んだのもつかの間、打ち捨てられた銀鉱の所有権を記した遺書を巡る争いに巻き込まれてしまうというお話で、翻訳の拙（つたな）さ故、作者の持ち味であるユーモアが巧く伝わってこないのが玉に瑕（きず）だけど、プロットはよく練られているし、ラストの派手なガン・アクションに、さすがは西部小説（ウエスタン）の大家と納得する秀作です。

このシリーズのコンビが、貧乏な上に吝嗇家（りんしょくか）の巨漢所長と、小柄ながら頭脳明晰、持ち前の行動力と機転で事件を追いかける助手という設定なのは、明らかに《ラム＆クール》シリーズのパクリだろう。もっともガードナーを模倣したことは本人も認めていて、亡くなる三年前の六六年に編まれた短篇集 *Brass Knuckles* に附された「パルプ小説の生命と時代」（「ミステリマガジン」六七年十二月号〜六八年二月号掲載）という長めの序文の中で、長篇ミステリを書こうと決心して、「五十冊ほど推理小説を買って来て、昼も夜も読み続けた」結果、「ガードナーの小説の複雑なプロットとテンポに、ジョナサン・ラティマーのユーモアを加えようと考えた」と告白している。売れると思えば何の臆面もなく借用してしまうこのあっけらかんとした態度を、ガードナーがどう思ったかは判らないけれど、ここまで堂々とやられると、さすがはパルプの王者と、むしろ感心してしまう。

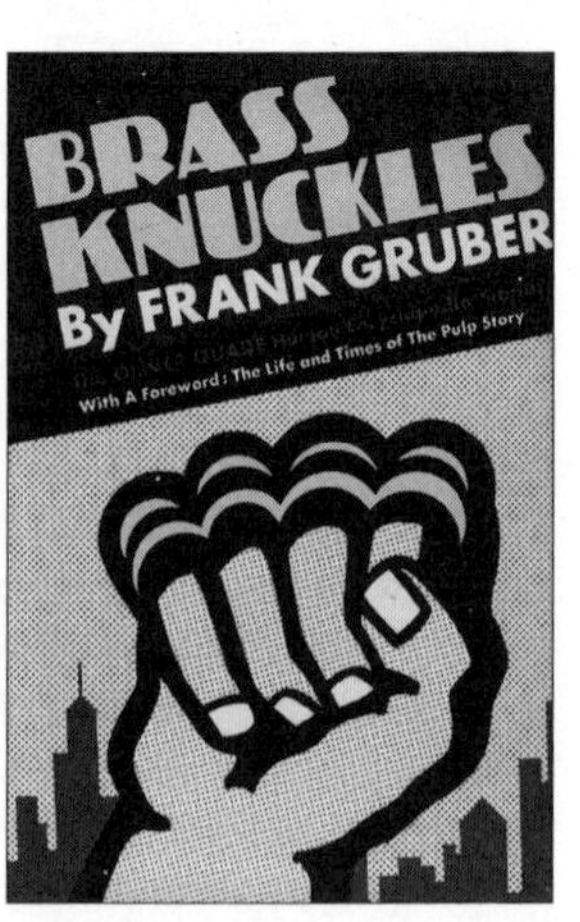

ちなみに、パルプ作家を志し生地イリノイを後にした三四年からシナリオ・ライターとなるためにハリウッドへ発った四二年までの八年間にわたるニューヨークでの奮戦記といえるこの序文は、次の文章で始まっている。曰く、「どんなチャンスでも利用した。出版街のどんな横丁にもお百度をふんだ。金にさえなれば、どんな種類のものでも書きなぐった。どんなものでも低級すぎることはなく、どんなものでも安すぎることはなかった」。一語何セント、一篇何ドルと、全編「お金」の話題に終始するこのエッセイからは、当時のパルプ・ライターの生活がいかに苦しいものであったかが、ひしひしと伝わってくる。

ガードナー同様、今ではほとんど読まれることのない作家だけれど、『コルト拳銃の謎』（1941、創元推理文庫）と『バッファロー・ボックス』（1942、ハヤカワ・ミステリ）は、探して読むだけの価値ありのB級傑作です。

三

さて、「ブラック・マスク」縁（ゆかり）の大家以外に、本叢書には三人のアメリカ人作家の作品が収録されている。まずは、戦前戦後を通じて多くのミステリ・マニアに愛され続けている巨匠エラリー・クイーンの『トランプ殺人事件（ハートの4）』からだ。

　本叢書刊行時点で発表済みの長篇の内、未訳のものは、『アメリカ銃の謎』（1933）、『悪魔の報復』（1938）、『ハートの4』（ともに創元推理文庫）、『十日間の不思議』（1948）、『悪の起源』（1951）、『ガラスの村』（1954）、『クイーン警視自身の事件』（1956、ともにハヤカワ・ミステリ文庫）の七作。厳密に言うと本作は戦前の三八年に、雑誌「スタア」に掲載されているので収録方針と反するが、恐らくは極端な抄訳だったと思われるので、そこはよしとしたのだろう。

　この中から本作を選択した理由は明示されていないが、〈国名シリーズ〉唯一の未訳作『アメリカ銃の謎』が、東京創元社から刊行を予告されていた【エラリー・クイーン作品集】に含まれることは判っていただろうし、『十日間の不思議』も他の〈ライツヴィルもの〉が〈ポケミス〉から順次刊行されていたことから避けたと思われる。エラリー・クイーンが登場しない『ガラスの村』『クイーン警視自身の事件』も優先順位は低かっただろうし、残る〈ハリウッドもの〉三作の中では最も完成度の高い本作を選んだのではないだろうか。解説で、「クイーンが生涯でわずかでも心を動かしかけた、ただ二人の女性の一人、ポーラ・パリス嬢とはじめて対面する本篇は、クイーンのファンには絶対に見逃せぬ作品であろう」と記しているように、名探偵エラリーの明るいロマンス譚という娯楽小説としての面白さもポイントだったんじゃないかと思う。

〈国名シリーズ〉全九作に続いて発表された所謂（いわゆる）第二期（一九三六～三九）の長篇五作のうち本作を含む四作――『中途の家』（1936）、『ニッポン樫鳥（かしどり）の謎』（1937、ともに創元推理文庫）、『悪魔の報復』『ハートの4』――は、アメリカを代表する家庭向けの高級雑誌（スリック・マガジン）《コスモポリタン》に掲載された。そのためこの時期の名探偵エラリーは、クイーンの片割れであるマンフレッド・リーが晩年に評したような、「お高くとまって決して下界には降りては来ない知ったかぶり屋の最たるもの」であった第一期のエラリーとはまるで異なる、ちょっとだけ推理力を鼻に掛けた人間味のあるアメリカ人的好青年（オール・アメリカン・ボーイ）へと変わりつつある。もっともこの時期は、脚本家として招かれたハリウッドで散々な目にあった時期でもあるので、映画の都を舞台に、自身の体験と恨みつらみを色濃く反映した『悪魔の報復』と『ハートの4』では、相当な屈託顔をしていますが。

二十年間仲違いしてきた俳優一家を題材にした映画の脚本を執筆することになったエラリー。だが、両家の当主は突如仲直りしてしまう。飛行場で結婚式を挙げた彼らは、小型飛行機で新婚旅行に飛び立つが、機は不時着し、中には死体が。

エラリー自身も含む二組の恋愛模様と殺人計画とを密接に絡めて、スリリングな謎解きミステリを展開していく手際は実に見事だ。『ニッポン樫鳥の謎』と並んで第二期を代表する傑作です。ミステリ小説史上、ちょっと類を見ないど派手なクライマックスに、島田（しまだ）一男（かずお）の『上を見るな』（光文社文庫）を想起してしまった。いや、全然違うんですけどね。

当代最高の評論家だったアントニー・バウチャーから「アメリカの探偵小説そのもの」という賛辞を送られたエラリー・クイーンだけれど、現在、かの国のミステリ・シーンを眺めてみると、この呼び名は本叢書に収録された残りの二人、即ちF（フランシス）&R（リチャード）・ロックリッジとミニオン・G・エバハートにこそ相応（ふさわ）しい気がしてくる。というのも、前者はコージー・ミステリのスタイルを、後者はロマンティック・サスペンスのスタイルを確立した作家だからだ。

ロックリッジ夫妻が自分たちをモデルに創造したノース夫妻は、マンハッタンのアパートメントに暮らす三十代半ばの夫婦だ。夫のジェラルド（ジェリー）は出版社社長で妻パメラ（パム）は専業主婦。好奇心旺盛で活発なパムに引っ張られるようにして殺人事件に関わってしまう二人は、毎度危ない目に遭いながらも、ニューヨーク市警のウェイガンド警部のサポートを受けて謎を解く。

元々はリチャードが《ザ・ニューヨーカー》に掲載

していた短篇小説の主人公だったが、一九四〇年の *The Norths Meet Murder* で探偵デビュー、六三年にフランシスが亡くなりシリーズが終了するまでに二十六長篇で活躍した。マーティニ、ジン、シェリーという三匹のシャム猫を飼っている点も、元祖アメリカン・コージーとして重要なポイントです。舞台化、映画化、さらにはラジオとテレビでドラマ化され、四〇から五〇年代にかけて人気を博した。

『湖畔の殺人』は、ニューヨーク郊外の避暑地で休養中のノース夫妻とウェイガンド警部が連続殺人事件に巻き込まれるお話で、二件の殺人のどちらが先に起きたかで犯人が変わってくるという難問が、些細な手がかりからすっきりと解決される練度の高い謎解きミステリだ。シリーズ既訳作では、同じく夫婦探偵が活躍するパトリック・クェンティンの《ダルース》シリーズを彷彿とさせる『死は囁く』（1953、東京創元社）もお薦めです。

ミニオン・G・エバハート（一八九九～一九九六）は、HIBK（Had I But Known：もし私が知ってさえいたら）派の始祖メアリ・ロバーツ・ラインハート（一八七六～一九五八）の後継者という評価が一般的だが、二回り近く若いこともあり、ヒロインの造形も事件の背景も、現代のロマンティック・サスペンスにより近い。

ジャマイカ島の邸宅で、軍事資源として重要なヘリウム採掘を巡る思惑を背景に、複雑に入り組んだ愛憎劇が展開される『見ざる聞かざる』（1941、ハヤカワ・ミステリ）や、セントルイスとニューメキシコ山間部の牧場を舞台に、新開発の飛行機用エンジンを巡る陰謀と新旧の愛憎が交錯する『死を呼ぶスカーフ』（1939、論創社）は、今でも十分読むに値する。特に後者は、犯人指摘のために、人が死んだ後にクローズド・サークルを設定するという発想と手法が斬新な、よく練られた謎解きミステリだ。

本叢書に採られた『暗い階段』は、《看護婦セアラ・キート》シリーズの第四作にあたり、ノン・シリーズ作品に比べて本格ミステリとしての味わいがより強い作品に仕上がっている。大病院という舞台をフルに生かして不気味な雰囲気を盛り上げ、ヒロインの目を通じてひたひたと迫るスリルを感じさせる手腕は見事。これで翻訳がもう少し巧ければ言うことないのだけれど、残念だ。

生涯に五十九の長篇と七冊の中短篇集を上梓。七七年のアメリカ探偵作家クラブ（ＭＷＡ）会長に就任。七七一年にＭＷＡグランド・マスター（巨匠賞）を、九四年にアガサ賞生涯功労賞を受賞した。

第三章

一

【六興推理小説選書〈ROCCO CANDLE MYSTERIES〉】のラインナップを眺めてまず頭に浮かぶのは、「燻銀」という単語だ。派手さはないが風情があり味わい深く、堅固で隙がない。

なぜ、そんな印象を受けるのかというと、クロフツとコール夫妻、さらにセイヤーズとアリンガムとマーシュが顔を揃えているからだ。この五人は、一九二〇年代から三〇年代にかけての所謂探偵小説の〝黄金時代〟にデビューしているが、当時主流だった超人的な名探偵が快刀乱麻を断つ、トリックと意外性に主眼を置いたミステリの書き手とは異なる方向を目指していた。

純金よりも燻銀に魅せられた名工と呼ぶのが相応しい彼らの作品を順番に見ていくことで、田中潤司がどんな叢書を編みたかったのかを探っていこう。

まずはF（フリーマン）・W（ウィルス）・クロフツの第三長篇『製材所の秘密』からだ。一九二二年に刊行された本作は、クロフツの代名詞であるフレンチ警部が登場しない初期四作の内の一作だ。

デビュー作の『樽』と第二作『ポンスン事件』(1921)、そしてフレンチ警部初登場作である第五作『フレンチ警部最大の事件』(1924、すべて創元推理文庫）を含む七作の長篇が戦前に訳されているにもかかわらず紹介が遅れた理由として、創元推理文庫に収録された完訳版の訳者あとがきで吉野美恵子は、「本作品が『樽』に似すぎているため」「先行の『樽』とは多少おもむきの違うものをということで、本作の紹介があとまわしにされたというところがあるのではないだろうか」と推察している。

では一体どんな話なのかというと、同文庫の内容紹介に、

「商用でフランスを旅行中のメリマンは奇妙なトラ

ックに出会った。はじめに道ですれちがった時にはNo4のプレートをつけていたというのに数分後に立ち寄った製材所で見た時にはNo3のプレートをつけているではないか！　そればかりか、この発見に運転手は敵意にみちた目で彼を見つめ、製材所の主任は顔を曇らせ、主任の娘は見るまに青ざめたのだ。ここではいったい何が行なわれているのか？」

とあるように、フランスの片田舎の製材所に偶然足を踏み入れた青年が、関税局に勤める友人と共に、英国の炭鉱に輸出される坑内支柱材（ピット・プロップ）絡みの謎を英仏を股に掛けて探索する、恋と冒険に彩（いろど）られたミステリだ。

素人探偵二人による牧歌的な探索行が展開される第一部は、やや長閑（のどか）だけれども、第二部に入って、タクシー内で射殺体が発見――ファーガス・ヒューム『二輪馬車の秘密』（1886、扶桑社）に触発されたと作中で明かしているところが面白い――されたことによりジョージ・ウィリス警部がバトンを受け継ぐと俄然緊迫感が増してくる。積み荷――樽と材木――の行方を追うことで大規模な犯罪を暴く構成を始め、確かに『樽』と似通ったところはあるものの、決して二番煎（せん）じというわけではない。アリバイ崩しが中心に据えられていない、クロフツの中では異色作といえる本作はジュリアン・シモンズ選 The Sunday Times 100 Best Crime Stories（いわゆる〈サンデー・タイムズ・ベスト99〉）の一冊に選ばれた。

捜査に当たるウィリスは、敏捷さには欠けるが勤勉さと粘り強さにかけては群を抜くという特徴から明らかなように、『ポンスン事件』のタナー警部同様、フレンチ警部の原型の一人である。

こうしたクロフツに代表される、天才肌ではなく努力家の警察官がコツコツと地道な捜査で事件を解決する作品を得意とした書き手を、ジュリアン・シモンズは犯罪小説論『ブラッディ・マーダー』（新潮社）の中で、批判を込めて凡庸探偵派（The Humdrum School of Detective Novelists）と名付けた。

G（ジョージ）・D（ダグラス）・H（ハワード）とM（マーガレット）・コールの夫妻も、この一派に分類されている。その道の泰斗（たいと）として、『イギリス労働運動史』（岩波現代叢書）や『協同組合運動の一世紀』（家の光協会）を始め、労働問題や社会学に関する夥しい数の著作をものしたジョージは、クロフツ同様、病気休養中に気を紛らわすために『ブルクリン家の惨事』（1923、新潮文庫）を執筆。第二作の『百万長者の死』（創元推理文庫）以降は、同じく社会運動の権威であった妻とともに、純粋に自分たちの愉しみとして、専門分野での主義をほとんど反映することなく、ミステリを合作し、二十八の長篇と一中篇、五冊の短篇集を上梓した。

　ちなみにマーガレットの旧姓はポストゲートといい、『十二人の評決』（1940、ハヤカワ・ミステリ）の作者レイモンド・ポストゲートは、弟に当たる。

　閑話休題。ほぼ全ての長篇で捜査を担当するヘンリー・ウィルスン警視は、古今東西の探偵の中でもトップクラスの〝顔のない主人公〟だけれど、捜査に行き詰まると妻に相談して真相究明に繋がるヒントを得る、という点が当時としては珍しい。

　この設定は、マーガレットが単独で書いたという説もある、私立探偵ジェームズ・ウォレンダーの母親エリザベス・ウォレンダーが活躍するシリーズで、より強化された。庭造りと人間観察が趣味の〝りっぱな中流家庭の老淑女〟であるミセス・ウォレンダーは、息子が手がけた事件に助言するが、最終的に解決するのは彼女なのだ。

　《ミス・マープル》のフォロワーでありジェイムズ・ヤッフェの《ブロンクスのママ》の先駆けとも言える彼女は、正確な年は不明だが三〇年代初頭に書かれた「探偵の母」で初登場した。この掌篇は、三三年に刊行された短篇集 *A Lesson in Crime* に収録された後、三八年に、四つの中篇とともに *Mrs. Warrender's Profession* としてまとめられた。本叢書に収められた『謎の兇器』所収の表題作と「未亡人殺人事件」はこのうちの二篇である。

　英国南西部の海岸沿いにある避暑地に建つ館で、カリスマ小説家の毒殺死体が発見される「謎の兇器」は、邦題通り何が兇器かを探ることで犯人を特定する

Howdunit だ。一方、「未亡人殺人事件」は、金融コンサルタント会社に資金援助していた億万長者の老未亡人が絞殺され、不自然な指紋が残されていた謎を、人間心理に対する考察に基づき解決する Whodunit だ。

翻訳に当たった長沼弘毅（ながぬまひろき）は、ミステリ・ファンにとってはシャーロッキアンの草分け的存在として知られているが、長年大蔵官僚を務めた日本経済の重鎮だ。コールの大ファンだった彼は、本叢書のために蔵書の中から、この二作の収録を推薦した。その際、【六興推理小説選書〈ROCCO CANDLE MYSTERIES〉】として例外的に翻訳権を取得している。本来取る必要のない三八年刊行作品の翻訳権を敢えて取得した理由は定かではないが、巻末のリストにこの二篇が、四八年刊の独立した書籍として掲載されていることから、恐らくは、初刊の収録作四篇をバラバラに再刊したブックレットを底本としたためと思われる。

二

続いては、シモンズが探偵小説界の「新しい血」と賞賛したマージェリー・アリンガムとナイオ・マーシュ、そしてその先駆者であるドロシー・L・セイヤーズを見ていこう。

いずれも〝女王〟アガサ・クリスティに次ぐ存在として、彼女とともに、いわゆる英国四大女流ミステリ作家として語られるビッグ・ネームだけれども、日本での人気という点では、本国での名声にもかかわらず、〝女王〟に大きく水をあけられている。

それは、翻訳状況からも明らかだ。以下、具体的に数字を挙げてみる。（「長篇初紹介年／初紹介作品名（原著刊行年）」「没年／没年までに刊行された合作を除く全長篇数（内、没後一年以内までに訳された数）」）

●ドロシー・L・セイヤーズ
「二三年／『自我狂（誰の死体?）』（1923）」
「五七年／十一作（七作）」
●マージェリー・アリンガム
「五四年／『幽霊の死』（1934）」
「六六年／二十作（六作）」
●ナイオ・マーシュ
「五七年／『殺人鬼登場』（1935）」
「八二年／三十二作（五作）」

セイヤーズだけは短篇も含めて戦前から紹介されており、それなりに知名度もあったが、抄訳も少なくなく、亡くなった翌年の五八年に『忙しい蜜月旅行』が訳された後、翻訳は中断してしまう。

片やアリンガムとマーシュは、ともにデビューから二十年以上経って初めて長篇が翻訳されたものの長くは続かず、前者は六二年の『反逆者の財布』（1941、創元推理文庫）を、後者は五九年の『死の序曲』（1939、ハヤカワ・ミステリ）を最後に、以後、長期にわたって翻訳は途絶えてしまう。

この三人の訳出がストップしてしまった理由は、煎じ詰めれば売れなかったからで、それは即ち、シモンズが『ブラッディ・マーダー』の中で、「普通の人と同じような行動をとり、ときには誤りをおかす（中略）探偵の魅力によって名声を勝ちとった」作家である彼女らの作品が、当時の日本の読者には受け入れられなかったということだ。

生みの親のセイヤーズが恋をしたとまで言われた、饒舌（じょうぜつ）な洒落者（しゃれもの）である貴族の次男ピーター・ウィムジイ卿。トレードマークは角縁眼鏡、一見人畜無害な表情の奥に鋭敏な頭脳を隠し持つ、アリンガムが生んだ高貴な血筋に列（つら）なる謎多き長身白皙（はくせき）の紳士アルバート・キャンピオン氏。そしてマーシュが創造した、准男爵を兄にもつスコットランド・ヤード犯罪捜査課の〈男前のアレン〉ことロデリック・アレン主任警部。

程度の差こそあれ、彼らは皆、「アングロサクソン人種特有の、ある意味では俗物根性のあらわれとも言われかねない上流紳士気取りの言動」（前掲書）を示す。それ故に、イギリスの読者層に受けたのだとシモンズは述べているが、五〇年代の日本では、この〝美点〟は、謎解きの妙味やトリックの斬新さに代わるものとして受け入れられるには至らなかった。

「それまでの本格ものに見られた非現実性をすべて排除」し、「登場人物も、あくまでも人間本来の性格に従って描写」した「新しい型の探偵小説を書く作家」であるとして、その魅力を各巻の解説で繰り返し力説した田中潤司のような読者は、ミステリ・マニアの中では稀（まれ）な存在だったと思われる。

けれども、半世紀を経た現在、状況はかなり変わってきている。なかでもセイヤーズは、生誕百年にあたる九三年に、創元推理文庫で《ピーター・ウィムジイ卿》シリーズの第一作『誰の死体？』が新訳・再刊されたのを皮切りに、浅羽莢子（あさばさやこ）の翻訳により長篇が原著発表順に完訳されるようになって、ようやくその真価が理解され始め、一気にファンが増えた。

二〇二三年十二月現在、セイヤーズが未刊のまま書くのを止めた作品をジル・ペイトン・ウォルシュが補筆した *Thrones, Dominations*（1998）を除く全長篇が訳されている。戦前、五割程度の抄訳が出たきりだった、文庫で七百ページもある黄金時代屈指の大長篇『学寮祭の夜（大学祭の夜）』（1935）や【モダン・ミステリー】の一冊として八割程度の抄訳版が刊行された『死体をどうぞ（死体を探せ）』（1932）等の入手困難作が、容易に読めるようになったのは実に喜ばしいことだ。

もちろん【六興推理小説選書〈ROCCO CANDLE MYSTERIES〉】に収録された『多過ぎる証人』も『雲なす証言』と改題の上、再刊された。「世界そのものが脇道からなる楽しい迷路に見えていた」好奇心と冒険心に富むピーター卿が、「善良で清潔で良心的で徹底したパブリック・スクール育ちで、呆れるほど間が抜けている」兄にかかった殺人容疑を晴らすために、膨大な証言の雲をかき分けて真相を探り出す。

CLOUDS OF WITNESS Dorothy L.Sayers
雲なす証言
ドロシー・L・セイヤーズ
浅羽莢子 訳
創元推理文庫

二六年に発表された本作は、第一次世界大戦を経て変わりゆく大英帝国を舞台に、当時の上流階級の人々の生活と信条を風刺した軽妙な謎解きミステリだ。ボリューム的にもお手頃で、セイヤーズ入門にぴったりな逸品です。

一方、アリンガムとマーシュの長篇翻訳は、九四年にスタートした国書刊行会の【世界探偵小説全集】に端を発する古典ミステリ再評価の流れに乗って再開された。

前者は、八三年に「ミステリマガジン」に訳載されたまま書籍化されていなかった代表作『霧の中の虎』

(1952)が二〇〇一年に〈ポケミス〉で刊行され、後者は同じく各種名作表に採られてきた『ランプリイ家の殺人』(1941)が、【世界探偵小説全集】に収録される。以後、アリンガムは六作、マーシュは三作が訳されたが、残念ながらセイヤーズほどの人気を得ることは出来ず、ふたたび翻訳が止まってしまった。

だがこれで終わりではなかった。二〇一四年、創元推理文庫からアルバート・キャンピオンものの日本オリジナル短篇集『窓辺の老人』が刊行されたのだ。これは、副題に「キャンピオン氏の事件簿I」とあるように、氏の活躍する中短篇をあらまし年代順に並べて提供するという、アリンガム再評価のための初手として最適な企画だ。

しかも初登場以来、まったくと言っていいほど翻訳者に恵まれてこなかったアリンガム作品が、六十年の時を経て、ようやくきちんとした日本語で読めるようになったのだ。これを機に、『幽霊の死』(1934)、『判事への花束』(1936、ともにハヤカワ・ミステリ)といった長篇も、ぜひ新訳・復刊して欲しいものだ。

その皮切りとして、彼女の既訳作中最も入手困難な上に抄訳である、本叢書収録作『手をやく捜査網(ファラデー家の殺人)』はいかがだろうか。邦題のせいでマンハントものか警察捜査小説のようなイメージのある本作だが、実態は、因習に縛られた金持ちの老婦人が支配権を握る一家を舞台に連続して人が死ぬ本格ミステリ。動機と殺害方法の異様さが、一読忘れがたい秀作です。

マーシュに関しては、翻訳リブートの話は聞こえてこないが、謎解きに凝りつつ、上品かつ艶やかなドラマで魅せてくれる彼女の本格ミステリは、このまま埋もれさせるにはあまりにも惜しいと思う。「ニュージーランドの演劇をひとりで復興した」とまで言われる演出家マーシュならではの演劇界を舞台にしたミステリ――本叢書収録作の『殺人鬼登場』や『ヴァルカン劇場の夜』(1951、ハヤカワ・ミステリ)――を、これまた新たな訳で読み直してみたいものだ。

特に前者は、探偵劇の上演中に射殺される役の男が、いつの間にか実弾入りにすり替えられていた拳銃により、本当に殺されてしまう謎を巡って推理が展開される堂々たる本格ミステリであり、機会があればぜひ読んでみて欲しい。

三

以上五人の他に、【六興推理小説選書〈ROCCO CANDLE MYSTERIES〉】には、あと二人の英国人作家の作品が採られている。そのうちの一人フィリップ・マクドナルドは、長い間〝幻の本格ミステリ作家〟として、一部のマニアを惹きつけてきた。

その理由について、『エイドリアン・メッセンジャーのリスト（ゲスリン最後の事件）』（1959、創元推理文庫）の解説で瀬戸川猛資が的確に述べている。曰く、「趣向というものにこだわりつづけたミステリ作家なのである。パアーッと派手にぶちあげてはみたものの、結局、最後は尻きれとんぼ、という場合もないではないけれど、常に、今度は何をやるのか、何を見せてくれるのか、という期待がある」と。

本叢書に収録された『ライノクス殺人事件』は、そんな彼の志向が最も巧く決まった作品だ。「結末」に始まり、事件が起きるまでの第一部、捜査報告書や見取図、手紙、議事録のみからなる第二部、事件後に関係者に降りかかる予想外の事態を描いた第三部と進み、「発端」で幕を閉じる。

山口雅也が「ミステリマガジン」に連載した絶版・品切れミステリを紹介するコラム「プレイバック」（『ミステリー倶楽部へ行こう』国書刊行会、所収）の中で、「読みなれたファンなら全体の仕掛けは見当がつくことでしょう。しかし、〝逆転の発想〟の無理を承知で、ともかくも、フェアなミステリーを書きあげようとしたマクドナルドの果敢な実験精神には拍手を送りたくなります」と述べているように、フェアプレイに徹しすぎるあまり、手がかりが特太ゴシック体のように目立つのはいかんともしがたいが、そこはそれ。愛すべき実験作といえよう。

尚、同時収録されているアントニイ・ゲスリン大佐ものの短篇「目にはいらない森」は、創元推理文庫で新訳・再刊された際には割愛されているが、田中潤司のお気に入りだったらしく、早川書房在職時に編んだアンソロジー『名探偵登場③』（ハヤカワ・ミステリ）に収めた「木を見て森を見ず」を新訳・再録したものなので、興味のある方は、そちらを当たってみるといいだろう。

最後の一人は、レスリー・チャータリスだ。彼が生み出した〈聖者（セイント）〉ことサイモン・テンプラーは、世界五大義賊の一人に数えられる、所謂、現代のロビンフッドの一人だ。

中国人を父に、英国人を母に、シンガポールで生まれたチャータリスは、親の意向でケンブリッジ大学に進学したものの、学業よりも犯罪者の世界に惹かれ、その興味を昇華させるために小説を書くようになる。父の意に背（そむ）き、金銭的援助を断たれたため、イギリス、フランス、マレーシアで様々な仕事をして糊口（ここう）をしのぎながら執筆を続け、二八年《サイモン・テンプラー》シリーズの第一作 *Meet the Tiger* を発表。三五年以降アメリカで暮らし、同年刊行した『聖者ニューヨークに現る』（ハヤカワ・ミステリ）でベストセラー作家となり、四六年、アメリカに帰化、九三年イギリスのウィンザーで亡くなった。

本叢書に採られた『聖者の復讐』は三番目の長篇で、第二長篇 *The Last Hero*（1930）の続編にあたる。前作で殺された親友の復讐譚なので単独では評価しにくいが、映画版《ジェームズ・ボンド》シリーズにも通じる破天荒なノリは悪くない。ちなみにイギリスでテレビドラマ化された際には、後に三代目ジェームズ・ボンドとなるロジャー・ムーアが演じていた。

四

以上、十三冊の収録作を探訪した上で、あらためて【六興推理小説選書〈ROCCO CANDLE MYSTERIES〉】を俯瞰（ふかん）してみると、そこに編者・田中潤司の確固たる意思が見えてくる。それが何かを語る前に、五〇年代の翻訳シーンを振り返ってみたい。

戦後五年を経て、ようやく翻訳ミステリの紹介が本格化した五〇年から、この叢書が刊行を始めた五七年までは、本格ミステリに関して言えば、不可能犯罪やあっと驚くトリック、異常なシチュエーションやセンセーショナルな展開、そして快刀乱麻を断つ神の如き名探偵といった派手なウリのある解りやすい作品の紹介が優先された。ジョン・ディクスン・カーはその最たるもので、江戸川乱歩が惚れ込んだおかげで、駄作・珍作含めて端から訳出されていった。

片や、『幽霊の死』（ハヤカワ・ミステリ）の解説で乱歩が、「凝った文章で、何となく難しいところがある割には、筋の面白さに乏しい」が「文学的にも大いに認められているのだから、この叢書に漏らすことは出来ない」と渋々紹介したアリンガムを始めとする、〈新本格派〉と名付けられた作家たち――マイクル・イネスやナイオ・マーシュなど――は後回しにされた上に、単発的にしか訳されなかった。

結局、警察小説の台頭やサスペンスの隆盛も相まって紹介が遅れるうちに、六〇年代に入るとスパイ小説や軽ハードボイルドのブームが訪れ、体系だって紹介されることなく訳出は途絶えてしまう。

田中潤司は、そんな翻訳ミステリ紹介の潮流を変えたかったのではないだろうか。早川書房を辞めたことで、同時に〈ポケミス〉のセレクトにもあたれなくなった彼は、探偵小説専門誌「宝石」で翻訳と作品選定を行うのと同時に、芸術社の【推理選書】、現代文芸社の【モダン・ミステリー】に関わった後、【六興推理小説選書〈ROCCO CANDLE MYSTERIES〉】を立ち上げる。

田中にとってこの叢書は、今後のミステリの本道であると信じているにもかかわらず、一向に紹介が進まない「新しい本格探偵小説」を日本に普及させるための橋頭堡だったのではないだろうか。そこには、あり得たかも知れない〈ポケミス〉のもうひとつの姿が、はっきりと認められるのだ。

［附記］

【六興推理小説選書〈ROCCO CANDLE MYSTERIES〉】の終刊から半世紀近く経った二〇〇四年十一月に、論創社から【論創海外ミステリ】の刊行がスタートした。二〇二三年十二月現在までの刊行点数は三百九冊と〈ポケミス〉に次ぐ規模になっている。

田中潤司の編集方針と同様、基本的に著作権が消滅した作品の中から古典的な本格ミステリ中心にセレクトしている渋いラインナップには、まさに〝あり得たかも知れない〈ポケミス〉のもうひとつの姿〟の再誕をみる思いだ（登場人物表を兼ねた栞が添付されている点も共通している。もっともコスト削減のためか、栞の添付は最初の一年間に刊行された第I期三十巻で終わってしまったが）。

そんな二十一世紀の【六興推理小説選書〈ROCCO CANDLE MYSTERIES〉】を彷彿とさせるシリーズに、同叢書の収録作家十三人中九人の作品が合わせて三十三作と一割も採られているのはむしろ必然と言って良いだろう。

内訳は以下の通りだ。

マージェリー・アリンガムは、H・R・F・キーティングが『海外ミステリ名作100選　ポオからP・D・ジェイムズまで』（早川書房）で取り上げた『葬儀屋の次の仕事』（1948）が二〇一八年に、さらに連載中に新訳・復刊を希望した本叢書収録作『手をやく捜査網』の完訳が二三年に『ファラデー家の殺人』と改題の上刊行された。また、本文中で触れた東京創元社のアルバート・キャンピオン日本オリジナル短篇集も、一四年に『幻の屋敷』、一六年に『クリスマスの朝に』と順調に続き好評を博し、一八年にはノン・シリーズのデビュー長篇『ホワイトコテージの殺人』（1929）も同文庫で訳された。

連載中に「翻訳リブートの話は聞こえてこない」と記したナイオ・マーシュだが、嬉しいことに、二〇〇七年の『道化の死』（1956、国書刊行会）以来十四年ぶりとなる初訳作『オールド・アンの囁き』（1955）、が刊行された。さらに二三年には絶筆『闇が迫る　マクベス殺人事件』（1982）が訳された。

ドロシー・L・セイヤーズに関しては、【異色探偵小説選集】の附記に記した通り二冊の日本オリジナル短篇集が刊行されている。

ミニオン・G・エバハートは、本文中で触れた『死を呼ぶスカーフ』が訳された十一年後の二〇一六年に、嵐の孤島を舞台にしたゴシック調のロマンティック・サスペンス『嵐の館』（1949）が、その翌年に『暗い階段』の探偵コンビ・看護婦セアラ（サラ）・キート&警部ランス・オリアリーものの第一作にして、彼女のデビュー作でもある『夜間病棟』（1929）が刊行された。

八〇年代前半に立て続けに未訳作が刊行されたものの一九八五年の『シグニット号の死』（1938、創元推理文庫）を最後に新規紹介がストップしていたF・W・クロフツについては、『フレンチ警部と漂う死体』（1937）を二〇〇五年に刊行、翌々年に唯一のジュブナイル『少年探偵ロビンの冒険』（1947）も訳出。一〇年には、創元推理文庫から『フレンチ警部と毒蛇の謎』（1938）が刊行されたことで三十四作の長篇すべての翻訳が完了した。その上、一八年には、伝記宗教物語の『四つの福音書の物語』（1949）まで訳され、日本でのクロフツ人気の根強さを再認識させられた。

一九九四年に、国書刊行会の【世界探偵小説全集】から『Xに対する逮捕状』（1938）の完訳が出たきりだったフィリップ・マクドナルドに関しても、二〇一四年に『狂った殺人』（1931）でクロフツと同じく二十年ぶりに新規に紹介され、翌々年『生ける死者に眠りを』（1933）が訳出された。

G・D・H&M・コールは、エラリー・クイーンがミステリ史上重要な里程標（りていひょう）となる短篇集を論じた〈クイーンの定員〉の一冊に選出した『ウィルソン警視の休日』（1928）が二〇一六年に、『クロームハウスの殺人』（1927）が二二年に刊行された。

なんといっても驚いたのは、フランク・グルーバーだ。「今ではほとんど読まれることのない作家」と本文中で嘆いたが、二〇一五年に『噂のレコード原盤の秘密（レコードは囁いた…）』（1947）を刊行。ジュブナイル版を除くと初書籍化となる本書を皮切りに、一八年以降《ジョニー・フレッチャー&サム・C・クラッグ》シリーズの未訳作を毎年訳し続けている（『はらぺこ犬の秘密』（1941）、『おしゃべり時計の秘密』（1941）、『ポンコツ競走馬の秘密』（1942）、『怪力男デクノボーの秘密』（1947）、『正直者ディーラーの秘密』（1942）、『ケンカ鶏の秘密』（1948）。シリーズ十四作すべてを訳出する予定ということで、残りは三作。

エラリー・クイーンに関しては、他の八人とは違って小説の未訳は残っていない。その代わりに、ラジオ版『エラリー・クイーンの冒険』（一九三九〜四八年放送）の脚本の日本オリジナル編纂集四冊（『ナポレオンと剃刀の冒険　聴取者への挑戦Ⅰ』『死せる案山子の冒険　聴取者への挑戦Ⅱ』『犯罪コーポレーションの冒険　聴取者への挑戦Ⅲ』『消える魔術師の冒険　聴取者への挑戦Ⅳ』）が、二〇〇八年から二一年までに刊行された。さらに一〇年には、クイーン原案のテレビドラマ「エラリー・クイーン」（一九七五～七六年放映）の日本オリジナル脚本集『ミステリの女王の冒険』まで訳されている。

【論創海外ミステリ】未収録の四人のうち、近年埋もれた短篇の発掘が進んでいるダシール・ハメットと、多数の未訳長篇のあるF&R・ロックリッジとレスリー・チャータリスは、案外ひょっこりとラインナップに加わるのではないだろうか。

《【六興推理小説選書〈ROCCO CANDLE MYSTERIES〉】収録作品リスト》

六興・出版部　全十三巻　（一九五七年四月から一九五八年一月まで刊行）
●装幀：永田力　●判型・体裁：B6判変型並製　●全巻解説：田中潤司

No.	邦題	原題（原著刊行年）	作者	翻訳者	発行年月日	国籍
1	殺人鬼登場	Enter a Murderer（1935）	ナイオ・マーシュ	大久保康雄	1957/4/20	新
2	ボスを倒せ	The Bigger They Come（1939）	E・S・ガードナー（A・A・フェアー）	宇野利泰	1957/4/20	米
3	多過ぎる証人	Clouds of Witness（1926）	ドロシィ・L・セイヤーズ	小山内徹	1957/4/20	英
4	製材所の秘密	The Pit-Prop Syndicate（1922）	フリーマン・W・クロフツ	妹尾韶夫	1957/5/25	英
5	湖畔の殺人	Murder Out of Turn（1941）	F&R・ロックリッジ	平井イサク	1957/6/20	米
6	探偵コンティネンタル・オプ	The Adventures of Continental OP＊	ダシェル・ハメット	砧一郎	1957/7/30	米
7	トランプ殺人事件　ハートの4	The Four of Hearts（1938）	エラリイ・クイーン	石川信夫	1957/8/10	米
8	遺書と銀鉱	The Silver Jackass（1941）	F・グルーバー	小山内徹	1957/9/10	米
9	ライノクス殺人事件	The Rynox Murder Mystery（1930）	P・マクドナルド	長谷川修二	1957/10/10	英
10	謎の兇器	The Toys of Death In Peril of His Life（1948）	G・D・H&M・コオル	長沼弘毅	1957/10/25	英
11	聖者の復讐	The Avenging Saint（1930）	L・チャータリス	村崎敏郎	1957/11/25	米
12	手をやく捜査網	Police at the Funeral（1931）	M・アリンガム	鈴木幸夫	1957/12/20	英
13	暗い階段	From This Dark Stairway（1931）	M・G・エバハート	妹尾韶夫	1958/1/20	米

＊　日本で独自につけた英題

※　米＝アメリカ、英＝イギリス、新＝ニュージーランド

新訳・再刊等　（　）内は発行年月日

1　『殺人者登場』新潮文庫（1959/4/20）

2　新潮文庫（1959/9/16）→『屠所の羊』ハヤカワ・ミステリ、田村隆一訳（1961/4/30）→世界ミステリ全集2収録（1972/4/30）→ハヤカワ・ミステリ文庫（1976/7/31）

3　『雲なす証言』創元推理文庫、浅羽莢子訳（1994/4/22）

4　創元推理文庫、吉野美恵子訳（1979/2/2）

6　ハヤカワ・ミステリ（1960/10/15）

7　『ハートの4』創元推理文庫、長谷川修二訳（1959/12/18）→青田勝訳（1979/5/18）。ハヤカワ・ミステリ文庫、大庭忠男訳（2004/2/15）

9　創元推理文庫、霜島義明訳（2008/3/28）

12　『ファラデー家の殺人』論創海外ミステリ、渕上痩平訳（2023/9/10）

【クライム・クラブ】編

第一章

一

さぁ、【クライム・クラブ】だ。

戦後に編まれた百近くある翻訳ミステリの叢書・全集の中から、個性豊かな顔立ちのシリーズを訪ねて、編纂の意図や収録作品にまつわるあれやこれやを調べ、今あらためて読んだ上で、その作品のもつ意義や魅力について語って行く。そんな叢書探訪の旅を始めたのは、【クライム・クラブ】について深く探りたい、そしてその魅力を多くの人に知って貰いたいという思いがあったからだ。それくらい私はこの叢書が好きだ。魅せられていると言ってもよい。

なにゆえそこまで惹かれるのか。一言で言ってしまうと、これがとても斬新でスマートな叢書だからだ。粋と言ってもよいな。

欧米で評価の定まった一九四〇年代以前の古典・名作ではなく、発表間もない五〇年代の新作の中からセレクトするという先進性。作品の中身に基づいた表紙絵ありきの伝統的なスタイルではなく、内容とは一切無関係なシンプルかつ美しい色合いとレタリング重視の洗練されたデザインによる革新的な本造り。ミステリ関連の叢書・全集の中で、収録作品と本そのものの造りとがこれだけマッチしたものは、ちょっと他に思い浮かばない。

これは、作品をセレクトした植草甚一と装釘を担当した花森安治という二人の異才の力が余すところ無く発揮され、〝中身〟と〝器〟が絶妙に融合した、まさに奇跡のコラボなのだ。

二

そんな独特の味わいに魅せられたミステリ・ファンは少なくない。作家や評論家の中にも佐野洋、折原一、恩田陸、瀬戸川猛資といった方々を始めとして、幾人もの人がこの叢書に対する思いを表明している。

中でも瀬戸川の愛情は際だっている。この不世出の批評家は、名著『夜明けの睡魔　海外ミステリの新しい波』（創元ライブラリ）の中で、「既に完結した翻訳ミステリの叢書や全集の中で一番好きなものは？　と問われたら、わたしは躊躇なくこの〈クライム・クラブ〉をあげる。それほどに好きである」と熱くその思いを語っているのだが、まったくもって同感だ。

いやいや、そんな言い方はおこがましいというものだ。なにしろ私は、この瀬戸川猛資のラブ・コールのおかげで【クライム・クラブ】という叢書を知ることが出来たのだから。

この一節を含む「誇り高き男の子――『ハマースミスのうじ虫』」というコラムは、もともとは「ミステリマガジン」の一九八五年九月号に掲載された。そこで氏は、【クライム・クラブ】に収録された諸作の中から特に印象に残った作品をあげ、その魅力を簡潔に記している。

『歯と爪』を「傑作中の傑作。これほど華麗な技巧を駆使した、よく出来た話はちょっとないのではないか」と絶賛し、『殺人交叉点』に対しては「フランス風小手先芸の極致。小手先芸もここまでくれば、芸術品というしかない」と感嘆、『日時計』や『非常線』、『藁の女（わらの女）』などについても寸評を加えていく（中には『チャーリー退場』に対する「なんだか知らないけど、やたらに迫力のある劇場殺人物」という、それこそ何だかわからないけれども読んでみたい、という気にさせる〝瀬戸川マジック〟の極致のようなコメントもあり、思わず頬が緩んでしまう）。

そうしてお気に入りの品々を披露しておいて、「一本選ぶとすれば何にすべきか、大いに迷うのだが」と愉しく苦悩してみせた後に、ウィリアム・モールの『ハマースミスのうじ虫』をさりげなく取り出し、ラストに待っている独特の魅力――曰く「ミステリ的おもしろさを超えた何か」――について語っているのだが、これがまたなんとも読書欲をそそるのだ。

当時、既に刊行から四半世紀以上の時が経ち、とっくの昔に幻の叢書と化していた【クライム・クラブ】に久方ぶりにスポットライトを当てた氏のコラムで、初めてその存在を知り、「『ハマースミスのうじ虫』を読まずして死ねるか！」とばかりに古書店巡りを始めたミステリ・ファンは、私のほかにも大勢いたと思う。

とはいえ古本屋を梯子しても、【クライム・クラブ】の現物を目にする機会などまずなかった。ごくまれに『歯と爪』『赤毛の男の妻』『日時計』といった文庫落ちした作品の箱のない裸本を見かけることはあっても、お目当ての『ハマースミスのうじ虫』にはまるで巡り会えない。結局、ミステリに強い某老舗古書店で、店主が座る薄暗い一角の後ろの棚の高いところに全二十九巻一括揃いで恭しく鎮座させられているのを目にしたのが最初の出会い。とてもじゃないが手が出る値段でもなく、指をくわえつつ店を後にしたものだ。

　その後、大学の近くにある図書館が所蔵していることを慶應義塾大学の推理小説同好会で同期だった小山正に教わり、ようやく読むことがかない、瀬戸川猛資がほのめかした「ミステリ的おもしろさを超えた何か」を知ることになる。

　そしてさらに後年、氏との出会いを経て、二〇〇六年、ついに創元推理文庫で新訳復刊となった『ハマースミスのうじ虫』の文庫解説を書く機会に恵まれ、作者ウィリアム・モールの知られざる実像を掘り起こしていくことになるのだが、それはまた別のおはなし。

三

　閑話休題というかようやく本題。こうした一種独特の魔力でミステリ・ファンを惹きつけてやまない【クライム・クラブ】が生まれたのは、今から六十年以上前の一九五八年六月二十五日のことだ。【世界推理小説全集】（一九五六〜六〇年）――私のミステリ叢書原体験となった〝あれ〟だ――と【現代推理小説全集】（一九五七〜五八年）に続く、東京創元社のミステリ系叢書第三弾として誕生した。

　発刊に際して作られた折り込みチラシに記されているように、英国COLLINS社のCrime Club Choiceと米国DOUBLEDAY社のCrime Club Selectionという「上製本のもっとも権威のある、推理小説の叢書名」にあやかったシリーズタイトルの下、「新らしい海外の名作を、翻訳権をとって、恒久的に紹介する」目的で始まった。

　ビル・S・バリンジャー『赤毛の男の妻』とジョージ・バグビイ『警官殺し』の二点を皮切りに、わずか五日後にはウィリアム・クラスナー『殿方パーティ』とジュリアン・シモンズ『狙った椅子（ねらった椅子）』を発売。以後、一九五九年十月二十日のシャーロット・アームストロング『悪の仮面』とイヴリン・バークマン『盲目の悪漢』まで、約一年半の間に月一、二冊のペースで全部で二十九巻が刊行された。

　収録作品リスト（129ページ〜130ページ）を見ていただければわかるように、原著刊行が一九五三年から五七年と発売間もない新作ばかりを収録。しかもその内訳は、シリーズ開始前年の五七年が十一作と最も多く、続いて五五年・五六年が七作ずつ、五三年と五四年がそれぞれ一作と二作と極端に少ない一方で、五八年発表のほやほやな新刊も一作入っている。

欧米のミステリ界に生まれた新たな息吹を日本に吹き込みたい。第二次世界大戦以前のいわゆる探偵小説の〝黄金時代〟に形作られた既成概念、即ち本格やハードボイルドといったジャンルに特有の約束ごとやあるいはジャンルという概念そのものにとらわれない、新たな時代のミステリの担い手を紹介したい。選者・植草甚一のそんな思いがびんびんと伝わってくるラインナップだ。

crime・club 2

1
赤毛の男の妻
B・S・バリンジャー　大久保康雄訳
The Wife of the Red-haired Man
Bill S. Ballinger
殺人を犯して妻と共に逃げ廻る赤毛の男。それを追う警官という一見平凡な構成の中に秘められた最後の五十頁の恐るべき感動！　複雑なアメリカ社会の中に苦悶する人間を犯罪をとおして描いた最新のサスペンス。一九五六年作品。翻訳権独占

2
警官殺し
ジョージ・バグビイ　斎藤数衛訳
Cop Killer
George Bagby
ハードボイルド派の新しい傾向を代表するG・バグビイの作。ニューヨークの裏町に発生した警官殺しの背後にあるおそるべきティーン・エージャーの生態無数の容疑者と動機のなかに行きずまった捜査に登場する意外な人物とは？　一九五六年作。

くらいむ・くらぶ

四

無論、こうした〝斬新〟な叢書がいきなりぽんと誕生したわけではない。先行する二つのシリーズの相反する帰趨、即ち【世界推理小説全集】の成功と【現代推理小説全集】の失敗なかりせば、この特異な叢書は決して生まれ得なかっただろう。

どういうことかというと——

東京創元社といえば、早川書房とともに戦後の日本のミステ

リ界をリードしてきた二大ブランドという印象が強いが、元々は岩波書店のような文芸書や人文書を扱う格式高い版元・創元社の東京支社であった。

　そんなお堅い老舗がミステリのような〝通俗小説〟に手を出し始めたのは、一九五四年のことだ。倒産からの再建策として、入社間もない編集者・厚木淳（後の創元推理文庫初代編集長にして翻訳家）が提案した〝外国のミステリの出版〟という企画が、当時取締役だった小林秀雄により承認され、五六年一月、江戸川乱歩を筆頭に植草甚一、大岡昇平、吉田健一の監修の下、【世界推理小説全集】の刊行がスタートする。

　当初全二十八巻の予定で始まったこの全集は大いに評判となり、最終的には全八十巻にも及ぶ一大事業となった。いまだに古本屋でちょいちょい眼にすることからも、当時いかによく売れたかがわかる。なにしろ、それまで翻訳ミステリなど一切読まなかった地方都市在住の私の父親が、わざわざ取り寄せて毎月読んでいたくらいなのだから。版元の予想を上回るヒット商品

crime・club 2

スタッグ・パーティ　W・クラスナー　山西英一訳
狙った椅子　J・シモンズ　大西尹明訳
非常線　W・マスタスン　鷲村達也訳
少年誘拐　H・ウェイド　中村保男訳
暗殺計画　M・プライヤン　井上一夫訳
遠い山びこ　D・ラザフォード　龍口直太郎訳
バーバラス・コースト　マグドナルド　井上一夫訳
死刑台のエレベーター　ノエル・カレフ　宮崎嶺雄訳
わらの女　K・アルレー　安堂信也訳

クライム・クラブ第一、二巻をお届け致します
今さら申すまでもなく、Crime Club ということばの意味は、犯罪愛好家のクラブ、即ち推理小説愛好家のクラブといった意味です。この名称は、英国では COLLINS 社が Crime Club Choice として、また米国では、DOUBLEDAY 社が Crime Club Selection として刊行している上製本のもっとも権威のある推理小説の叢書名です。小社でも、両者の前例にならい、新らしい海外の名作を、翻訳権をとって、恒久的に紹介するのにもっともふさわしい名前として、このクライム・クラブをとりあげました。三巻以後の作品名は上記の通りですが、この後もどしどしこの叢書名に恥じない最新の名作を御紹介申し上げます。御期待並びに御愛読くださいますよう。

くらいむ・くらぶ

と言ってよいだろう。

その一翼（いちよく）を担ったのが、花森安治によるスマートな装釘である。「暮しの手帖」の名編集長にして人気装釘家でもあった氏のシンプルで洒落（しゃれ）たデザインは、それまでの〝常識〟であった、いかにもといった感じの怪しい具象画——【ぶらっく選書】や【雄鶏みすてりーず〈おんどり・みすてりぃ〉】に見られるアレだ——を一気に時代遅れなものとすると同時に、それまで〝探偵小説〟を手に取るのを躊躇（ためら）っていた潜在的読者の背中を押し、あわせて〝推理小説〟という名称の普及にも貢献した。

CRIME CLUB〈推理小説愛好家クラブ〉は海外の新作を厳選し、恒久的に刊行するものです。英国ではコリンズ社が、米国ではダブルデイ社がそれぞれ、クライム・クラブという名の下に出版している権威ある叢書名です。新鮮な内容・優れた翻訳・斬新な造本で、読者より歓迎されております。

海外推理小説の名作を網羅

スマートな造本★

装幀　花森安治

cc1	赤毛の男の妻………	B. S. バリンジャー　大久保康雄訳	200円
cc2	警官殺し………………	ジョージ・バグビイ　斉藤数衛訳	180円
cc3	殿方パーティ…………	W・クラスナー　山西英一訳	200円
cc4	狙った椅子……………	J・シモンズ　大西平明訳	200円
cc5	リトモア少年誘拐…	ヘンリー・ウェイド　中村保男訳	200円
cc6	非常線…………………	W・マスタスン　鷺村達也訳	180円
cc7	夢を喰う女…………	アームストロング　林房雄訳	近刊
cc8	ギデオンの夜………	J・J・マリック　清水千代太訳	近刊
	暗殺計画………………	M・ブライヤン　井上一夫訳	近刊
	遠い山彦………………	D・ラザフォード　竜口直太郎訳	近刊

以下続刊・箱入り美装本

★CRIME CLUB★

この【世界推理小説全集】の成功を受けて、東京創元社が次に始めたのが【現代推理小説全集】だ。

全十六ページに及ぶ詳細な内容目録に謳（うた）われた「刊行のことば」によれば、「読者の要望もあり、かつ深く期する所もあって（中略）《第一期全二十巻》の刊行計画を完了」、「一九四八年より五六年にいたる英米仏の最新の傑作全集」とすべく企画され、一九五七年八月にレオ・ブルース『死の扉』とウィリアム・P・マッギヴァーン『最悪のとき』の二作同時刊行によりスタートした（132ページ～133ページの収録作品リスト参照）。

監修者は前回と同じ四人。ただし『東京創元社文庫解説総目録［資料編］』「厚木淳インタビュー」によれば、今回は実質的には植草甚一による一人監修状態だったようだ。

欧米の大衆文化全般に広く興味を抱き、とりわけ映画とジャズとミステリを愛し、常に最先端のモノに対して興味を持ちつづけ、生涯にわたってサブカルチャーに関するエッセイを精力的に執筆し続けた植草甚一。氏が、並々ならぬ熱意を持ってこの企画を推進したであろうことは、以下の「監修者のことば」からもはっきりと伝わってくる。曰く、

「刊行中の「世界推理小説全集」と並行し、いよいよ「現代推理小説全集」を逐次刊行することになったが、私はその責任者の一人として、過去二年間ずうっと、イギリス、アメリカ、フランスから新刊書を取り寄せ、目星しい作品には殆ど全部眼をとおした。その数は三百点ちかくになるが、ここに発表する二十点は、読み出したら止められなくなり、夕方から翌朝

東京創元社版

世界推理小説全集

全28巻

文学の香り高い本格推理小説

単に探偵小説としてではなく、文学的推理小説のこの全集は、高級な知的娯楽の書物として、健全な家庭の好読物

世界の傑作30編！

監修 江戸川乱歩 植草甚一 大岡昇平 吉田健一

解説 中島河太郎　装幀 花森安治

推理小説と正義感　小泉信三

……吾々が推理小説を好むのは、謎を解きたがる人間の本能と、吾々の持つて生れた正義感が満たされるということが大きいと思う。独裁政権の下では推理小説は生れない。この点、日本で推理小説が盛んに読まれることは結構なことである。

小B6判 函入丸背

第一・二回配本〈1月26日発売〉

14 アクロイド殺害事件
クリスチイ・大久保康雄訳 英女流作家クリスチイの代表作でそのトリックの構成は特に素晴しい。定価一七〇円

26 大いなる眠り
チャンドラー・双葉十三郎訳 緊迫したスリル、スピード、新感覚の語法と文体に成る傑作。定価一六〇円〒各30

1 モルグ街の殺人 他／ビッグ・ボオの殺人
2 シャーロック・ホームズの冒険
3 バスカーヴィル家の犬
4 奇巌城 ルブラン
5 木曜日の男 チエスタートン
6 黄色の部屋 ルルー
7 トレント最後の事件 ベントレー
8 奇妙な足音 チエスタートン
9 樽 クロフツ
10 赤い家の秘密 ミルン
11 赤毛のレドメイン フイル＝ポッツ
12 百万長者の死 コール
13 陸橋殺人事件 ノックス／うたう白骨 フリーマン
14 アクロイド殺害事件
15 秘密諜報部員 モーム
16 グリーン家殺人事件 ダイン
17 僧正殺人事件 ダイン
18 血の収穫 ハメット
19 男の首 他 シメノン
20 殺意 アイルズ
21 シタフォードの謎 クリスチー
22 Yの悲劇 クイーン
23 帽子蒐集狂事件 カー
24 ナイン・テイラーズ セイヤーズ
25 どもりの僧正 ガードナー
26 大いなる眠り チャンドラー
27 インクエスト ワイルド
23 サム・スペードの冒険 ハメット

東京創元社・東京都新宿区新小川町一ノ一六・振替東京四一二四七番

にかけて夢中になって読んでしまったものばかりである。朝の四時ころになると、いつもいっぺんは睡魔が襲ってきたが、そのまま本を投げ出して眠ってしまうことが出来なかったのを、いま思い出しながら、責任の重大さを感じている」

後年、「じぶんでほんとうにやりたいのは外国のあたらしい小説の紹介」(『ワンダー植草・甚一ランド』晶文社)と語っているように、海外の新鮮なミステリを吟味(ぎんみ)・紹介することこそ、この当時の植草にとって最大の関心事であったことは、以下の発言からもはっきりとうかがえる。

「現在推理小説は既にトリックが種切れになり、行き詰ったといわれている。はたしてそうであろうか? この問に答えるのが、世界推理小説全集の第二期の仕事であろう。第一期のけんらんたる傑作を読んで、それぞれ推理小説通となった読者に、さらに、未紹介の現代の新しい推理、スリラー等の要素の強い文学的作品を、ぜひ提供したいと思っている」

これは【世界推理小説全集】の発刊、即ち第一期の開始に当たって述べた「監修者のことば」である。古典・名作を中心とした第一期のラインナップには見事なまでに無関心、一刻も早く第二期として現代の作品を紹介したいという姿勢がうかがえ、もういっそ清々しいくらいだ。

そんな植草にとって【現代推理小説全集】発刊の喜びはいかばかりであったか。こうして、〈古典は「世界推理」で、新作は「現代推理」で〉というモットーの下、華々しく幕を開けたシリーズであったが、その構想は一年を待たずして頓挫(とんざ)する。

売れなかったのだ。かくて全二十巻の構想は十五巻で打ち切られ、ビニールカバー付き丸背厚表紙という凝った装幀から、雁垂れ並製箱入り箱帯付きというシンプルかつスマートなものへと一新することで大幅にコストを削減し、定価を下げて、未刊の五作を含む新たな叢書【クライム・クラブ】として生まれ変わることになる。

第二章

一

さて、【クライム・クラブ】の概要と誕生までの経緯についてざっと述べたところで、個々の作品について探っていくとしよう。

その際、刊行順に頭から眺めてみてもあまり意味がないので、ここは昔懐かしの〝創元推理文庫分類マーク〟にならって、〈本格推理〉〈ハードボイルド・警察小説〉〈サスペンス〉とざっくりジャンル分けした上でまとめて語っていきたい。

まずは、叢書が刊行された一九五〇年代末に〝最先端〟のジャンルだった〈警察小説〉から見ていきたいが、その前にこの分野の生い立ちについて簡単に触れておく。

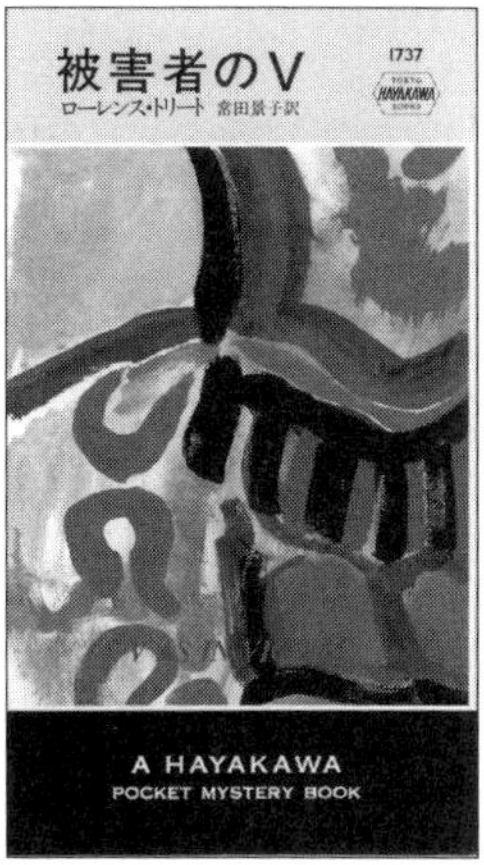

アメリカ探偵作家クラブ（MWA）創設メンバーの一人で後に会長も務めた弁護士出身の作家ローレンス・トリートが、警察官と知り合いその実態に触れたことをきっかけに、〈警察小説〉の嚆矢とされる『被害者のV』（ハヤカワ・ミステリ）を発表したのは、第二次世界大戦が終結した年、即ち一九四五年のことだ。

この作品は、シャーロック・ホームズやフィリップ・マーロウといった一人のヒーローの活躍譚とはまったく異なる新しいタイプのミステリである。具体的には、彼はこの『被害者のV』に三つの画期的な工夫を凝らした。

まず第一に、事件解決の栄誉を〝普通の警察官〟に担わせた。第二に、個人の活躍ではなく組織全体の活動を描くことに重点を置いた。第三に、探偵に社会との繋がりを持たせた。

トリートは、「モルグ街の殺人」以来一世紀近くにわたって主役をはっていた孤高のヒーロー――〝偉大な頭脳〟の持ち主である名探偵や、〝卑しき街を行く現代の騎士〟である私立探偵――を舞台から退場させ、彼らの引き立て役にすぎなかった〝平凡な脇役〟である警察官にスポットライトを当てた。

その結果、個人の能力ではなく、組織に属する複数の専門家がそれぞれの役割に応じて働くことで事件解決へと至る過程そのものを読み所としたミステリが誕生する。

そうして生まれた新たな主人公は、組織人であると同時に一個人としての側面も併せ持つため、次々と起きる犯罪に取り組む一方、集団の中での生き方、家族との関係など様々な問題に対処しなければならない。

トリートは、〝警察官も人間であり、読者と同じく社会生活を営んでいる〟という当たり前のことを改めて明示し、探偵役を畏怖や憧憬の対象から身近な存在にチェンジしたのだ。

二

こうして産声（うぶごえ）を上げた〝新たなミステリ〟だが、すぐにフォロワーが現れたわけではない。

一九五〇年代に入って、長年警察官として働いた経験を持つイギリス人作家モーリス・プロクターが警視による捜査報告書という形式で書いた『ペニクロス村殺人事件』（1951、ハヤカワ・ミステリ）や、アメリカ人作家ヒラリー・ウォーが当時流行していた〈犯罪実話〉に触発されて生みだした〝リアル〟な謎解き小説『失踪当時の服装は』（1952、創元推理文庫）など、地方の小都市を舞台にした作品がぽつぽつと芽吹き始める。

299
この街のどこかに
HAYAKAWA
モーリス・プロクター　森 郁夫訳
A HAYAKAWA
POCKET MYSTERY BOOK

そして一九五四年、プロクターによる《マーティノー主任警部》シリーズ第一作『この街のどこかに』（ハヤカワ・ミステリ）が登場。大都会を舞台にした〈警察捜査小説（ポリス・プロシーデュラル）〉というジャンルに、ようやく二人目の参入者が姿を見せる。

そんなやや鈍い立ち上がりを示したミステリ小説界とは対照的に、映像や演劇の世界では、警察官は早々に注目を集めていた。一九四八年に公開された映画「裸の町」や四九年からロング・ランを記録し五一年には映画化されたシドニー・キングスレーによる戯曲『探偵物語』（早川書房）といった大都会ニューヨークの刑事を主人公にした作品がヒット、さらにロサンゼルス市警の全面的な協力を得て作られたセミドキュメンタリー警官ドラマ「ドラグネット」（ラジオ一九四九〜五五年、テレビ一九五一〜五九年）が全米で爆発的な人気を博し、世界各国で放映されるようになる。

　一方、活字の世界でも、一九五〇年に戦中から戦後にかけて急速に人気が出始めた〈犯罪実話〉を集めた、ジョン・B・マーチンによる『悪魔の1ダースは13だ』（東京創元社）や、大都会の裏側で発生する犯罪と日々格闘するパトロール警官の姿を描いた、ピューリッツァー賞受賞作家マッキンレー・カンターのドキュメンタリー・タッチの小説『夜の警邏(けいら)自動車』（リーダーズダイジェスト）が上梓され話題を集めていく。

　そして一九五五年、これらさまざまな作品を養分として、イギリスでJ・J・マリックの『ギデオンの一日』（ハヤカワ・ミステリ文庫）が、さらに翌五六年アメリカでエド・マクベインの『警官嫌い』（同）が発表され、《スコットランド・ヤード》と《87分署》の面々が活躍する二大人気シリーズが開幕、ここに〈警察捜査小説(ポリス・プロシーデュラル)〉は本格的なスタートを見ることになる。

三

　こうして生まれた〈警察小説〉に分類される作品が、【クライム・クラブ】の中には五作ある。刊行順に挙げると――

第二巻『警官殺し』ジョージ・バグビイ、第三巻『殿方パーティ』ウィリアム・クラスナー、第五

巻『リトモア少年誘拐』ヘンリー・ウェイド、第六巻『非常線』ホィット・マスタスン、第七巻『ギデオンの夜』J・J・マリック。

この他に警察官が主人公の作品として、第九巻『名探偵ナポレオン』アーサー・アップフィールド、第十五巻『パリを見て死ね!』マーテン・カンバランドがあるが、この二作は黄金期本格ミステリにも見られた警察官が名探偵役を務めるタイプの作品なので対象外とする。

と、ここまで書いたところで実はちょっと悩んでしまった。というのも、最初に取りあげる『警官殺し』が、この〝偉大な頭脳〟による謎解きミステリに極めて近い作品だからだ。

前章に掲載した折り込みチラシに記された、

「ハードボイルド派の新しい傾向を代表するG・バグビイの作。ニューヨークの裏町に発生した警官殺しの背後にあるおそるべきティーン・エージャーの生態　無数の容疑者と動機のなかに行きずまった捜査に登場する意外な人物とは?」

という内容紹介からはとても想像がつかないかもしれないが、これはS・S・ヴァン・ダインのファイロ・ヴァンスものの系譜に連なる作品なのだ。

作者のジョージ・バグビイは、偉大な先達が用いたスタイルを踏襲して、名探偵シュミット警視の推理譚を自身と同名の伝記作家バグビイが一人称で綴(つづ)る〝古式ゆかしいスタイル〟のミステリを、一九三五年から半世紀にわたって全部で五十一作書いた。

ただし従来の謎解きミステリとは大きく異なる点が二つある。一つは、生粋のニューヨーカーという立場を生かして、〝我が町〟マンハッタンを中心に街とそこに生きる人々の描写に筆が多く割かれている点。もう一つは、名探偵であるシュミット警視が、弱者に目を配りつつも社会の秩序を維持するという警察官としての信念に基づいて思考し行動している点。この二点によってバグビイは、〈警察小説〉の先駆者の一人として名を残すことになったのだ。

実際、〝警察官による不正〟と〝少年犯罪〟という当時流行だった二つのテーマを掛け合わせた『警官殺し』には、名探偵による意外な真相解明という謎解きミステリとしての興趣に加えて、一九五〇年代半ばのニューヨークの様子と苛烈な環境下で犯罪に手を染めるに至るナイーブな少年の心情がくっきりと描かれている。エヴァン・ハンター『暴力強室』（1954）やハル・エルスン『警官にはしゃべるな』（1956、ともにハヤカワ・ミステリ）に通じる味わいがあるのだ。

ただし、警察の捜査活動に関してはほとんど触れられておらず、社会と探偵役との繋がりもうかがうことは出来ない。先駆者にとどまる理由もそこにある。

ちなみにハンプトン・ストーン名義で全十八作刊行された《ニューヨーク地方刑事補ジェレミア・X・ギブスン&マック》シリーズの一作『奇妙な殺し屋』（1967、ハヤカワ・ミステリ）でも、同様にワトソン役のマックの一人称スタイルを採用。警察官と同じく犯罪と縁の深い法曹関係者を探偵役としながらも、あくまでも伝統的な謎解きミステリを志向し続けた（まったくの余談だけれど、ニューヨークを舞台に〝骨の折れる音に耳をすます殺人者〟と名探偵が知恵比べをするという設定は、ジェフリー・ディーヴァーの『ボーン・コレクター』（1997、文春文庫）の先駆けとして興味深い。異様な発端に比べて真相があっさりしており、今となっては食い足りない作品ではありますが）。

閑話休題。この二つのペンネームでの活動以外に、本名のアーロン・マーク・スタイン名義でも二種類の異なるシリーズを合わせて四十一作発表、三つの名義を駆使して一九八五年に亡くなるまでに実に百十四作もの長篇を執筆し、MWA会長も務め、MWA賞グランド・マスター賞を受賞するなど、アメリカン・ミステリを語る上では無視できない存在なのだが、今となっては忘れられた作家となってしまった。

〝先駆者〟としての功績とは別に、一九三〇年代から八〇年代半ばまでコンスタントに謎解きミステリの長篇を出し続けた作家がアメリカにもいたという事実は、記憶の隅に留めておいてもいいだろう。

続いてはヘンリー・ウェイドの『リトモア少年誘拐』。一八八七年に生まれ、所謂〝黄金時代〟真っ盛りの一九二六年にデビューしたウェイドは、司法や行政の重職に就いた経験をもとに、当時としては珍しく探偵役を務める警察官の捜査活動をリアルに描いた謎解きミステリを何作も書いた。

そんな重要な〝先駆者〟の一人であるウェイドが七十歳の時に書いた最後の作品である本書は、帯に書かれた、

「ヴェテラン作家の快心作！　英国では珍らしい誘拐事件が発端――富豪の息子リトモア少年が誘拐され、身代金は10,000ポンド！　しかし、事件は一転して、平凡な誘拐騒ぎから奇怪しごくな謎に直面する。犯罪よりも犯罪者が、犯罪者よりも追求者が重大な意味を持つ巧妙な作品である」

というコピーにあるとおり、〝追求者〟即ち〝探偵役〟にちょっとした工夫が凝らされた誘拐ものである。

　十歳の少年が誘拐され、背後に賭博を巡る組織犯罪者の影がちらつくにもかかわらず、物語は静かに、どこか牧歌的とも言える雰囲気を漂わせつつ進行していく。

　このジャンルの大きな魅力である誘拐犯との駆け引きから生まれるハイテンションなスリルを期待すると肩すかしを食らうだろう。警察による捜査活動にも派手さはなく、地道ではあるが特筆すべき点はない。

　ならば面白くないのかというとそんなことはない。この小説の眼目は別の所にある。物語中盤で登場人物の一人が囁く一言によって、事態はまったく違う局面へと突入するのだ。これには驚いた。捜査サイドは俄然精彩を放ち始め、同時に物語のスピードも増し、whodunitとしての面白さを維持したまま綺麗に着地する。

　その幕引きは、この作品を最後に筆を折ったのもむべなるかなと納得させられるものであり、文庫化されたのもうなずける良作だ。

　同じく誘拐事件を扱ったホィット・マスタスンの『非常線』は、捜査網を展開して誘拐犯を突き止め追いつめていく警察官の姿を真っ向から描いた正統派作品だ。帯の宣伝文句に、

「手に汗にぎる色情狂の跳梁　車の中で若い恋人同志が愛を囁いていた。午前0時10分、色情狂が獲物を求めて街をさまよっていた。そして青年をなぐり倒し、女を連れて逃走を開始した――。追う者追われるもの、全市に張られた非常線をかいくぐって逃げ廻る犯人。その強烈なスリルは、近来の推理小説界の大収穫と評されている」

とあるように、冒頭から末尾までアクセル踏みっぱなしのスリリングな犯罪小説である。

　All Through the Night という原題が示すように、作中の経過時間は事件が発生した真夜中過ぎからクラ

イマックスを迎える明け方までのわずか五時間半。その限られた枠の中で頻繁に場面を切り替えて、様々な視点——社会と折り合いをつけられず犯罪者となってしまう誘拐犯、身内に対して疑念を抱く家族、公務と家庭の間で葛藤する捜査指揮官、使命感に燃える警察官等々——を通して事件を多面的に描き、タイトでサスペンスフルなドラマを生みだした。

章の冒頭に時刻を記す手法は、今や常套手段であり新鮮味はないものの、臨場感と緊迫感を高めるのにはやはり有効であり、今読んでも十分に楽しめる。

また同じ作者の『ハンマーを持つ人狼』（1960、創元推理文庫）は、女性警察官の活躍を本格的に描いた初のミステリであるだけでなく、凝った構成と謎解きミステリの興趣も兼ね備えた傑作であり、強くお薦めします。

ところでミステリとしての出来とは直接は関係ないのだけれど、犯人の家を訪れた警察官が、「部屋中でいちばん新しい調度品は、もちろんテレビで、その大きな目がまばたきもせず寝ずの番をしている」と述懐するシーンがあり、深く胸に突き刺さった。こういう背景描写が物語に奥行きを与えるのだ。

戦後アメリカに誕生した郊外住宅地に暮らす、ごく普通の住人の心理にテレビが与えた影響については、大場正明（おおばまさあき）の名著『サバービアの憂鬱　「郊外」の誕生とその爆発的発展の過程』（角川新書）に詳しいので、興味のある方はぜひ読んでみて欲しい。

さて、『ギデオンの夜』もまた、その題名が示すように、夜を徹して犯罪者と対決する警察官の姿を描いた作品だ。帯に書かれた、

「霧の夜のロンドン、警視庁のギデオン部長は当直をかって出た。平穏な夜だった。しかし彼は妖しい胸騒ぎがしてならなかった……。一つ、二つ、三つ四つ、無数の事件が奔流のようにクライマックスへ殺到する！」

という謳い文句は誇張でも何でもなく、一晩のうちに十件近くの重大事件が発生する。

夜な夜な女性を襲って髪を切って廻る〝徘徊者〟と連続嬰児（えいじ）誘拐事件の捜査に注力する傍ら、宝石商強盗、ギャング同士の抗争、結婚詐欺師の奸計などにも対処し、失踪人の捜索も行う。さらにはパリ警視庁からの協力要請にも対応すべく、警視長ギデオンの指揮下、

スコットランド・ヤードの面々は夜の大都会を奔走する。

《ギデオン警視》シリーズの最大の功績は、互いに無関係な数多くの事件をカット・バック手法を用いて並行して語ることで、警察官の活動を〝リアル〟かつダイナミックに描くモジュラー型の〈警察捜査小説(ポリス・プロシーデュラル)〉を確立したことだ。

この型式は、世界を拡げ現実らしさを付与するメリットと引き替えに、散漫でのっぺりとした作品に陥るリスクを背負っている。マリックは、ギデオンという卓越した司令塔を中心に据え、一段高い位置から交通整理させることでこの危険を回避した。

読者は次々と起きる凶悪犯罪を前に、怒り、悩み、苛立ち、喜ぶ〝人情味溢れる秩序の維持者〟ギデオンの目を通じて、大都市が抱える〝現実〟を認識し、それを小説として楽しむことができるのだ。

そんなシリーズが誕生したきっかけとして、ジュリアン・シモンズが評論『ブラッディ・マーダー』の中で、「隣家にロンドン警視庁の警部が住んでいて、「われわれの活躍ぶりを小説化してみませんか。読者を飽きさせないこと疑いなしです」と言った」ためと書いている。また、『ギデオン警視と暗殺者』(1962、ハヤカワ・ミステリ)の解説には、渡米した際に「TVの番組で『ドラグネット』のような警察ものの人気が圧倒的であることに注目した」ためと記されており、アメリカにおいてテレビがこのジャンルの浸透に果たした役割の大きさを再確認させられる。実際、シリーズ第一作の『ギデオンの一日』は、まず始めにアメリカで出版された。本国イギリスでの刊行は約一年後のことである。

そうして全部で二十一冊書かれたこのシリーズは、当初順調に訳されていったが、八作でぱったりと翻訳が停まってしまった。ほぼ同時期に紹介が始まった《87分署》シリーズと比べて話が地味な上、構造に変化がなく、主役との距離感が遠かったことが大きな理由だろう。分署の一介の刑事と警視庁の指揮官とでは、キャラクターに対する感情移入の度合いに差が出るのは当然のことだ。もっとも、最後の翻訳となった『ギデオン警視の危ない橋』(1960、創元推理文庫)の厚木淳によるあとがきを読むと、版権交渉を兼ねて来日した際に、かなりハードな交渉が行われたようなので、案外そんなところにも原因があるのかも知れない。

ともあれ、本作は一個の警察小説として今読んでも面白く、文庫化されなかったのが惜しまれる一冊だ。『ギデオン警視と部下たち』（1959、ハヤカワ・ミステリ）、MWA賞最優秀長篇賞を受賞した『ギデオンと放火魔』（1961、ハヤカワ・ミステリ）と並んでシリーズを代表する作品である。

作者J・J・マリックは、英国推理作家協会（CWA）創設メンバーの一人で初代会長となったジョン・クリーシーの二十八あるペンネームの一つ。本名での代表作は、全部で五十九作書かれた貴族探偵《トフ氏》シリーズ（『トフ氏と黒衣の女』1940、論創社）。一九七三年没。CWA賞最優秀新人賞のジョン・クリーシー・ダガー（ニュー・ブラッド・ダガー）賞は、彼を追悼して同年に創設された。

最後は毛色の変わった作品を紹介しよう。【クライム・クラブ】には、そこに収録された作品以外に翻訳がない作家が何人もいるが、『殿方パーティ』の作者ウィリアム・クラスナーもその一人だ。

一九一三年にセントルイスで生まれたクラスナーは、多方面にわたって活躍したライターであった。二〇〇三年に亡くなるまでに、自然科学や社会科学の分野で、いくつものノンフィクションを執筆・編集。テレビやラジオ向けに百本近くのドキュメンタリー番組を制作、他に脚本も執筆している。

一九四九年、《サム・バージ警部&チャールズ・ハーゲン警部補》シリーズの第一作 *Walk the Dark Streets* を発表。MWA賞最優秀新人賞にノミネートされる。以後、全部で五作を刊行（なぜか最後の作品はドイツでのみ出版）、他にノン・シリーズの作品が三作ある。

シリーズ二作目として書かれた『殿方パーティ』は、「保険会社のセールスマン総会のスタッグ・パーティ（男だけの会）の夜、発見された裸の女の死体！　本格推理小説の背景として社会的視野を重視するアメリカ派の作風を良く示す新作」という紹介文からは、何となく扇情的な謎解きミステリが連想されるが、実際にはかなり硬派なハードボイルド風味の警察小説だ。

早朝のビルの谷間に半裸の状態で横たわっていた若い女性は、酔って外階段から墜落したのか、それともパーティの出席者に突き落とされたのか。固く口を閉ざす関係者の間を巡礼し真相を掘り起こすバージ警部の姿は、まさに〝孤高の騎士〟であり、五〇年代の繁栄に沸くアメリカの内面を照射した極めて社会性の強い作品である。

シリーズ一作目と二作目の間に書かれた*The Gambler*（1950）と*North of Welfare*（1957）というノン・シリーズ作品も、紹介文を見る限り、同様に都会を舞台としたテーマ性の強い犯罪小説のようであり、五〇年代のアメリカン・クライム・フィクションについて語る上で、重要な作品なのではないだろうか。

四

以上、【クライム・クラブ】に収録された〈警察小説〉について眺めてみたが、この叢書が刊行された一九五八年から五九年という年は、大西洋を挟んでまさに〈警察小説〉という新たな風が、その勢いを急速に強めていった時期と言っていい。

それはやがて太平洋を渡り、【ハヤカワ・ミステリ】と【クライム・クラブ】という二つの扉を通じて日本に吹き込み、六〇年代にかけて〈警察小説〉ブームという旋風を巻き起こす。

ちなみに【クライム・クラブ】が終刊する以前に、この叢書以外で翻訳された〈警察小説〉は、一九五七年のモーリス・プロクター『この街のどこかに』とウィリアム・P・マッギヴァーン『最悪のとき』（1955、東京創元社）、一九五八年のJ・J・マリック『ギデオンの一日』、モーリス・プロクター『ペニクロス村殺人事件』、ウィット・マスタースン『黒い罠』（1956、ハヤカワ・ミステリ）、一九五九年のトマス・ウォルシュ『マンハッタンの悪夢』（1950、東京創元社）と、ごくわずかにすぎない。

そして、警察小説の代名詞とも言える《87分署》が日本に初上陸するのは、叢書終刊から二ヵ月後の一九五九年十二月のことだ。

本格的な風が吹く直前にあって、警察官を主人公とした様々なタイプの物語がセレクトされているのは、欧米のミステリ界に生まれた新たな息吹を日本に吹き込みたいという植草甚一の一貫した姿勢による。

全二十九巻の内の五作という数は、とりたてて大きなウェイトを占めている訳ではないが、そのすべてがシリーズ初期に刊行されている点が興味深い。

全集と違って事前にきっちりと刊行予定を定めなく

てよい点が叢書形式のメリットだが、それは裏を返せば刊行の保証がないということでもある。であれば、優先順位の高い作品から出していきたいと思うのが人情というものだろう。

新しい物好きな植草甚一が〈警察小説〉という新興ジャンルを特に意識した結果なのか、はたまたその逆で面白いと思った作品がこのジャンルに多かったのか。

今となっては知るすべもないが、彼が呼び込んだ風は叢書終刊後も止むことなく、ウィリアム・P・マッギヴァーン、ヒラリー・ウォー、トマス・ウォルシュ、ベン・ベンスンといった新風が創元推理文庫を舞台に吹くことになる。

第三章

一

一九五〇年代は〈警察小説〉と〈サスペンス〉の時代だった。

当時の〝最先端〟のジャンルである〈警察小説〉――その生い立ちについては第二章に記した通り――と、第二次世界大戦後に大きく変容した情勢――個人を取り巻く生活環境から国家間の勢力関係まで――を土壌に急速に擡頭してきた〈サスペンス〉。この二つのジャンルが、映画や〝新興〟メディアであるテレビといった映像作品のヒットも手伝って活況を呈する一方で、〈本格推理〉は退潮し、〈ハードボイルド〉は停滞する。

いわゆる探偵小説の〝黄金時代〟に形作られた既成概念、即ちジャンルに特有の約束ごとやあるいはジャンルという概念そのものに囚われた作家やその創作物は、もはや大衆の目には輝いているものとは思えなくなり始めていたのだ。

その結果、彼らは新たな時代にマッチした刺激的かつ身近なジャンルへと関心を移し、変化を好まない熱烈な愛好家のみが、優越感と満足感の陰に苛立ちと諦念を隠しつつ、そっと本を閉じるようになる。

無論これは、すごくざっくりとしたとらえ方であり、個々の作家や作品にフォーカスすれば、また別の世界が見えてくるのはいうまでもない。例えば、ヘレン・マクロイやクリスチアナ・ブランド、ウィリアム・P・マッギヴァーンやジム・トンプスンといった希有な書き手がこの時代に生みだした傑作は、時の潮に浸食されることなく、半世紀以上経った今なお、読み継がれている（いや、まてよ。マッギヴァーンはあまり読まれていないかも。都筑道夫をして、「探偵小説の限界」「これ以上のものを書かなければならないとすると、探偵小説にならなくなるのではないか」と言わしめた『明日に賭ける』（ハヤカワ・ミステリ文庫）は、ぜひとも読んで欲しいミステリ史上に残る傑作です）。


閑話休題。ただ、そうした鳥瞰図を頭に入れた上で、あらためて【クライム・クラブ】のラインナップを眺めてみるととても面白い。

「新らしい海外の名作を、翻訳権をとって、恒久的に紹介する」目的で始まったこの叢書の収録作は、一九五三年から五八年までに刊行された、まさに五〇年代の新作ばかり。その内訳は、選者である植草甚一独特の〝過去に類例のない新規な作品優先〟というフィルターを経た結果、〈警察小説〉が五作、〈本格推理〉が七作、〈サスペンス〉が実に十七作と、当時の海外ミステリ界の潮流をストレートに映し出したラインナップとなっている。

しかも、どこか明後日の方向に新機軸を求めてしまった不思議な作品も紛れ込んでいるので、結果的になんともクセの強い面々が居並ぶことになった（ちなみに前述したマッギヴァーンは、この叢書には含まれていないが、前身にあたる【現代推理小説全集】に『最悪のとき』が採られている。流石である）。

二

今回取りあげる〈本格推理〉の七作——第四巻『狙った椅子』、第九巻『名探偵ナポレオン』、第十五巻『パリを見て死ね！』、第十七巻『チャーリー退場』、第二十巻『殺人の朝』、第二十四巻『のぞかれた窓』、第二十七巻『消えた犠牲』——も、当然、強烈な個性を備えている。カントリーハウスに転がった死体を巡る不可解な謎に挑んだ名探偵が、関係者一同を集めて悠揚迫らぬ態度で真犯人を指摘する、といった王道作品は一作もない。

いや、実は一つだけ田舎の大邸宅の主の死を扱った謎解きミステリがあるのだけれど、これがまた読者の予想を次々と裏切る、なんとも独創的かつトリッキーな作品なのだ。

まずは、その作品——コリン・ロバートスンの『殺人の朝』から見ていこう。

「大実業家が、〝朝〟殺されていた。彼を怖れ、嫌っている実の娘と彼のもとを離れたがっている妻がいた。深く暗い秘密をさぐるうち全く予期せぬ終末となる」

という【世界推理小説全集】第60巻の月報「推理」に書かれた紹介文からは、正直この作品の独創性は、うかがい知れない。

嫌われ者の大富豪の死、いかにもといった感じの怪しげな家族、やがて明かされる一族の秘密と意外な真犯人。レイモンド・チャンドラーが「簡単な殺人法」の中で、「なにごとも学ばず、また、なにごとも忘れずにすませてきた」と苦言を呈した古典的探偵小説そのものじゃないの、という推測に、唯一待ったをかけるものがあるとすれば、〝朝〟の一字だろう。

なぜわざわざ引用符で括ったのか？　ラスト九ページに至って、ようやくその意味が明かされた時、*Murder in the Morning*『殺人の朝』という味も素っ気もないタイトルが、これ以上ないほどふさわしいものとして実感されることだろう。

帯に記載された「第一部　計画　第二部　罠　第三部　動機　読者の意表をつく本格作品！」という簡潔明瞭なキャッチコピー以上に的確なレビューが浮かばない、なんとも紹介屋泣かせのこの作品は、フレッド・カサック『殺人交叉点』やビル・S・バリンジャー『歯と爪』に比肩する、【クライム・クラブ】の中でも五指に入るスマートかつトリッキーな、今読んでも十分に面白い逸品だ。

ちなみに、本書の刊行から半年ほど後、一人の新人作家が代表作の一つとなる作品を発表した。「三人目の椅子」と名付けられたその中篇は、「第一部　計画」「第二部　破綻」「第三部　成就」という構成からも明らかなように、『殺人の朝』に大いに触発されて生まれたミステリだ。しかもこの作品を収めた翌年刊行の中篇集『透明な暗殺』は、第四十三回直木賞の候補となる。

この新進気鋭のミステリ作家の名前は、佐野洋。彼は、植草甚一『クライム・クラブへようこそ』（晶文社）の解説の中で、この叢書に対して、

「私を喜ばせたのは、どの一冊をとっても、そこに小説作法上の新しい趣向を見出せたことであった。ああ、こういう手があったのか。なるほど、昔から書かれて来た、手垢のついたテーマでも、書き方一つで、こんなに変った小説になるのか……。私は、目を洗われた思いで、これらの一冊一冊を読んだのだった。そして、それは、ちょうどそのころ推理小説を書き始めた私にとって、大きな刺激と激励になったのである」

と、語っている。五〇年代に英米で勃興（ぼっこう）した新機軸を打ち出した作品群が、その後新たな日本ミステリの担い手として活躍することになる新人作家に与えた影響を直接うかがうことが出来るエピソードとして、とても興味深い。

一方、当のコリン・ロバートスンは、CWAの初期会員だが、実はどんな人物なのかはほとんど解っていない。一九〇六年生まれ八〇年没のイギリス人。三四年のデビュー以来、本作が初登場作となるブラント警部を始め、八人のシリーズ・キャラクターを駆使して生涯に五十七作を刊行。その多くは、ジョン・クリーシーの《トフ氏》シリーズやレスリー・チャータリスの《サイモン・テンプラー》シリーズ風の作品らしい。その他にデズモンド・レイド Desmond Reid というハウス・ネームのもとで、英国の国民的英雄名探偵《セクストン・ブレイク》シリーズの一作 *Deadly Persuasion* を書いた。翻訳された作品は本作のみ。せめてもう一作読んでみたいものだ。

【クライム・クラブ】が取りあげた作家の中には、このコリン・ロバートスンのように、ここに収録されたもの以外に長篇の翻訳がない者が十一人いる。

全二十六人中——二作紹介された作家が三人いるので——十一人というのは、かなりの高確率だ。〝植草好み〟の内容が当時のミステリ読者から多くの支持を得られなかったことの証左ではあるけれど、翻訳の拙（まず）さという問題も絡んでくるので、一概に彼の趣味が特殊すぎたとも言い切れまい。

ベルトン・コッブもまた、せめてもう一冊という思いを掻き立てられる、知る人ぞ知る謎解きミステリ作家の一人だ。

本名ジェフリイ・ベルトン・コッブ。英国人。一八九二年に生まれ、一九七一年に亡くなるまでに五十四作の長篇ミステリと三作の一般小説、五作のノンフィクション——殉職した警察官を扱った *Murdered on Duty*（1961）と十九世紀のスコットランド・ヤードに関する二著作等——を発表した。

元々は大手出版社ロングマンの営業部長であり、一九三四年に勤め先からデビューしたことからもうかがえるように中々に抜け目のないお方のようだ。ユーモア雑誌《パンチ》の常連寄稿家だったという側面も、なるほどとうなずけてしまう、といったら穿（うが）ちすぎだろうか。

『消えた犠牲』は、そんな彼が六十六歳の時に発表した、ひねりの利いた渋いユーモアがほのかに漂う技巧派謎解きミステリだ。帯の惹句（じゃっく）も、

「招かれた別荘で待っていたのは……もりあがるサスペンスと驚くべき結末！」

とそっけなく、植草甚一による解説でもまったく内容にはふれていない。先入観抜きで驚いて貰いたいという先人の心遣いに敬意を表して、ここでも最低限の紹介に止めておくと――、

「私には名前が三つある」という刺激的な一文で始まるこの物語は、「第一部　身替り物語」「第二部　探偵物語」という二段構えの構成で、少ない容疑者の中からシリーズ・キャラクターであるスコットランド・ヤードのチェヴィオット・バーマン警部が意外な犯人を指摘する本格ミステリの佳作、といった感じだろうか。

尚、本作以外の唯一の翻訳「フレックスマン氏の大ぼら」（「EQ No.122」掲載）は、思わずクスッとしてしまう、ユーモリストとしての側面が強く出た洒落た掌篇です。

《パンチ》と縁の深い英国ミステリ作家は幾人もいるけれど、アレックス・アトキンスンもまた常連寄稿家の一人だった。

一九一六年にリヴァプールに生まれ、十八歳からの十五年間、巡業劇団の舞台俳優として長く厳しい生活をする中で脚本を書き、退団後には当時の経験をベースに小説を執筆したアトキンスンだが、最終的にはユーモリストとしての仕事が最も記憶に残ることになった。挿絵画家のロナルド・サールとコンビを組んだ《パンチ》誌の連載は人気を博し、*The Big City or the New Mayhew*（1958）としてまとめられ、以後、アメリカ移住後に《ホリデイ》に寄稿した分も含めて、一九六二年にアトキンスンが四十六歳の若さで亡くなるまでに二人の作品集は全部で四冊が刊行されている（最後の一冊は死後に刊行）。ちなみに、あのP・G・ウッドハウスも自伝的エッセイの中で、アトキンスンのファンであると公言している。

『チャーリー退場』は、そんな彼の体験と特質が十二分に発揮された、

濃密な緊迫感と軽いユーモアが漂う本格ミステリである。

「スリラー劇の上演直後に楽屋で毒殺されていた主演者チャーリー。事件は二日目の終演間際の舞台で探偵小説空前のクライマックスを生む。クロフツ式の克明な描写で一九五五年度に最も話題となったパンチ誌の寄稿家アトキンスンの第一作」【現代推理小説全集】の一作として予告された際の紹介文からうかがえるように、事件発生から解決までにわずか二十四時間しかかかっていない。その理由は、〝舞台はつづけねばならん(ショー・マスト・ゴー・オン)〟という芸能界の古いロマンティックな合言葉を錦(にしき)の御旗に、金にうるさい劇場支配人が主役の死などお構いなしに、翌日も公演を行うと譲らないためだ。

おかげでスコットランド・ヤードのファーニス主任警部は、次の開幕までの間に解明すべく部下のアップルビー部長刑事ともども奔走する羽目になるのだが、このコンビが実に良い味を出している。演劇を齧(かじ)ったことのある部下とあまり関心のない上司の掛け合いを始め、思わずクスッとさせられるシーンが散見され、堂々たる本格ミステリにおける中盤の関係者巡礼パートにありがちな退屈さがまるで感じられない。

そして、最終章「警官ふたり、走って登場」を覆う異様なまでの緊迫感。舞台開演と事件解決という二つのクライマックスに向けて加速度的にサスペンスが高まるラスト八十ページは、何度読んでも息詰まる思いがする。ギリギリまで引っ張ってラスト四ページに至ってようやく犯人の名前を明らかにするという演出も心憎い。俳優だけでなく劇場に携わる人々をちょい役にいたるまで印象的に描くことで、演劇空間を覆う空気を丸ごと再現した他に類のない秀作だ。

かつて瀬戸川猛資は本書に対して「なんだか知らないけど、やたらに迫力のある劇場殺人物」と煮え切らない誉め言葉を贈っているが、その理由の大半は翻訳に問題があったためと思われる。今回読み比べてみて解ったのだが、クライマックス直前にとんでもない誤訳があって頭が混乱してしまうのだ。幸い、二〇〇四年に舞台監督の経験を持つ鈴木恵(すずきめぐみ)による新訳・文庫版が出ているので、ぜひともそちらを手にとって欲しい。

一口にユーモラスな本格ミステリといってもイギリスとアメリカとでは、その味わいは随分と異なる。

〝アメリカのP・G・ウッドハウス〟と呼ばれたジャック・アイアムズの唯一の翻訳作品である『のぞかれた窓』を読んでいる時に漏れるのは、クスッではなくハハハッであり、真相解明シーンではニヤリとするよりもガハハとなってしまうのだ。

「古い学校に起きた誘拐事件！ そして殺人……」という帯のコピーは、もうちょっとどうにかならなかったの、と突っ込みたくなるくらい何も語っていない。巻末の解説でも植草甚一は、

「かねてから、アメリカの異色作家ジャック・アイアムズ（中略）のものを一つ、読者に提供しなければならないと考えていたが、なにぶん風変りな作家として知られた存在なので、作品の選択に手間どり、この「のぞかれた窓」（中略）にきめることができたのも、クライム・クラブの読者がいるのだという安心感があったからこそである」

という、「きみたちを信じているから、解ってくれるよな」的なコメントを述べるだけで、これでは売れなかっただろうなと、今さらながら思ってしまう。

ではどんなお話なのかというと――、コネティカット州にある新興成金目当ての三流全寮制中学校で、タバコを吸うわ、舎監の奥さんの入浴を覗くわ、とやりたい放題の悪ガキが、ルームメイトの温和（おとな）しい少年ともども姿を消し、やがて悪ガキを誘拐したので身代金を払えという手紙が届く。温和しい方の子供の姉に付き添って学校に乗り込んだ地方新聞の社交欄を担当するピケット夫人は、悪ガキの母親に雇われた私立探偵を丸め込んで誘拐犯を出し抜くべく独自の捜査に乗り出す。

何となく先が読めてしまって、正直、今さら読む必要もないかとほんわかした気分で読み流していると、ラストで思わず目を醒まさせられる。なんじゃ、こりゃ。そして頭をよぎるのは、まさかの伏線。気づかないって、そんなこと。もっともこの真相に関しては、解説で、

「読後にほぼ推察がつくように、アメリカでは出版することができず、イギリスのゴランツ版で出ているだけである」

と記しているように、版元が尻込みしたのも解らなくはない。今、再刊出来るかというと微妙だろうな、とも思う。

そんなへんてこな〝ユーモア・ミステリ〟の生みの

親であるジャック・アイムズ――表記はアイアムズだが正しい発音はこちら――は、一九一〇年にボルティモアで生まれ、九〇年に亡くなるまでに十三作の小説を発表した。内訳はミステリが八冊にユーモア小説が五冊。作家としての活動期間は三八年から五五年の十七年間なので、寡作家というわけではない。本書を最後に筆を折っているのは、やはりアメリカでの出版を断られたことが大きいのではないだろうか。以後はデビュー前から関わっていたジャーナリズムの世界に戻り、編集者やテレビ評論家としても活躍した。

　ちなみに、小山正とバカミステリーズ編『バカミスの世界』（ビー・エス・ピー）によると、*Death Draws the Line*（1949）は、「殺害された漫画家の謎を解く手掛かりとして、作中に漫画が登場するユニークな作品」とのこと。こういう紹介文を読むと、何だか無性に読みたくなってしまう。

　続いては、パリ司法警察のサテュルナン・ダックス警視とフェリックス・ノルマン警部補が活躍するシリーズの一作『パリを見て死ね！』を。

　「パリへ来たシーリア・エルウッドは死の危険とおそろしい陰謀にまきこまれた。しかし名警視サチュルナン・ダックスの登場によって、事件のベールは一枚一枚とはがされて行く。「ベアトリスの死」に続く、ダックス警視の再登場」

と紹介文にあるように、前年【現代推理小説全集】に収録された『ベアトリスの死』に続く、マーテン・カンバランド二作目の翻訳長篇だ。

　二年前の飛行機事故で、たった一人の身内である姉を失ったシーリア。演奏家となる夢も諦めて音楽教師として働く彼女の元に姉の夫だったテオドールから、ともにスイスで休暇を過ごさないかという手紙が届く。妻の死以来、すっかり人が変わってしまったテオドールを心配して渡仏することにしたシーリアだが、手紙にはなぜかパリのテオドールの家ではなく、別荘地にある彼の友人の家を訪ねるようにと

ベアトリスの死
マーテン・カンバランド
高村勝治訳
東京創元社
現代推理小説全集
MARTEN CUMBERLAND
LYING AT DEATH'S DOOR

の指示が。

いかにも何か起こりそうという予測は裏切られることなく、すぐさまシーリアは謎の人物によって誘拐・監禁されてしまう。そして別荘へ向かう電車の中で二週間後の再会を約束した若者が、彼女が現れないと訴えたのを契機にダックス警視が登場、複雑に巡らされた陰謀を解き明かす。

一九四〇年の *Someone Must Die* に始まり全部で三十四作書かれたこのシリーズは、現在に至るまで何人もの手によって書かれてきた警察官名探偵コンビものの先駆けの一つだ。ただ、イギリス人である作者が十一年間に及ぶパリ暮らしを生かして描いた彼の地の街並みは確かに読み所ではあるが、本格ミステリとして特出しているわけではなく、今となってはわざわざ探して読むほどのものでもない。もっとも、初期作品ほどプロットが良く練られているようなので、最初の方から訳されていたらと、ちょっと残念な気がするシリーズだ。

本格ミステリの魅力の一つは、個性的な名探偵がその個性に根ざした力量を最大限に発揮して、複雑に絡んだ事態を解きほぐす点にある。最後に紹介する『名探偵ナポレオン』は、まさにそんな魅力に溢れた一冊だ。

オーストラリアの大自然を舞台に、白人の父からは創造力と推理力を、アボリジニの母からは追跡本能と過酷な大地で生き抜く技術を受け継いだナポレオン・ボナパルト警部の活躍を描いたシリーズを代表する一作である本作は、

「五人の赤ん坊が相ついで誘拐され、調べるとどの母親も赤ん坊への愛情が不足していた。待っていたように起る殺人事件‼ 名探偵と自他共に認めるナポレオン・ボナパルトの悠揚せまらぬ謎ときは果して如何(いか)に……」

という紹介文から明らかなように、なぜ連続して赤ん坊が誘拐されるのかという謎を追う名探偵が、次々と襲い来る危機に対処しつつ、最後に意外な真相を掘り起こす本格ミステリだ。

クイーンズランド州犯罪捜査課の警部という肩書きはあるものの、都市部の事件の捜査に当たることはなく、オーストラリアのどこかで不可解な事件が発生すると飛んでいって、身分を隠して関係者の間に潜入し

て隠密捜査に当たる、というのが毎回のパターンだが、今回、婦人警官が相方として活躍するところが一ひねりあって面白い。我が子に対する愛情不足という共通点を、初期段階で発見出来たのも彼女のおかげだ。

作者アーサー・アップフィールドは、一八九〇年、イギリスのミドルクラスの家に生まれたものの、作家などという〝やくざな稼業〟を志したために、一九一一年にオーストラリアへと送り出されてしまう。

以後オーストラリア各地を放浪し、軍隊生活も含め様々な職業を経た後、二八年作家としてデビューする。翌二九年に始まった《ナポレオン・ボナパルト》シリーズは、六四年に亡くなるまでに全部で二十九作が書かれた（最後の作品は、遺稿を元にJ・L・プライスとドロシー・ストレンジが完成させた）。

西洋の都市文明を背景に誕生・発展してきた本格ミステリを、砂嵐が吹き荒れ、山火事に見舞われる厳しい大自然が支配する地に移植し、まったく新しいエンターテインメントを生みだした作者アーサー・アップフィールドの功績は、いくら強調してもしすぎるということはない。

ハヤカワ・ミステリ文庫から刊行された『ボニーと砂に消えた男』（1931）、『ボニーと風の絞殺魔』（1937）もぜひとも読んで欲しい。

さて、【クライム・クラブ】には、もう一冊、ジュリアン・シモンズの『狙った椅子』という〈本格推理〉があるのだけれど、これに関しては後回しとする。その理由は、この叢書の本質と深く関わっているので、同じく最後で述べることにします。

第四章

一

優れた叢書には〝顔〟がある。そのシリーズについて考える時に、まず頭に浮かんでくる印象的な〝顔〟が。【異色作家短篇集】(早川書房)における『特別料理』(1956)しかり、【世界探偵小説全集】(国書刊行会)における『第二の銃声』(1930)しかり。

これらは単純に面白いとか傑作であるとかいうのではなくて、叢書全体を覆う雰囲気、即ち編者の意図や時代の空気までも伝えてくれるシンボルのような存在だ。

【クライム・クラブ】の場合だと、『藁の女』『歯と爪』『ハマースミスのうじ虫』といったところかな。いずれも、いわゆる〈サスペンス〉と呼ばれる作品であり、〝【クライム・クラブ】＝サスペンスの叢書〟という一般的なイメージは、これらの印象的な〝顔〟によるところが大きい。

実際、全二十九巻中、十七作が特にサスペンス色の強い作品なので、この認識は正しい。前章に記したように、〈警察小説〉と〈サスペンス〉の流行という一九五〇年代の海外ミステリの潮流をストレートに反映したシリーズなのだ。

というわけで、前章までの〈警察小説〉〈本格推理〉に続いて、いよいよ〈サスペンス〉について見ていくのだけれど、その前にちょっとだけ定義論めいたことを記しておく。

最初に断っておきたいのは、〈サスペンス〉は、〈本格推理〉や〈警察小説〉といった他のサブ・ジャンルと同じ並びで論じられるものではないということだ。というのも後者は、作者が創作に当たって事前に取捨選択する枠組みや要素であるのに対して、前者は、それらを素材に作者が生み出すものだからだ。

状況設定やストーリー展開に工夫を凝らして作者が醸成した不安や緊張、恐怖といった感覚は、瀬戸川猛資が『夜明けの睡魔』の中で強調しているように「読者に次のページをめくらせ、小説としてのこくをもたらす力」となる。これこそがサスペンスであり、強弱・濃淡の差こそあれ、およそミステリと名のつくもので、この要素が皆無というものはない。よって私は、この点に特に力を入れた作品を便宜的に〈サスペンス〉

に分類している。

ちなみに『非常線』や『消えた犠牲』のようにサスペンス色の強い作品を〈警察小説〉や〈本格推理〉として論じたのは、作者がそっちに力点を置いていると判断したためで、これらを〈サスペンス〉として論じると、また違った魅力が見えてくるはずだ。

二

さて、それでは具体的に見ていくとしよう。今回取りあげるのは十七作のうち、アメリカの作品六作――第一巻『赤毛の男の妻』、第二十六巻『歯と爪』、第二十一巻『彼の名は死』、第八巻『夢を喰う女』、第二十八巻『悪の仮面』、第二十九巻『盲目の悪漢』――と、フランスの作品三作――第十巻『死刑台のエレベーター』、第十六巻『藁の女』、第二十二巻『殺人交叉点』――の計九作だ。

このうち七作が文庫化されており、中でも『藁の女』と『歯と爪』、そして『死刑台のエレベーター』は、何度も版を重ねている。再刊率が五割を切る【クライム・クラブ】の中にあって、これは失礼ながら特異値といって良い。

しかも、文庫化されていないシャーロット・アームストロング『夢を喰う女』とイヴリン・バークマン『盲目の悪漢』の二点も、再刊されなかったのが不思議なくらいに面白い。すべてが独創的で、その魅力が、いまだに衰えていないのだ。恐るべし、植草甚一。

〈警察小説〉や〈本格推理〉の中には、今となってはそっとしておいた方がよいセレクションもいくつかあったけれども、こと〈サスペンス〉に限っては、まったく文句のつけようがありません。むしろ刊行当時に〝探偵小説の鬼〟たちからぐちゃぐちゃと言われた先鋭的な作品が、二十一世紀の今日では輝いて見えるのだから、その先見の明は、いくら強調してもし過ぎるということはない。

優れたサスペンスは、出来るだけ先入観なしで読みたい、と一読者としては思うので、もう、「すべて必読！」と言い残して切り上げても良いのでは、という不埒（ふらち）な考えが一瞬頭をよぎったのだけれど、流石にそれはまずいので、以下、極力ストーリー展開には触れずに紹介していく。

まずは、カトリーヌ・アルレーの『藁の女』から。

「千万長者の求妻広告を見たハンブルグの老嬢、ヒルデガルデはそれに応じてカンヌへ招かれた。しかし彼女を待ち受けていたのは……フランシス・アイルズが絶賛し、英米仏の読書界に大センセイションをまき起した一九五六年度の問題作」

という刊行当時の紹介文にあるように、二十ヵ国以上で翻訳されて世界的なベストセラーとなった本書は、日本でも大いに話題となり、商業的には失敗に終わった【クライム・クラブ】の中では、『死刑台のエレベーター』と並ぶ数少ないヒット作となった。六二年に同じ版元の【世界名作推理小説大系】に再録された後、六四年の映画化にあわせて『わらの女』と改題文庫化、二〇〇六年には新版となり、新たな読者に読み継がれている。

　作者アルレーが、「女にはどうしたら財産を自分のものにできるか、という発想から出発している」と語るように、これは知性と野心に溢れたヒロインを中心に繰り広げられる権謀術数を描いた物語だ。億万長者の財産をターゲットにした完全犯罪は果たして成功するのか。

　従来、衝撃的なクライマックスばかりが強調されてきたが、むしろそこに至るまでの緊迫感溢れるギリギリの陰謀劇こそが読み所であり、問題のオチも意外な結末を狙ったものというよりは、腑に落ちる必然の結果であった、と再読してみて実感した。

CATHERINE ARLEY
LA FEMME DE PAILLE
わらの女
カトリーヌ・アルレー
橘明美 訳
名作ミステリ新訳プロジェクト第7弾
創元推理文庫 創刊60周年記念
当方大資産家、良縁求む。
家族も身寄りもなく、贅沢が肌に合い、旅を好む女性……
精確無比に組み立てられた
完全犯罪

　アルレーは、あまり自身のことは語らず、生年も一九二四年説を始め諸説ある。舞台女優を経た後、五三年『死の匂い』（創元推理文庫、以下同）でデビューし絶賛されるも、後に世界的ベストセラーとなる二作目『藁の女』は、実はフランスでは当初出版を拒絶されスイスの版元から刊行された。その後も海外での刊行が先行したのは、勧善懲悪に終わらない作風が受け入れられなかったというよりも、戦後フランス・ミステリの主流となったロマン・ノワール／ネオ・ポラールとは一線を画する非政治的な姿勢が版元の意向にそ

ぐわなかったからではないだろうか。

この創作姿勢は、一九八三年に来日した際に行われた会見記での、「若い作家たちは政治とか人種問題にかたよりすぎている」「影響を受けたのはアイリッシュとハドリイ・チェイス。この二人はまったく正反対の作家であるが、わたしは両方から影響を受けている」という発言からも明らかだ。

衝撃的な初紹介作に続いて、『目には目を』(1960)、『死の匂い』、『二千万ドルと鰯一匹』(1971)といった同系統の作品が立て続けに紹介されたために貼られてしまった〈悪女もの〉の書き手というレッテルは、想像以上に粘着力が強いようだ。どれも似たり寄ったりに違いないと敬遠されているためだろうか、長篇二十八作中二十七作が翻訳されているにもかかわらず、昔から本書以外の作品を読んだというミステリ・ファンにお目にかかったことがない。『大いなる幻影』(1966)、『死体銀行』(1977)、『理想的な容疑者』(1979)、『呪われた女』(1981)など、独創的な犯罪小説がいくつもあるので、ぜひ食わず嫌いは止めて手に取ってみて欲しい。

続いては、『藁の女』と並んで、叢書刊行当時売れ行きが良かったと編者・植草甚一が語る、ノエル・カレフの『死刑台のエレベーター』を。

「完全犯罪成功の寸前に電源を断たれたエレベーターの内部に閉じこめられたジュリアン。カレフ一九五六年度作品。ユニオン・映配共同配給名画近日公開」

刊行時の内容紹介にも書かれているように、本書は常にルイ・マル監督のデビュー作「死刑台のエレベーター」の原作、という位置づけで語られてきた。当時よく売れたのも、映画の力によるところが少なくなかっただろう。ジャンヌ・モローとモーリス・ロネ主演のこの映画が、マイルス・デイヴィスの音楽ともあいまって、いまだに賞賛されているのとは裏腹に、

〝原作〟の方は、最近ではほとんど口の端に上らない。残念なことだ。勿体ないよ、こんな面白い作品が読まれないなんて。映画ファンの顰蹙を買うのは百も承知で断言するが、ノエル・カレフの小説の方が遙かにサスペンスフルで奥行きも深く出来が良い。

そもそもがまったく違うお話なのだ。共通しているのは、オフィスで完全犯罪を目論んだ男が、ビルを出て車に乗った途端に致命的な証拠を残してきたことに気づいて引き返し、エレベーターに乗ったところ、週末で無人になったと思った守衛が電源を切り、エレベーター内に閉じこめられてしまい、その間に愛車を盗まれて更なる窮地に追い込まれてしまうという設定のみ。

カレフは、常に誰かにかまってもらっていないと不安でしようがないジュヌヴィエーヴとそんな妻を盲愛するあまりに殺人を犯したジュリアンを始めとして、問題を抱えた六組のカップルの人生が、避けられない結末へとたどっていく三十六時間を冷徹に描いてみせた。ちょっとお目にかかれないくらいに息詰まる、タイトで味わい深く、やるせないサスペンスの傑作です。

一九〇七年ブルガリアに生まれたノエル・カレフは、ウィーン大学卒業後ヨーロッパ各地を回り、三〇年にフランスに移住、第二次世界大戦中は拘束されてイタリアの捕虜収容所に送られるも、戦後帰仏。

映画の仕事をしていた上にデビューが遅かったため、六八年に亡くなるまでに六作と寡作だが、うち三作が翻訳されている。パリ警視庁賞を受賞したデビュー作『その子を殺すな』は、【クライム・クラブ】の前身である【現代推理小説全集】の一冊として刊行された。後に文庫化もされた手に汗握るサスペンスだ。

さて、『殺人交叉点』である。入手困難な傑作の多い【クライム・クラブ】の中でも、フレッド・カサックのこの超絶技巧サスペンスくらい多くのミステリ・ファンが探し求めた本もないだろう。文庫化されているにもかかわらずだ。

なぜ、そんな事態になったのかと言うと、七九年に新訳・改題の上で刊行された文庫版『殺人交差点』に致命的なミスがあったためだ。細心の注意を払って作者が組みあげた精密細工を、無邪気に握りつぶす悪夢のようなミスが。

元版刊行から二十年、幻の名作がついに読めると喜んだのもつかの間、いきなり水をぶっかけられた当時の読者の心境を思うと思わず涙が……。私が、この作品の存在を知ったときには、既にこの文庫版は〝読んではいけない本〟として悪名高かったので被害には遭わなかったものの、元版を探し求めるという地獄道を数年間歩むこととなる。

けれども、そんな悲劇も今や昔話。二〇〇〇年に平岡敦（ひらおかあつし）による新訳版が刊行され、幻の名作はついに復活した。これは、過去に【クライム・クラブ】版で読んだ方もぜひ手にとってみて欲しい。なぜなら一九七二年にカサックが全面的に加筆改稿した原書をベースに訳出しているからだ。

三種類の翻訳を読み比べてみたが、最新版にはかなりの分量の加筆・修正が施されており、登場人物の性格や背景が掘り下げられて物語の奥行きが増すと同時に、動機にぐっと説得力が加わっている（本筋とは関係ないですが、同じ作者の『日曜日は埋葬しない』（1958、ハヤカワ・ミステリ）を読んだ人ならば、思わずニヤリとするおまけもあり）。

十年前に六人の大学生の間で起きた殺人事件の顚末（てんまつ）を、二人の関係者が交互に語るスタイルで進行するシンプルかつトリッキーな逸品。これ以上は語りません。後は自分の目で確かめてみてください。

作者のカサックは、一九二八年にパリで生まれ、十代の頃から創作を行う。五七年にスパイ小説 *Tonnerre a Tana* でデビュー。以後『殺人交叉点』『日曜日は埋葬しない』『連鎖反応』（1957）と小洒落たサスペンスを発表するも、次第にテレビや映画に活動の場を移していく。

ちなみに『殺人交叉点』に併録された『連鎖反応』の「著者による覚書」には、技巧を駆使したトリッキーな作品よりも『連鎖反応』のようなユーモアを漂わせた作品に興味が移ってきたと記されている。確かにユーモラスだけど、味わいはかなりブラック。故にこんなことを言われると *Crêpe Suzette*（クレープ・シ

ユゼット）（1959）なんていうミステリらしからぬタイトルの未訳作が、一体どんなお話なのかとっても気になってしまうではないか。

『赤毛の男の妻』と『歯と爪』の二作が収録されているビル・S・バリンジャーもまた、長い間技巧を凝らしたサスペンスの書き手として認識されてきた。

カットバック手法を用いて、スピーディーに場面を切り替え、複数の視点から事件を彫刻し、徐々に物語の全体像を浮き彫りにして最後にあっといわせる小説作法は、刊行当時とても斬新なものであり、『消された時間』（1957、ハヤカワ・ミステリ）を挟んで、一年ちょっとの間に立て続けに三作紹介されたこともあって強烈な印象を残し、バリンジャー＝技巧派という認識が定着することになる。

確かに『歯と爪』の技巧は華麗にして精緻だ。交互に綴られる復讐劇と法廷劇とがどこで結びつくのかという興味で、ぐいぐいと読者を引っ張っていく入念に練り込まれたミステリであり、オールタイム・ベスト・クラスの傑作と言って良い。『赤毛の男の妻』もまた、巧妙に読者の目を覆ったまま最後まで一気に読ませるサスペンスだ。

The Tooth and the Nail
by Bill S. Ballinger
歯と爪
ビル・S・バリンジャー
大久保康雄 訳
返金保証
未開封のみ
あなたは結末を読まずにいられるか？
結末が袋綴じになっています
騙りの達人が仕掛ける奇跡のサスペンス！
創元推理文庫

けれどもこの二作が、今も読む者の心に迫るのは、単に技巧が優れているからではない。『赤毛の男の妻』の刊行当時の紹介文に、

「殺人を犯して妻と共に逃げ廻る赤毛の男。それを追う警官という一見平凡な構成の中に秘められた最後の五十頁の恐るべき感動！　複雑なアメリカ社会の中に苦悶する人間を犯罪をとおして描いた最高のサスペンス」

と記されているように、「ここではないどこかへ行きたい、自分ではない誰かになりたい」という想いを抱きつつ都会で生きるうちに、犯罪に関わらざるを得なくなった孤独な男女の悲恋を、瑞々しくも哀愁を帯びた語り口で鮮烈に描き、余韻を残して筆をおいているためだ。

カットバックという手法は、そうした普遍的なテーマを効果的に演出するための手段であり、結末の意外性もまた、プロットに導かれた必然なのだ。

一九一二年にアイオワ州に生まれた作者は、三〇年代半ばに広告代理店でラジオ台本を書き始めたのを皮切りに、八〇年に亡くなるまでの間に百五十本以上のテレビ脚本と八本の映画脚本、二十九作の長篇小説(内ミステリは二十六作)を発表した。四八年のデビュー作と二作目は典型的な私立探偵小説だったが、三作目の『煙で描いた肖像画』(1950、創元推理文庫)から前述したスタイルを採用。六〇年代には、東南アジアを舞台にCIAのエージェントが活躍するシリーズや「チベットの死者の書」をベースに〝再生〟を主題にしたサスペンス *49 Days of Death*(1969)等、多様な作品を執筆したが、日本での知名度とは裏腹にアメリカでは忘れられた作家となりつつあるのは残念だ。

五〇年代はアメリカ・ミステリ界に数多くの異才が輩出した時代だが、アイディアの奇抜さ及びプロットの妙味で読ませる作家といえば、フレドリック・ブラウンの右に出る者はないだろう。彼は、ローレンス・トリート編『ミステリーの書き方』(講談社文庫)の中で「プロットの組み立て方」というエッセイを書いているが、これを読むと、あの独特の物語はこうして生まれたのか、と思いっきり納得してしまう。なにしろ〝金魚〟という一語から自由奔放に発想を拡げて長篇ミステリのプロットを組みあげてしまうのだ。

『彼の名は死』もまた、そんな天馬空を行く小説作法を堪能できる、ひねりの利いたサスペンスだ。

「彼女の名はジョイス・デュガン」という一文で始まる偽札を巡る物語は、章が変わるたびに「彼の名は~」「私の名は~」と視点を変えて予想外の方向に展開し、「彼の名は死」で始まる最終章で、綺麗にキュッと幕を閉じる。頭のネジが狂った人物を狂言回しに使い、あっけらかんと人を殺し、筋運びの面白さと意外なオチで読者を饗する小洒落た犯罪小説だ。

フレドリック・ブラウンの長篇ミステリとして真っ先に日本に紹介された本作は、『通り魔』(1950)、『やさしい死神』(1956)、『3、1、2とノックせよ』(1959)、『悪夢の五日間』(1962)(すべて創元推理文庫)といった傑作とともに、サスペンスフルな犯罪小説の基本図書として常に入手可能であって欲しいものだ。

一九〇六年、オハイオ州に生まれたブラウンは、七二年に亡くなるまでに、四八年の長篇デビュー作『シカゴ・ブルース』（創元推理文庫）を始めとして三十作の長篇を発表。その内、二十二作がミステリだ。もっとも、その本領は短篇にあり、と言われるように、SF、ホラー、ミステリとジャンルを横断しておびただしい数のアイディア・ストーリーをものし、多大な影響を与えた。

五〇年代はまた、女性作家による優れたサスペンスが次々と発表された時代でもあった。『夢を喰う女』と『悪の仮面』が収録されているシャーロット・アームストロングは、マーガレット・ミラーやヘレン・マクロイと並んで五〇年代から六〇年代にかけて、アメリカ・ミステリ界でこのジャンルをリードした代表的な作家だ。

『夢を喰う女』が刊行された時の、

「同じ日の同時刻に、ニューヨークとマイアミ海岸に姿をあらわし、目撃者たちと実際に話をしたという同一の女性。サスペンス小説の第一人者が、独創的なトリックを駆使し、アメリカの現実面を薄気味わるいまでに描き出した傑作」

という紹介文を読むと、この作品が、〝分身〟という古今東西のミステリ作家に人気のある超自然現象の解明を中心に据えた謎解きミステリであるかのような印象を受けるが、実は作者の主眼はそこにはない。それどころか、読者に対しては、犯人（Who）もトリック（How）も動機（Why）も、すべて最初から明かされているのだ。

にもかかわらず、この作品は無類に面白い。なぜか。それはこれが、悪者による卑劣な企てに翻弄されていた主人公たちが徐々に奸計を暴いていき、健全な怒りとともに悪に対して正義をなす過程そのものを入念に描くことで、サスペンスを醸成していく物語だからだ。これは、攻め手と受け手の応酬をいかに面白く描くかに精力を注ぐ、アタック＆カウンター・アタック・タイプの冒険小説に極めて近い小説なのだ。そして、主人公の目を通じて作者が伸ばした射線が、五〇年代初頭のアメリカを席巻したマッカーシズムを射抜いている点も見逃せない。

【クライム・クラブ】唯一の短篇集である『悪の仮面』でも、この基本姿勢に変わりはない。原書収録の中篇「死刑執行人とドライヴ」の中で登場人物が吐く、「理不尽な、悲しいできごとに、精一杯、勇気を出して立ち向かう以外、どうにもしょうがないことがあるものよ」という台詞は、彼女のすべての作品の主人公が抱く信念であると同時に、作者自身の矜持を示した宣言に違いない。

ただし、このジェフリー・ディーヴァーばりにひねりの利いた傑作中篇は、実は『悪の仮面』には収録されていない。恐らくは厚さの問題からだろう、この作品を含めて四篇が割愛されているのだ。エラリー・クイーンがミステリ史上重要なマイルストーンの一冊として〈クイーンの定員〉の一員に選出したこの珠玉の短篇集は、九五年に『あなたならどうしますか？』（創元推理文庫）として新訳・刊行されて、ようやくその全貌が明らかにされたのである。

あなたならどうしますか？
THE ALBATROSS
CHARLOTTE ARMSTRONG
シャーロット・アームストロング 白石朗 他訳
機略縦横の物語
名手の繰り出すあの手この手が
驚きを誘う、珠玉の短編集!
創元推理文庫最新刊
創元推理文庫

一九〇五年にミシガン州で生まれた作者は、六九年に亡くなるまでに二十六作の長篇ミステリと三冊の中短篇集を発表。MWA賞最優秀長篇賞を受賞した『毒薬の小壜』（1956、ハヤカワ・ミステリ文庫）は必読必携の傑作です。

【クライム・クラブ】最終配本となったイヴリン・バークマンの『盲目の悪漢』は、ゴシック・ロマンの衣裳を纏ったサイコ・スリラーとでも言うべき作品だ。父親が残した悪意に充ちた遺言状のせいで反目し合う中年姉妹。二人の対立が臨界点に達したとき、予想外の殺人事件が発生する。

殺人事件の現場となった妹の住む館に、家族の嫌疑を晴らすために姉の娘が乗り込み、青年弁護士とともに真相解明にあたる。HIBK（もし知ってさえいたら）派の諸作を皮肉ったかのようなやるせないオチが澱（おり）となって残る後味の悪い秀作だ。

作者は一九〇〇年にフィラデルフィアで生まれ、六〇年以降ロンドンで暮らした。ピアニストであり作曲家でもあった彼女が小説家デビューしたのは五十四歳と遅かったが、七八年に亡くなるまでに、二十五作の長篇ミステリとイギリス海軍史を扱った四作のノンフィクションを発表。一つのジャンルに収まりきらない多岐にわたる作風が災いして、今ではどのジャンルからも忘れられた存在となってしまったようだが、せめてあと一作は読んでみたい作家である。

第五章

一

最後は大英帝国出身の個性豊かな八人の犯罪小説（クライム・ノヴェル）作家による〈サスペンス〉で締めくくることにしよう。第四巻『狙った椅子』、第十一巻『遠い山彦』、第十二巻『日時計』、第十三巻『十二人の少女像』、第十四巻『乙女の祈り』、第十八巻『暗殺計画』、第十九巻『死の逢びき』、そして第二十三巻『ハマースミスのうじ虫』と、その続編的性格の強い第二十五巻『さよならの値打ちもない』の九作だ。

うーん、壮観、いや奇観！　変わり種揃いの【クライム・クラブ】収録作の中でも一際（ひときわ）ディープかつマニアックな作品ばかりだ。初物と曲者（くせもの）に目がない選者・植草甚一のセレクションここに極まれり、といった感があるが、決して際物（きわもの）趣味というわけではない。それどころかウィリアム・モール『ハマースミスのうじ虫』のような不朽の名作を、新人のデビュー作であるにもかかわらずしっかりと選出しており、植草のアンテナの高さに改めて感じ入ってしまう。

この作品は、〝うじ虫（maggot）〟のように卑劣な恐喝者バゴット（Bagot）と義憤に燃える富裕な素人探偵キャソンとの一対一の対決を描いた犯罪小説だ。致命的な風評被害を被るおそれが強いスキャンダルをでっち上げて、無実で善良な人々を恐喝して回る卑劣な男と、「人間が法の束縛の及ばない世界に住む場合に取る行動」に魅了される一方で、卑怯な行い

を見逃すことができない紳士という二人の狩人が、冷徹に互いの獲物に迫る様がスリリングに描かれる。

今日のジェットコースター型ノンストップ・サスペンスとは異なり悠然とした筆致ながらまったくだれることなく、凛とした雰囲気と独特のユーモアを保ったまま着々とクライマックスへと至る、他に類のない不思議な魅力に満ちた小説だ。

シリーズ第二作の『さよならの値打ちもない』は、バルバドス諸島で保養中のキャソンが殺人事件に遭遇するシーンで幕を開ける。すぐさま犯人の見当をつけるも、前作での経験から自身の倫理基準に揺らぎが生じてしまい、告発を保留。信条と感情との葛藤に苦しむ彼は、やがて関係者の中にかつて遭遇したことのない〝さよならの値打ちもない〟人物がいることに気づき、再び〝狩り〟に乗り出す。

更に三部作の最終作となる*Skin Trap*（1957）では、若い女性を絞殺した男と対決するうちに、徐々に犯人の心情に共感していき、意外な結末へといたる。

作者ウィリアム・モールは、この三部作を通じて、世界と折り合いをつけられなくなってしまった人物が、自己のアイデンティティを正当化するために罪を犯して破滅していく様を犯罪小説（クライム・ノヴェル）という形式を用いて克明に描いた。これはフランシス・アイルズが『殺意』（創元推理文庫）や『被告の女性に関しては』（1939、晶文社）で先鞭（せんべん）をつけた極めて現代的なテーマだ。

『ハマースミスのうじ虫』は単品でもオールタイム・ベスト・クラスの傑作だけれども、三部作を通して読むことで新たな感慨がもたらされる。『さよならの値打ちもない』と未刊の*Skin Trap*を、なんとか創元推理文庫で刊行して欲しいものだ。

ちなみに、作者ウィリアム・モールに関する予備知識なしで作品を読み、読後にその経歴を知ると、まさに目から鱗が落ちて新たな驚きが味わえるので、ここには記さないでおく。興味のある方は、『ハマースミスのうじ虫』文庫版に附した拙解説をお読み下さい。いやほんと、凄いんだよ。

二

五〇年代にデビューしたミステリ作家の中には、第二次世界大戦に従軍した経験のある者が数多くおり、今回取りあげる八人も、女性であるジョーン・フレミングを除いて全員何らかの形でこの戦争に関わっている。当時の体験を自作――フィクション、ノンフィクション問わず――に活かした者も少なくない。

中でも積極的に活用したのが『日時計』の作者クリストファー・ランドンだ。五四年のデビュー作*A Flag in the City*や、後に「ナヴァロンの要塞」を撮るJ・リー・トンプソン監督によって映画化された出世作*Ice Cold in Alex*（1957）（日本公開名「恐怖の砂」）などの戦争小説を刊行したランドンは、私立探偵小説と戦争アクション活劇とを巧みに融合させた『日時計』を生みだした。

「三才の少女が誘拐され、一週間おきに犯人から少女が生きているという証拠の写真が配達される。
この数枚の写真からスリリングな推理が開始される」

という紹介文にあるように、前半は写真に写り込んだごくわずかな手掛かりから少女の監禁場所を特定し、犯人の正体に徐々に迫っていく謎解きの興味で、後半は、いかにして障害をクリアして少女を救出するかというミッション遂行プロセスの面白さで引っ張っていく。テンポの良い筋運びと爽やかな後味が心地よい英国冒険活劇のエッセンスを堪能できる良作だ。

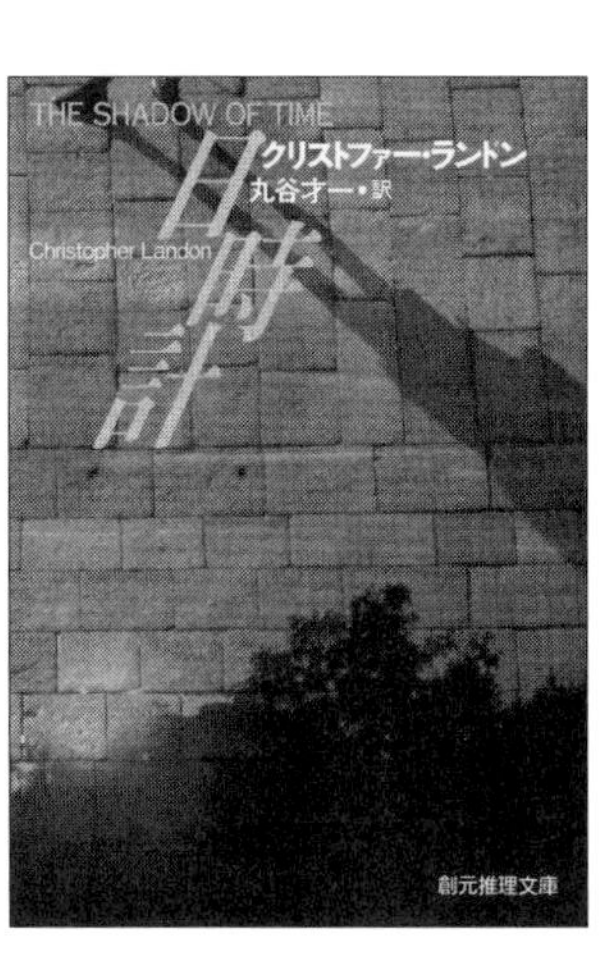

作者ランドンは、医学を専攻するもインターン時代にジャーナリストに転向、その後ロンドン株式市場で働く。大戦中は医療と補給の部隊で活躍、戦後、パブの経営者を経て専業作家となり、六一年に五十歳の若さで亡くなるまでに七作の長篇を残した。

『遠い山彦』もまた、ストーリー半ばで転調する作品だ。

「400年前、北イタリーの地方都市で恐るべき殺人を犯したという一人の美少女の肖像画。この画に興味を感じた現代のアンドルー・カースンも殺人事件にまきこまれる。二つの事件の以外なからみ合い－異常なクライマックス」

という帯の惹句を読んで、「オカルトと謎解きの融合！」と胸躍らせる方もいるかと思うが、その期待は斜め上に外される。超自然度は限りなく低く、本格度は更に下回る（そもそも少女は殺人を犯していないので、これは完全な誤記）。

じゃあつまらないのかというとそんなことはない。十六世紀初頭の人気宗教画家の評伝を執筆中の英国人青年が、画家の手になる悲劇の伝説に彩られた聖画（アンコーナ）を偶然発見したことから殺人事件に巻き込まれるのだけれど、その状況が何とも異様なのだ。

舞台は伊仏国境に近い山岳地帯。かつての独立都市国家とそれを征服した大国の一都市という関係にある向かい合った二つの村で、征服者側の村祭りの最中に殺人事件が発生。四百年来の憎悪が臨界点へと向かう中、後半、主人公の青年は、村で出会った聖画（アンコーナ）のモデルに生き写しの乙女を想う気持ちから、山岳冒険小説の主人公ばりのアクションシーンを展開する羽目に陥る。

巻末の解説で植草が「ゴシック趣味とも異なる無気味な雰囲気、ハモンド・イネスの冒険スリラーとも感じがちがうエクゾティシズム、とくに従来の推理小説には滅多になかった悲劇性」が印象に残る、と記しているように何ともジャンル分けしにくい作品だが、案外、現代のロマンティック・サスペンスあたりと近いようにも感じる。

作者のダグラス・ラザフォード（本名ジェイムズ・ダグラス・ラザフォード・マコーネル）は、一九一五年に英国植民地時代のアイルランドで生まれ、大戦中は陸軍諜報部員として活躍、戦後、英国きっての名門校イートン・カレッジの語学教師兼寮長を長く務めた。五〇年、私立探偵小説 *Comes the Blind Fury* でデビュー、スピードの出る乗物——スポーツカーやオートバイ、飛行機——を題材にしたミステリを中心に、八八年に亡くなるまでに三十二作を発表。さらにポール・テンプル名義（フランシス・ダーブリッジとの合作）で二作の小説を、本名で数冊の語学教材やイートン校関連の本を出すなど精力的に活動した。

西洋文明発祥の地ギリシャを舞台にしたエキゾチシズム漂う『十二人の少女像』もまた、単純なジャンル分けが難しいクセの強い小説だ。

「突然消えた彫刻家に疑惑を感じた考古学者チャリスは、その庭にある十二人の少女の石像の中から事件解決の手がかりをつかもうとした。ギリシア人、インド人などさまざまな女性がそのモデルになっているが……」

という紹介文にあるように、好奇心旺盛な素人探偵が、彫刻家失踪の背後に陰謀の臭いを嗅ぎ取り、オリエント急行に乗ってアテネからエーゲ海に浮かぶ孤島へと赴き、美術関係者の間で複雑に縺れ合った謎を解きほぐす。

芸術絡みの蘊蓄や異国の情景描写に加えて、主要人物の内面の掘り下げに筆を多く割いているために読み応え十分。真相にも深みがあり光る所も多いのだけれど、全体を通してみると今一つ評価し辛いのは、テンポの悪さに加えて解決編がごちゃごちゃとしていて盛り上がりに欠けるためだ。演出下手なのだ。もっとも、翻訳の拙さによるところも大であり、何とも残念な作品だ。

作者シェーン・マーティン（本名ジョージ・ヘンリー・ジョンストン）は、一九一二年オーストラリアに生まれた。ジャーナリスト兼ノンフィクション作家として世界中を巡り、大戦中は海外特派員として活躍。五四年、ギリシャのイドラ島に移住し専業作家となり、シェーン・マーティン名義で本書に始まる《チャリス教授》シリーズを五作刊行するも結核を患い、六四年に帰国。代表作とされる *My Brother Jack* に始まる半自伝小説三部作を発表。七〇年に文学的功績を認められ大英帝国勲章を授かった直後に他界した。

このシェーン・マーティンのように【クライム・クラブ】に収録された二十六人の中には、ミステリ以外のジャンルでの知名度の方が高い作家が何人かいる。『暗殺計画』（文庫化タイトル『大統領を暗殺せよ！』）の作者マイケル・ブライアンもその一人だ。

「脳外科手術に変名で入院した某国大統領を狙う三人の刺客。刺客の背後の大使は大統領夫人の元の恋人だった。もつれたスリルと色模様の筋が意表をついた刺客団の暗殺計画とともにクライマックスに向って行く」

内容紹介からもうかがえるように、本書は国際謀略スリラーとしては一風変わっている。というのも、通常この手の小説では入念に企てられた陰謀を巡る対決こそが力点の置き所なのに対して、この作品では謀略そのものは必要最低限に描かれた背景に止まり、それに関わってしまった男女のドラマに焦点が合わせられているのだ。

　医師も患者も、配偶者との人生観の相違から結婚生活に深刻な問題を抱えている上に、医師には心惹かれる同僚が、大統領夫人には元恋人の大使がいる。この大使がキー・パーソンだ。地位と女を手に入れるために、右派の出ながら左翼革命に荷担し中道政権の転覆を試みる。クーデターという大きな主題を扱いながら、大義や信仰に殉じない人物が鍵を握り、二つの三角関係が変化していく過程と暗殺計画の進行が密接に絡み合うことで異様な緊迫感が漂う、ちょっと類を見ないサスペンスなのだ。

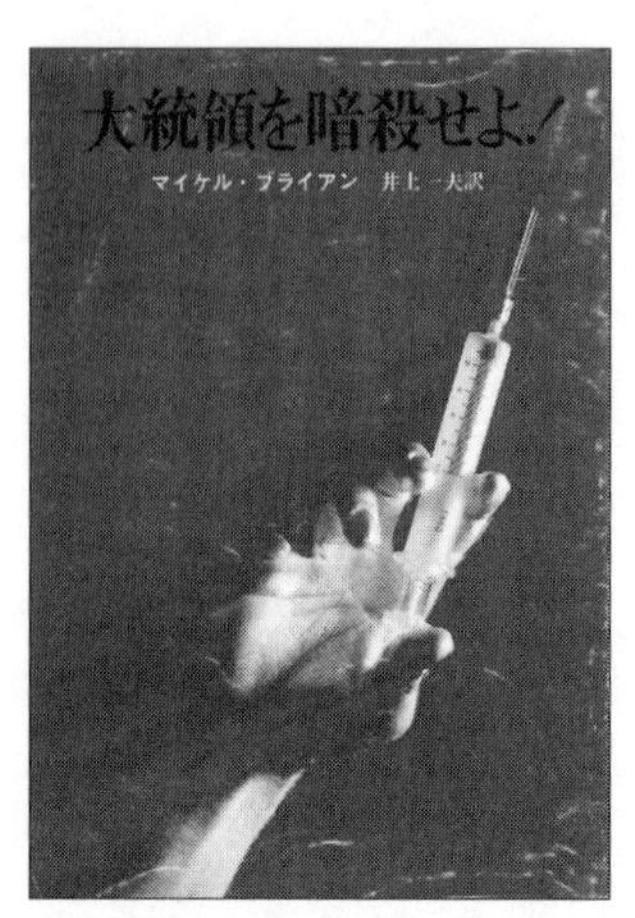

大統領を暗殺せよ！
マイケル・ブライアン　井上一夫訳

　エンターテインメントと割り切るには、ややシリアスな要素が強いが、それもそのはずでマイケル・ブライアンというのは、英国文学の名匠に贈られるジェイムズ・テイト・ブラック記念賞を始め、数多くの文学賞を受賞したブライアン・ムーアのペンネームなのである。

　一九二一年、北アイルランドのベルファストに生まれ、幼くしてカトリックの教義に疑念を覚えた彼は、戦後カナダに帰化、後にヒッチコックに請われて「引き裂かれたカーテン」の脚本執筆の為に訪れたカリフォルニアに惹かれ移住、九九年に亡くなるまで彼の地のマリブで暮らした。

　彼は、国家や宗教と個人とを対峙させて、それらに不信を覚える人間の言動を通じて、現代社会に生きる者の基盤を問うというテーマの作品を首尾一貫して書き続け、『医者の妻』（1976、松籟社）、『夜の国の逃亡者』（1987）、『沈黙のベルファスト』（1990、ともにハヤカワ文庫NV）で三度ブッカー賞にノミネートされた。作風の類似からよく比較されるグレアム・グリーンは訃報に接した際に、「現存するうちでいちばん好きな作家の一人」と述べている。【クライム・クラブ】収録作家中、一番のビッグ・ネームと言ってよいだろう。

こうしたスケールの大きな話とは対極にあるのがジョーン・フレミングの『乙女の祈り』だ。

「新らしい倒序形式の推理小説として「クライム・クラブ」が誇るベスト・ワン。メイドウンとアラデインという二人の男女の奇妙なからみ合いを中心に叙述は第一部から第二部へと急転換する。全篇に流れる不気味な雰囲気！」

という刊行予告時のコメントからうかがえるように、植草甚一は本書を非常に高く買っている。実際、これは再刊に値する埋もれた傑作だ。

ロンドンの中心部から少し離れた昔ながらの閑静な住宅地の最奥部で墓地に隣接して建っている三階建ての古色蒼然とした館。母親が亡くなり生まれ育ったこの家を相続したものの、古く陰気なものに囲まれたまま朽ちたくないと願う五十がらみの女性メイドンは、屋敷を売りに出すために不動産屋を訪れる。親身になって彼女の相談に乗ってくれる店員アラディン。アラビア人とのハーフであるこの美しい青年に次第に心惹かれていくメイドンだが……。

作者ジョーン・フレミングは、第一部をメイドン、第二部でアラディン、そして第三部では意外な人物を中心にして、古きものの凋落（ちょうらく）と新しきものの擡頭にともない生じる希望と欲望、その結果としての犯罪を、冷徹だがある種のユーモアを含んだ筆致でじんわりと描き出す。階級社会が急速に揺らぎだした第二次世界大戦後の英国社会に対する風刺劇としても大変面白い。

一九〇八年ランカシャーに生まれた彼女は、八〇年に亡くなるまでに三十三作のミステリを発表。六二年の *When I Grow Rich* と七〇年の『若者よ、きみは死ぬ』（ハヤカワ・ミステリ）で、二度CWA賞ゴールド・ダガー賞を受賞した実力者だ。

再刊されていない作品の中から、埋もれた傑作をもう一冊。リー・ハワードの『死の逢びき』は、

「死の逢びきのため訊問八時間　絶体絶命の窮地に追い込まれた青年！」

と帯の惹句に書かれているように究極の密室サスペンスだ。

なんと、この作品、閉ざされた部屋の中での被疑者と警察官との対話劇が冒頭から末尾まで全二百六十ページにわたって、延々と繰り広げられていくのである。

しかも一方的な尋問というわけではなく、訳あって身元を明かしたくない新聞記者の青年と彼に何らかの嫌疑をかけている警察官とが、お互いに相手が伏せているることを探り合う、いわば言葉による真剣勝負を描いた作品なのだ。その上、最後にはミステリ慣れした読者の予測を軽々と飛び越える結末が待っている。

巻末の解説で植草甚一は、「この作品をどう受けいれるか、それは読者の判断にかかっている。本叢書では、これが推理小説のジャンルに入るかどうかは別問題とし、クライム・フィクションとして読者に提供するしだいである」と述べているが、ここで彼が念頭に置いている〝推理小説〟とは、旧来のジャンルに特有の約束ごとやあるいはジャンルという概念そのものに囚われた小説のことであり、現代ミステリに親しんだ読者には、問題なく〝推理小説〟として受け入れられるだろう。六十年以上前に、既にこんな新鮮な作品が書かれていたのだ。

作者リー・ハワード（本名レオン・アレクサンダー・リー・ハワード）は、一九一四年生、ロンドンで新聞編集者兼ジャーナリストとして活躍した。大戦時の体験を活かして戦争小説を二作書いた後、五五年に唯一のミステリである本作を発表。CWA賞ゴールド・ダガー賞の候補となり、五九年にはジョセフ・ロージー監督により映画化される（日本公開名「狙われた男」）。七九年、没。

三

さて、【クライム・クラブ】編を締めくくるのに、二十世紀後半の英国ミステリ界においてオピニオン・リーダーとして大きな影響力を発揮した書評家・評論家でもあったジュリアン・シモンズほどふさわしい作家はいないだろう。最後に取りあげる『狙った椅子』は、一九五四年に発表されたデビューから六番目となるシモンズの初期作だ。

当初、本叢書の前身である【現代推理小説全集】の十八巻として『せばまる捜査網』のタイトルで刊行が予告されたことからもうかがい知れるように、選者・植草甚一はこの小説を大変高く評価している。

シモンズ作品の中ではオーソドックスかつおとなしめで、他の【クライム・クラブ】収録作と比べて特別先鋭的なわけでも、新たな技術上の試みがあるわけでもないこの作品を、なぜ彼はラインナップに加えようと思ったのだろうか。その疑問に対する答が、今回、再読してみて解った気がする。

　本作の舞台はジャンル小説専門の大手出版社だ。新たに創刊される探偵小説雑誌「犯罪実話」の編集長に抜擢（ばってき）されることが確実視されていたデイヴだが、蓋を開けてみると任命されたのは彼の同僚だった。自棄（やけ）になった彼は、夜の女を引っかけてホテルへ。翌日、出社した彼のもとにスコットランド・ヤードのクランボー警部が訪ねてきて、昨晩、新編集長が殺されたと告げる。しかも彼の妻が被害者と密通していたというのだ。アリバイが無い上に二重の動機を持つデイヴは、上司や同僚の白い目を浴びつつ、真犯人を捜すべく孤軍奮闘する。

　意外な動機を示唆する手法やクライマックスでの論理的な謎解きといった本格物の特徴も備えた巻き込まれ型サスペンスだが、正直、ミステリとしての出来はそこそこ。けれども、金儲け第一主義の下、分業による量産体制を確立し、まるで工業製品のように次々とジャンル小説――ミステリ、ＳＦ、西部小説（ウエスタン）、歴史小説――のペイパーバックを濫造する五〇年代の大手出版社を風刺した小説として、今読んでもとても面白い。

　これこそが、植草甚一を惹きつけた本書の魅力ではないだろうか。巻末の解説で、「雑誌社を舞台とした推理小説が最近はだいぶふえてきた」が、「プロットの点でもっともすぐれた一つとして、このジュリアン・シモンズの作品をあげることができると思う」と述べていることからも、この推測は外れていないと思う。

　ちなみに、【クライム・クラブ】選定時までに発表されていたシモンズ作品は全部で八作。そのうち、本書の解説で「シモンズ独特のドライなユーモアが感じられたものであった」と植草が評した、五〇年刊行の出世作『二月三十一日』（ハヤカワ・ミステリ）は翻訳済みであった。氏は、残りの作品の中からエドマンド・クリスピンばりのユーモア本格である四五年のデビュー作『非実体主義殺人事件』（論創社）を大いに楽しみ、伝統的な英国冒険スリラーの『紙の臭跡』（1956）や、エドガー・ラストガーデンの『ここにも不幸なものがいる』（1947）に触発されたとおぼしき、ＣＷＡ賞ゴールド・ダガー賞を受賞した先鋭的な最新作『殺人の色彩』（1957、ともにハヤカワ・ミステリ）等、本書を含む五作を読んだ上で、最終的に、ケネス・フィアリングのひねりの利いた犯罪小説『大時計』(1946、ハヤカワ・ミステリ文庫)をもう一回ひねり直したような、謎解き風刺サスペンス『狙った椅子』を紹介することに決めたのだ。

後年、『雨降りだからミステリーでも勉強しよう』のあとがきで植草は、「ぼくは本格派の推理小説は、あまり夢中になれないほうで、変格派の推理小説のほうが面白かった。乱歩の肝いりでハヤカワ・ミステリーが出発したとき、ぼくは田村隆一と二人で翻訳する本のセレクトをした。最初の五〇冊ばかりが、ぼくが選んだ作品だった」と述懐している。『二月三十一日』の通しナンバーは129番。よく知られるように【ハヤカワ・ミステリ】は101番から始まっている。ということは、シモンズを初めて日本に紹介したのは、植草甚一だった可能性が極めて高い。

先に引いた箇所に続けて、「そうして二年ばかりすると、ぼくは編集部のボスと喧嘩して手を引いてしまったが、そうすると創元社で、ぼくを使ってくれることになった」と述べているように、植草は東京創元社のミステリ叢書の選定に携わることになった。氏にとってこれは、「現在では、各国推理小説界をつうじて、もっとも個性ある作家の一人として有名な存在」であると感じていたものの、一度は断たれてしまったシモンズの紹介に再チャレンジできる絶好の機会と映ったのではないだろうか。

ちなみに、この時点ではまだシモンズは犯罪小説に専心していなかった。ミステリに対する姿勢を明示した犯罪小説論 *The Face in the Murder* (1959)も、少年犯罪というネタを用いて、警察、マスコミ、裁判制度といった社会機構の抱える問題を提示したMWA賞最優秀長篇賞を受賞した『犯罪の進行』(1960)や、郊外住宅地を舞台に、〝紳士然とした世間体の裏側に隠されている暴力行為〟を剔出(てきしゅつ)した『月曜日には絞首刑(クラ)』(1964、ともにハヤカワ・ミステリ)といった犯罪小説(イム・ノヴェル)の傑作も、まだ姿を現していない。〝シモンズ＝一般庶民にスポットを当てたリアリズム志向の犯罪小説の書き手〟という認識が流布するのは、数年後のことだ。〝最も個性ある作家の一人〟として、植草はシモンズに何かを感じたのだろう。

【現代推理小説全集】刊行に際して作られた内容目録の中で、『狙った椅子』は「知的な本格物」として紹介されている。この〝知的〟という言葉に集約されたものこそが、植草が惹かれた何かではないだろうか。ここで言う知的とは、〝高踏的(ハイブラウ)〟という意味でも、ましてや〝衒学的(ペダンティック)〟という意味でもない。実際に読んでみて感じ取れるのは、〝洗練(スマート)〟もしくは〝乙な(スマート)〟というニュアンスだ。これは、収録作すべてに当てはまる。第二次世界大戦後に海の彼方で新たに生まれた息吹に植草甚一が魅せられたのは、それらがジャンルの軛(くびき)に囚われない〝知的(スマート)〟なミステリだったからだろう。〝知的(スマート)〟な中身に〝洒脱(スマート)〟な装釘。当時、斬新で個性的過ぎと言われ広範な支持を得られなかった【クライム・クラブ】だが、今なら、その真価を多くのミステリ・ファンに味わってもらえると思う。

[附記]

「せめてもう一冊という思いを掻き立てられる、知る人ぞ知る謎解きミステリ作家の一人」と書いたベルトン・コッブだが、まさか本当に翻訳されるとは思わなかった。版元は論創社。しかも三作もだ。六十年ぶりの紹介となった二〇一九年刊行の『ある醜聞(スキャンダル)』(1969)は、管理職に出世し現場から離れたチェヴィオット・バーマン警視正の助言を受けながら、元部下のブライアン・アーミテージ警部補がロンドン警視庁内部の醜聞に発展しかねない殺人事件の謎を解くべく奔走する話、翌二〇年の『悲しい毒』(1936)は、チェヴィオット・バーマンものの第二作で、毒殺事件の背後に秘められた一家の闇を、若手警部補のチェヴィオットが暴く話。そして二三年には、ブライアンの妻キティー巡査の独身時代の活躍譚『善意の代償』(1962)が訳された。どれも、『消えた犠牲』で見せた極端に少ない関係者の中から意外な犯人を提示する手腕が光る佳作で、さらなる翻訳を期待する。

【論創海外ミステリ】からは、アーサー・アップフィールドのナポレオン・ボナパルト警部ものの最末期の作品『ボニーとアボリジニの伝説』(1962)も、二〇二一年に訳出された。こちらは、八〇年代にハヤカワ・ミステリ文庫から三作が訳されているが、それでも四十年近く経っての復活だ。

　さらに二〇二二年に、ヘンリー・ウェイドのジョン・プール警部初登場作『ヨーク公階段の謎』(1929)も訳された。【論創海外ミステリ】のラインナップは、本当に油断がならない。

この三人以外で連載終了後に翻訳ミステリ・シーンで動きのあった作家が二人いる。一人はカトリーヌ・アルレー。二〇一九年に創元推理文庫創刊六十周年を記念して始動した〈名作ミステリ新訳プロジェクト〉の第七弾として同年、橘明美により『藁の女（わらの女）』が訳し直された。奇しくも同じタイミングで、本国フランスでも新版が刊行されている。

もう一人は、フレドリック・ブラウン。同じく〈名作ミステリ新訳プロジェクト〉の一環として、二〇二〇年に、MWA賞最優秀新人賞を受賞した《エド・ハンター》シリーズの第一作『シカゴ・ブルース』(1947) を高山真由美訳で、同年『真っ白な嘘』(1953)、翌二一年『不吉なことは何も』(旧題『復讐の女神』)(1963) と二つの短篇集を越前敏弥訳で、甦らせた。さらに二三年には、小森収編の日本オリジナル短篇集『死の10パーセント　フレドリック・ブラウン短編傑作選』が刊行された。SF作品に関しても一九年から二一年にかけて、百十一篇の短篇すべてを安原和見による新訳で年代順に収めた［フレドリック・ブラウンSF短編全集］(全四巻) を刊行。【クライム・クラブ】収録作家の中では、破格の扱いと言っていい。

《【クライム・クラブ】収録作品リスト》

東京創元社　全二十九巻（一九五八年六月から一九五九年十月まで刊行）
●装釘：花森安治　●判型・体裁：小B6判並製・雁垂・箱・箱帯
●全巻解説：植草甚一

No.	邦題	原題（原著刊行年）	作者	翻訳者	発行年月日	国籍
1	赤毛の男の妻	The Wife of the Red-Haired Man（1956）	ビル・S・バリンジャー	大久保康雄	1958/6/25	米
2	警官殺し	Cop Killer（1956）	ジョージ・バグビイ	斎藤数衛	1958/6/25	米
3	殿方パーティ	The Stag Party（1957）	W・クラスナー	山西英一	1958/6/30	米
4	狙った椅子	The Narrowing Circle（1954）	J・シモンズ	大西尹明	1958/6/30	英
5	リトモア少年誘拐	The Litmore Snatch（1957）	ヘンリー・ウェイド	中村保男	1958/7/31	英
6	非常線	All Through the Night（1955）	ホイット・マスタスン	鷺村達也	1958/7/31	米
7	ギデオンの夜	Gideon's Night（1957）	J・J・マリック	清水千代太	1958/8/25	英
8	夢を喰う女	Alibi for Murder（1955）	シャーロット・アームストロング	林房雄	1958/9/15	米
9	名探偵ナポレオン	Murder Must Wait（1953）	アーサー・アップフィールド	中川龍一	1958/10/5	豪
10	死刑台のエレベーター	Ascenseur pour l'echafaud（1956）	ノエル・カレフ	宮崎嶺雄	1958/9/20	仏
11	遠い山彦	The Long Echo（1957）	ダグラス・ラザフォード	龍口直太郎	1958/10/15	英
12	日時計	The Shadow of Time（1957）	クリストファー・ランドン	丸谷才一	1958/10/15	英
13	十二人の少女像	Twelve Girls in the Garden（1957）	シェーン・マーティン	高城ちゑ	1958/11/10	豪
14	乙女の祈り	Maiden's Prayer（1957）	ジョーン・フレミング	山本恭子	1958/11/24	英

15	パリを見て死ね！	Far Better Dead! (1957)	マーテン・カンバランド	菅泰男	1958/11/30	英
16	藁の女	La Femme de Paille (1956)	カトリーヌ・アルレェ	安堂信也	1958/12/25	仏
17	チャーリー退場	Exit Charlie (1955)	アレックス・アトキンスン	堀田善衛	1959/5/25	英
18	暗殺計画	Intent to Kill (1956)	マイケル・ブライアン	井上一夫	1959/1/30	加
19	死の逢びき	Blind Date (1955)	リー・ハワード	清水千代太	1959/3/5	英
20	殺人の朝	Murder in the Morning (1957)	C・ロバートスン	斎藤数衛	1959/2/25	英
21	彼の名は死	His Name Was Death (1954)	フレドリック・ブラウン	高見沢潤子	1959/4/5	米
22	殺人交叉点	Nocturne pour Assassin (1957)	フレッド・カサック	岡田真吉	1959/4/25	仏
23	ハマースミスのうじ虫	The Hammersmith Maggot (1955)	ウィリアム・モール	井上勇	1959/6/5	英
24	のぞかれた窓	A Corpse of the Old School (1955)	ジャック・アイアムズ	河野一郎	1959/6/30	米
25	さよならの値打ちもない	Goodbye is not Worthwhile (1956)	ウィリアム・モール	井上勇	1959/7/25	英
26	歯と爪	The Tooth and the Nail (1955)	B・S・バリンジャー	森本清水	1959/8/15	米
27	消えた犠牲	The Missing Scapegoat (1958)	ベルトン・コッブ	池田健太郎	1959/9/30	英
28	悪の仮面	The Albatross (1957)	シャーロット・アームストロング	高城ちゑ	1959/10/20	米
29	盲目の悪漢	The Blind Villain (1956)	イヴリン・バークマン	山本恭子	1959/10/20	米

※ 米＝アメリカ、英＝イギリス、仏＝フランス、豪＝オーストラリア、加＝カナダ

新訳・再刊等　（　）内は発行年月日

1 創元推理文庫（1961/9/8）

4 改題『ねらった椅子』創元推理文庫（1960/6/3）

5 創元推理文庫（1961/10/6）→改題『リトモア誘拐事件』創元推理文庫（1976/11/5）

6 創元推理文庫（1962/2/2）

10 世界名作推理小説大系21収録（1962/4/5）→創元推理文庫（1970/5/29）

12 創元推理文庫（1971/11/19）

16 世界名作推理小説大系21収録（1962/4/5）→改題『わらの女』創元推理文庫（1964/8/30）→創元推理文庫、橘明美訳（2019/7/31）

17 創元推理文庫、鈴木恵訳（2004/4/9）

18 改題『大統領を暗殺せよ！』創元推理文庫（1978/5/26）

21 創元推理文庫（1970/7/10）

22 改題『殺人交差点』創元推理文庫、荒川浩充訳（1979/7/20）→創元推理文庫、平岡敦訳（2000/9/14）

23 世界名作推理小説大系23収録（1961/2/25）→創元推理文庫、霜島義明訳（2006/8/31）

26 創元推理文庫、大久保康雄訳（1977/7/15）

28 世界名作推理小説大系22収録（1961/5/25）→改題『あなたならどうしますか？』創元推理文庫、白石朗ほか訳（1995/4/21）［初収録作四編「敵」「宵の一刻」「生垣を隔てて」「死刑執行人とドライヴ」］

《【現代推理小説全集】 収録作品リスト》

東京創元社　全十五巻　（一九五七年八月から一九五八年五月まで刊行）全二十巻《第一期》予告
●装釘：花森安治 ●判型・体裁：小B6判上製・セルロイドカバー　（小B6判上製・箱・箱帯と新書版［普及版］の異装本有）
●月報「ありばい」付き　●監修：江戸川乱歩、植草甚一、大岡昇平、吉田健一　●全巻解説：植草甚一

No.	邦題	原題（原著刊行年）	作者	翻訳者	発行年月日	国籍
1	死の扉	At Death's Door（1955）	レオ・ブルース	清水俊二	1957/8/5	英
2	最悪のとき	The Darkest Hour（1955）	W・P・マッギヴァーン	井上勇	1957/8/5	米
3	二人の妻をもつ男	The Man with Two Wives（1955）	パトリック・クェンティン	大久保康雄	1957/8/30	米
4	血まみれの鋏	The Bleeding Scissors（1948）	ブルーノ・フィッシャー	井上一夫	1957/10/5	米
5	死は囁く	Death has a Small Voice（1953）	F&R・ロックリッジ	池田薫・井上一夫	1957/10/15	米
6	吸殻とパナマ帽	Open Verdict（1956）	ジョン・ロード	福田陸太郎	1958/4/10	英
7	飛ばなかった男	The Man Who Didn't Fly（1956）	マーゴット・ベネット	宇野利泰	1957/12/25	英
8	ベアトリスの死	Lying at Death's Door（1956）	マーテン・カンバランド	高村勝治	1958/5/5	英
9	ウィーンの殺人	Murder in Vienna（1956）	E・C・R・ロラック	中村能三	1957/10/31	英
10	第二の男	The Second Man（1956）	エドワード・グリアスン	福田恆存・中村保男	1957/9/10	英
11	殺人シナリオ	Invasion of Privacy（1955）	ハリー・カーニッツ	山西英一	1958/1/15	米
12	その子を殺すな	Echec au Porteu（1956）	ノエル・カレフ	宮崎嶺雄	1958/2/10	仏
13	ひらけ胡麻！	The Doors Open（1949）	マイケル・ギルバート	中川龍一	1958/3/25	英
14	牝狼／窓	Les Louves/ La Finestra（1955/1951）	ボアロー&ナルスジャック／マリオ・ソルダアティ	岡田真吉・飯島正	1957/9/20	仏/伊

15	楽園の殺人	A Murder in Paradise（1956）	リチャード・ゲーマン	井上勇	1957/12/15	米

※　米＝アメリカ、英＝イギリス、仏＝フランス、伊＝イタリア

新訳・再刊等　（　）内は発行年月日

1 創元推理文庫（1960/5/6）→創元推理文庫、小林晋訳（2012/1/27）
2 創元推理文庫（1960/4/1）
3 創元推理文庫（1960/3/4）→世界名作推理小説大系23収録（1961/2/25）
12 創元推理文庫（1961/8/11）
13 創元推理文庫（1960/4/22）
14『牝狼』のみ世界名作推理小説大系21収録（1962/4/5）

※《第一期》全二十巻が予告されたが最終的に十五巻で完結。予告時点では、6『逢いびき』リー・ハワード（植草甚一訳）、8『夢を喰う女』シャーロット・アームストロング（林房雄訳）、12『チャーリー退場す』アレックス・アトキンスン（堀田善衛訳）、13『名探偵ナポレオン』アーサー・アップフィールド（中川龍一訳）だった。

また、十六巻以降は、16『吸殻とパナマ帽』ジョン・ロード（福田陸太郎訳）、17『ひらけ胡麻!』マイケル・ギルバート（中川龍一訳）、18『せばまる捜査網』（大西尹明訳）、19『ブローニュ公園の死体』マーテン・カンバーランド（高村勝治訳）、20『その子を殺すな』ノエル・カレフ（宮崎嶺雄訳）。

実際には、6が16、13が17、12が20に差し替えられ、8の代わりに19が『ベアトリスの死』とタイトル変更の上、第十五回配本として刊行されて完結。

【現代推理小説全集】で未刊となった五作は【クライム・クラブ】で刊行された。その際、8と13は予告通りだったが、6は『死の逢びき』（清水千代太訳）、12は『チャーリー退場』、18は『狙った椅子』と邦題・訳者が変更された。

尚、14『牝狼／窓』のうち『窓』は予告ラインナップにはなく刊行時点で追加された。

【世界秘密文庫】編

第一章

一

数多ある翻訳ミステリの叢書・全集の中でも、【世界秘密文庫】ほど謎に包まれたシリーズも他にない。というのも、この叢書は、収録作品の原題も作者も不明な上に、全部で何巻刊行されたかすら定かではないのだ。

そんなばかな、と思うでしょうが、表紙にも背にも邦題と翻訳者名しか記載されていない上に、奥付には訳者ではなく著者として翻訳者の名前が記されている始末。しかも、翻訳権取得に関する表記もない。これでは、ぱっと見ただけでは日本人作家の作品としか思えない。

にもかかわらず、これが翻訳ミステリのシリーズだと断定できるのは、裏表紙の袖に《訳ならびに監修者》として陶山密、木下宗一、福馬謙造の名前が挙げられており、加えて最初の三作のみ、扉に〝××作、○○訳〟と併記されているためだ。ただし、実在するのは第一巻『深夜に電話を待つ女』の作者ジャック・マッチャだけ。第二巻『悪女真夜中に死す』のジェームス・フォックスや第三巻『襤褸の中の髪と骨』のR・フォンテーヌなどという作家はいない。一体、どこからひねり出したのだろうか。

ちなみに何巻刊行されたか定かでないというのは、六六年七月に出たシリーズ連番の記載のない『女は燃えている』が、六五年三月発行の第五巻『青ヒゲは顔が白い』の改題本であり『日本文芸社三十年史』（一九九〇年）に掲載された書籍リストに記載されておらず、他の収録作にも同じことをしていないとは断言できないためだ。

改題したことを明示せず別の本を装って初版本として繰り返し市場に送り出す手段自体は他の版元でも講じられており、例えば三笠書房なんかは、バリー・N・マルツバーグの『スクリーン』（1968）を『スターク狩り』『ブラック・エクスタシー』と改題して、一年以内に三回刊行しているけれども、同一叢書内というのは類例がないんじゃなかろうか。

個々の収録作を子細に見ていくと、他にも色々と突っ込み所があるのだけれど、ひとまずこれぐらいにしておいて、まずは謎だらけの【世界秘密文庫】誕生の経緯を探っていきたい。

二

最初にシリーズの概要を整理しておこう。版元は、実用書と「週刊漫画ゴラク」で有名な日本文芸社。六四年十一月から六五年十一月までに九巻が発売された後、六六年七月に『青ヒゲは顔が白い』の改題版『女は燃えている』が刊行された。判型は新書判で帯が付く。

カバーは二パターンあり、一つは表表紙の上部四分の一にシリーズ名と連番・邦題・サブタイトル・〝著者〟名が配され、下部四分の三に、それぞれの作品の舞台となる土地をイメージした風景が描かれたもので、初版発行時には、これが使われたようだ。もう一つは、木々の間から流し目をくれるグラマラスな美女が描かれたもので、シリーズ名に連番が附されていない。奥付に初版とも再版とも記載せず、〝〇〇年××月△△日　発行〟と記して再度市場に出した際には、こちらの統一カバーを使用したと思われる。

表表紙の袖と裏表紙には識者による推薦コメントが記されている。登場回数の多い順に挙げていくと以下の通りだ。随筆家・渡辺紳一郎、ルパン翻訳者・保篠龍緒、映画監督・久松静児、映画評論家・南部僑一郎、「This is Japan」編集長・斎藤寅郎。

そして裏表紙の袖には、前述したように《訳ならびに監修者》として三人の名前が記されているのだが、なぜか統一カバーでは福馬謙造の名前が削られ、翻訳を担当した陶山密と木下宗一のみに変更されている。

次に本体に目をやると、扉の裏に三百字程度の粗筋が書かれ、続いて原書にはない独自の目次と、登場人物紹介が掲載されており、海外ミステリに馴染みの薄い読者にも配慮した作りになっている。

もっとも、『深夜に電話を待つ女』を例に取ると、「深夜にささやく淫魔」「濡れる白い肉体」なんて感じの章題が並んでいて、紹介文もこれでもかとばかりに扇情的なので、その手の小説の愛好家しか手に取らなかったんじゃないかと思われるのだけれども。

もう一つ特異なのが挿画の多さだ。二百四十ページ前後しかない本文中に、三、四十点ものカットが差し込まれている。平均して五、六ページに一葉。その大半が、露出度高めの女性かアクション・シーンであり、これまた実に判りやすい訴求ポイントといえよう。

さて、肝心の収録作の特徴だが、これに関しては、以下の二つの推薦コメントが、言い尽くしている。曰(いわ)く、「セックスと業欲が無限にからみあい、最後に雪崩(なだれ)のごとく一挙に解決してゆく姿に、人間の「罪」を思い知らされる」(渡辺紳一郎の『女の肌は黄金(きん)の色』コメント)、「強烈な個性の妖女や悪女があばれまわるので、映画以上におもしろい。のたうちまわる愛と性の狂える姿に、酔ったような気分になる」(南部僑一郎の『襤褸の中の髪と骨』コメント)。

要は、色と欲に根ざしたサスペンスフルな犯罪小説に特化した特異なシリーズなのだ。色物と言ってしまうと、ちと言い過ぎかも知れないけれども、〈ポケミス〉や創元推理文庫を愛読していた〝正統な〟海外ミステリ・ファンに向けて編まれた企画でないことだけは確かだろう。なにしろ、当時この叢書を読んでいたどころか知っていたというミステリ・ファンにすら出遭ったことがないくらいなのだから。

三

そんな、翻訳ミステリ界に咲いた徒花(あだばな)のようなシリーズがなぜ生まれたのか。その謎を解くために、監修者と版元の両面から探っていくとしよう。まずは、監修者からだ。

陶山密・木下宗一・福馬謙造の三氏は、いずれも大正末期から昭和初期にかけて朝日新聞社会部に籍を置く事件記者だった。このうち木下と福馬は、【世界秘密文庫】発刊当時、朝日新聞社の英字夕刊紙「朝日イブニングニュース」編集部に勤務していた。木下は、第二巻『悪女真夜中に死す』と第四巻『情婦は笑って笑って殺す』の翻訳を担当、五三年に『号外昭和史』、五四年に『号外近代史』(ともに同光社)といった〈事件・犯罪もの〉の著作をものしており、一方福馬は、第二巻発行と同月に日本文芸社から『幽幻と怪異の奇譚18話』という〈実録・秘話もの〉を出しているが、翻訳には携わらず監修するに留まっている。

だが、この二人が果たした役割は補佐的なもので、残る一人、陶山密こそが鍵を握っていたようだ。単純に七作品翻訳という数の多さを言っているのではない。陶山密に関して調べれば調べるほど、【世界秘密文庫】とは、陶山の嗜好(しこう)や信条を養分に芽生えた九種の妖花が咲き乱れる秘密の花園に思えてくるためだ。

そもそも陶山密とは、どのような人物だったのだろうか。ここで略歴を記しておくと——、

一九〇二年、松山市生まれ。父親は、一九年に開校した東京府立第一商業学校（現・東京都立第一商業高等学校）の初代学校長・陶山斌二郎。当時の府立一商は、洋書を教科書に使い、上映設備のある講堂で洋画の新作を生徒たちに見せるなど、かなりハイカラで進歩的な学校だったという。

　二四年、東京外国語学校（現・東京外国語大学）イタリア語部卒、東京朝日新聞社・社会部入社。その後映画界に入り、松竹キネマや新興キネマで多数の脚本を執筆。

　戦後は文筆業に転身し、雑誌「探偵倶楽部」や各種〈実話雑誌〉に、主に海外で起きた愛欲絡みの異常犯罪やスキャンダル記事を寄稿。これらをとりまとめて、五五年に『おとこ御用心　世界おんな夜話』（あまとりあ社）、五六年に『女性性犯罪実話』（八千代書院）を上梓。この二冊をベースに本叢書刊行後にも、『知られざる物語』と『世界の秘話』（ともに大陸書房）を出した。七六年、没。

　生涯にわたって異常犯罪と歴史秘話に取り憑かれるに至った原因について、七〇年刊の『知られざる物語』のあとがきで、陶山は次のように語っている。

「新聞記者になりたての頃、夜勤をしながらうず高い外国新聞を拾い読みしていた。何の新聞だったか忘れたが、有名なスナイダー夫人が死刑になる前日のインタビュー記事と写真が出ていた。眼と髪の真っ黒なすごみのある美しい女性が、情夫と力をあわせて、自分とおなじベッドに平和に熟睡している夫を、針金で絞め殺す話をたんたんと語っているのを読んだとき、まだ若かった私は、異常なショックに身内を貫ぬかれるような気がした。

　このとき以来、私は、真の秘境、魔性、そして秘密は、実は人間の心の中にあるのだという考え方をするようになり、その方向におけるドキュメントの熱心な読者、コレクターになった。そしてほとんど四十年ちかくにもなるのだが、私の読んだ、あるいは集めたドキュメントは、ますます深く、多種多様をきわめ、いまにしてまだ人間性の秘密、魔性の扉の前に立ちすくんで、一歩もなかへ入れないような気がしている」

念のため補足しておくと、スナイダー夫人とは、保険金詐取を目論み、愛人と共謀し夫を殺した罪により、二八年に電気椅子で処刑された女性で、ジェームズ・M・ケインは、この事件に触発されて『深夜の告白(殺人保険)』を書いた。

閑話休題。かくて情念に根ざした犯罪の虜となった陶山は、「ストーリーの奇怪な展開と、人間の欲望をトコトンまで曝きたてる」(渡辺紳一郎の『泥の中の結婚』コメント)作品ばかりを集めたシリーズを出版したいと願うようになったのではないだろうか。

四

かたや、版元である日本文芸社にはどんな事情があったのだろうか。

同社の創業者である夜久勉は、二二年、兵庫県に生まれた。戦後、満州から引き揚げてきて姫路駅前で「新興書房」を経営していた夜久は、四八年に神田神保町に土地家屋を購入し「新興書房東京連絡所」の看板を掲げて雑誌・書籍の仕入とゾッキ本(特価本)の取り扱いを始める。

その後、日本文芸社と改称。併せて特価本書籍の取次販売を行う日本読書普及会と丸一特価書籍を設立。五九年に、株式会社日本文芸社として法人化した。

その一方で、「人生劇場」をはじめ数件のパチンコ屋を経営。また、五三年には、アブノーマル専門誌「奇譚クラブ」の編集人・須磨利之を曙書房から引き抜き、日本特集出版社の名で二匹目のドジョウ狙いの雑誌「風俗草紙」を創刊。五六年に久保書店がSM雑誌「裏窓」の前身である「かっぱ」を創刊し、須磨を編集長に起用した背景にも、夜久と同社社長・久保藤吉との関係があったという(出典:飯田豊一『「奇譚クラブ」から「裏窓」へ』(論創社))。

さらに五九年には、特価卸業者・大洋図書の設立者・小出英男とともに、後の「ガロ」編集長・長井勝一に資金提供し、三洋社を設立。同社からは、白土三平の『忍者武芸帳 影丸伝』などが出版されている。

長井勝一が八二年に出した『「ガロ」編集長』(ちくま文庫)の中には、「このトリオは、それぞれが終戦直後の仙花紙時代から赤本や特価本の問屋を経営していた辣腕の持ち主たちで、悪徳出版界のボス的存在という噂だった」「貸本マンガの世界も特価本の世界も、表街道の出版文化の世界とは違っていつでも荒っぽい、戦国乱世のような状態」と、当時の彼らの悪評と特価本業界を巡る状況が記されている。

加えて、夜久が「どんなにワイワイやっているときでも、十一時になると決まって、自分の経営しているパチンコ店に電話をかけ」「マネージャーを呼び出し、その日の売上げ状態をたしかめる」というエピソードを披露。「夜久さん、遊んでいるときぐらい金儲けのことを忘れたらどうかね」とぼやく長井と小出に対して、「それだから、長井さんも英男くんも甘いというのだ。稼げるときに徹底的に稼いどかないと、金儲けなんてものはできないものなんだよ」と窘められた旨を記している。日本文芸社のワンマン社長・夜久勉は、多分に山師的で、目端が利く商売人だったわけだ。

そんな夜久が目を付けたのが、〈実話雑誌〉と実用書だった。六〇年に「事件実話」を、六一年に姉妹誌「実話三面記事」を相次いで創刊。下世話な好奇心を刺激するお色気満載の二つの隔週刊誌は、それぞれ二十万部と十五万部の発行部数を誇り、月刊の別冊と合わせて、同社の屋台骨となる。その一方で、家庭生活の昼と夜両方で役立つ実用本を刊行。当時ライバルのいなかった市場を席巻する。

こうして順調に業績を伸ばしていた同社だが、東京オリンピック開催に伴う通俗出版物追放運動、所謂「悪書追放運動」の声が高まる中、六三年十月、ヌードグラビアや扇情的な記事を売りにしていた看板雑誌二誌は、当然の成り行きとして悪書に指定されてしまい、大幅に業績が悪化する。

この落ち込みをカバーすべく、《ハウツー・シリーズ》を開始。同時に、怪奇・オカルト誌「不思議な雑誌」や奇想天外な秘話を集めた「MANGA話のタネ本」と

いった新雑誌を立て続けに投入していく。前者は、このジャンルの雑誌がなかったこともあり、当時早川書房の編集者だった福島正実、森優、常盤新平らが原稿を持ち込んできたそうだ。六五年に【5分間シリーズ】という福島と常盤が編纂した国内外作家のテーマ別アンソロジー三冊――サスペンス、ハード・ボイルド、スリラー――と、藤原宰太郎が本名の藤原宰名義で書いたミステリ・クイズ一冊からなる叢書が刊行されたのは、このときの縁によるものだろう。

【世界秘密文庫】も、そんな経営危機をしのぐためにスタートした企画の一つだったに違いない。陶山が持ち込んだのか、はたまた夜久が白羽の矢を立てたのか、今となってはわからないが、お互いに利害が一致したと考えた結果、誕生したのだろう。

ちなみに本シリーズは、同社初の文芸書であり、これ以前には一冊も刊行されていない。

この叢書が刊行されていた前後、即ち六三年から六五年にかけては、「ヒッチコックマガジン」「マンハント」が相次いで終刊、宝石社が倒産するなど、戦後のミステリ・ブームはすでにピークを越えて下降期に入っていた。偶然ではあるが、六五年七月には、江戸川乱歩が亡くなっている。

その一方で、六四年四月に日本公開された映画「007／危機一発」のヒットにより、スパイもののブームが到来。六〇年に始まったカーター・ブラウン人気もまだまだ健在で、毎月のように〈ポケミス〉から翻訳が出ていた。

そんな状況の中で、〈色〉と〈金〉の要素がこれでもかとばかりに強調された上、あたかも日本人が書いた実録犯罪小説のような体裁で刊行された【世界秘密文庫】だけれど、実は、意外なほどまともかつ重要な作品がセレクトされていたのである。

第二章

一

【世界秘密文庫】が、六〇年代のミステリ界隈で合言葉のように掲げられていた三要素――スリル、スピード、セックス――を目玉にした軽い読み物を、コンパクトな新書サイズで提供することを目指したものであることは明らかだ。そのため登場人物の内面の掘り下げや、捜査状況の緻密な描写といった物語を豊かにする部分は大胆にカットする一方、お色気成分が足りないと判断した場合は、これでもかとばかりに盛って、ニーズに合うよう〝改良〟している。

収録作品の原題も作者名も表に出さず、日本人作家の手になる扇情的な実録犯罪小説を装って刊行された〈色〉と〈欲〉に根ざした九つの顔ぶれのうち、今のところ七作の正体を突きとめる事ができたが、残念ながら二作はまだ未詳のままだ。まずは解明できたものを順に見ていこう。

第一巻『深夜に電話を待つ女』は、扉に記載されているジャック・マッチャという耳慣れない名前を半信半疑でインターネット検索したところ、数件のソフトコア・ポルノに混じって *Prowler in the Night* という作品がヒット。原書を取り寄せた結果、あっさりと同定完了した。

販元はフォーセット社で、「一九五〇年からペイパーバック・オリジナルの刊行によって業界に殴り込みをかけ（中略）アメリカン・ペイパーバック最盛期の〈ビッグ7〉」（小鷹信光『私のペイパーバック　ポケットの中の25セントの宇宙』早川書房）として大成功を収めたゴールド・メダル・ブックの#873として、五九年四月に刊行されている。

作者のジャック・マッチャは、一九一九年ニューヨーク生まれ、コロンビア大学と南カリフォルニア大学に学び、第二次世界大戦中はヨーロッパでUP通信社を始め各紙のレポーターとして活躍。ジョン・バークレー、ジョン・ターナー名義も含

めペイパーバック・スリラーやソフトコア・ポルノを刊行する傍ら、友人であるパトリシア・ハイスミスが、かつて代表作「かたつむり観察者」を発表したSF専門誌《GAMMA》の編集に携わった。脚本家でもあり、テレビホーム・コメディ「ゆかいなブレイディー家」のオリジナル・ミステリ小説を手掛けるなど様々な分野に手を伸ばしているが、代表作をあげるとするなら、六一年に刊行し、各国で翻訳された〝その手のガイド〟の古典『男性のためのヨーロッパ案内』（1961、荒地出版社）でしょう。二〇〇三年没。

さて肝心の内容ですが、扉裏の粗筋を引用すると――、

「明るい陽光のふりそそぐロサンジェルスの街に、とつぜん奇怪な事件がつぎつぎと発生した……若い女がいたずらされたあげく、するどい爪で絞殺されたのだ。しかし、いずれの女性も暴行されていなかった。さては性的異常者の犯行か？……とロサンジェルス市民は色めきたったが――ある深夜、ついにヴィタ・レーノルズの部屋の電話が鳴った。そして、見知らぬ男の淫らな声が、純情な彼女を恐怖のどん底におとしいれたのだ。昨夜も……今夜も、淫魔のささやきが電話機の底からながれてくる。ヴィタは、救けをもとめて部屋から出ようとしたが……暗い外にはあの男が待っている！　恋のトラブルを中心に斬新なトリックと恐怖のサスペンスを盛った〝世界趣味文庫〟〔原文ママ〕シリーズの第一弾！」

とあるように、狙いをつけた女性に繰り返し電話をかけて偏執狂的な愛を囁き、忍び寄ってく

世界秘密文庫

推薦：渡辺一郎　久松静児

深夜に電話を待つ女　―ロサンジェルス捜査情報―	陶山密	（二八〇円〒40）	事件につぐ事件、見せ場につぐ見せ場／非情なタッチ、強烈なサスペンスで描く生々しい興奮を呼ぶミステリー
悪女真夜中に死す　―シカゴ特別捜査情報―	木下宗一	（二六〇円〒40）	真夜中にひとり無気味な笑いを浮かべる悪女その妖しい魔力にひきずられる保険マンにはさらに黒い罠が……
襤褸の中の髪と骨　―コネチカット捜査情報―	陶山密	（二八〇円〒40）	●黒いセックスの回り舞台から転落してゆく、妖艶の女性歌手の顔のない死体をめぐる追求のサスペンス・ドラマ
情婦は笑って笑って殺す　―パリ特別捜査情報―	木下宗一	（二八〇円〒40）	金髪の美女は静かに笑った。●「では、プレゼントをあげるわ」そういった彼女の手には冷たいコルトが光った
青ヒゲは顔が白い　―ロンドン警視庁捜査情報―	陶山密	（二八〇円〒40）	妖艶な美容師、空軍勇士、老練の警部が大都会と荒野を背景に織りなす奇怪にしてスリル満点の追跡ドラマ
泥の中の結婚　―ニューヨーク捜査情報―	陶山密	（二八〇円〒40）	どす黒い女の欲情がからむ連続殺人事件の謎を追って冷酷なタッチでえぐりあげる息もつかせぬ娯楽推理
太陽は悪女をつくる　―フロリダ特別捜査記録―	陶山密	（二八〇円〒40）	海と太陽の町を背景に、愛欲と物欲がからみあう怖るべき近代犯罪／007をしのぐ強烈のアクション・ドラマ

るサイコパスによる連続殺人を扇情的に描いたサスペンスだ。

ニューヨーク出身の上司兼不倫相手の恋人と、性に絡む事柄を忌み嫌う幼なじみの青年が、ヴィタを巡って一触即発という状況の下で意外な犯人を提示する展開は、定石通りだけれども、ちょっとした驚きもあって面白い。ただし、「斬新なトリック」というのは持ち上げすぎですが。

妻の求めで嫌々ロサンジェルスに移住してきたニューヨーク市警出身のゴールドバーグ警部と、地元っ子でカリフォルニアをこよなく愛する部下のファーレイ部長刑事が言葉のジャブを交わすシーンや、ファーレイの甥が朝鮮戦争従軍のショックで精神科に通っているという設定が、そっくりカットされている点が残念。またエロチックな場面は多すぎると判断したのか、本叢書としては珍しく一章丸ごと省かれている。

ちなみに帯では、「生々しい興奮を呼ぶミステリー・ロマン」「事件につぐ事件！　見せ場につぐ見せ場　非情なタッチ！　強烈なサスペンス！　最後まで息もつかせぬ推理文庫」という汎用性の高い煽り文句で、発刊第一弾として【世界秘密文庫】のウリを盛大にアピールしています。

二

第二巻『悪女真夜中に死す』にも作者名は記されている。けれどもジェームス・フォックスなんて作家は見たことも聞いたこともないのだけれど、と思いつつ読み始めてみてビックリ。この設定ってもしやアレでは、と見当をつけて確認したところ大当たり。ちなみに扉裏の粗筋から抜粋すると、こんな感じだ。解りますか？

「真夜中に、ひとり不気味な笑いをうかべる悪女フィリス！　その妖しい魔力にひきずられ、おそるべき犯罪をおかした保険マンには、さらに黒い罠が待っていた……。

シカゴ郊外を背景に、二転、三転……謎とスリルがくりひろげられるサスペンス深夜版の第二弾！」

ひょっとして『深夜の告白』と思った方、正解です。えっ、でもシカゴが舞台だっけという疑問が浮かんだ方は、記憶力が良い。そう、実はこれ、五四年に日本出版協同の【ジェームス・ケイン選集】の第二巻として蕗沢忠枝により訳出され、六二年には『殺人保険』と改題の上、新潮文庫に再録されたジェームズ・M・ケインの不朽の名作を、舞台をロサンジェルスからシカゴに改竄して出し直したものなのだ。

横紙を破りまくっている【世界秘密文庫】だが、他社で文庫化されて二年半しか経っていない作品を別物として刊行するというのは大胆不敵にも程がある。『深夜の告白』のモデルとなった「ルース・スナイダー事件」の犯人の告白を目にしたことがきっかけとなり、生涯にわたって異常犯罪に取り憑かれる羽目になった陶山密にしてみれば、なんとしてでもラインナップに加えたかったのでしょうね。ビリー・ワイルダー監督がレイモンド・チャンドラーと共同で脚本を書いて映画化し、日本でも五三年に公開され評判となったこの作品を、脚本家として鳴らした陶山が知らなかったとは思えませんから、完全に確信犯でしょう。

さて、それでは具体的な変更箇所を見てみよう。カリフォルニア州からイリノイ州に舞台を移し、道路や施設に至るまで細かく置き換えている一方で、主人公がシカゴで〝海〟を見るシーンを直し忘れているのは、ご愛敬。

最も罪深い改竄は、「無駄のない冷徹な小説」（ジェームズ・M・ケイン『カクテル・ウェイトレス』新潮文庫、チャールズ・アルダイによる解説より）であるケインの作品に、過剰な濡れ場を盛り込み、痺れるような簡潔な一文で幕を閉じるラストに安っぽい蛇足を付け足して台無しにしてしまった点だ。加えて、その分のページ数を捻出するために、フィリスが男と共謀して夫を殺し保険金詐取を目論んでいると看破した保険会社の支払部長キースが、常日頃目を掛けているハフに対して、当の愛人とは気づかず自説を披露し調査を進めようとする緊張感溢れるくだりが大幅に省略されており、ここまでくると翻訳ではなく翻案と言った方がいいだろう。

ところで、どうしてシカゴを選んだのだろう、と疑問に思っていたのだけれど、第七巻『太陽は悪女をつくる』刊行の翌月に同版元から出た福島正実編著『5分間サスペンス』の巻末広告を眺めていて、何となく察しがついた。この叢書はシリーズ名に〝世界〟と銘打っているように、世界各国の大都会を舞台にした作品を揃えようとした節がある。その証拠に、副題に謳(うた)われた地名も見事にばらけている。ちなみに第八巻『女の肌は黄金の色』は「ローマ警視庁特別記録」、第九巻『女は日曜日に沈められる』は「ロンドン警視庁特別記録」で、『青ヒゲは顔が白い』の「ロンドン警視庁捜査情報」と被(かぶ)るが、これに関しては別途後述する。

仮に改竄しなければロサンジェルスを舞台にした作品が二ヵ月連続で刊行されていたわけで、ここは一石二鳥を狙って、アメリカの中で太平洋と置き換えても不自然じゃない大きな水辺に面していて犯罪発生率も高かったうってつけの街シカゴに白羽の矢を立てたのではないだろうか、というのは妄説だが、案外当たっていると思う。

ジェームズ・M・ケインは、デビュー作『郵便配達は二度ベルを鳴らす』が八回も翻訳されている一方、同じく代表作である『深夜の告白』が、一度しか訳されず半世紀以上にわたって再刊されていないのは、何とも残念。できれば、二〇一四年に田口俊樹訳による幻の遺作『カクテル・ウェイトレス』と『郵便配達〜』の同時刊行という快挙を行った新潮文庫に、今一度名乗りを上げて欲しいものです。

三

続く第三巻『襤褸の中の髪と骨』には、R・フォンテーヌ作と記されているけれども、これもでたらめだ。本当の作者はヒラリー・ウォーで、二〇〇五年に東京創元社から『愚か者の祈り』として完訳された。

ニューイングランドの地方都市で、若い女性が顔を叩き潰され、胴体を切り裂かれて公園に打ち捨てられる事件が発生。杳(よう)として知れない被害者の身元を探るために、情熱的な刑事マロイは老練な上司ダナハーを説き伏せ、頭蓋骨に蠟を盛りつけることで復顔を試みる。

まるで捉えどころのなかった事件を、仮説・推論・検証を繰り返して、徐々にその輪郭を明らかにしていく過程こそがヒラリー・ウォー作品の醍醐味(だいごみ)だ。本書の場合、まずは文字通り〝素顔〟を確定した上で、故郷を出てから殺されるまでの空白の五年間に一体何が起きたのかを、二人の刑事が探り出していく。抑制の利いたテンポとは裏腹にサスペンスフルに展開するストーリーから目が離せず、のめり込むようにして読んでしまうこと請け合いの逸品です。

ウォーは、第二次世界大戦後にアメリカ各地に雨後の筍（たけのこ）のごとく誕生し、理想的な住環境と喧伝された郊外住宅地（サバービア）の〝陰〟に着目し、ごく普通の人々の欲望や悩みが引き起こす事件を描き続けた。代表作『ながい眠り』（1959）や『この町の誰かが』（1988、ともに創元推理文庫）と比べると街の規模が大きいため、スモール・タウンの内面を照射するシーンはやや少ないけれども、女性住民が戦々兢々（せんせんきょうきょう）として警察に保護を求める中、健全な発展を続け人口を増やさなければならないと地元紙が力説し、市長が警察に圧力をかけ、街全体が急速に不穏な空気で覆われていく様をサスペンスフルに描く手際は健在だ。他にも、ベテランと若手の刑事が対立しつつ事件を追う様、捜査の過程で浮き彫りにされる五〇年代半ばの大都会と地方都市との相違といったウォーならではの読み所が詰まっているのだが、【世界秘密文庫】版では大幅にカットされてしまっている。

余分なエロチック要素を差し挟む隙がない作品なので、その手の加筆がなされていない点は救いだけれども、粗筋で「テレビでおなじみの『87分署』シリーズ以上にスリリングな事件を展開する‼顔無し女をめぐる迫真のサスペンス・ドラマ！」と、六一年から翌年にかけて計三十本が作られ、日本でもテレビ放映されたエド・マクベイン原作の大河警察ドラマに対抗する一方で、帯で「エロチシズムと残酷性のからみ合った妖艶歌手の謎の事件！　この追跡スリルこそ、まさに秘密文庫のダイゴ味！」と煽っているように、本書が、【世界秘密文庫】収録作としては異色とも言える堅固な警察捜査小説だからだろう。

余談だが、この作品に関しては、ちょっとばかり個人的に語りたいことがある。というのも『襤褸の中の髪と骨』と出会ったことで、【世界秘密文庫】の存在を知ったからだ。

二〇〇〇年八月、全日本大学ミステリー連合の合宿にOBとして参加した際、恒例の古本オークションに北原尚彦（きたはらなおひこ）氏が委託出品された本書を、馴染みのない作者名と安っぽい本造りに競争相手もなく安値で落札。その後、一ヵ月ほど積読（つんどく）状態だったのだが、インターネットサイト「猟奇の鉄人」の運営者kashiba氏とのやり取りをきっかけに、これがヒラリー・ウォーの未訳作品である可能性が高いと知り慌てて読み、原書を持っていた東京創元社の編集者に確認した結果、創元推理文庫旧版の『失踪当時の服装は』（山本恭子訳、一九六〇年）の巻末で厚木淳が「ボロと骨」として紹介していた*A Rag and a Bone*と同じであることが判明、このシリーズに対する関心が一気に高まった。

その後これが縁となり『愚か者の祈り』の解説を担当、ウォー研究にのめり込むと同時に、【世界秘密文庫】の全貌を解明したい、という野望に取り憑かれ、ようやく本書で取りあげることができるようになった次第だ。

閑話休題。ヒラリー・ウォーは、一九二〇年、本作の舞台でもあるコネチカット州生まれ。当初は類型的な私立探偵小説を書いていたが、チャールズ・ボズウェルによる犯罪実話集『彼女たちはみな、若くして死んだ』（*They All Died Young*, 1949、創元推理文庫）に感銘を受け、ノンフィクションのようにリアルなフィクションを目指して五二年に発表した第四作『失踪当時の服装は』で〈警察捜査小説（ポリス・プロシーデュラル）〉という形式を確立。五作目となる本作を経て、コネチカットに設定した郊外住宅地（サバービア）ストックフォードを舞台にした『ながい眠り』に始まる《警察署長フェローズ》シリーズを十一作発表。生涯に四十六作の長篇を発表し、八九年には、MWA巨匠賞を受賞、二〇〇八年に亡くなった。

四

さて、第四巻『情婦は笑って笑って殺す』は現時点で未詳なので一つ飛ばして、第五巻『青ヒゲは顔が白い』を見ていこう。六六年に『女は燃えている』と改題の上、再刊された本書に関しては、登場人物名を手がかりにインターネットで検索し、当たりをつけて原書を取り寄せてつき合わせた結果、イギリスの小説家ジェームズ・バーロウが五六年に発表したデビュー作 *The Protagonists* だと判明した。

扉裏には、「〈愛〉を信じた孤独な女」と題して、こんな粗筋が記されている。

「やりきれない大都会の孤独の中に働く赤毛の美しい娘の前に、素晴らしい男性が現われた。誰でもいい、この淋しさを忘れさせてくれるものなら何でもいい……彼女の運命を狂わせる出来事は、赤いスポーツカーに乗った一人の男の出現によって、幕が切って落とされた。

大都会の片隅で、今日もまた、必死に愛を求め続ける女たちの前に現われた男……。彼女の恋人は夢に求めたプリンスか、それとも恐るべき吸血鬼だったのか？

犠牲者は埋葬され、事件は忘れ去られ、人々は歩み去り、時は流れた。しかし、消え去った犯人には、一瞬も消えることなく、追跡者の足音が迫まる。

荒涼たる英国中部の都会と荒野を舞台に展開される異色サスペンスミステリー」

本書は、三部構成からなる倒叙ミステリであり、まず「第一章　犠牲者の航跡（PART ONE:VICTIM）」で、元看護婦の美容師オルウェンが殺されるまでを彼女の視点から三人称で綴（つづ）り、続いて「第二章　犯罪者の孤独（PART TWO:CRIMINAL）」では、殺人者である元英国空軍兵ロイがオルウェンと出会い殺すに至るまでを、自身の過去を振り返りながら一人称で語る。そして最後に、「第三章　探偵の名推理（PART THREE:POLICE）」で、スコットランド・ヤードのマッキンドー警部を登場させて、オルウェンの人生を遡（さかのぼ）り、犯人をあぶり出して追い詰めていく様を三人称で描いていく。

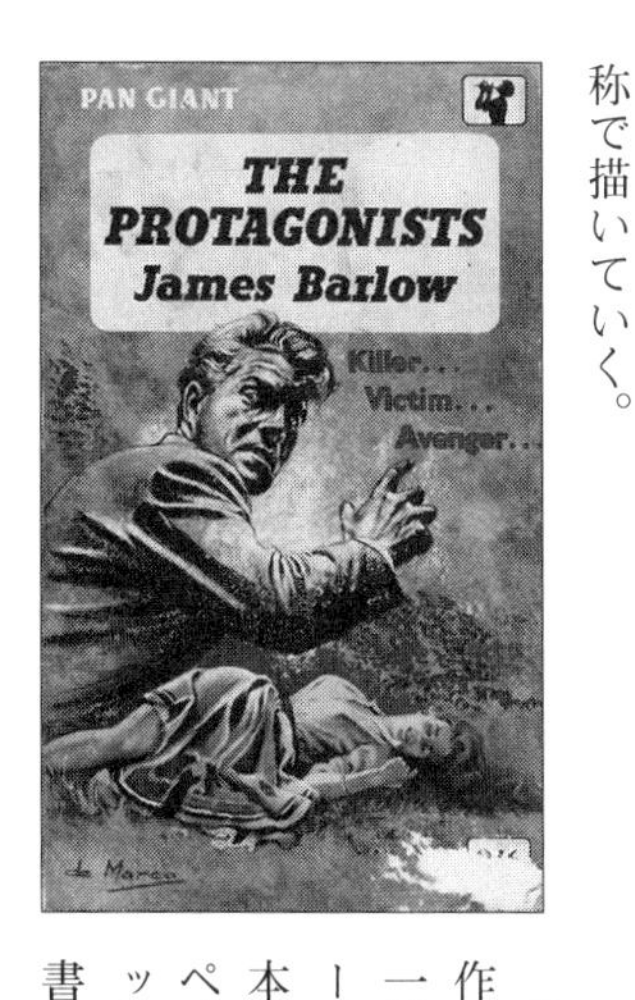

他の収録作に比べて一折十六ページ分増の本書だが、ペイパーバック版の原書で比較す

ると第一巻の二倍以上の厚さがあるため、かなり大胆に抄訳されている。とりわけ原書の半分を占める第三部は、原作ではマッキンドー警部の私生活や、仮説・推論・検証を繰り返して犯人を特定していく捜査過程がしっかりと描き込まれているのだけど、これらはほぼカットされて、半分以下のボリュームに縮められてしまっている。

また第一部も大胆に構成が変えられている。即ち、元々はオルウェンの両親が殺された娘の墓参りをするシーンで幕を開けた後、彼女の誕生まで遡って生い立ちを物語り、終盤でようやくロイと出会う展開なのを、墓参のくだりをカットして代わりにロイとの出会いを前倒しして置き、次いで彼女の人生を語るという具合に順序を入れ替えているのだ。主流文学(メインストリーム)の味わいも強い犯罪小説を、安手なペイパーバック・スリラーにコンバートする実例として興味深く、そこそこ楽しめたけれども、できれば完訳で読んでみたかった。

作者ジェームズ・バーロウは、一九二一年バーミンガムに生まれた。父親の療養のためにウェールズに移住したが、三六年に父が亡くなるとバーミンガムに戻り商業専門学校に進学後、バーミンガム水道局に勤務。第二次世界大戦中は英国空軍砲手として従軍、のちに砲術教官となるも結核を患いサナトリウムでの療養生活に入り、文筆活動を開始。当初は航空専門誌に寄稿していたが、後に《パンチ》の常連投稿者となる。

退院後、水道局に復職するも執筆活動は続け、五六年、それまで暮らした土地や従軍経験、療養所生活を活かした本作 *The Protagonists* で小説家としてデビュー。以後、移住先のアイルランドで、七三年に五十一歳の若さで急死するまでに、長篇小説十三作とノンフィクション一作を発表した。本書以外の翻訳はないが、映画化された二作品——*Term of Trial*(1962)〔主演ローレンス・オリヴィエ〕と、*The Burden of Proof*(1968)〔映画タイトル Villain、主演リチャード・バートン〕は、それぞれ「可愛い妖精」「ロンドン大捜査線」という邦題で日本でも公開された。

第三章

一

〝読み所は〈色〉と〈金〉！ 目指すは実録犯罪小説風のミステリ・シリーズ!!〟とばかりに、扇情的な作品を取り揃えた【世界秘密文庫】。スリルとスピードとセックスを重視するあまり、物語を豊かにするもののテンポが緩やかになる部分――キャラクターの掘り下げや緻密な捜査活動――は大胆にカットする一方、お色気成分を大幅に追加して〝改良〟された収録作が居並ぶこのシリーズの中でも、第六巻『泥の中の結婚』ほど、大胆不敵に改竄された作品はない。なにしろ殺人事件など起こらない性愛文学(エロティカ)に死体を転がして、無理矢理ミステリに仕立て上げてしまっているのですから。

元になったのは、シェルドン・ロードの*21 Gay Street*。版元のミッドウッド社は、五七年の創業以降、先行するビーコン社に倣(なら)って、八〇年代半ばまで、レズビアン小説を中心にペイパーバック・オリジナルで多数のソフトコア・ポルノを世に送り出した。本作はミッドウッド・ブックス#55として六〇年に刊行されている。

舞台は、五〇から六〇年代にかけてアメリカを席巻したビート・ジェネレーションのメッカであるマンハッタン区グリニッジ・ヴィレッジ。その中のゲイ・ストリート二十一番地に建つアパートで暮らす四人の若者――中西部の田舎の大学を卒業し、大都会の出版社でファースト・リーダーとして働く才色兼備のジョイス、失恋のショックで新聞社を辞め、小説書きと酒に日々の慰(なぐさ)めを見出しているピート、レズビアンのカップル、ジーンとテリイ――が織りなす愛欲模様を描いたラヴ・ロマンスだ。

編集者として未知の才能を見出そうと胸を膨(ふく)らませてニューヨークに来たものの、箸にも棒にもかからない膨大な持ち込み原稿を返却するだけの単調な仕事に失望し、誰一人として知りあいのいない都会で鬱々とした日々を過ごすジョイス。そんな彼女に抗いがたい欲望を抱くジーンは、友だちになりたいという彼女を部屋に呼び、レズビアンであることを告白する。ショックのあまり自暴自棄になったジョイスは、ビート族が集まる秘密パーティに行くピートに連れていって欲しいとせがみ、そこで未知の狂宴を体験する羽目になる。

さて、これがどんな風に改竄されてしまったのか。扉裏の粗筋を引用すると――

「恐るべき事件は、媚薬となやましいドラムの音にはじまった。ニューヨークはマンハッタンに住む狂乱のビート族がくりひろげた乱痴気パーティー。一夜あけたその朝、汗いきれと異様な臭気のただよう密室の中で、〝教授〟と呼ばれる男の刺殺体が発見された。疑惑と不安の渦が出席したビートたちの上に不気味にひろがる……。

――都会の孤独に泣く女にとって〝愛〟こそが人生のすべてだ。ふと行きずりに街で声をかけられた男とのはかない出会いが、一人の女の人生を変えた。乱痴気パーティーの狂乱と混乱の中に、否応なしに引きずりこまれた美貌の女は、その上に殺人の疑いまでかけられる。

必死の捜査活動をつづけるマンハッタン警察。異様な事件の連続と非情なタッチが、ビート族の生態をあばき緊迫のミステリーを盛り上げる」

といったところですが、原書では誰一人として殺されない。その一方で、ピートがジョイスのアドバイスに奮起して小説を書き上げるという読み所が丸々カットされるなど、終盤四分の一が、まるで違う物語に書き替えられているのだ。全体のトーンも〝非情なタッチ〟というよりは〝ペーソス漂う洒落たタッチ〟なので、完全に別物だ。

いやはや、恐るべし陶山密。万が一作者が知ったらどんな顔をするだろう。なにしろシェルドン・ロードというのは、巨匠ローレンス・ブロックの数多あるペンネームの一つなのだから。そう、これまでローレンス・ブロックの日本初紹介長篇は七二年に三笠書房から刊行された『危険な文通（ダーティ・ラリー氏の華麗なる陰謀）』(1971) だと言われてきたが、実は、その七年も前に、既に訳されていたのだ。

大学在学中の一九五七年から五八年にかけて出版代理業者スコット・メレディス社で働いていたブロック

は、エヴァン・ハンターの『ジャングル・キッド』（1956）に触発されて書いた短篇 *You Can't Lose*（邦題「ガッポリもうけましょう」、「マンハント No.45」掲載）が雑誌《Manhunt》の五八年二月号に掲載され作家としてデビュー。本名ブロック名義での初長篇は、六一年に刊行された *Mona* だが、デビュー以降六〇年代半ばまでに、様々なペンネームを駆使してエロティカとクライム・ノヴェルを混ぜ合わせた安手の読み物を書きまくっている。

シェルドン・ロードは、その内の一つで、五八年の *Carla* から六八年 *Savage Lover* まで十四作品で使用。ちなみにこれらは長らく絶版だったが、同時期にナイトスタンド・ブックス向けにアンドリュー・ショウ名義で書いた作品等とあわせて、*21 Gay Street* を始め、大半が二〇一六年に《コレクション・オブ・クラシック・エロティカ》全二十五巻として復刊された。中には、アラン・マーシャル名義で同じくソフトコア・ポルノを書いていたドナルド・E・ウェストレイクとの合作という珍品も三作含まれている。

ちなみに、六〇年代を通じて全米を席巻したペイパーバック・オリジナルのソフトコア・ポルノに関しては、豊富な表紙絵とともに、叢書名一覧やペンネームと作家の紐付け索引も備えた *Sin-A-Rama* という大変面白い事典がある。

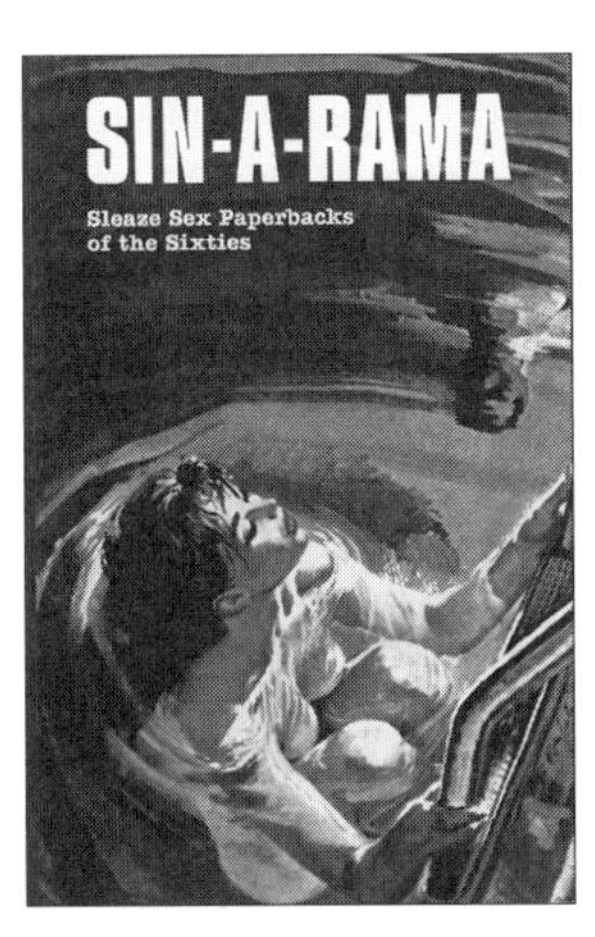

SIN-A-RAMA
Sleaze Sex Paperbacks
of the Sixties

閑話休題。最後に、本作が同定できた種明かしを。鍵になったのは作中で触れられるレスリー・エバンス『奇妙な愛し方』というレズビアン小説だ。ジーンに迫られたジョイスが、昔読んだこの本のことを思い出すのだが、実はこれ、ブロックが初めて書いた長篇小説 *Strange are the Ways of Love*（1959）のことなのだ。ブロックの遊び心のおかげで、『泥の中の結婚』の正体を突きとめることができました。めでたし、めでたし。

品だ。

二

続く第七巻『太陽は悪女をつくる』もまた、アメリカ・ミステリを語る上で外すことのできない大物の作品だ。

扉裏の粗筋に、

「焼きつけるような太陽が輝くフロリダ洲フラミンゴの海辺に、ある日、奇妙な二人の男女が姿を現わした。町の富豪である老医師の家の大金庫にねむる百万ドルの現金をねらってやって来たのだった。同じ町に妖艶な人妻がいた。彼女は富豪の甥の妻で、狐のように狡猾で残忍な性格だった。夫の使用人である自動車ブローカーの渡り者と性的関係をつけ、その豊満な肉体をエサに彼をそそのかして老医師の莫大な財産の管理権を奪おうと企らんでいた……。

老医師の遠い親類と名のる若い夫婦ものりこんでくる。その正体は……？

強烈な陽光と、果てしなく青いメキシコ湾の海を望むフロリダの町に、業欲と酒とセックスに酔い痴(し)れた野獣たちが、牙を鳴らし、爪をとぎ、破局の深淵に落ちてゆく――」

とあるように、フロリダを舞台にした犯罪小説で、本叢書発刊の時期と照らして、五〇年代から六〇年代前半にペイパーバックで刊行された可能性が高い。

となれば、真っ先に思い浮かぶのがジョン・D・マクドナルドだ。そこでデビュー作から順にインターネットで内容を確認したところ、《コスモポリタン》五六年一月号に掲載されたショート・ヴァージョンを長篇化して、五五年十二月にゴールド・メダル・ブック#85として刊行された *April Evil* であると判明した。

ジョン・D・マクドナルドと言えば、マイアミのマリーナに停泊した豪華ヨットを住居に、トラブル・シューターを生業(なりわい)とする遊民《トラヴィス・マッギー》シリーズが有名で、六四年の『濃紺のさよなら』（ハヤカワ・ミステリ）を皮切りに全部で二十一作の活躍譚を書いている。その一方で、五〇年に *The Brass Cupcake* で長篇デビューして以来、亡くなった年の八六年に発表した『ディベロッパー』（集英社）まで、犯罪小説を中心に四十五冊ものノン・シリーズ作品を出した。

長篇デビューして六年目に書かれた *April Evil* は、

「一九七三年まで、ほとんどハードカヴァーで小説を刊行しなかったペイパーバック界の雄」（小鷹信光『私のペイパーバック』）の面目躍如たる〈色〉と〈金〉に取り憑かれた男女が跋扈する硬質な犯罪小説だ。核となるのは、前年に出た『シンデレラの銃弾』（河出文庫）や、六六年に刊行された作者のノン・シリーズ・ミステリの集大成にして犯罪小説界の不朽の金字塔『生き残った一人』（ハヤカワ・ノヴェルズ）同様、莫大な現金を巡る悪党どもの強奪戦。遮るものなく陽光が降り注ぐ影無き地・フロリダを舞台に、五〇年代の繁栄に沸くアメリカ社会の暗部で蠢く者どもの赤裸裸な欲望と刹那的かつ楽観的な生き方を、硬質かつ平易な筆致で描いた秀作だ。

　ただし、『太陽は悪女をつくる』では、終盤の五十ページが極端に抄訳されている。具体的には、脱獄囚とその情婦、金庫破り、殺し屋の四人組が、周到に襲撃の準備を進める件や、富豪の甥の妻と過去につきあっていたために事件に巻き込まれた弁護士が、未然に犯罪を防ごうとする件、彼の息子が襲撃犯に囚われてしまう件などが、ざっくりとカットされている。筋を追うのに精一杯で、登場人物が抱える懊悩や欲望を描いた箇所があっさりと流されてしまっているのはなんとも残念だが、【世界秘密文庫】にそこを期待するのは、無い物ねだりというものでしょうね。

三

　次の第八巻『女の肌は黄金の色』は、現時点でまだ未詳なので一つ飛ばして、第九巻『女は日曜日に沈められる』に進む。登場人物名でインターネット検索した結果、これもまたビックリするくらい大物の作品と判明。何と《ホーンブロワー》シリーズで世界的な名声を得ているC（セシル）・S（スコット）・フォレスターの*Plain Murder*だったのだ。

　海洋冒険小説の大家として生涯にわたって、大航海時代から第二次世界大戦に至るまで、矜恃を胸に闘う海の男たちの姿を描いてきたフォレスターだが、執筆期間の初期にあたる所謂探偵小説の黄金時代に、三冊の犯罪小説を書いている。その内の一冊『終わりなき負債』（小学館）は、ジュリアン・シモンズ選 The Sunday Times 100 Best Crime Stories（所謂〈サンデー・タイムズ・ベスト99〉）にも採られた英国流の黒いユーモアと風刺に満ちた犯罪小説だ。フランシス・アイルズが三一年に発表した『殺意』の先駆けとも言えるこの先鋭的な倒叙ミステリは、アガサ・クリスティ『アクロイド殺害事件』やS・S・ヴァン・ダイン『ベンスン殺人事件』（ともに創元推理文庫）と同じ二六年に刊行された。その先進性には、目を見張るものがある。

本作 *Plain Murder* が発表されたのは、四年後の三〇年。扉裏の粗筋に、

> 「殺人者はどこにもいる。たとえばバスのあなたの横にすわっているかもしれないし、いっしょに酒をのんでいる会社の同僚の一人があなたを殺そうとねらっているかもしれないのだ。モリスは、自分の上役を殺した。上役が彼を馘にしようとしたからだ。（中略）彼こそ真の殺人者であった。有名なクリッペンも「浴槽花嫁殺人事件」のスミスも、彼の足もとにもよれないだろう」

とあるように、『終わりなき負債』同様、身勝手な理屈から窮地に陥った男が殺人を犯し、変容していく顚末を、抑制の利いた冷静な筆致で皮肉を交えて綴った犯罪小説の里程標といえる古典である。

ロンドンの広告代理店に勤める野心と自信に満ち溢れた遣り手社員モリスは、同僚二人を巻き込んで会社の金を横領したものの、無能で小心者の上司にばれてしまい、保身のために彼の殺害を決意。ガイ・フォークス・デイの夜に、若手社員にバイクで上司の家に送らせ、花火の音に紛らせて同僚の拳銃で射殺。二人を共犯者に仕立て上げた謀殺事件は、警察の疑惑を招くこともなかったが、次々と想定外の事案が発生し、

事態は思わぬ方向へと転がっていく。*Plain Murder* という一見そっけない原題の意味が最後に判明し、読後じわじわと利いてくる味わい深いミステリです。

ちなみにこの作品は、【世界秘密文庫】収録以前に、雑誌「探偵倶楽部　増刊〈海外探偵小説傑作選〉」（五六年六月十五日発行）に、『花火の夜の殺人』というタイトルで同じく陶山密の手で訳載されている。紙幅の関係から極端な抄訳とせざるを得なかった本作を、より原書に近い形で復活すべく本叢書に加えたのだろう。世界各地の異なる大都会を舞台にした作品を揃えようとした節のある本叢書にあって、既にロンドンを舞台とした作品としては『青ヒゲは顔が白い』があるにもかかわらず、本書を収めたのはそのためだと思われる。

原書もコンパクトなため、あまり大胆な改竄はされていないが、それでもC・S・フォレスター作品の持ち味である、作者の視点から登場人物の性格や倫理観を考察し、人間という相矛盾（あいむじゅん）した存在について言及するパートが、そっくりカットされてしまっているのは残念。

三五年に書かれたものの、長らく原稿が行方不明となり、作者没後四十五年を経てようやく二〇一一年に刊行された残り一冊の犯罪小説 *The Pursued* とともに、ぜひとも完訳して欲しい逸品だ。

四

さて、素性を突きとめられているのはここまで。残り二作は、今のところ正体不明だが、まずは第四巻『情婦は笑って笑って殺す』から見ていこう。

帯の宣伝文で、「非情で冷静な女の完全犯罪！」「十年の愛に敗れた女の執着！　異常な復讐心にもえ、男をあやつり次から次へと緻密な犯行！　快調な筆致でスリルあふれる本格的長編推理」と謳われたこの作品は、〈パリ特別捜査情報〉という副題が示す通り、パリ近郊の都市サン＝ドニと、コート・ダジュール、そしてジュネーヴを舞台にしたサスペンス小説だ。

扉裏の粗筋に、

「「わたしは捨てられた女なのよ」彼女は能面のような表情でいった。

……突然、彼女はガラスの砕けるような凄惨な声で笑いだした。笑いながら彼女は拳銃をとり出し、そしていつまでも笑いつづけた。「あなた、さようなら！」鋭い銃声が一発、二発、そして三発……。男はびっくりしたように目を見ひらき、そのままどさりと仆れて息絶えた。

　女は冷たい目で、いつまでも死体を見つめて立ちすくんでいた。すべては、いま、終わったのだ。彼女は、自分を棄て去った男を殺したことによって、同時に自分自身をも破壊してしまったことに気がついた」


とあるように、愛人関係にあった大富豪に棄てられた元秘書が、憎い男の財産と命を奪うために、南仏で知り合ったワケありの男を引き込んで完全犯罪を目論み、首尾良く計画を達成するも、想定外の感情に襲われ……というお話です。被害者とそっくりの声の持ち主を共犯者とする計画というのがちょっと珍しい。この小手先芸的トリックや、犯罪に手を染めた男女の行く末の描き方など、いかにもフランス・ミステリらしく、舞台設定からも、おそらくは第二次世界大戦後に盛んに書かれた暗黒小説（ロマン・ノワール）の中のどれかだと思うのだけれど、今のところ誰の何という作品なのかは不明だ。

　ちなみに、インパクト溢れる邦題は、シェイクスピアの「ハムレット」の中の台詞“One may smile, and smile, and be a villain”のもじりじゃないかな。

五

　残る一冊、第八巻『女の肌は黄金（きん）の色』の舞台はイタリアだ。

「欲情に溺れきったとき……」と題された扉裏の粗筋に、

「女は少しもがくようにしたが、すぐ男の腕の中に身を沈ませ、霞のかかったようなぼうっとした目で男を見あげた。

「キャビンへつれて行って――」

　男はちらと夕暗の中に消えかかる島の方を見たが、ふいに女を抱いたまま大股に舷側の方へあるいた。突然、襲いかかった破局に気がついた女が叫んだ。

「リカルド！　おろして！」

　その声が終わらないうちに、男は女の体をさっと海に投げこんだ。

　暮れかかるナポリ湾の黄金色の波の中に、女は必死にもがきながら沈んでいった。

　第一の殺人につづく第二の殺人は、暗い病院の一室で行なわれた。やみの中に鉄が骨を砕く凄惨な音。

　そして第三の殺人が……殺人者の奇怪な足音が聞こえてくる――」 

とあるように、〈ローマ警視庁特別記録〉と副題に謳われてはいるが、実際にはナポリ近郊を舞台にしたサスペンス小説だ。

　物語は、当地の大邸宅で暮らす四十三歳の美女カレンが、五番目の夫となった二十代の若者リカルドに自家用モーターボートから海に投げ込まれて殺されようとするシーンで幕を開ける。独占欲と依存心が強く、束縛しようとするカレンに嫌気が差していたちょうどその折、二十一歳の女子大生に出会い心を引かれたために、邪魔になった妻を始末し遺産を引き継ぎ、新たな恋人と一緒になることを狙った一石二鳥の計画だった。ところが、運良く通りかかった船に乗っていた青年ジョルジュにカレンが救助されたことから、彼の計画は狂い始める。カレンはショックで記憶喪失状態となったものの、いつ思い出すか気が気でないリカルドは、再度妻を殺そうと試みるが……。

　金銭的に追い詰められ、殺し屋であることを隠してカレンに近づいたジゴロのリカルド。恋多き人生を送ってきた美貌の富豪カレン。潔癖で聡明な女子大生ローザ。顧客の金を横領している銀行員ジョルジュ。この個性的な四人の人生が交錯し、ひねりの利いた結末へと至る、そこそこ楽しいB級犯罪小説の正体は、いったい何なのか。大学でイタリア語を専攻し、戦前、イタリアのオペラを翻訳したこともある陶山密なので、英語圏の作家がかの国を舞台に書いた作品ではなく、珍しいイタリア産ミステリである可能性が高いと思うのだが、さてどうだろうか。

六

以上、収録作について詳細に見てきたが、最後に【世界秘密文庫】に推薦コメントを寄せた著名人について簡単に触れておく。

随筆家・渡辺紳一郎は、当時NHKのクイズ番組「話の泉」「私の秘密」のレギュラー解答者として広く親しまれていた。第三巻を除くすべてに起用されているのは、お茶の間での知名度故だろう。久松静児は、六〇年代前半にヒットした喜劇《駅前》シリーズの監督で、戦前、新興キネマで脚本を書いていた陶山密と組んで映画を撮っている。南部僑一郎は、マスコミ嫌いで現役中はインタビューを断っていた嵐寛寿郎（あらしかんじゅうろう）とも親交の厚かった反骨の映画評論家。

面白いのは斎藤寅郎だ。元朝日新聞の記者で、同社が海外向けに刊行していた年鑑「This is Japan」の編集長。五九年にイアン・フレミングが来日した際に案内役を務めて、タイガー斎藤の異名を貫い、その後『007は二度死ぬ』に登場する公安調査庁長官タイガー田中のモデルとなった。後に建築家に転身。

保篠龍緒は、文部省勤務の後、「アサヒグラフ」編集長を務める傍ら、戦前から六〇年代にかけて約半世紀に亘（わた）ってアルセーヌ・ルパン翻訳の第一人者として活躍した。六八年から六九年にかけて、最後の保篠版ルパン選集である【ルパン全集（カラー版）】（全二十巻）が日本文芸社から刊行されているが、本叢書にコメントを寄せたことがきっかけとなったのではないだろうか。

翻訳権未取得、抄訳、改竄、果ては原書の身元隠しと、翻訳出版の常識をことごとく無視した【世界秘密文庫】だが、サスペンスフルな犯罪小説に特化するという編集方針にぶれはない。六〇年代半ばにこんな尖った叢書を編んだ先進性に関しては、特筆に値する。当時未紹介か、ほとんど翻訳のなかったヒラリー・ウォー、ローレンス・ブロック、ジョン・D・マクドナルド、C・S・フォレスターをラインナップに加えた選択眼については感心するばかりだ。

仮に陶山密が、理解のある版元と翻訳者を得て、編纂に専念していたら、チャールズ・アルダイの《Hard Case Crime》のようなシリーズが生まれていたかも、と夢想してしまうのだ。

［附記］

本文中に記したように、ローレンス・ブロックの日本初紹介長篇は、従来、一九七二年に三笠書房から刊行された『危険な文通（ダーティ・ラリー氏の華麗なる陰謀）』（御影森一郎訳）とされてきたが、実はその七年前に既に【世界秘密文庫】から、*21 Gay Street* が作者名を伏して『泥の中の結婚』という題名で訳されていた。

この〝新発見〟に得意になっていたが、小山正が〈Web東京創元社マガジン〉に連載している「SF不思議図書館　愛しのジャンク・ブック」の第二回「超人作家シルヴァーバーグ」（二〇一八年二月二十六日）に、さらに驚くべき事実が記されていた。なんと、一九六四年に架空の医学博士ベンジャミン・モース名義で、二冊の「医学書」が訳されていたというのだ。一つは、戦後のアメリカの性意識の変化を分析・報告した『性の革命』（*The Sexual Revolution*, 1962、ビデオ出版）もう一つは、結婚生活の〝夜〟の指南書『幸福な結婚生活』（*A Modern Marriage Manual*, 1963、現代教養文庫）。早速取り寄せて一読してみたところ、小山が記した通り「明らかに偽装したエロ本」のノンフィクションであり、『泥の中の結婚』が初紹介長篇であるという記述を変更せずにすみ、ホッとした次第。それにしても氏の調査能力の高さと博覧強記には、改めて脱帽します。

第四巻『情婦は笑って笑って殺す』と第八巻『女の肌は黄金(きん)の色』に関しては、残念ながら二〇二三年十二月時点でも、まだ原著を特定できていない（前者は、いかにもフレデリック・ダールっぽいのだけれど、該当作品が見当たらない）。

とは言え、まったく進展が無い訳でもない。『情婦は笑って笑って殺す』の極端な抄訳が、【世界秘密文庫】から刊行される四年前に、雑誌に訳出されていることが判明したのだ。「海の底の抱擁」というタイトルで、桃園書房から発行されていた「小説倶楽部」（一九六一年五月号）に掲載されたこの作品は、事件経過や殺害方法を大幅に変更した上で、約二万字に圧縮されている。その上、南仏コート・ダジュールから伊豆半島の宇佐美とおぼしき架空の漁村に舞台が移し替えられてしまっているのだ。当然、翻訳作品ではなく、作者名も宮本潔となっている。しかも著者近影と近況報告を見て二度びっくり。宮本潔とは陶山密の別名義だったのだ。無論、原著に関しては一切触れられていない。

ちなみに、小野家由佳(おのいえゆか)氏から「別冊週刊漫画TIMES スリラー街」(一九六二年五月十七日号)を貸してもらったことが、この発見に繋がった。同誌に掲載されたヒラリー・ワーフ「午前2時の殺人」という作品が気になって氏に問い合わせたところ、「原名=繿褸と骨」と記載されていると言う。早速お借りして読んでみたが、まさしく『愚か者の祈り』の極端な抄訳であり、その翻訳者が宮本潔だったのだ。そこで、宮本潔について調べた結果、「海の底の抱擁」にたどり着いた次第。

なお、「午前2時の殺人」に、『作者のこと』と題して附された紹介文は以下の通り。「ヒラリー・ワーフ(Hirales Warfue)は、一九一八年、コネチカット州に生まれ、ニューヨーク大学新聞科を卒業、ニューヨーク・ジャーナル・アメリカンの記者となり、市内版を受けもった。その間、数々の実話推理小説を発表し、ベスト・セラーにはならなかったが、三百万部以上の堅実な愛読者をひきつけていた。彼の書いたものは、必ず三百万部は売れたから、そういう定評になった。「繿褸と骨」=Rug and Boneは、彼が一九四二年に書いたもので、彼の作品系列の上ではトップ・クラスのものだろう。ここにその大意を紹介する。(宮本潔)」

名前の綴りを始め生年・経歴・原著刊行年に至るまで完全な捏造で、翻訳権取得を逃れるためと思われるが、陶山密のぶれない姿勢によくぞここまでと、改めて唖然としてしまいました。

《【世界秘密文庫】収録作品リスト》

日本文芸社　全十巻　（一九六四年十一月から一九六五年十一月まで刊行）
※ただし、10巻は5巻の改題・再刊であり、実際には全九巻　他の改題・再刊本の有無に関しては未詳
●判型・体裁：新書判・紙カバー・帯　●監修者：陶山密、木下宗一、福島謙造（統一カバー版には福島謙造の名前表記無し）

No.	邦題	原題（原著刊行年）	作者	翻訳者	発行年月日	国籍
1	深夜に電話を待つ女	Prowler in the Night（1959）	ジャック・マッチャ	陶山密	1964/11/1	米
2	悪女真夜中に死す	Double Indemnity（1943）	ジェームス・フォックス	木下宗一	1964/12/10	米
3	襤褸の中の髪と骨	A Rag and a Bone（1954）	R・フォンテーヌ	陶山密	1965/1/10	米
4	情婦は笑って笑って殺す	※未詳	木下宗一	木下宗一	1965/2/20	未詳
5	青ヒゲは顔が白い	The Protagonists（1956）	陶山密	陶山密	1965/3/25	米
6	泥の中の結婚	21 Gay Stree（1960）	陶山密	陶山密	1965/4/30	米
7	太陽は悪女をつくる	April Evil（1955）	陶山密	陶山密	1965/6/20	米
8	女の肌は黄金の色	※未詳	陶山密	陶山密	1965/8/25	未詳
9	女は日曜日に沈められる	Plain Murder（1930）	陶山密	陶山密	1965/11/25	英
10	女は燃えている	The Protagonists（1956）	陶山密	陶山密	1966/7/20	英

※　米＝アメリカ、英＝イギリス

新訳・再刊等　（　）内は発行年月日

3 完訳　ヒラリー・ウォー『愚か者の祈り』創元推理文庫、沢万里子訳（2005/6/24）

5 改題『女は燃えている』日本文芸社（1966/6/20）

《【5分間シリーズ】収録作品リスト》

日本文芸社　全四巻　（一九六五年三月から一九六五年九月まで刊行）

●カバー装幀・本文イラスト：3・4……金森達　●判型：新書判・紙カバー・帯

●編者あとがき：2

No.	邦題	原題（原著刊行年）	作者・編者	翻訳者	発行年月日	国籍
1	5分間ミステリー		藤原宰		1965/3/20	
2	5分間サスペンス		福島正実編著		1965/7/10	
3	五分間ハード・ボイルド		常盤新平編		1965/8/15	
4	五分間スリラー		福島正実編著		1965/9/15	

【Q-Tブックス】編

第一章

一

戦後に編纂された翻訳ミステリの叢書・全集は、二〇二三年十月現在で百近くあるけれど、〈ハードボイルド〉に特化したシリーズは、たった二つしかない。一つは【アメリカン・ハードボイルド】全十巻（河出書房新社、一九八四年～八五年）、もう一つは【ブラック・マスクの世界】全五巻、別巻一（国書刊行会、八六年～八七年）だ。

前者は、「1930年代のアメリカが生んだ独自のミステリー、ハードボイルド・ロマンの古典から現代まで選りすぐった初めてのシリーズ。孤独なヒーロー10人の頑なな生き方が生み出す面白小説集」という収録作の巻末に記された内容紹介にあるように、この分野の長篇に限定して編まれた日本初の選集。各巻に附された「ハードボイルド雑学事典」は、後に編者により加筆され『ハードボイルドの雑学』（グラフ社）として刊行された。

後者は、雑誌「EQ No.51」に掲載された刊行予告に、「アメリカン・ハードボイルドの礎となったパルプ・マガジン『ブラック・マスク』全340号の中から、最盛期の未訳作品を中心に厳選した『ブラック・マスク』名作アンソロジー」と謳われている通りに、一九二〇年から五一年にかけて刊行され、名探偵が活躍する本格物中心だった当時のミステリ界に衝撃を与えた〝伝説の雑誌〟に掲載された膨大な作品群の中から、選りすぐりの短篇五十作と長篇一作を収録した全五巻プラス別巻一からなる叢書。編者が、「これほど豪華な《ブラック・マスク》アンソロジーはもちろん世界中を探しても類はない」と自負するのもむべなるかな。口絵、解説に加えて、本誌収録作家総リスト、対談、さらにはビル・プロンジーニやジョー・ゴアズに対するインタビューも盛り込んだ上に、全五巻を並べると背表紙で一枚の絵が出来上がるように装幀にも工夫を凝らした、なんとも贅沢な選集だ。

ともに八〇年代半ばに刊行されたこの二つのシリーズを企画・編纂したのは、日本におけるハードボイルド研究の先駆者であり第一人者である翻訳家兼研究家兼創作者の小鷹信光。いずれも翻訳ミステリ紹介の歴史に残る素晴らしい叢書だが、本書では名前を挙げるに留めておく。というのも、それぞれの叢書を巡るあれやこれやの裏と表の話――発刊に至る経緯や意図、内容、評判――について、小鷹自らが『私のハードボイルド　固茹で玉子の戦後史』（早川書房）の中で詳しく語っているからだ。半世紀以上にわたってハードボイルドと向き合ってきた氏の集大成ともいうべきエッセイ評論であり、第六十回日本推理作家協会賞を受賞したこの本は、ジャンルを問わずミステリに関心のある方全員に読んでほしい名著です。

ちなみに小鷹が編纂に携わった叢書としては、あと一つ、同じく八〇年代半ばに編まれた【テーマ別ミステリ傑作集】全五巻（大和書房、八三年～八五年）がある。それぞれ、美食・美酒・手紙・犬・詐欺師に絡むミステリ短篇を吟味した珠玉のアンソロジーであり、これもMust Buy!

二

以上三つのシリーズ以外に、小鷹信光と因縁浅からぬ叢書が、実はもう一つある。それが本編で取り上げる【Q－Tブックス】だ。氏と本叢書との関係について述べる前に、【Q－Tブックス】の概要をざっと記しておく。

六五年十二月のピーター・チェイニィ『おんな対F.B.I.』に始まり、七九年三月のレイ・カミングズ『水星征服計画』まで、足かけ十五年間に全四十八巻を刊行したこのシリーズは、ミステリ十六作、SF三十二作を一つ屋根の下に収めた珍しい叢書だ。【イフ・ノベルズ】や【ウイークエンド・ブックス】のように、ミステリを中心にしつつも、様々なジャンルの小説を収録したり、【異色作家短篇集】のように、特定のジャンルに入れ込んでしまうと居心地が悪そうに見える個性的な作家を揃えた例はあるけれど、こういう明確に分けられる二分野——当時は、ファンもほとんど重ならなかったと思われる——が同居した叢書は、大人向けのものとしては、ちょっと他に思い当たらない。

判型は新書サイズで、赤字の〝Q〟に白抜きの〝T〟を重ねたシンボルマークが目印。表紙にはミステリの場合は主に建築物の写真がデザインされているが、SFの場合は加納光於による写真コラージュか、エドガー・ライス・バローズ作品で有名な武部本一郎による表紙絵が飾るものが多い。裏表紙には、基本的に原書の書影と本文からの抜粋が載っていて、一九七〇年一月の書籍コード導入以前に刊行されたものには、「Q-T001」といった感じに連番が記されている。そしてSF作品には、表紙や奥付のシリーズ名に「Q-T books-SF」と銘打たれ、背表紙の一番上の所に「SF」の二文字が印刷されている。

率直に言ってチープな装幀なんだけれど、今あらためて見ると、この独特の安っぽさがかえって味のあるものに感じられる。内容に見合っているとでもいおうか。誤解のないように記しておくが、けなしている訳ではない。B級にはB級の面白さがあり、それはA級作品では決して得られないのだから。

さて、入れ物に関してはこれぐらいにして、中身について見ていこう。先に、【Q-Tブックス】と小鷹が因縁浅からぬと書いたのは、氏がエッセイ評論『私のペイパーバック　ポケットの中の25セントの宇宙』

（早川書房）の中で、本叢書に関して「初期の頃は企画にも若干からみ」と述べているためだ。

実際にどれくらい関与されたのかは不明だが、六六年に刊行された第二巻から第四巻、即ち『恐怖からの収穫』『殺人許可証』『殺人鬼を追え』の解説を担当し、『殺人許可証』の解説では、MI5の諜報員・キーン少佐の活躍を描いたシリーズの第一作である本書を、「キューティ・ブックスの一冊にどうかとすすめた」「まもなくキューティ・ブックスも第1期五冊がそろい、次の第2期にはこの連作もおさめられることになるだろう」と記していることからも、少なくとも最初の五作と《キーン少佐》シリーズの残り二作――『殺人命令』と『秘密日記』――には絡んでいたと思われる。

これらを含めて、全部で十六作あるミステリが、いずれも〈ハードボイルド〉か〈スパイ小説〉に属していることが、【Q-Tブックス】の大きな特徴だ。その内訳は、前者が五作に後者が十一作。スパイ小説が多いのは、《ジェームズ・ボンド》シリーズの世界的なヒットに端を発する一大ブームの真っ只中に刊行されたためだろう。

こうした直接的な〝証拠〟に加えて、【Q-Tブックス】の版元が久保書店であったことからも、両者の因縁が感じられる。最近は青年向けコミックス主体の出版社となった同社だが、かつては「マンハント」というミステリ専門の月刊誌を出していた。

五八年八月に創刊し、六三年八月に「ハードボイルド・ミステリィ・マガジン」と改題、六四年一月に編集長の中田雅久の退社に伴い廃刊するまでに全部で六十六冊を発行。本国版《Manhunt》に掲載された作品を中心に、カート・キャノン（エヴァン・ハンター）、リチャード・デミング、フランク・ケーン、ヘンリイ・ケーン、リチャード・S・プラザー、フリッチャー・フローラ、C・B・ギルフォードといったハメット-チャンドラー以降のハードボイルドの書き手の作品を、田中小実昌、山下諭一（沖山昌三）、中田耕治、井上一夫、稲葉由起（明雄）らの生きのいい訳で足かけ七年間にわたって提供していった。

小鷹信光が書き手として関わるのは、六一年一月号に商業誌デビューとなった評論「行動派探偵小説史」の連載を開始してからで、以後二年半の間、同誌上で筆をふるい、「ハードボイルド・ミステリィ・マガジン」と改題してからは、中田編集長の慫慂により全面的に編集面にも参画するが、残念ながらわずか半年で廃刊となってしまう。

　翌月、ライバル誌であった「エラリイ・クイーンズ・ミステリ・マガジン（EQMM）No.92」に小鷹が寄せた「ハードボイルド・ミステリィ・マガジンを悼む」というエッセイからは、前述したようなペイパーバックで活躍しているハードボイルド作家の諸作を始めとする海外ミステリを紹介する窓口が閉ざされてしまったことに対する無念さがひしひしと伝わってくる。

三

　そんな突然の「マンハント」廃刊から丸二年の時を経た六五年十二月に、突如【Q-Tブックス】は発刊した。ミステリ系の収録作を眺めてみると、ピーター・チェイニィ、ウェイド・ミラー、フランク・ケーンといった「マンハント」で訳された作家や、小鷹信光が連載記事の中で紹介したリンゼイ・ハーディ、M・E・チェイバーの作品が採られており、先述したように氏も、「初期の頃は企画にも若干からみ」と記しているので、同誌及び小鷹の直接的・間接的影響と貢献は大きいと思われる。

　とはいえそれまで、同一会社である、あまとりあ社からは、狩久や朝山蜻一らのエロチックなミステリや［裏窓叢書］［SM選書］といったアブノーマル小説を刊行してはいたものの、久保書店名義ではほとんど小説を出したことがなかった版元から、海外のミステリとSFのシリーズが刊行された経緯は、いまとなってはよくわからない。

　ちなみに、どう考えても〝キューティー（かわいい）〟とは言いかねる叢書に、こんなお茶目なシリーズ名をつけたのは、中田雅久だ。曰く、「シリーズ名をどうしようかっていうんで、社長が久保藤吉さんだからQTでいいんじゃないかって。内容はありキューテ

ィじゃないんだけど（笑）。実際に担当した本はありません」（「本の雑誌　No.303」掲載、中田雅久ロングインタビュー）。

この記事を読んだ瞬間、目から鱗が落ちるというよりは、膝から力が抜けました。

第二章

一

【Q-Tブックス】収録作品の発表年には随分と偏りが見られる。即ち、六〇年代末に原著が刊行され、ブームに乗ってほぼリアルタイムに訳された五つの〈スパイ小説〉――《ナポレオン・ソロ》四作と《キルマスター》一作――を除くと、ほぼすべての収録作が五〇年代初頭から半ばまでに発表された作品なのだ（唯一の例外は、四二年発表の『おんな対F.B.I.』）。

およそ十から十五年ほど前のミステリに焦点を当てて刊行していたわけで、例えば〈ハードボイルド〉を例に取ると、当時、〈ポケミス〉がカーター・ブラウン、創元推理文庫がハドリー・チェイスといった同時代の作家の新作紹介に重点を置いていたのとは明らかに路線が異なっている。その理由を探るのは一旦措いておいて、個々の収録作品を見ていこう。

二

まずは、【Q-Tブックス】の記念すべき第一弾となったピーター・チェイニィ『おんな対F.B.I.』から。表紙に刷られた「異色スパイ・コミック」というキャッチコピーや第二弾以降の収録作の巻末に附された、

「英・米・仏でベストセラーを続けたピーター・チェイニイのレミー・コウション物。第二次大戦中のロンドンを舞台にナチと連合軍のスパイ合戦をめぐるF・B・IのGメン、レミー・コウションの大活躍。

おへその回りがくすぐったくなるようなコミックな文体とスピードとスリルにあふれたハードボイルドタッチが完全に融合した本格的傑作スパイ・ミステリー小説」

という紹介文からは、叢書刊行当時の六〇年代に流行（はや）った軽ハードボイルドのノリで書かれたお気楽スパイ小説といったイメージが漂ってくる。

けれども、これはブームに合わせた広告文であり、エスピオナージュとしての要素は戦時下という発表当時の状況にあわせて採用されたにすぎない。実際にはこの作品は、強面（こわもて）のギャングと謎の美女という一癖も二癖もある連中を相手に、FBIの特別捜査官コウションが虚々実々（きょきょじつじつ）の駆け引きを繰り広げ、一見単純な失

踪事件の裏にある複雑な謀略を暴く様を描いた痛快なハードボイルド小説なのだ。

その魅力を十二分に引き出しているのが、田中小実昌の名調子としか言いようがない訳文だ。「おれがおっつけられた事件に、シャーロック・ホームズがひっぱりこまれたら、すっかりドタマにきて、近所めいわくなバイオリンを、ふだんの二倍も、ギイコラ、ヤケにひっこすり、モルヒネ煙草も倍はふかしただろう」「いやぁ、人生ってものは、時として、地震、カミナリみたいなものでね、ワトソンくん」とか、タマラ・フェルプスという謎の美女に対してコウションが感嘆するシーンで、「タマラ・フェルプスのおタマちゃんは、ちょいとしたタマだった」と言わせてしまうこのセンス。巻末に附された都筑道夫による解説文「レミー・コミション氏に脱帽」の中で、翻訳不可能と思われた主人公の一人称による語りの中に含まれた笑いの要素を完全に日本語に生かしたと絶賛されたのもむべなるかな。これ、原文はどうなっているんでしょうね。

このシリーズは全部で十作書かれたが、本書以前には八年前の初紹介作『女は魔物』（ハヤカワ・ミステリ）があるのみだった。翻訳が続かなかった理由として前述の解説の中で都筑道夫は、当時はナンセンスものが受けない時代だったという不運もあるが、「イギリス作家のくせにアメリカふうな書き方をして、おまけにフランスでいちばん人気があるなんて、つきあう気になれない、といった偏見が、当時ハヤカワ・ミステリのセレクターだった私にあったことも、否定できません」と、自身の責任を告白している。なるほどねえ。ちょっぴり怨みます、都筑先生。

作者のピーター・チェイニィは、一八九六年、ロンドンのホワイトチャペル生まれ、第一次世界大戦に従軍し、政治団体の機関誌発行などに携わった後、三六年『この男危険につき』（論創社）でデビューした。五一年に亡くなるまでの十五年間に、三十四の長篇と多数の短篇を発表。アメリカ〝風〟英語で書かれた諸作は、四五年に誕生したフランス最大の犯罪小説叢書《セリ・ノワール》の一巻と二巻として刊行され、同じくアメリカっぽいスラングで犯罪小説を書いた英国人作家ハドリー・チェイスとともに爆発的な人気を得、フランス国内で多くの模倣者が誕生した。

続いては、マシュー・ブラッド『秘密捜査官』を。

物語は、ロウイスという若く魅力的な女性が、雇い主であるモーガン・ウェインとはなにものかと思いを巡らすシーンで幕を開ける。月曜日に秘書として採用されてから四日間、この間モーガンは、午前中は新聞を読んだ後にバーボンを一杯飲み、昼からは行き先も告げずに外出、夕方戻ってくるといった日々を繰り返し、彼女に対しては電話がかかってきたら繋ぐようにという以外に何一つ指示しない。しかも電話は沈黙したまま。自分のことを一顧だにしないモーガンに憤(いきどお)りつつもなぜか惹かれてしまう彼女が、しびれを切らして不安と不満をタイプにぶつけていた木曜日の夕方に、ついに電話が鳴る。一瞬、虚を突かれた隙にタイプした妄想をモーガンに読まれてしまい赤面するロウイス。そんな彼女に対してモーガンは、ヘンドリクスンという男に電話の内容を伝えるようにと指示した上で、今夜訪ねていくから待ってて欲しいと言い残して、急遽(きゅうきょ)事務所を後にする。

ここまでが一章。以後、視点はモーガンへと切り替わる。先の電話は、製薬会社の大物ヘンドリクスンの娘レティを見守るようにモーガンが指示した男から、彼女を見失ったと伝えるものだった。ある理由からレティが誘拐されると確信していたモーガンは直ちに行動を開始し無事救出するものの、平凡な日々にうんざりしていたじゃじゃ馬娘のレティから逆に責められ、挙げ句に迫られる始末。

なんとか〝危機〟を乗り越え、レティが無事親元に戻るよう機転を利かせたモーガンだが、事態は思わぬところに影響を及ぼし、悲惨な出来事が発生する。そのため後半は、「復讐の一夜」というキャッチコピーが示すように、個人的な復讐を果たすためにモーガンが、拳銃と頭脳を武器に誘拐事件の裏に潜む黒幕を暴き出す様がスピーディーに展開されていく。

わずか一晩の間に、主人公が四人の女性と関わり、内一人とは深い仲となり、周りで六つの死体が転がる。こうした数字だけ見ると、発表当時の五〇年代初頭に世界中を席巻し、〝血と暴力とサディズムの世界〟と称されたミッキー・スピレーン旋風の申し子のような作品かと思われるかも知れないが、実際には屈託のない職人芸的なエンターテインメントだ。ラスト三ページで明かされる事実によって、それまで引っかかっていたコトが腑に落ちる構成は、ピーター・チェイニィの某作を彷彿とさせる。案外影響を受けたのかもしれない。

マシュー・ブラッドの作品は、本書の他には《モーガン・ウェイン》シリーズの二作目 *Death is a Lovely Dame*（1954）があるのみ。筆力があるのにわずか二作で消えたとは残念と思って調べてみたところ、実はハードボイルド作家のデイヴィス・ドレッサーと《ファントム》シリーズや《ドク・サヴェジ》シリーズの作者の一人であるライアスン・ジョンスンというベテラン作家の共同ペンネームと判明。しかもデイヴィス・ドレッサーというのは、マイアミを舞台にした赤毛の私立探偵マイケル・シェーンの生みの親であるブレット・ハリデイ（『死の配当』1939、ハヤカワ・ミステリ文庫）の本名と知って思いっきり納得した。なるほど手慣れているわけだ。ちなみにジョンスンは、ブレット・ハリデイが《マイケル・シェーン》シリーズの執筆を止めた後に、ハウスネームで書き継いだ作家の一人でもある。

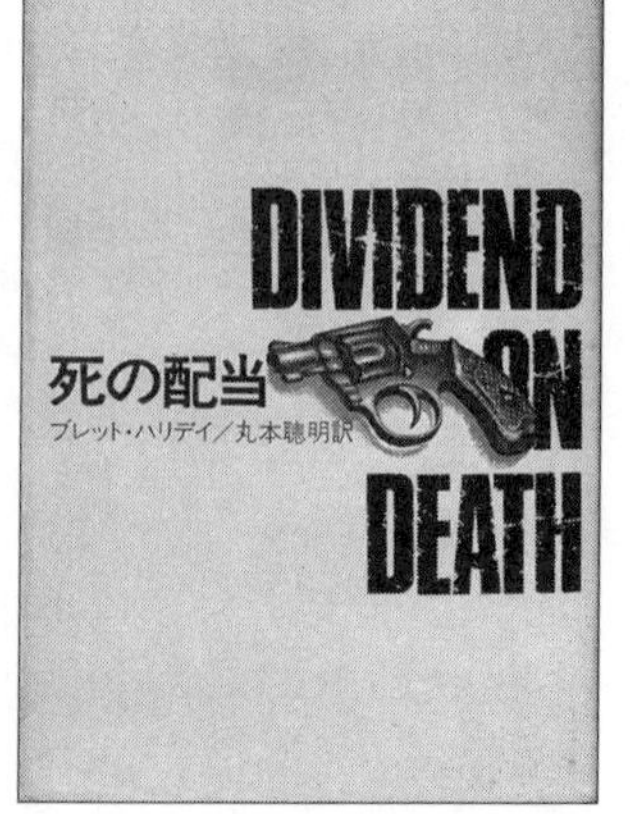

DIVIDEND ON DEATH
死の配当
ブレット・ハリデイ／丸本聰明訳

次に紹介するウェイド・ミラーは、共に二〇年生まれで、十二歳の時に知り合い、ハイスクール、大学とサンディエゴで過ごしたロバート・ウェイドとビル・ミラーが用いた共同ペンネームだ。第二次世界大戦から復員した二人は、四六年、サンディエゴを舞台にした全七作からなる警察小説シリーズの第一作 *Deadly Weapon* でデビュー。六一年にミラーが亡くなってからはウェイドが単独で執筆、七九年に筆を折るまでに四十六作の長篇を発表した。

ほとんど長篇が訳されることのなかった【Q-Tブックス】絡みの作家の中では、珍しく紹介に恵まれ、《マックス・サーズデイ》シリーズの第一作『罪ある

傍観者』（1947）が河出書房新社の【アメリカン・ハードボイルド】の一冊に採られ、最終作『射殺せよ』（1951）が「別冊宝石」（昭和二十九年五月号）で訳されている。この二作は、六〇年代後半から八〇年代にかけて人気を博した〈ネオ・ハードボイルド〉派の探偵に先駆けたような、私生活に問題を抱えた私立探偵というキャラクター造形の新鮮さと謎解きの面白さを兼ね備えた良作だ。

さらにホイット・マスタスン名義では誘拐事件を多面的に描いた『非常線』と女性警察官の活躍を初めて本格的に描いた『ハンマーを持つ人狼』という警察小説の二大傑作に加えて、地方検事補が警察内部の腐敗を追う『黒い罠』（1956、ハヤカワ・ミステリ）、最後の共作となった、ショービジネス界を舞台にした幼児誘拐ものの『禍きたれば』（1961、リーダーズダイジェスト）が翻訳された。

これらと比べると、本叢書に収録された『殺人鬼を追え』はかなり異彩を放っている。というのも、これは人狩り（マンハント）小説なのだ。

物語は、ケニアで暮らす英国人の狩猟家ファーロウが、友人で会社経営者のアメリカ人・ステニスから、ボコックという男を探し出して射殺して欲しいと頼まれるシーンで幕を開ける。ボコックは全米各地で銀行を襲っている強盗団の首領で、ステニスの会社を襲撃し現金と債券を奪って逃走、その際巻き添えとなってステニスの息子が撃ち殺されたという。復讐心に燃えた友人を諭（さと）しつつも、長年の友情と多額の報酬、そしてなによりも銃を持った野獣のような人間を、広大な北米大陸の中から探し出し、追い詰める〝狩り〟の魅力に抗えずファーロウはこの異常な依頼を引き受ける。

ハンターとしての経験をフル動員して獲物の潜伏場所を探し始めたファーロウは、ボコックの故郷で彼の妻マーガレットと遭遇。以後、皮肉な状況下で出遭った二人の恋愛とマンハントの進展という二つの流れがもつれ合いながら、物語は着々とクライマックスへと突き進んでいく。

探索行の途中で、シカゴに立ち寄ったファーロウが摩天楼を見上げて、「高くそびえた都会の鉄面皮(てつめんぴ)な商業主義に、あっけにとられ」、居心地の悪さを吐露するシーンは、第二次世界大戦後の繁栄に沸く五〇年代のアメリカ社会が、組織に属さない個人にとって、もはやヒーローとして活躍できる場ではなくなってしまったことをほのめかすシーンとして印象深い。ステニスの事業が大量生産のプレハブ住宅を供給するものという点も、多分に暗示的だ。『非常線』の中の、急速なテレビの普及に対する皮肉な描写からも明らかなように、作者は五〇年代(ザ・フィフティーズ)アメリカの光と影を強く意識し、自作に反映させている。

四〇年代後半から《マックス・サーズデイ》シリーズを書いてきたウェイド・ミラーは、五一年発表の本作を経て、五五年の『非常線』を皮切りに、ホイット・マスタスン名義でサスペンスフルな警察小説を生み出していく。

ところで、「ミステリマガジン No.656」（二〇一〇年十月号）に掲載された池上冬樹のエッセイ「片岡文学の萌芽(ほうが)――原作の結末を改変した翻訳という名の創作」によると、本書の結末は原書と訳書とでは、まるっきり異なるそうだ。なぜそんなことになったのかと言うと、翻訳に当たった三条美穂こと片岡義男が、元々の結末をつまらないと感じ、大幅に改変したためだ。

なるほど、他の作品と比べた時に感じた違和感の正体はこれだったのか、と納得した次第。個人的には片岡流改変版の方が好みです。

さて、【Q-Tブックス】には、雑誌「マンハント」に掲載された作家の作品が三作収録されている。そのうちピーター・チェイニィとウェイド・ミラーの二人は、前述したように他の版元からも複数の作品が刊行されたが、残る一人フランク・ケーンは、本叢書に採られた私立探偵《ジョニー・リデル》シリーズの第四弾『弾痕』しか翻訳書が出ていない。短篇の翻訳数が二十二作――このうち十九作は「マ

ンハント」訳出で、これは同誌でもトップクラスの掲載数だ——という状況に比していかにも少なく、なんとも残念だ。

というのも訳出された作品を読んだ限りだが、このシリーズは、美女と拳銃に彩(いろど)られた典型的なハードボイルドの衣装を纏(まと)いながらも、事件そのものはトリッキーで、謎解き要素が強いミステリに仕上がっているからだ。酔いどれ探偵ビル・クレインの活躍を描いたジョナサン・ラティマーの『処刑6日前』(1935、創元推理文庫)や『モルグの女』(1936、ハヤカワ・ミステリ)に似ていると言うとニュアンスが伝わりやすいかな。

さて、その内容はというと、こんな感じだ。ニューヨークに事務所を構える私立探偵ジョニー・リデルは、ゴシップ欄の常連で典型的な上流階級の変わり者と悪名高い娘ジーンから、自殺と判定された父親が実は殺されたに違いないので、その証拠を探して欲しいと電話で依頼される。ところが待ち合わせの場所に現れたのは、マシンガンを持った野郎ども。なんとか返り討ちにするものの、ジーンは姿を現さず連絡も途絶えてしまう。一体彼女はどこに消えたのか、検死官が自殺と断言した死に対して、なぜ疑問を抱いたのか。

右手にコルト45、左手に美女二人——赤毛の秘書ピンキーと金髪の新聞記者マグシー——というタフガイ、リデルが、〝弾痕〟を手がかりにラスト五十ページにわたって真相を解明するシーンが圧巻。忘れられた佳作といっていいだろう。

作者は、四七年以降、六八年に五十六歳で亡くなるまでの間に、《ジョニー・リデル》シリーズ二十九長篇と短篇集二冊を含む四十冊のミステリを刊行。ちなみにケーンの兄弟ヴィンセントはニューヨーク市警の私服警官で、本書に記された、このシリーズの技術顧問としての努力に対してという献辞は、彼に捧げられたものだ。

恐怖からの収穫
ハードボイルド推理小説
ハワード・スコーンフェルド
宇野利泰＝訳
Q-T books
LET THEM EAT BULLETS

最後は編集者にして平和主義者のハワード・スコーンフェルドが、二〇〇四年に八十九歳で生涯を終えるまでに書いた唯一の長篇小説『恐怖からの収穫』を。

犯人や被害者として双子を活かしたミステリはいくつかあれど、探偵役として採用した作品は珍しい。ニューヨークで私立探偵を営むジェリーが、双子の兄でコロンビア大学社会学教授のダニーとともに、アーカンソー州ホットスプリングスの名家に絡んだ殺人と恐喝の謎を追う。

ロス・マクドナルドが得意とした、過去の悲劇が現在の殺人を呼び起こす、所謂〝箪笥の中の骸骨〟を明るみに出すタイプの謎解き色の強いハードボイルドだ。とはいえ、主役の双子が陽性なので憂愁とは無縁です。滋味とも無縁ですが。

その代わりに、平和主義者として兵役を拒否した作者の信条や戦後社会に対する批判が、社会学者である兄の口を借りて語られる点が面白い。当時本国で百万部以上売れたそうで、できればシリーズ化して欲しかった逸品だ。

第三章

一

六〇年代は〈スパイ小説〉の時代だった。その火付け役となったのが、イアン・フレミングが生み出したMI6のスーパー・エージェント「007」ことジェームズ・ボンドであることは、いまさら言うまでもないだろう。

美女と拳銃を携え世界を股に掛けて活躍する超人ボンドの知名度は、誕生から七十年経った今なお高く、二〇一二年には映画版制作五十周年記念作「007 スカイフォール」が、イギリスで歴代一位の興行収入となったのを始めとして、世界的なヒットを記録、あらためて不滅のヒーローぶりを印象づけた。

とはいえ、五三年に『007/カジノ・ロワイヤル』(創元推理文庫)でデビューした当時は、これほどの人気者だったわけではない。ブレイクするきっかけは、六一年に思わぬ方向から訪れた。雑誌《ライフ》に掲載されたケネディ大統領の愛読書十冊という記事で、その内の一冊として第五長篇『007/ロシアから愛をこめて』(1957、創元推理文庫)が選ばれたのだ。

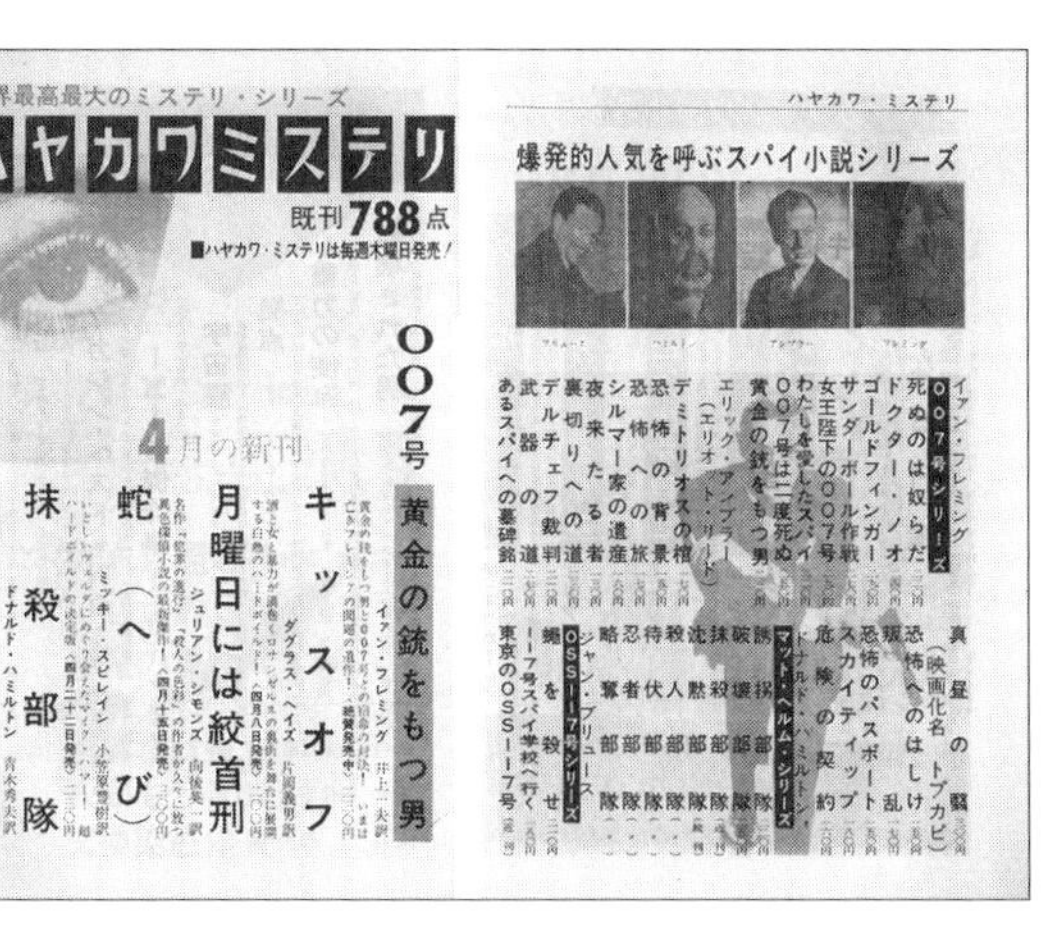

翌六二年、第六長篇『007/ドクター・ノオ』(1958、ハヤカワ・ミステリ文庫)が映画化されスクリーンに初登場(日本公開名「007は殺しの番号」)、六三年、早くも映画化第二弾として「007/危機一発(ロシアより愛をこめて)」が封切られた。ともに年間興行成績第一位を記録したこの二本の世界的ヒットにより、一気に時代の寵児となったフレミングだが、映画化第三弾「ゴール

ド・フィンガー」が公開される直前の六四年八月に五十六歳の若さで急死、タイプ原稿推敲中だった第十二長篇『007／黄金の銃をもつ男』（1965、ハヤカワ・ミステリ文庫）が遺作となった。「EQMM No.101」に掲載された「フレミング死す」という追悼記事には、

「フレミングの訃報がスポーツ新聞にまで載ったのには驚きました。これがかりに一年前だったらどうでしょう？　おそらくフレミングの死はミステリ・ファンだけの話題にとどまったにちがいありません。なにしろ、二年前は、大新聞の外報部の記者も知らなかったフレミングです。
　ところが、いまは『007号は二度死ぬ』が、重版が追いつかないほど売れている」
「その上次の作品はいつ出るのかという読者の質問が編集部に殺到している」

とあり、『007は二度死ぬ』（1964、ハヤカワ・ミステリ文庫）が、日本を舞台にした作品で、偶然作者が亡くなったのと同月に発売されたという事情を差し引いても、当時いかに人気があったのか、そして突然の死がどれほど衝撃的であったかが伝わってくる。

ちなみに本国での状況に関しても、

「フレミングの死は、英国では当日の新聞のトップ記事になりました。その日は、たしか昨年起った史上空前の列車強盗のひとりが脱獄というニュースもあったのですが、ニュース価値においてフレミングの死にかなわなかったというから、彼の人気のほどがうかがわれます」

と記されている。

二

そんな《ジェームズ・ボンド》シリーズの爆発的ヒットに続けとばかりに、六〇年代を通じて、新たなエスピオナージュのシリーズが雨後の筍のごとくニョキニョキと現れた。翻訳がある中から、主だったところを登場順に挙げてみると以下の通り。（ ）内は、原書作品数、原書刊行期間／翻訳作品数、翻訳刊行期間）

■一九六〇年

・《マット・ヘルム》シリーズ／ドナルド・ハミルトン（二十七作、1960–1993／十二作、一九六四－一九七〇）

■一九六四年
●《キルマスター　ニック・カーター》シリーズ／ニック・カーター（二百六十一作、1964–1990／十二作、一九六七－一九七五）
●《ボイジー・オークス》シリーズ／ジョン・ガードナー（八作、1964–1975／三作、一九六六－一九六七）
●《タイガー・マン》シリーズ／ミッキー・スピレーン（四作、1964–1966／四作、一九六五－一九六七）
■一九六五年
●《ナポレオン・ソロ》シリーズ／マイクル・アヴァロン他（二十三作、1965–1968／二十二作、一九六五－一九七〇）
●《淑女スパイ　モデスティ・ブレイズ》シリーズ／ピーター・オドンネル（十三作、1965–1996／二作、一九六五－一九六六）
●《英国情報部員クィラー》シリーズ／アダム・ホール（十九作、1965–1996／十作、一九六五－一九九一）
●《プリンス・マルコ》シリーズ／ジェラール・ド・ヴィリエ（二百作、1965–2013／六十三作、一九七六－二〇〇四）
■一九六六年
●《エイプリル・ダンサー》シリーズ／マイクル・アヴァロン他（五作、1966–1967／三作、一九六七－一九六八）
●《プレイボーイ・スパイ　マーク・ガーランド》シリーズ／ハドリー・チェイス（四作、1966–1969／三作、一九六八－一九七四）
■一九六七年
●《コックスマン》シリーズ／トロイ・コンウェイ（三十四作、1967–1973／五作、一九七七）

このうち《ニック・カーター》《ナポレオン・ソロ》《モデスティ・ブレイズ》《プリンス・マルコ》《エイプリル・ダンサー》《マーク・ガーランド》《コックスマン》は、映画版「００７」に倣（なら）ってお色気とアクションと最新テクノロジーをウリに、スピーディーな展開で一気に読ませる軽めのエンターテインメントだ（もっとも、《コックスマン》のお色気度はトリプルX級で、もはやポルノの領域に突入していますが……）。残り四つは、これら六〇年代〝主流派〟スパイ小説とはひと味異なっている。即ち、マイク・ハマーを更に過激にして国家的お墨付きを与えてしまった《タイガー・マン》、女にも闘いにも弱いくせに、なぜかいつも危機一髪でピンチを切り抜け任務を遂行してしまうのでタフガイだと勘違いされている《ボイジー・オークス》。そして、アンソニー・バウチャーが「スパイ小説におけるハメット」と評した硬質なハードボイルドでもある《マット・ヘルム》と、論理的思考で危機に対処し名探偵ものを彷彿とさせる《英国情報部員クィラー》だ。

三

こうした超人的なヒーローが八面六臂(はちめんろっぴ)の活躍を見せる冒険譚とは正反対の、リアルなエスピオナージュの書き手として、六一年にジョン・ル・カレが『死者にかかってきた電話』で、翌六二年にレイ・デイトンが『イプクレス・ファイル』でデビュー。それぞれ、『ティンカー、テイラー、ソルジャー、スパイ』(1974)に始まる《スマイリー三部作》と『ベルリンの葬送』(1964、すべてハヤカワ文庫NV)に代表される名無しの英国スパイ〝わたし〟を語り手とした傑作群が絶賛され、このジャンルの二大巨匠となっていくのだが、こちらの流れに関しては、ここではこれ以上触れないことにする。というのも、六〇年代スパイ小説ブームの真っ只中に発刊した【Q－Tブックス】には十一作の〈スパイ小説〉が収録されているが、このタイプの作品は一冊も含まれないからだ。

では、どんなラインナップなのかと言うと、「007」ブーム以後の作品が五作に、以前の作品が六作で、このうち以後の作品は、〝007チルドレン〟の中でも取り分け人気が高かった《ナポレオン・ソロ》シリーズが四作と《ニック・カーター》シリーズが一作という、まさにど真ん中路線を歩んだ。

《ナポレオン・ソロ》は、元々は六四年から六八年にかけて全百五話が作られ、日本でも六六年から七〇年にかけてオンエアされて大ヒットしたアメリカのテレビドラマシリーズの主人公だ。国際特務機関U.N.C.L.E.(The United Network Command for Low Enforcement)のエージェントであるソロは、相棒のイリヤ・クリアキンとともに、全人類の征服を目指す超国家THRUSH(スラッシュ)の陰謀を阻止すべく世界中を飛び回る。

お色気とアクションと秘密兵器という〝007チルドレン〟の三種の神器に、ロバート・ボーンが演じる有能だけれど女に弱いソロと、デヴィッド・マッカラムが演じるクールに任務をこなす二枚目イリヤのコンビによるバディものとしての面白さが加わったこのシリーズは、「007」に勝るとも劣らぬ一大ブームを巻き起こし、映画八本とテレビムービー一本、小説二十三作と雑誌掲載作二十四作、コミック二十二巻と児童書四作が作られた。先述した《エイプリル・ダンサー》シリーズは、U.N.C.L.E.の女性エージェントを主人公に起用したスピンオフ作品だ。

《私立探偵エド・ヌーン》シリーズの作者マイクル・アヴァロンを始めとする十人の作家によって書かれた二十三作のノベライゼーションはすべてオリジナル・ストーリーだ（ちなみにこのシリーズには幻の最終作がある。作者はピーター・レスリーと並んで最多となる五作を書いたデイヴィッド・マクダニエル。彼は二十四作目の *The Final Affair* を執筆したものの、放映打ち切り後に完成したために未刊行となってしまったそうだ）。

本叢書には、巻頭いきなりソロがU.N.C.L.E.本部から誘拐される『こわれたサングラス事件』、オランダの片田舎でソロたちの上司ウェーバリー課長が誘拐されるシーンで幕が開く『恐怖の逃亡作戦』、引退した同僚を訪ねたソロとイリヤがヒッピー族の間で英雄視されているいかがわしい伯爵夫人絡みの事件に巻き込まれる『悪魔のサイコロ事件』、そしてアドリア海に浮かぶコルフ島を舞台に、妖艶（ようえん）なマッドサイエンティストの非人道的な野望に挑む『秘密兵器事件』という、シリーズ第十六、十八、十九、二十作が収録されている。作者は前二冊がピーター・レスリーで、後の二冊がジョン・T・フィリフェント。

悪魔のサイコロ事件
ナポレオン・ソロ
ジョン・T・フィリフェント
中尾　明＝訳
Q-T books
THE POWER CUBE AFFAIR
THE MAN FROM U.N.C.L.E.

　この中では、冒頭でウェーバリー課長が、逃亡中の脱獄囚と間違われてボートに乗せられ、船長からリベートを要求された上に、人違いだと判るや麻酔で眠らされアムステル市街に放り出される

『恐怖の逃亡作戦』が面白い。個人的理由から復讐心に燃える課長は、自身の災難と最近の状況報告に鑑（かんが）みて高度に組織化された犯罪者逃亡網が全ヨーロッパに張りめぐらされているに違いないと直感し、ソロとイリヤに組織の調査を命じる。THRUSH（スラッシュ）が登場しない異色作で、実態がつかめない逃亡網の仕組みが判明した瞬間に思わず膝を打つ謎解きの興趣が味わえる良作だ。

このシリーズには、本作のように謎解きミステリの要素が強い作品が何作かある。中でもエラリー・クイーン・マニアだったエージェントが、最後の力を振り絞って服を全部逆さまに着て――そう、アレです！――絶命する『アンクルから来た男』（1965）と、ルーマニアを舞台に、周りに足跡がない状況で、喉に二つの傷痕があり体中の血液が抜かれた死体が発見されるという謎を、ソロとイリヤが名探偵ばりの推理で解き明かす『ソロ対吸血鬼』（1966、ともにハヤカワ・ミステリ）が面白い。中にはそっとしておいた方が良い作品もあるシリーズだが、この三作は探して読む価値ありの逸品だ。

お次は《ニック・カーター》を。元々は一八八六年に誕生し、ダイム・ノヴェルで爆発的な人気を誇った大衆ヒーローだが、スパイ小説ブームのただ中の六四年にスーパー・エージェントとして甦り、二十七年間に〝007チルドレン〟の中では桁違いとなる二百六十一作に登場した。

謎の米諜報部AXEのスパイN3号で、殺人許可証をもつ四人の男、即ちキルマスターのうちの一人である二代目ニック・カーター。その活躍譚がどんなものかは、「スリル、アクション、エロティシズム満載の大スパイ小説！」というキャッチコピーがすべてを語っている。ヨガの修業で鍛（きた）えた不屈の精神と優雅で力強い肉体を駆使して、闘いの場でも愛の場でも、思う存分奮闘するニック・カーター。ウィルヘルミナ、ヒューゴー、ピエールと名付けた三つの武器、即ち第二次大戦中に斃（たお）したSS中佐から奪ったルガー、イタリアの職人の手になる錐刀（すいとう）、そしてフランス人科学者が考案した毒ガスの詰まった小球を携えているという設定が、西側陣営の盟主たるアメリカが、西欧三国を従えて自由主義の敵を成敗するメタファーと考えると、各巻の冒頭に掲げられた「アメリカ合衆国秘密情報部員に捧げる」という大仰な献辞も、結構本気だったんだろうなぁ、と思えてくる。

主人公と同名となる作者名ニック・カーターはハウスネームで、マイクル・アヴァロン、トマス・チャステイン、マーティン・クルーズ・スミスといった日本でも名の通った作家も、その中の一人だ。本叢書に採られた第三十五作『アムステルダムの死』は、ダイヤモンドの流通経路に隠された諜報ルートを暴くお話で、作者のウィリアム・L・ローデは、『死の頭巾』『黄金スパイ』『海賊スパイ』（すべて1968、ハヤカワ・ミステリ）等も書いた。まあ今となっては、わざわざ探して読むほどのシリーズではありません。

さて続いて、「007」ブーム以前に誕生した六作を見ていこう。まずは、リンゼイ・ハーディの《グレゴリー・キーン少佐》シリーズからだ。〝石弓〟と呼ばれるＭＩ５内の特務機関に所属するキーン少佐は、元々はラジオ・ドラマの主人公として生まれた。部下のトム・クーツ軍曹とともに共産主義の脅威から自由主義陣営を守る様を描いたこのシリーズは、五一年から五七年にかけて五シーズンにわたって放送され、この内、最初の三シーズンが小説化された。

第一作『殺人許可証』では、ベルリンの欧州連合軍最高司令部内部に潜む偽造旅券団の黒幕を暴くためにポーランド系ギャングと闘い、続く『殺人命令』では、ロンドンからオーストラリアの砂漠にある実験場に向かう途中で失踪したドイツ系イギリス人の核物理学者の行方を追い、三作目の『秘密日記』では、第二次世界大戦の爪痕が残るベルリンを舞台に、事故死したアメリカ政府高官が遺した、第三次世界

大戦の引き金となりかねない日記を巡って東側陣営と暗闘を繰り広げる。

『秘密日記』の中で、なぜ命の危険を冒してまで、孤独で報われない仕事をするのか、と問われたクーツ軍曹が、「一九八四年という題の本がある」「その世界は、つい目の前にあるし、それが感じられるんだ。あたしたちがやってる理由も、そのせい、やつらがそこにいるからだろうね」と答えているように、冷戦初期のベルリン封鎖直後に生まれたこの三部作からは、〝非人間的な共産主義〟に対する恐れと、その浸透を防ぐために非情な闘いをしなければならないという決意が伝わってくる。

作者は一九一四年生まれのオーストラリア人。第二次世界大戦中はエル・アラメインやパプア・ニューギニアで闘い、戦後、アメリカ、イギリス、カナダに渡り、ラジオやテレビの脚本を書く傍ら小説を執筆。九四年にロンドンで亡くなった。

M・E・チェイバーが生み出したマイロ・マーチは、スパイであると同時に私立探偵としての顔も持つという変わり種だ。第二次世界大戦中はOSSに属し、戦後CIA創設期のメンバーとして働いた後引退したマイロは、普段は保険調査員を生業としているが、国際的な厄介事が発生すると古巣からお呼びがかかり、スパイとして世界を股に掛けることになるのだ。

五二年から七三年の間に書かれたシリーズ全二十一作の内訳は、保険調査員ものが八作、スパイものが九作、そして両者のハイブリッドものが四作。唯一の翻訳作である五五年発表のシリーズ五作目『秘密指令』は、マイロが軍隊時代の上官から呼び出されるシーンで幕を開ける。彼に与えられた任務は、東ベルリンに行ったきり姿を消してしまった西ドイツ防諜機関のトップとプレイボーイとして名を馳せていた主治医を探し出して、二人ともに連れ戻すこと。ヒトラー暗殺未遂事件の生き残りであるこの二人の身に、一体何が起きたのか。

六一年のベルリンの

秘密指令
破壊された男
M・E・チェイバー
井上一夫＝訳
Q-T books
THE SPLINTERED MAN

壁建設以前に刊行された本書は、陽気で一匹狼的な性格のマイロが、軍のお偉方の意向を無視して活動する痛快さも相まって、東西に分断されたベルリンという冷戦の最前線が舞台の割には、後味が爽やかだ。

M・E・チェイバーとは、ヘブライ語で作家（author）を意味するmechaberを分割して作ったペンネームで、本名はケンダル・フォスター・クロッセン。他には、リチャード・フォスター名義で書かれた核戦争後のニューヨークの地下空間を舞台にしたサバイバルSF『生き残る』（1959、立風書房）が訳されている。四〇年代に活躍したコミック・ヒーロー〈グリーン・ラーマ〉の生みの親でもあり、〈サンセット77〉や〈ペリー・メイスン〉を始め、多くのテレビドラマの脚本を執筆。ちなみに《マイロ・マーチ》シリーズには、七四年に書かれた*Death to the Brides*という未刊の最終作がある。戦争末期のヴェトナムにマイロが赴く（おもむ）というもので、時の大統領ニクソンの描写を巡って作者と編集者とが対立したためにお蔵入りしたが、権利保持者である娘が、改稿の上出版を計画しているそうだ。

残り二作、『英国情報部員』と『スパイの罠』は、ともにノン・シリーズ作品だ。

前者は、第二次世界大戦中に英国陸軍情報部員として活躍したものの、戦後はケチな小悪党に身を落とした末に、警察から目をつけられつつ居酒屋を営む男が、かつての上司に呼び戻されて、盗まれたマイクロ・フィルム奪還のミッションに就く羽目になる、巻き込まれ型の冒険活劇小説だ。

任務遂行の為に主人公が集めたメンバーが、米陸軍不名誉除隊者、イタリア人犯罪者、元ナチ党員、粗暴なフランス人の大男と、いずれ一癖ある点がミソで、そんなはぐれ者を訓練して、目的の品を奪うために南仏に建つ館を襲撃するという設定が面白い。メンバー内に潜む裏切り者探しは、この手の小説のお約束だが、予想を外す結末も決まった、今読

んでも面白い作品だ。

作者リチャード・ジェサップは、ポーカーに命を賭けた男たちを描いた不朽の名作『シンシナティ・キッド』(1963、扶桑社ミステリー)と襲撃小説の金字塔『摩天楼の身代金』(1981、文春文庫)で、ミステリ史にその名を刻んだ。またスパイ小説の分野では、五九年から六一年にかけてリチャード・テルフェア名義で《モンティ・ナッシュ》シリーズ五作を発表、全て翻訳されている。

一方、『スパイの罠』は、アメリカによる中国侵攻作戦を巡って米ソの諜報員が、相手の裏の裏をかこうと暗闘する様を描いた正統派エスピオナージュだ。作戦遂行の為に集められた五人の中国専門家の中に裏切り者は居るのか。果たして空前絶後の軍事作戦は成功するのか。微妙な違和感を憶えつつも、まぁこの程度のご都合主義は許容範囲かと思って読み進めていたら、最後でうっちゃりを食らった。

名前を聞いたことがない作家にしては、意外と面白かったと思って調べてみたら、実は映画「合衆国最後の日」(同題1972、徳間書店)、「テレフォン」(『テレフォン指令』1975、ハヤカワ・ノヴェルズ)、そして「ダイ・ハード2」(『ケネディ空港着陸不能』1987、二見文庫)の原作者ウォルター・ウェイジャーの別名義だと判って納得。スパイ小説としては、ジョン・タイガー名義で『アイ・スパイ』(1965、ハヤカワ・ミステリ)のノベライゼーションも手がけている。

以上十六作のほかに実は本叢書にはもう一冊ミステリ風の作品がある。その名も『宇宙殺人』。辺境の植民地惑星を舞台に、炭鉱王殺しの罪で告発された被告の無罪を信じる妹の訴えを受けて、やり手の青年弁護士が事件を追ううちに星ぐるみの腐敗をつきとめる。「ペリー・メイスン、宇宙に行く」とでも言いたくなる法廷ものだが、残念ながらあまり面白くない。

四

【Q‐Tブックス】の刊行期間は、六五年から七九年までの足かけ十五年間に及ぶが、この間コンスタントに本が出ていたわけではなく、七一年で一時中断、丸三年後の七四年に再開し五年後に終刊する。

ミステリの刊行は、前半七年間に限られ、しかも最初の十五ヵ月間に小鷹信光が企画に絡んだ作品を含めて連続七作出た後は、SF主流に切り替わり、以後四冊に一冊の割合で断続的に刊行、《ナポレオン・ソロ》と《ニック・カーター》を固めて出して幕引きとなった。

当時出版部長だった島本春雄（しまもとはるお）は、四〇年代末から五〇年代前半にかけて本名のほかに香山風太郎名義で探偵小説を発表し、「マンハント」編集部在籍時には同誌で記事を書いていたが、前半のラインナップを見る限り、翻訳ミステリに対して愛着を持っていたようには思えない。その一方で七二年に復刊したSM専門誌「サスペンスマガジン」の編集長時代（片山博友名義）には、わざわざSFの書評欄を設けており、福島正実も連載していた。

今となっては確認のしようもないが、【Q‐Tブックス】の後半五年間がSF専門の叢書となり十七作を刊行、初期十作に福島正実が解説を寄せている背景には、島本春雄の嗜好（しこう）があるようにも思える。

［附記］

M・E・チェイバーの《マイロ・マーチ》シリーズは、本国アメリカでは根強い人気があり、Steeger Booksという年代物（ヴィンテージ）のペイパーバックやパルプ・マガジンの復刊を目的に設立された出版社によって、二〇二〇年から二一年にかけて全二十三冊が復刊された。その中には、未刊の最終作 *Death to the Brides* と雑誌掲載されたきり未収録だった六作のシリーズ短篇全てをまとめた初の短篇集 *The Twisted Trap* も含まれている。

《【Q-Tブックス】収録作品リスト》

久保書店　全四十八巻　（一九六五年十二月から一九七九年三月まで刊行）

●装幀：8〜10・12・13・15〜19・21〜24・28……加納光於、32・35・36・38・39・41〜47……武部本一郎、6・11・14・20……片山満、33・34・37……角田純男、40……石原豪人、48……渋江喜久夫　●カバー写真：1・2……土橋慎太郎、3・5……井上真昭、4……今井真昭、27……キーストンプレス　●挿絵：1……三上雄一、2……山野辺進　●判型・体裁：新書判・紙カバー

●訳者あとがき：5〜24・27・28・30　●解説：1……都筑道夫、2〜4……小鷹信光、32〜41……福島正実、42〜45……土田研一、46〜48……宮田洋介

No.	邦題	原題（原著刊行年）	作者	翻訳者	発行年月日	国籍
1	おんな対F．B．I．	Never a Dull Moment（1942）	ピーター・チェイニィ	田中小実昌	1965/12/25	英
2	恐怖からの収穫	Let Them Eat Bullets（1954）	ハワード・スコーンフェルド	宇野利泰	1966/6/10	米
3	殺人許可証	Requiem for a Redhead（1953）	リンゼイ・ハーディ	井上一夫	1966/6/15	豪
4	殺人鬼を追え	The Killer（1951）	ウェイド・ミラー	三条美穂	1966/7/15	米
5	秘密捜査官	The Avenger（1952）	マシュー・ブラッド	山下愉一	1966/7/20	米
6	秘密指令	The Splintered Man（1955）	M・E・チェイバー	井上一夫	1967/2/1	米
7	英国情報部員	Night Boat to Paris（1956）	リチャード・ジュサップ	矢野徹	1967/2/1	米
8	火星の無法者	The Outlaws of Mars（1961）	O・A・クライン	井上一夫	1967/7/1	米
9	宇宙殺人	Murder in Space（1945）	デイヴィド・V・リード	川村哲郎	1967/7/1	米
10	生殖能力測定器	His First Million Women（1934）	ジョージ・ウエストン	矢野徹	1967/7/25	米
11	殺人命令	The Nightshade Ring（1954）	リンゼイ・ハーディ	井上一夫	1967/9/10	豪
12	超人集団	The Deviates（1956）	レイモンド・F・ジョーンズ	矢野徹	1967/10/1	米
13	太陽移動計画	Troubled Star（1953）	ジョージ・O・スミス	川村哲郎	1967/12/25	米

14	秘密日記	Show No Mercy（1955）	リンゼイ・ハーディ	井上一夫	1968/1/25	豪
15	3万年のタイム・スリップ	Three Go Back（1932）	J・レスリー・ミッチェル	井上一夫	1968/3/15	英
16	同位元素人間	The Isotope Man（1957）	チャールズ・E・メイン	斎藤伯好	1968/4/5	英
17	宇宙連邦捜査官	The Chaos Fighters（1955）	ロバート・M・ウィリアムズ	中尾明	1968/4/20	米
18	アメリカ滅亡	The Long Loud Silence（1952）	ウィルスン・タッカー	矢野徹	1968/5/20	米
19	超人間製造者	Dragon's Island（1951）	ジャック・ウィリアムスン	川村哲郎	1968/6/25	米
20	スパイの罠	Operation Intrigue（1956）	ウォルター・ハーマン	井上一夫	1968/8/1	米
21	地球発狂計画	Hellflower（1953）	ジョージ・O・スミス	中尾明	1968/9/15	米
22	西暦3000年	Tarnished Utopia（1956）	マルコム・ジェイムスン	矢野徹	1968/9/20	米
23	第3次大戦後のアメリカ大陸	False Night（1954）	アルジス・バドリス	井上一夫	1968/10/25	米
24	ロボット宇宙船	The Mating Cry（1950）	A・E・ヴァン・ヴォークト	川村哲郎	1968/12/10	加
25	ナポレオン・ソロ 秘密兵器事件	The Man From U.N.C.L.E. The Corfu Affair（1967）	ジョン・T・フィリフェント	仁賀克雄	1968/12/20	英
26	ナポレオン・ソロ 恐怖の逃亡作戦	The Man From U.N.C.L.E. The Unfair Fare Affair（1968）	ピーター・レスリー	中尾明	1968/12/20	英
27	弾痕（だんこん）	Bullet Proof（1951）	フランク・ケーン	井上一夫	1969/4/1	米
28	戦略空軍破壊計画	Forbidden Area（1956）	パット・フランク	矢野徹	1969/5/1	米
29	ナポレオン・ソロ 悪魔のサイコロ事件	The Man From U.N.C.L.E. The Power Cube Affair（1968）	ジョン・T・フィリフェント	中尾明	1969/7/5	英
30	ナポレオン・ソロ こわれたサングラス事件	The Man From U.N.C.L.E The Splintered Sunglasses Affair（1968）	ピーター・レスリー	野間節夫	1970/3/1	英
31	アムステルダムの死	Amsterdam（1968）	ニック・カーター	井上一夫	1971/8/20	米
32	時間の果て	Edge of Time（1958）	デーヴィッド・グリンネル	川村哲郎	1974/7/15	米
33	死の王と生命の女王	The Lord of Death and The Queen of Life（1919）	ホーマー・イオン・フリント	田沢幸男	1974/8/20	米

34	宇宙の海賊島	Rendezvous on a Lost World (1961)	A・バートラム・チャンドラー	中上守	1974/11/15	豪
35	崩壊した銀河文明	The Defiant Agents (1962)	アンドレ・ノートン	日夏響	1974/12/20	米
36	10万光年の迷路	Collision Course (1961)	ロバート・シルヴァーバーグ	中上守	1975/5/15	米
37	最後の惑星船の謎	The Valley of Creation (1964)	エドモンド・ハミルトン	田沢幸男	1975/6/15	米
38	終末期の赤い地球	The Dying Earth (1950)	ジャック・ヴァンス	日夏響	1975/8/25	米
39	不時着した円盤の謎	The Time Traders (1958)	アンドレ・ノートン	小宮卓	1975/10/10	米
40	燃えつきた水星人	Tama of the Light Country (1930)	レイ・カミングズ	竹中芳	1975/12/1	米
41	宇宙の放浪怪物	VOR (1958)	ジェームズ・ブリッシュ	日夏響	1975/12/25	米
42	恐怖の火星争奪戦	The Nemesis From Terra (1951)	リイ・ブラケット	五味寧	1976/6/1	米
43	金星を襲う青い原子	The Blue Atom (1958)	ロバート・M・ウィリアムズ	中上守	1976/8/1	米
44	失われた時間の鍵	Key Out of Time (1963)	アンドレ・ノートン	日夏響	1976/9/25	米
45	宇宙の秘密の扉	The Door Through Space (1961)	マリオン・Z・ブラッドリイ	田沢幸男	1976/11/20	米
46	未知なる銀河航路	Galactic Derelict (1959)	アンドレ・ノートン	吉川純子	1978/5/5	米
47	運命号の冒険	Destiny's Orbit (1961)	デイヴィッド・グリンネル	宮田洋介	1978/8/25	米
48	水星征服計画	Tama, Princess of Mercury (1931)	レイ・カミングズ	森川かおる	1979/3/15	米

※　米＝アメリカ、英＝イギリス、豪＝オーストラリア、加＝カナダ

新訳・再刊等　（　）内は発行年月日

8『火星の黄金仮面』創元推理文庫（1978/6/16）

16『アイソトープ・マン』ハヤカワ文庫ＳＦ（1982/4/30）

18『長く大いなる沈黙』ハヤカワＳＦシリーズ（1971/10）

45『時空の扉を抜けて　ダーコーヴァ年代記・外伝』創元推理文庫、山本圭一訳（1987/8/7）

【ウイークエンド・ブックス】編

第一章

一

戦後に編纂（へんさん）された翻訳ミステリの叢書・全集は、二〇二三年十二月現在で九十五あり、携わった版元は五十三社に及ぶ。このうち早川書房と東京創元社がやはり断トツに多くて、前者が十、後者が九のシリーズを刊行、合わせて全体の二割を占めている。

ということは残りの七十六が、この二つの専門出版社を除く五十一社によって編まれたわけだけれど、大半は中小の版元によるもので、所謂（いわゆる）大手出版社が占める割合は、六社——講談社、集英社、小学館、新潮社、筑摩書房、中央公論社——合わせてもその四分の一弱とさほど高くない。しかも大手から出たものの中には、オールタイム・ベスト・クラスの名作を並べた〝名作全集〟が少なからずあり、残念ながら個性豊かな顔立ちのシリーズはあまり見られない。

念のため補足しておくけれど、大手総合出版社が軒並み、翻訳ミステリの出版に積極的でなかったと言っているわけではない。それどころか、中には早川・創元の専門二社と比べても遜色（そんしょく）のない役割を果たしてきたケースもある。一例を挙げると、角川、新潮、文春の三社が、文庫という安価で手に取りやすい判型を中心に翻訳ミステリを継続的に出し続けてきたことにより、このジャンルの読者層を拡大した意義は、いくら強調してもしすぎるということはない。

二

閑話休題。そんな大手出版社から刊行された数少ない魅力的な叢書・全集の中から、【ウイークエンド・ブックス】を訪ねてみよう。版元は大手の中の大手、講談社だ。このシリーズは、一九六六年七月から七〇年六月までの丸四年間に全部で二十七作（内、上下巻一作）が刊行された。実は【ウイークエンド・ブックス】の発刊は、同社にとって画期的な試みであった。なぜなら、これによって講談社は、戦後二十二年目にして初めて本腰を入れて海外のエンターテインメントを紹介し始めたからだ。

それまで同社は、【クリスチー探偵小説集／ポワロ探偵シリーズ】全十一巻（五六年〜五七年）、【少年少女世界探偵小説全集】全二十三巻（五七年〜五九年）、［S・F・シリーズ］全六巻（五八年）といった特定の年齢層やファンに向けたシリーズを刊行したり、古典名作を揃えた【世界推理小説大系】全二十四巻、別巻一（六二年～六五年）を、別名義会社の東都書房から出したことはあるものの、広く一般読者を対象とした同時代の翻訳娯楽小説には、まったくと言っていいほど手を出していなかった。

　そんな海外小説の出版には慎重な版元が、よりにもよって【ウイークエンド・ブックス】のような何とも軟らかな叢書を発刊したのだから面白い。どれくらい軟らかかったかは、収録作品リスト（218ページ～220ページ）を見て欲しい。〈冒険小説〉九作、〈スパイ小説〉四作、〈サスペンス〉三作、〈ブラックユーモア〉と〈犯罪小説〉と〈風刺小説〉が各一作までは良いとして、残り八作が〈性愛文学〉なのだ。この節操のなさ、もとい機を見るに敏なところには思わず頭が下がります。

　真面目な話、六〇年代にエンターテインメントの世界を席巻したエスピオナージュやビートニク／ヒッピー文学を素早く取り込んだ同時代性は、高く評価したい。不朽の名作を取りそろえるといった意味合いが強い全集とは異なり、時代の空気を映し出すフットワークの軽さも叢書の魅力だと思うからだ。無論、面白い作品を選んでいるか否かが一番のポイントなのは言うまでもないが、この点でも決して引けを取らず、特に〈冒険小説〉に見るべきものが多い。

　具体的には後述するとして、続いて本の造りに目を向けると、こちらもなかなかユニークな仕上がりとなっている。装幀を手がけたのは、当時新進気鋭のイラストレーターとして注目され始めていた山藤章二。〝現代の戯れ絵師〟を自任する氏の若き日の仕事からは、既にあの独特な画風の片鱗がうかがえ、小粋でインパクトのある表紙絵は、数ある叢書・全集の中でも一際異彩を放っている。

　また、最終巻『ダイヤモンドの河』を除く全巻に挿絵が添えられ、「SFマガジン」「ミステリマガジン」等のイラストでミステリ・ファンにもなじみ深い金森達を始め、司修、高橋孟といった著名な画家が腕をふるっている点も愉しい。

　判型は、四六判よりも一回り小さいB6判――【雄鶏みすてりーず〈おんどり・みすてりぃ〉】などの五〇年代の叢書によくみられたもの――で、表表紙・裏表紙・背表紙に直接印刷し、三十五ミリ幅の帯を巻き、ビニールカバーをかぶせてある。『メリー・ディア号の遭難』以降、表表紙と裏表紙のデザインが変わり、シリーズタイトルの WEEK-END BOOKS の頭文字WとBを組み合わせたロゴマークを記載、併せて帯幅が十五ミリと極端に細くなり、まるで紐のようになった。その後再度変更されて、『あやまちの夏』からは本体ではなく紙カバーに印刷されるようになり、それに伴ってビニールカバーと帯が廃止され、ごく普通のシンプルな装幀となる。

　唯一変わらなかったのは、全巻の背表紙に記された〝円を四分割して緑・青・橙・桃に塗り分けたマーク〟で、逆に言うとこの印の有無が、【ウイークエンド・ブックス】収録作か否かを判断する基準となる。というのも【ウイークエンド・ブックス】というシリーズ名は、前述した『メリー・ディア号の遭難』でデザインが変わった際に初めて謳われたもので、それ以前の十四冊は、巻末の既刊リストや帯に「講談社の新しい翻訳小説」とか「好評の講談社翻訳シリーズ」とか記されているだけの名無しのシリーズだったのだ。スタートしてから一年半も経って、ようやくシリーズ名が決まる叢書というのも珍しい。

三

　さて、叢書全体に関してはこれぐらいにして、個別の作品について見ていこう。まずは〈スパイ小説〉から。【Q-Tブックス】編でも触れたが、六二年に公開された映画「007は殺しの番号（007 ドクター・ノオ）」に始まる《ジェームズ・ボンド》シリーズの世界的なヒットにより、六〇年代半ば以降、アクションとお色気をウリにしたエスピオナージュがニョキニョキと現れた。

　《モデスティ・ブレイズ》シリーズは、そんな雨後の筍の中では、ちょっと毛色の違う一本で、その生い立ちも変わっている。作者のピーター・オドンネルは、戦後、タブロイド紙を舞台にいくつものアクション漫画を連載した漫画原作者で、六〇年にはコミック版『ドクター・ノオ』の脚色も担当した。六三年に代表作となる《モデスティ・ブレイズ》シリーズの連載を開始。かつて《犯罪組織(ネットワーク)》を仕切っていた若く美しい億万長者モデスティと、彼女を〝プリンセス〟と呼ぶフランス外人部隊出身の忠実なる右腕ガーヴィンが世界を股にかけて活躍するシリーズは大ヒットし、映画化が決定。当初オドンネル自らが脚本を書いたが、大幅に改稿されたために降板、それをベースに、映画公開に先駆けて六五年に小説版のモデスティを発表した。ちなみに映画版（日本公開名「唇からナイフ」）は、制作者の頭の中にお花畑が広がっていたのではと疑ってしまうキッチュな代物です。

　本叢書には、映画公開に合わせて翻訳された第一作『唇からナイフ』と、二作目の『クウェート大作戦』が収録されている。英国政府から依頼を受けたモデスティとガーヴィンのコンビは、前者では、砂漠の新興国での石油採掘権の代価である一千万ポンドのダイヤモンドを積んだ船を巡って犯罪組織と暗闘を繰り広げ、後者では、クウェートで密かに進行するクーデターを阻止すべく、敵の懐に深く潜入する。空手と柔道の達人であるヒロインが、奇怪な殺し屋——素手喧嘩(ステゴロ)上等の女殺人鬼や、甲冑で連結され手足を四本ずつ備えた殺戮マシンと化して戦う双子——相手に奮戦したり、敵役に対して悩殺術を駆使したりする様を、何も考えずに愉しむのが、この手の作品を手にしたときのお作法というもの。

　約四十年間に、コミック版で九十九作、小説版で長篇十一作に短篇集二冊が発表され、三回も映像化されていることからも、人気の高さがうかがえる。世界情勢の変化により古びてしまったあれこれの設定も含めて、意外と今読んでも面白いエンターテインメントだ。

　そんな、時の浸食(しんしょく)をものともしないお気楽なスーパー・ヒーローものの対極にあるのが、ヘレン・マッキネスの書くエスピオナージュだ。スパイ小説を語るときに、よくイアン・フレミング型(タイプ)とジョン・ル・カレ型(タイプ)にざっくり二分するが、彼女は間違いなく後者だ。現状に根ざして精緻に組み上げられた舞台で、等身大の主人公が巻き込まれる謀略は、実際に世界の裏側で起きていても不思議ではないと読者に納得させるだけのリアリティを備えている。冷戦下の厳しい世界情勢を実感させる地に足の着いたスパイ小説とでも言おうか。ややもすれば地味で重くなりがちなストーリーだが、舞台となるベネチアやペルージャといった著名な観光地を鮮やかに描き、恋愛小説パートにもしっかりと筆をさくといった心遣いのおかげで、読み心地は悪くない。

本叢書には、六一年に反ド・ゴール派が企てたクーデター計画をベースとし、映画化もされた『ベニスへの密使』（日本公開名「ベネチタ事件」）と、アジアからヨーロッパ経由でアメリカに流入する麻薬問題を背景にした『ローマの北へ急行せよ』の二作が収められている。後者の作中、謀略に巻き込まれた主人公の妻が、「国家の権力争いの厄介な問題は、ここにあるのだ。深みにはまりこんで、身をひけなくなるまでは、ゲームのほんとうの規則（ルール）というのは絶対にわからないのだ」と述懐するシーンがあるが、これこそが彼女の作品の根幹となる考えだ。

ベニスへの密使
ヘレン・マッキネス　榊原晃三訳
THE VENETIAN AFFAIRE
ド・ゴール大統領暗殺計画という現実の事件をもとに、激動する東西冷戦の暗黒面を描く本格スパイ小説。

一九〇七年スコットランドに生まれたヘレンは、三七年にアメリカに移住、後に帰化した。八五年に亡くなるまでに二十一作の長篇を発表、そのすべてがエスピオナージュである。第二次世界大戦前の一時期、MI6の為に働いていた夫から多大な影響を受けたと言われている。

続いては〈冒険小説〉を。全九作中、海洋ものが占める割合が三分の二の六作と高くなっているがこれには訳がある。本叢書を立ち上げるに当たって、翻訳エンターテインメントに疎（うと）い講談社は、企画面で外部の識者に相談をした。その一人が高橋泰邦（たかはしやすくに）だったのだ。《海の男／ホーンブロワー》シリーズを始め、海洋冒険小説の訳者として著名な高橋だが、当時はまだこのジャンルでの訳書はなかった。それどころか海を舞台にした翻訳作品自体が、ほぼ皆無といっていい状態だった。海洋文学を愛し、六一年の作家デビュー以来、一貫して海洋ミステリを書いてきた高橋は、つてのある出版社に英国海洋冒険小説の出版を持ちかけていたが、色よい返事を貰えずにいた。

講談社から相談を受けたのは、まさにそんな折だった。高橋は、本叢書が「いろいろな分野のロマンを収める方針だったので、そういう中にまじえれば海洋冒険小説も幾点かは出してもらえるのではないかと考え」（アリステア・マクリーン『北極基地／潜航作戦』訳者あとがき）、アリステア・マクリーン、ハモンド・イネス、ジェフリイ・ジェンキンズ、ニコラス・モンサラット、C・S・フォレスターらを日本に紹介すべく熱弁をふるう。

結局採用されたのは、『原子力潜水艦ドルフィン』（マクリーン）、『メリー・ディア号の遭難』（イネス）、『鍵』（ヤン・デ・ハルトグ）の三作だけだった（ジェンキンズ『砂の渦』は不採用となったが、彼の作品は、後に『ダイヤモンドの河』が本叢書の最終巻として刊行された）。このうちイネスとハルトグは単発ものの上に映画化された点が、マクリーンは原子力潜水艦ノーチラス号による潜航状態での北極点通過が当時タイムリーな話題だった点が有利に働いたと前掲の訳者あとがきで述べている。

では、これらが内容の点では今ひとつなのかというと、決してそんなことはない。この三作に、『蒼い死闘』『二年目のSOS』『ダイヤモンドの河』を加えた【ウイークエンド・ブックス】収録の海洋冒険小説六作は、同ジャンルを代表する傑作だ。こんな面白い作品を絶版のままにしておくなんて何とももったいない。

中でも、アリステア・マクリーンの日本初紹介作となった『原子力潜水艦ドルフィン』（映画化に伴い『北極基地／潜航作戦』と改題の上、「ハヤカワ・ノヴェルズ」で再刊↓ハヤカワ文庫NV収録）は、冒険小説と本格ミステリの魅力を併せ持つ稀有な逸品だ。北極海を漂う氷の上に建てられたイギリスの気象観測基地ゼブラで火災が発生。米原潜ドルフィンは生存者を救うべく、分厚い氷が覆う凍てつく海に突入する。

零下五十度の極夜の中、吹き荒ぶアイス・ストームを突いての救出行を始めとして、これでもかとばかりに襲い来る困難に男たちが立ち向かう冒険活劇の面白さに、後半、謎解きミステリの興趣が加わる。なんと密閉された原潜内で連続殺人が発生するのだ。しかもラストには探偵役が皆を集めて〝さて〟というシーンが四十ページもあるのだからたまらない。謎解き要素が強いマクリーンの冒険小説の中でも、本格ミステリとしての完成度が最も高いこの傑作を、すべての本格もの好きに読んでもらいたい。『女王陛下のユリシーズ号』(1955)や『ナヴァロンの要塞』(1957、ともにハヤカワ文庫NV)といった超有名作以外に、こんな隠れた名作があるのだよ。

ちなみに、当時早川書房で「ミステリマガジン」の編集長だった常盤新平は、高橋泰邦による本書のあとがきを読んで、その熱弁ぶりに心を動かされ、マクリーンの版権をすべて取得、読み過たず、ベストセラーを連発していく。特に、謎また謎のスリリングな展開で一気に読ませる『恐怖の関門』(1961)が抜群に面白い。沈みゆく船で従容として救難に当たり死んでゆく男たちを描いた「シティ・オブ・ベナレス号の悲劇」を収録した短篇集『孤独の海』(1985、ともにハヤカワ文庫NV)もお薦めだ。

続いてはマクリーンと並ぶ英国冒険小説界の大家であり、同じく本叢書で初めて日本に紹介されたハモンド・イネスだ。収録されたのは、『蒼い死闘』(再刊時『蒼い氷壁』に改題)、『メリー・ディア号の遭難』、『二年目のSOS』(再刊時『銀塊の海』と改題)。【ウイークエンド・ブックス】で三作採られた作家は彼一人だけであり、叢書発刊時で二十作を超える著作があるベテラン作家——マクリーンは一世代後で、十作——だったことを考慮しても、この数字は大きい。それだけ優れた冒険活劇を多く生みだしてきたのだ。

その最大の要因は、〝敵役〟の設定にある。彼の主人公は常に二種類の〝敵〟と闘わなくてはならない。猛威をふるう大自然と、奸計を巡らす人間だ。ノルウェーのフィヨルドと雪深い山岳地帯、チャネル諸島近海に広がる暗礁域、荒れ狂うバレンツ海の直中にポツンと顔を出す岩礁。いずれ劣らぬハードな環境下で、スーパー・ヒーローならぬ等身大+αの男が、誇りと情熱を胸に、欲望に取り憑かれた者たち相手に死闘を繰り広げる。その姿が読むものを夢中にさせるのだ。

また、自然界を舞台にした冒険の合間に人間界のドラマを挿入し、転調させている点も重要なポイントだ。『蒼い死闘』での捕鯨工場を舞台にしたアクション・シーン。『二年目〜』でのダートムーア監獄からの脱出行。とりわけ『メリー・ディア号〜』での不穏な空気が漂う海難事故裁判のパートは、リーガル・サスペンスとして出色の出来と言っていい。

生涯に三十三作の冒険小説を発表。国家間の争いに力点を置かない作風は、今日なお古びることなく、他にも『大氷原の嵐』(1949)、『キャンベル渓谷の激闘』(1952、ともにハヤカワ文庫NV)といった名作を残し、後進に多大な影響を与えた。

第二章

一

【ウイークエンド・ブックス】に収録された〈海洋冒険小説〉の書き手は全部で四人。そのうちの一人、ジェフリイ・ジェンキンズの作風は一風変わっている。というのも彼は、現代を舞台にしながら秘宝探求型秘境冒険ロマンを書き続けたのだ。しかもリアルに。

南アフリカ生まれのジェンキンズは、かの国の灼熱の砂漠や不穏な海域といった容易に人を寄せつけないエリアを好んで舞台に選んだ。苛酷な大自然に不屈の精神で立ち向かうヒーローという図式は、冒険小説の定番の一つだけれども、ジェンキンズ作品の登場人物たちが置かれる状況は、ちょっと類を見ないくらいに酷い。酷すぎる。突如隆起して船を閉じ込めてしまう砂州、潜るものがことごとく死に至る海底洞窟、海底火山の爆発に、洪水、土砂崩れ等々。

こうした大道具を組み合わせた〝魔境〟とも言うべき舞台を絵空事と感じさせないために、ジェンキンズは「作者前書」という形で実測された自然現象や遭難事故といった史実を述べた上で物語の幕を開ける。

本叢書収録の『ダイヤモンドの河』の場合、ナミブ砂漠沿岸の島でのアザラシの集団自殺を筆頭に、連結クラゲの発見、海底ダイヤモンド鉱床の可能性を示唆した専門家の弁などが提示される。そして謎に満ちたその島を主舞台に次々と怪奇現象が起こる中で、海底鉱床という〝秘宝〟のありかを巡る冒険活劇が繰り広げられていくのだ。無論、不可思議な現象は、科学的根拠に基づき、きちんと謎解きされる。このてんこ盛りロマンが映画版（邦題「戦慄の秘宝島伝説」一九八九年制作、日本未公開・九一年ＶＨＳ発売）で一体どこまで再現されているのか、すごく気になる。

ジェンキンズの作品は、デビュー作『砂の渦』（パシフィカ→西武タイム）や幻の《ジェームズ・ボンドもの》――友人イアン・フレミングによる許可のも

と執筆するも、死後、財団からボツにされる——をベースにした『星のかけら』(1973、ハヤカワ・ノヴェルズ)等、全十六長篇中十一篇が翻訳されている。イネス同様、国際謀略に力点を置いていないので、今でも十分読むに値する作家だ。

同じく海を舞台に男の闘いを描いているものの、ヤン・デ・ハルトグによる、タッグボートの船長〝わたし〟を主人公にした三部作——*Stella, Mary, Thalassa*(1950)——の第一作『鍵』は、所謂正統派冒険小説とは随分と趣(おもむき)が異なる。というのもこれは、迫真の戦闘シーンと同じくらいの比重で、刹那の〝愛〟を心の支えとする男女の姿を、抑制の利いた硬質な筆致で描いた作品だからだ。

鍵
ヤン・デ・ハルトグ　高橋泰邦訳
THE KEY
狂暴なUボートと戦う救助艇の若い船長達は、娼婦であり母である美女の胸の中で、初めて恐怖をいやす。
講談社版　350円

第二次大戦下の大西洋で、Uボートに襲われ航行不能となった連合国の輸送船のもとに、戦火をかいくぐって駆けつけて安全な港へと曳航する〝航洋曳き船(オーシャン・タッグボート)〟の船長。平均余命三ヵ月と言われる苛酷な任務に心身共に極限状態に置かれ続ける男が、戦争で恋人を喪(うしな)った若く美しき女性・ステラに魅せられ、彼女の住むアパートへと通い詰める。

タイトルの〝鍵〟とは、ステラの部屋の鍵のことだ。先人の死により次の〝恋人〟へと引き継がれてきたこの鍵の四番目の持ち主となった主人公の眼を通じて、作者は戦争という酷薄な現実を諦念をもって描き出す。沈鬱な空気が全編を覆い、決して読んで愉しい話という訳ではないが、読み継がれて欲しい物語だ。五八年に、監督キャロル・リード、主演ソフィア・ローレンで映画化された。

作者は一九一四年にオランダで生まれ、船員として働く傍らアムステルダム港湾警察の捜査官を主人公にしたミステリを執筆。オランダが誇る外洋タグボートの船長の人生を描いた*Hollands Glorie*(1940)が、ドイツ占領下での精神的支えとしてオランダ国民の圧倒的な支持を受けたために、ナチスに目をつけられ英国への移住を余儀なくされる。その後アメリカに移り、二〇〇二年に亡くなるまでに作家兼脚本家として数多くの作品を発表したが、本作以外で完訳されたのは、アムステルダム警察の警部がナチスによる人体実験で極度に衰弱した少女を祖国パレスチナへと送り届ける困難な旅路を描いた『遥かなる星』（1960、角川文庫）のみだ。ちなみにこの小説、読み巧者の作家・逢坂剛がお気に入りの作品として折に触れて言及するのもむべなるかなという、深く静かな感動が残る物語だ。

〈戦争文学〉をもう一作。軍事裁判で死刑や無期懲役を宣告された十二人の囚人兵に対して判決取消という飴を与えて、猛訓練を施し、殺人兵器に仕立て上げて、生還の可能性が極めて低い奇襲作戦に投入する。ロバート・アルドリッチが監督し、ノルマンディー上陸作戦秘話という体裁をとった六七年公開の戦争映画大作「特攻大作戦」を観たことがある人は少なくないと思うが、原作『12人の囚人兵』の翻訳があることは、意外と知られていないようだ。

作者E・M・ナサンソンは、この〝汚れた〟ミッションの一部始終——計画立案からメンバー選出、訓練実施、トラブル発生と克服、作戦決行及び結果報告——を、部隊を指揮するライズマン大尉の視点を中心にして、上下巻二段組みで四百ページに亘ってしっかりと描き、人種も背景も異なる十二人の囚人の人生を浮き彫りにしていく。

十代半ばでギャングとトラブルを起こして家を飛び出し、十年以上の間、戦地を渡り歩き、敵を憎み、倒すことだけを生き甲斐にしてきたゲリラ戦のプロであるライズマン。非人道的な作戦を成功させるために、かつての自分と大差ない囚人たちに対して規律と戦闘技術を教える皮肉な任務に葛藤する彼の姿を通じて、戦争が内包する矛盾と人間の尊厳を描いた大作。読んで損はない。

続いては〈航空サスペンス／冒険小説〉を三作。まずは、「特攻大作戦」の前々年にアルドリッチが監督し代表作となった映画「飛べ！　フェニックス」（二〇〇二年、「フライト・オブ・フェニックス」としてジョン・ムーア監督がリメイク）の原作『飛べ！　フェニックス号』からだ。

裏表紙の紹介文に「砂漠への墜落、渇きと狂気からの脱出」とあるように、サハラ砂漠上空を飛行中に、突如発生した砂嵐に巻き込まれて不時着した双発双胴輸送機（C－82）の生存者十二名が、飛行機設計技師のアイディアに従って、損壊し飛行不能となった機体から無傷の部品を組み合わせて単発機を造り脱出すべく奮闘する様を描いた作品だ。砂漠という開放された閉塞空間の中でいかにして生き残り、生還するか。この単純なプロットの中で展開する極限状況下の人間ドラマは読み応え十分。大戦中に英国空軍の技師として従軍した作者の経験に裏打ちされた航空サスペンスの傑作だ（注意事項を一つ。登場人物紹介に、ラスト直前になって判明する意外な事実があっさりと書かれているので、運良く入手された方は見ないように）。

作者のエルストン・トレヴァーは、アダム・ホール名義で書いた《英国情報部員クィラー》シリーズの第一作『不死鳥(フェニックス)を倒せ』（1965、ハヤカワ・ミステリ文庫）で、六六年にＭＷＡ賞最優秀長篇賞を受賞した。ちなみにこの本の巻頭には「不死鳥をとばしめたロバート・アルドリッチに捧ぐ」という献辞が載せられていて、思わずニヤリとさせられる。

お次は、航空エンジニアであると同時にパイロットでもあったネヴィル・シュートの『失なわれた虹とバラと』を。

終末ＳＦの古典『渚にて　人類最後の日』（1957、創元ＳＦ文庫）の作者として名高いシュートが、亡くなる二年前の五八年に発表したこの作品は、第一次世界大戦のさなかにパイロットとなり、以来四十年以上に亘る人生のすべてを空を飛ぶことに捧げてきた男の栄光と挫折、誇りと愛を芳醇(ほうじゅん)な文章で綴(つづ)り上げた名作中の名作だ。

「空を飛ぶことはこの世で最も大きな冒険、殆ど確実に死をもたらす冒険だった」という時代に飛ぶことに魅せられ、老齢となった今、遭難して瀕死の重傷を負った伝説のパイロット・パスコー。三十年来の知人で恩師でもある彼を救うために駆けつけたベテラン飛行士のロニーが、天候の回復を待つ間にパスコーの家で微睡み、師の人生を追体験するという幻想的なスタイルで鮮やかに再現されるドラマが胸に迫る。

絶望的な状況にあって、立ち止まることなく歩み続ける。『パイド・パイパー　自由への越境』（1942、創元推理文庫）を始めとするシュート作品に通底する矜持に満ちたこの名作が一度も再刊されず、半世紀近くの間入手困難なままだなんて損失としか言いようがない。【ウイークエンド・ブックス】の中で、何を措いても復刊して欲しい逸品です。

〈航空サスペンス／冒険小説〉の残り一作は、『714便応答せよ』（改題・文庫化『0-8滑走路』）。ウィニペグ発バンクーバー行のチャーター機内で集団食中毒が発生しパイロットも倒れて墜落の危機に陥った旅客機を、大戦中に戦闘機に乗った経験がある男が、スチュワーデスや管制塔と協力して無事着陸させるべく奮戦する様を描いたスリリングな作品だ。

この手の航空サスペンスの嚆矢となった、五六年放映のテレビムービー Flight into Danger の脚本家アーサー・ヘイリーが、ジョン・キャスルと共同で小説化したもので、病状の進行と燃料切れという二つのデッドラインを設けて緊張感を高めていく手法は、今でも手に汗を握らせる。

本作で五八年に作家デビューを果たしたアーサー・ヘイリーは、以後『最後の診断』（1959）、『権力者たち』（1962）、『ホテル』（1965）、『大空港』（1968）、『自動車』（1971）、『マネーチェンジャーズ』（1975）、『エネルギー』（1979）、『ストロング・メディスン』（1984）と世界的なベストセラーを連発していく（『大空港』のみハヤカワ文庫NV、他はすべて新潮文庫）。

中でもその名前を一気に高め不動のものとしたのが、六五年に発表した第四作『ホテル』だ。この大作で彼は、ずさんかつ旧態依然とした経営により赤字が続き、全米最大のチェーンによる買収の危機が迫るニューオーリンズの老舗ホテルを舞台に、抵当期限が切れるまでの五日間に、種々雑多な人々――ホテル専門の泥棒、恐喝や着服といった不正を繰り返す従業員、犯罪の隠滅を図る英国貴族、乗っ取りを目論むホテル王、親の威を借り横暴な振る舞いをする大学生、黒人差別に抗議する歯科医学会会長、謎に包まれた常連客等々――が引き起こす様々なハプニングを通じて、ホテルという巨大システムの内側を照射した。とはいえ、社会問題を糾弾するお堅い問題作ではなく、あくまでも娯楽志向のエンターテインメントなので、ぜひ、手に取ってみて欲しい。ミステリ的なひねりの利いたオチもいいですよ。

二

さて、残りは四作。ジャンルも趣も異なる娯楽小説を順に紹介していこう。

『愚なる裏切り』は、*Run, Fool, Run* という原題が示すように、犯罪に荷担する羽目に陥った素人の中年男性が、依頼人を裏切り報酬を独り占めして北米大陸中を逃げ回りつつ、起死回生の策に打って出るクライム・サスペンスだ。妻の浮気に絶望し自殺しようとしたコピーライターが、ライフル射撃の腕を見込まれて五万ドルの報酬と引き替えに狙撃を請け負う出だしから、裏切りと逃亡の果てに、ある選択をするクライマックスまで、ストーリーはテンポ良く展開していく。パルプ・マガジン出身のB級ミステリの帝王、フランク・グルーバーの本領が発揮された佳作だ。

ちなみに六六年刊行の本作は、四八年刊の『走れ、盗人』の別ヴァージョンと言って良く、こちらでは錠前破りの名人を主役にしていた。元々の原題は *The Lock and the Key* だったが、五五年に *Run, Fool, Run* そっくりの、*Run, Thief, Run* と改題し再刊。自作プロットの流用はグルーバーの十八番で、手抜きと呆れるどころか、むしろ職人芸を見せられたようで感心してしまう。ああ、好きだなグルーバー。

長篇小説の翻訳が初めてという作家が多いのも【ウィークエンド・ブックス】の特長の一つだが、デイ・キーンもその一人。

エロスとバイオレンスを売り物にした五〇年代のペイパーバック・ライターの中でも、性愛・性欲に対する関心が一際高く、タブーと言われる事項でも積極的に取り込んだキーンの犯罪小説は、「ＥＱＭＭ」等で短篇が訳されていたが、長篇は『偽りの楽園』が初紹介作だ。といっても実はこの作品、厳密にはミステリとは言い難い。裏表紙の紹介文に「新興都市ロスアンジェルスの高級マンションにくりひろげられる、最も今日的で、最もアメリカ的な、Sexとドルの狂乱な生活」とあるように、〝性〟にフォーカスして、暴力的な死の発生を許してしまう当時のアメリカのアッパー・ミドルの生態を、いささかデフォルメして見せる風俗小説なのだ。

本作も含めて、六〇年代小説を中心に編まれた【ウイークエンド・ブックス】には、過激な性愛をテーマにした作品が十作収録されているが、『偽りの楽園』は、構成や展開の面で犯罪小説と通底しており興味深い。

本作以外には、レナード・プラインと共同して、女性がほぼ死滅した歪んだ世界を描いたSF『狂ったエデン』（1960、立風書房）と、「太陽がいっぱい」の監督ルネ・クレマンにより映画化されたパルプフィクション『危険がいっぱい』（1954、ハヤカワ・ミステリ）が訳されているのみだが、〈エロティカ〉と〈クライム・ノヴェル〉を繋ぐ存在として、もう少し読んでみたい作家である。

最後はまったく正反対のタイプの〈ユーモア小説〉を二作。まずは、汎愛主義ならぬ汎セックス主義——すみません、またセックスです——が地球全体を覆う未来世界を描いた六五年発表のブラック・ユーモア（ユムール・ノワール）小説『ミッシェルは夜』から。「労働とレジャーと真面目と金銭の力」でユートピアが実現できると信じて疑わなかった人類だが、七五年に戦争が勃発、一夜にして三千万人の犠牲者を出し、富を始めとしてあらゆるものを信じられなくなってしまう。そんな折、《セックスとわれらの剣》という本が出版され、セックスこそが唯一無二の価値あるものという汎セックス主義が人類の行動規範となる。

　あれやこれやの駆け引きや算段が、すべて無意味かつ無駄とされ、セックスがコーヒーを飲むくらいの意味しかもたなくなった〝愛〟なき社会で、ある日一人のコピーライターがなぜかは解らないままに一人の若い女性に惹きつけられてしまう。「これって、ひょっとして愛？」と思うものの、こんな時代に？　そもそも女性を愛するって何？　と煩悶するお話です。

　で、ハッピー／バッド、どちらの終わり方でもいいや、と生暖かい眼で主人公の行動を見守っていると、ラストから六行前で目が点になった。さらに結末の三行に思わず声を上げてしまった。こんなのありか、許されるのか!?　誤解のないように付け加えておきますが、意外な真相とかじゃないですよ。必死になって探す必要はありませんから、ミステリ・ファンの皆様。 

　この、読者を異次元にすっ飛ばしてしまう作風こそが作者ジャック・ステルンベルグの持ち味のようで、『五月革命'86』（1978、サンリオSF文庫）でも同様に、最後で作者の嘲笑が響き渡る。

　ベルギーに生まれ、作家を志してフランスに移住し、編集者時代にローラン・トポールを見出した〈ブラック・ユーモア〉の書き手の珍味は、すみません、私の口には合いませんでした。

　一方、中世さながらの生活を営むヨーロッパの架空の小国がアメリカに宣戦布告する、レナード・ウイバーリーによるユーモラスな風刺小説『ニューヨーク侵略さる』は、終始、ニコニコしながら読んでしまった。面白いですよ、これ。

　北アルプスに位置するグランド・フェンウィック大公国。数世紀にわたって独立を維持し、平和な生活を送ってきた人口わずか六千人の小国は、建国以来最大の危機に瀕していた。人口の自然増により国家財政が破綻寸前の状態に陥ってしまったのだ。愛飲家の憧れの的である少量生産の高品質ワイン以外に外貨を稼ぐすべのない大公国は、起死回生の奇手を放つ。なんとアメリカ合衆国に宣戦布告したのだ。狙いは敗戦国となって経済復興援助資金を投入してもらうこと。果たして目論みは成功するのか。

アメリカとソ連が核開発にしのぎを削り、核戦争の脅威が現実味を持って受け止められていた五〇年代に発表された本作は、核による世界平和の維持という大国のお為ごかしにチクリと一刺しする一級の風刺小説であると同時に、読んでいて思わず笑みがこぼれてしまうユーモア小説の逸品だ。

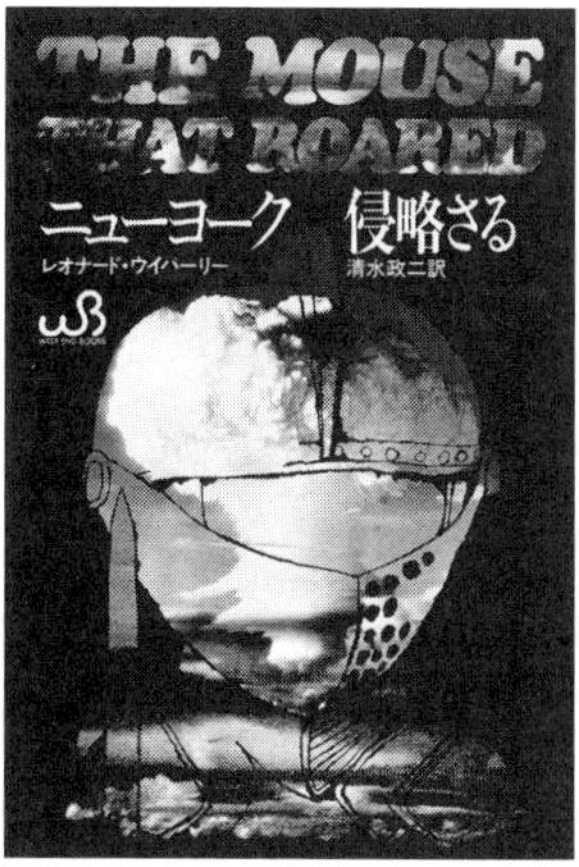

しかも物語の面白さに目を奪われて見落としがちだが、なまなかなミステリでは太刀打ちできないほど、プロットは精緻で練り込まれている。ある人物が、「二十日鼠がどんな風にライオンを馴らすのかな？」と半ばふざけた口調で問いかけるのだが、それこそが本作の読みどころ。『小鼠　ニューヨークを侵略』と改題されて、創元推理文庫に収録され、シリーズ四作が翻訳されているので、ぜひ手にとってみて下さい。

三

以上、【ウイークエンド・ブックス】に収録された二十七作中、〈性愛文学〉八作を除く十九作について見てきたが、全体を通してみると本叢書には二つの大きな特長があることがわかる。一つは映像化作品の多さ、もう一つは初紹介作家の多さだ。

前者に関しては、十九作中十一作が映像化されている（『ダイヤモンドの河』だけは、刊行後だが）。映画原作は企画が通りやすかったという、叢書発刊時に企画面で相談を受けた高橋泰邦の言を第一章に記したが、改めて見てみるとやはり結構な割合を占めていることが実感される。逆に、スクリーンと連動しない海外エンターテインメントの紹介に、講談社がまだまだ慎重だったと言えるのだが、これは今でも有効な、海外小説を刊行する際の定石なので、ことさら強調しなくてもよいかもしれない。

　後者に関して言えば、アリステア・マクリーン、ハモンド・イネス、アーサー・ヘイリーといった実力人気共に備え、長く翻訳が続いた売れっ子作家をいち早く紹介した功績は、もっと言及されてもよいと思う。

　そんな【ウイークエンド・ブックス】は、どうして誕生したのだろうか。残念ながら、叢書創刊の経緯に関しては、先述した高橋泰邦の言以外に見つけることが出来なかった。だからここから先は推論になる。ただし当たっているという自信はある。鍵を握っているのは、［ハヤカワ・ノヴェルズ］だ。結論から言ってしまうと、【ウイークエンド・ブックス】は、［ハヤカワ・ノヴェルズ］の成功があって初めて生まれたシリーズなのだ。

　この早川書房の叢書がスタートした六四年当時、チャールズ・E・タトル商会著作権課（現・株式会社タトル・モリ エイジェンシー）に勤めていた宮田昇が、著書『戦後翻訳出版の変遷　東は東、西は西』（早川書房）の中で述べているように、［ハヤカワ・ノヴェルズ］は、ジョン・ル・カレの世界的ベストセラー『寒い国から帰ってきたスパイ』（1963）を、同じく話題作だったメアリイ・マッカーシーの『グループ』（1963）と合わせて、「ミステリのジャンルではなく、エンターテインメントとして」大々的に売るために生みだされた叢書だ。その狙いは当たり、「もしそのシリーズが成功を収めれば、いままで〈の〉翻訳小説ものは売れぬといった考えを打ち破ることができるし、他でも安心して手がけるようになるだろう」（〈　〉内は引用者判断で補足）という宮田の思惑通りに、新規参入者が登場する。その一つが、講談社だったのではないだろうか。この推理に対する状況証拠が、『東は東、西は西』の中に書かれている。即ち、

「ハヤカワ・ノヴェルズのシリーズが出て、大成功を収めたとき、ある出版社の編集者がたずねてこられた。

「うちでも、ハヤカワ・ノヴェルズのようなものをだしたいので、協力してもらいたい」

　その大きな出版社の編集者はそういわれた。そして、プランに力を貸してくれそうなひとを紹介してほしいというので、ぼくは、二、三の人を紹介したのだった」

　この大手出版社こそ、講談社だったに違いない。と

いうのも六〇年代後半に、〝ハヤカワ・ノヴェルズのようなもの〟、即ちエンターテインメントに的を絞った翻訳小説のシリーズは、【ウイークエンド・ブックス】以外に刊行されていないからだ。

［ハヤカワ・ノヴェルズ］が連綿と続いているのに対して、残念ながら【ウイークエンド・ブックス】はわずか四年間に二十七作を刊行して終刊してしまった。最終巻の巻末に掲載された刊行予定作品は全部で八作。そのうち五作が「世界の新しい小説――全て初訳」というキャッチコピーのもと、引き続き講談社から、二作が版元を変えて、［ハヤカワ・ノヴェルズ］として無事刊行された。以下に作者名と邦題を記して、結びとしたい。〔 〕内は予告タイトル、（ ）内は発行年月日である。

■講談社刊：アン・エドワーズ『暗いルアンヌの旅』〔生き残り〕（一九七〇年八月二十日）、ジョン・キャスル『合言葉は勇気』（一九七〇年八月二十日）、ソル・ユーリック『逃げる〔夜の戦士たち〕』〔戦士たち〕（一九七〇年十一月十二日）、アンリー・ピエール・ロシェ『突然炎のごとく』（一九七〇年十一月十二日）、K・W・エアー『白い扇の軌跡』〔白檀の扇〕（一九七一年三月二十八日）

■早川書房刊：ロバート・J・サーリング『機長席』（一九八〇年六月三十日）、アルベルチーヌ・サラザン『アンヌの逃走』〔横丁〕（一九八七年十月三十一日）

ただ一作、カール・ミッキン『ハンブルグの宿』のみは、翻訳の有無はおろか、原著の存在も確認できなかった。ご存じの方がいたら、ぜひお教え願います。

《【ウイークエンド・ブックス】収録作品リスト》

講談社　全二十八巻（一九六六年七月から一九七〇年六月まで刊行）

●装幀：山藤章二　●装幀写真：15・16・17・18・19・20・21・25・27……浜田啓、22……オリオン、23……熊瀬川紀、26……東和映画提供

●挿絵：1……司修、2……中山正美、3・6・10・11・17・23……金森達、5……丘進一、7・9・13・26……丸山武男、8・16……小谷育弘、12……岡崎正明、14……角田宗八郎、15……佐藤光孝、18……吉田郁也、19……渡辺丈、20……堀林弥、21……小松完好、22・27……高橋猛、25……鴇田幹、4……無記名　●判型・体裁：1～20……B6判並製・ビニールカバー・帯　21～28……B6判並製・紙カバー

●訳者あとがき：1～10、12～16、18～27

No.	邦題	原題（原著刊行年）	作者	翻訳者	発行年月日	国籍
1	淑女スパイ　モデスティ・ブレイズ 唇からナイフ	Modesty Blaise（1965）	ピーター・オドンネル	榊原晃三	1966/7/25	英
2	八月の冷たき風	A Cold Wind in August（1960）	バートン・ウォール	三田村裕	1966/7/25	米
3	原子力潜水艦ドルフィン	Ice Station ZEBRA（1963）	アリステア・マクリーン	高橋泰邦	1966/8/30	英
4	淑女スパイ　モデスティ・ブレイズ クウェート大作戦	Sabre-Tooth（1966）	ピーター・オドンネル	榊原晃三	1966/9/30	英
5	偽りの楽園	L.A.46（1964）	ディ・キーン	伊東守男	1966/11/20	米
6	鍵	Stella (a.k.a. The Key)（1950）	ヤン・デ・ハルトグ	高橋泰邦	1967/1/20	蘭
7	ベニスへの密使	The Venetian Affaire（1963）	ヘレン・マッキネス	榊原晃三	1967/3/5	米
8	性の目覚め　ある少女の告白	MONIKA（1957）	アストリット・バン・ロイエン	伊東守男	1967/3/20	蘭
9	ローマの北へ急行せよ	North from Rome（1958）	ヘレン・マッキネス	梶龍雄	1967/5/30	米
10	12人の囚人兵　上	The Dirty Dozen（1965）	E・M・ナサンソン	伊東守男	1967/8/4	米
11	12人の囚人兵　下	The Dirty Dozen（1965）	E・M・ナサンソン	伊東守男	1967/8/4	米
12	肉体の映像	L'image（1956）	ジャン・ド・ベルグ	榊原晃三	1967/9/4	仏
13	蒼い死闘	The Blue Ice（1948）	ハモンド・イネス	大門一男	1967/9/4	英

14	ライク・セックス　娼婦マミーのホテル稼業	Hotel Mamie Stover (1963)	W・B・ヒュイ	平井イサク	1967/10/4	米
15	メリー・ディア号の遭難	The Wreck of the Mary Deare (1956)	ハモンド・イネス	高橋泰邦	1968/1/30	英
16	ミッシェルは夜	Toi, Ma Nuit (1966)	ジャック・ステルンベルグ	榊原晃三	1968/1/30	白
17	二年目のSOS	Maddon's Rock (1948)	ハモンド・イネス	梶龍雄	1968/3/12	英
18	愚なる裏切り	Run, Fool, Run (1966)	フランク・グルーバー	大門一男	1968/3/12	米
19	男たち	Men (1967)	グロリア・バレット	中嶋夏	1968/4/24	米
20	714便応答せよ	Runway Zero-Eight (1958)	アーサー・ヘイリー&ジョン・キャスル	清水政二	1968/4/24	英
21	あやまちの夏	Ung Leg (1956)	ヨハネス・アレン	平井イサク	1968/9/24	丁
22	ニューヨーク侵略さる	The Mouse that Roared (1954)	レオナード・ウイバーリー	清水政二	1968/9/24	愛
23	飛べ！　フェニックス号	The Flight of the Phoenix (1964)	エレストン・トレーバー	渡辺栄一郎	1968/10/24	英
24	長き季節の終わり	A Share of the World (1964)	アンドレア・ニューマン	三田村裕	1968/11/24	英
25	失なわれた虹とバラと	The Rainbow and the Rose (1958)	ネイビル・シュート	大門一男	1968/11/24	英
26	ヨーロッパ・ヒッピー宣言	Ik, Jan Cremer (1964)	ヨン・クレメール	伊東守男	1968/12/24	蘭
27	ホテル	Hotel (1965)	アーサー・ヘイリー	高橋豊	1970/6/12	英
28	ダイヤモンドの河	The River of Diamonds (1964)	ジェフリー・ジェンキンス	梶龍雄	1970/6/12	南ア
29	（横丁）	L'Astragale (1965)	A・サラザン	榊原晃三	未刊	仏
30	（突然炎のごとく）	Jules et Jim (1953)	A・P・ロオーシュ	伊東守男	未刊	仏
31	（ハンブルグの宿）	※未詳	C・ミッキン	伊東守男	※未詳	※未詳
32	（生き残り）	The Survivers (1968)	A・エドワーズ	榊原晃三	未刊	米
33	（合言葉は勇気）	Password is Courage (1955)	J・キャスル	渡辺栄一郎	未刊	英

34	**（機長席）**	The Left Seat (1966)	R・J・サーリング	清水政二	未刊	米
35	**（戦士たち）**	Warriors (1965)	S・ユーリック	岡本浜枝	未刊	米
36	**（白檀の扇）**	The Sandalwood Fan (1968)	C・W・エリイ	渡辺栄一郎	未刊	米

※　米＝アメリカ、英＝イギリス、仏＝フランス、蘭＝オランダ、丁＝デンマーク、白＝ベルギー、愛＝アイルランド、南ア＝南アフリカ

新訳・再刊等　（　）内は発行年月日

3『北極基地／潜航作戦』ハヤカワ・ノヴェルズ（1973/6/30)→ハヤカワ文庫ＮＶ（1983/7/31)

6『地獄のオーシャン・タッグ』三崎書房（1983/12/20)

7『ヴェニスへの密使』ハヤカワ文庫ＮＶ（1972/8/31)

12『イマージュ』ハヤカワ文庫ＮＶ（1973/5/15)→『イマージュ　甘美なる映像』河出文庫（1998/9/4)。『イマージュ』角川文庫、行方未知訳（1974/11/20)→富士見ロマン文庫（1985/5/10)。『イマージュ』ＫＫベストセラーズ、伊藤緋紗子訳（1999/8/5)

13『蒼い氷壁』ハヤカワ文庫ＮＶ（1972/7/31)

15 ハヤカワ文庫ＮＶ（1982/4/30)

17『銀塊の海』ハヤカワ・ノヴェルズ（1971/12/15)→ハヤカワ文庫ＮＶ、皆藤幸蔵訳（1975/7/31)

20『0-8滑走路』ハヤカワ文庫ＮＶ（1973/1/20)

21『白夜の恋』角川文庫（1972/4/10)

22『小鼠ニューヨークを侵略』創元推理文庫（1976/12/24)

23 酣燈社（1977/10/10)

27 新潮文庫（1974/9/20)

【ケイブンシャ・ジーンズ・ブックス／ヒッチコック・スリラーシリーズ】&

【松本清張編・海外推理傑作選】編

第一章

一

アルフレッド・ヒッチコックの名前を知らないミステリ・ファンはいないだろう。一九八〇年に八十歳で亡くなるまでに監督として五十三本のサスペンス映画を手掛け、特に五〇年代から六〇年代の全盛期には、「裏窓」「めまい」「北北西に進路を取れ」「サイコ」「鳥」等の映画史上に残る名画を次々と生み出し、数多くの観客を映画館へと呼び込んだ。

その一方で、自身の名前を冠したサスペンス・ドラマ・シリーズ「Alfred Hitchcock Presents（日本放映名「ヒッチコック劇場」）」の総監修として、不気味さとユーモアが同居する小味な物語を、毎週、お茶の間に提供した。ヘンリー・スレッサーやロアルド・ダール、ロバート・ブロック、ジョン・コリア、レイ・ブラッドベリといった短篇の名手の作品を脚色したひねりの利いたエピソードをさらに引き立てたのが、ヒッチコック本人によるプロローグとエピローグの語りだ。

怪しくもどこか滑稽なテーマ音楽〈マリオネットの葬送行進曲〉に合わせて登場するヒッチコックのシルエットが自画像の輪郭に重なり、次いで全身が映し出され、内容に応じたセットの中で、ブラック・ユーモアの利いた前説（まえせつ）を受けて本編が始まる。ドラマ終了後、再登場。思わず苦笑いしてしまうコメントで締めくくる。

五五年に始まったこの三十分番組は、六二年に一時間枠に拡大され「The Alfred Hitchcock Hour（日本放映名「ヒッチコック・サスペンス」）」と名を変えて、六五年までの十年間に、ヒッチコック自らが監督を務めた十八本を含む合計三百六十本が放映される人気長寿番組となり、日本でも五七年から六五年にかけて三百本近くがオン・エアされた。

これら映像の世界とは別に、活字の世界にもこの〝サスペンスの巨匠（The Master of Suspense）〟の名前を冠した重要なコンテンツが二つある。一つは五六年に創刊したミステリ雑誌《Alfred Hitchcock's Mystery Magazine》（以下、《AHMM》と略記）。もう一つは《AHMM》掲載作の中からアルフレッド・ヒッチコックが自ら選（よ）りすぐり編纂（へんさん）したと謳（うた）ったアンソロジーで、五七年の *Sto-*

ries They Wouldn't Let Me Do on TV を皮切りに、八〇年に亡くなるまでに実に百冊以上刊行された。

「ヒッチコック劇場」の成功を受けて誕生した《AHMM》のコンセプトは、小鷹信光が「短篇ミステリがメインディッシュだった頃　AHMM（I）」（「ハヤカワミステリマガジン No.683」二〇二三年一月号掲載）の中で、「〝ヒッチコック・タッチ〟のプロットやオチのツイスト（卓抜なひねり）を身上とする作風の短篇ミステリを〝メインディッシュ〟にしてきた」「ありていにいえば「ヒッチコック劇場」でドラマ化され得る語り口の作品であることが《AHMM》に採用される基準だったといってもよい」と指摘しているように、心地よい刺激とサプライズを兼ね備えたテンポが良いサスペンスを数多く掲載した。

もっとも、いずれも名前を使用する権利を売っただけで、ヒッチコック本人は編集にも編纂にも一切タッチしておらず、各篇の前説も序文もすべてゴースト・ライターの手になるものだったそうだ。

その中の一人が、「五十一番目の密室」の作者として日本でも有名なロバート・アーサーであり、《AHMM》の五七年七月号に掲載された密室ものの傑作「ガラスの橋」に田中潤司が惚れ込んだことが、日本版「ヒッチコック・マガジン」の誕生へと繋がっていく。

当時田中は、潰れかかっていた探偵小説専門誌「宝石」の再建の為に誌面の刷新を図っていた新編集長・江戸川乱歩のもとで、同誌のブレーンとして海外ミステリのセレクトを一手に担っていた。そして財政難の同誌に何とか「ガラスの橋」を訳出できないかと悩んでいたところ、エージェントの人間から「ヒッチコック・マガジンのページを作って、毎月作品を三つか四つ載せることにすると割と安くできるんじゃないか」（「田中潤司語る――昭和30年代本格ミステリ事情」、『北村薫（きたむらかおる）の本格ミステリ・ライブラリー』角川文庫、所収）と言われて、五八年八月号から〈ヒッチコック・

ミステリーズ〉というコーナーを設けたところ大変な人気を得る。

　ところが一年後の契約更改に際して、問題が発生。朝日新聞社が「週刊朝日」の別冊として《AHMM》の完全版を出したいと名乗りを上げてきたのだ。自社で完全版を出すか契約を解除するかの二者択一に悩んだ結果、乱歩は「ヒッチコック・マガジン」の発刊を決意する。この辺の事情は、乱歩に呼ばれて初代編集長に任命された小林信彦の『回想の江戸川乱歩』（光文社文庫）に詳しいので、ぜひご一読のほどを。

　かくて、五六年創刊の「エラリイ・クイーンズ・ミステリ・マガジン（現・ハヤカワミステリマガジン）」、五八年創刊の「マンハント」に続いて、第三の翻訳ミステリ専門誌「ヒッチコック・マガジン」が誕生。三誌鼎立という今では考えられないような賑やかな時代が幕を開けるものの、宝石社の営業不振により、六三年七月号で同誌は休刊。丸四年間に本誌四十八巻別冊二巻の全五十巻を発行し幕を下ろした。

　その後の半年間に二度、「別冊宝石」の〈ヒッチコック・マガジン傑作集〉という形で本国版の作品を紹介し続けたが、六四年五月に宝石社自体が倒産してしまった。

　ちなみに《AHMM》は、現在も健在で、《Ellery Queen's Mystery Magazine》と同じ版元のDELL社から刊行されており、二〇二一年には創刊六十五周年を迎えた。

二

　そんな《AHMM》掲載作に的を絞った叢書が、日本でも二つ編まれている。一つは【ケイブンシャ・ジーンズ・ブックス／ヒッチコック・スリラーシリーズ】、もう一つは【松本清張 編・海外推理傑作選】だ。前者は七六年勁文社から、後者は七八年集英社から刊行された。

　今回、趣向を変えて異なる版元の叢書を同時に訪れてみようと思ったのは、ともに七〇年代後半に編纂された二つのシリーズが、同じ雑誌をベースにしながら対照的な叢書となっており、両者を比較してみたら面白いだろうと思ったためだ。素材は同じなのに見た目も味わいもまるで異なる料理を食べ比べてみたい、とでもいおうか。

　両者に共通するのは、こんなところだ。

●収録作はすべて《AHMM》に掲載された後、〝アルフレッド・ヒッチコック編纂〟と謳ったアンソロジーのいずれかに収録された作品の中からセレクトして独自に編纂し直した日本オリジナル・アンソロジー数巻で構成されている
●両方の叢書に共通して収録されている作家は十一人
●当時既に翻訳されていた作品は四割以下で、六割以上は初訳
●編集プロダクション主体で発刊
一方、相違点については後ほど詳しく探っていくが、概要を挙げてみると、
●前者は各巻の収録作に際立った特徴が見られず、一冊のアンソロジーを四分割したように感じられるのに対して、後者は全六巻がテーマ毎に編纂されている
●前者はペイパーバックを模した造りなのに対して、後者は四六判上製本
●前者のターゲットがミステリ・ファンに限らない〝若者〟全般なのに対して、後者はミステリ・マニア向け
●前者は巻末に編集プロダクションによる発刊の辞を、後者は巻頭にエラリー・クイーンからのメッセージを掲載
●前者は編プロが創作したと思しきヒッチコック名義の前説、後者は編者・松本清張によるルーブリック付き
といったところだろうか。

それでは、それぞれの叢書を探っていくことにしよう。まずは【ケイブンシャ・ジーンズ・ブックス／ヒッチコック・スリラーシリーズ】からだ。

『死霊の館』『蜂』『謎のキャンパス殺人』『蝿人間』というセンセーショナルなタイトルを付けられた全四巻からなるこの叢書を手に取った人は、まず間違いなくこう言う。「なんて読みにくい本なんだ」と。というのも通常の新書サイズよりも奥行きが十五ミリ短いので持ちにくい上に、ペイパーバックを真似た表紙の素材が分厚すぎてしならず、ページを開くのに一苦労するためだ。しかも本体の紙も硬くて、常に力を入れていないとすぐに本が閉じてしまうのだ。

デザイン面でも変わっている。表表紙と裏表紙には

黒と蛍光色――『死霊の館』がグリーン、『蜂』がピンク、『謎のキャンパス殺人』がイエロー、『蝿人間』がオレンジ――のぶっとい横縞が描かれ、値段とタイトルと収録作品名を記した帯が縦に掛けられている。本というよりは昔懐かしいLPレコードのジャケットのような仕上がりとでもいおうか。

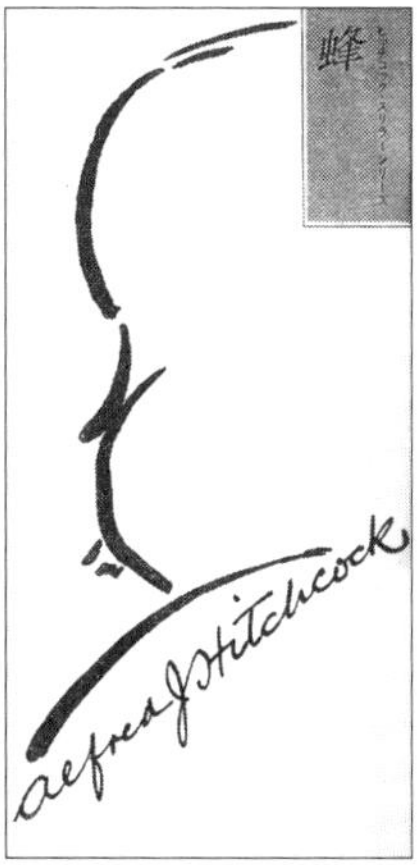

　さらに表紙を開くと、扉にはあのヒッチコックの似顔絵が描かれ（著作権料とか発生しなかったんだろうか）、目次は映画のフィルムをベースに、収録作の邦題と作者名を記したコマと、原書のカバー絵をトリミングしたコマを組み合わせるという凝った造りになっている。例えば『死霊の館』は *Alfred Hitchcock's Death-Mate* の、『蜂』は *Alfred Hitchcock's Boys and Ghouls Together* のカバーアートを使用。そして各収録作の前には、ヒッチコック名義の前説――間違いなく贋作――を附し、奥付の前に、映画のエンドクレジットを模してフィルムのコマの中に編プロのスタッフ名を記すという念の入れよう。何とかして本という形式で「ヒッチコック劇場」を再現したいというこだわりが随所に感じられ、思わずニヤリとしてしまう。

　とはいえ、この人気番組のオン・エア終了から十年以上が経っていた七六年というタイミングで、なぜこのような叢書を編纂しようと思ったの

だろうか。しかも勁文社という翻訳ミステリはおろか、小説自体ほとんど出したことのなかった版元から。

　四十年以上前のことであり、二〇〇二年に勁文社も倒産しているので状況証拠をもとに推理するしかないのだけれど、恐らく事業拡大を図る勁文社とヒッチコック・タッチの洒落た作品をまとめて紹介したかった編集プロダクション（株）アドバルーンの思惑が一致した結果誕生したのではないだろうか。鍵を握っていたのは青島幸男だ。

　六〇年に創業した勁文社は、主にフォノシートやカーステレオテープを専門に扱う会社だったが、七〇年代になって頭打ちになったため、当時編集者だった後のノンフィクション作家・佐野真一が怪獣ブームに目を付けて、七一年に『原色怪獣怪人大百科』を企画・編集したところ大ヒット。七四年には『全怪獣怪人大百科〈保存版〉』として文庫サイズに生まれ変わり、これをベースに七八年、《ケイブンシャの大百科》シリーズが誕生。七〇年代から八〇年代の子供たちの心を鷲摑みにした「元祖サブカル本」は、同社の大黒柱となる。

　一方、大人向けの書籍としては、「枠などにはまらず自由にのびのび行動する谺のように、現代の若いエネルギーを引き出し、未来への希望を育てそして生きる勇気と自信を見いだそう」という謳い文句で七四年に《エコーブックス》を創刊、アレックス・ベン・ブロック『ブルース・リーの伝説』（1974）を始め若者受けを狙った内外のフィクションとノンフィクションを新書サイズで刊行し始める。その一冊として、七五年にソル・ワインスタイン&ハワード・アルブレヒト『にわとりのジョナサン』（1973）が訳された。前年に日本にも紹介されたリチャード・バックの世界的ベストセラー『かもめのジョナサン』（1970、新潮文庫）のパロディーであるこの本を創作翻訳したのが、放送作家兼タレント議員として絶大な人気を博していた青島幸男だ。 

　本叢書を企画した（株）アドバルーンは、そんな青島が司会を務める人気番組「お昼のワイドショー」（六八年〜八七年）の放送作家を中心とした編集プロダクションであり、その縁で勁文社と繋がりが出来たのだろう。翻訳を担当したのは、鳴海昌明と伊東喜雄、松尾保、後に小説家となる吉川潮、哲学者であり翻訳者でもある内田樹。内田の高校時代の同窓生で映画編集者の板垣恵一と青島の都知事時代の秘書・辺見広明、元グラフィックデザイナーで手作り革製品工房HERZの創業者近藤晃理が叢書全体の演出を担当した。

　そんな彼らの中で、ニューヨーク滞在体験を綴った『カフェ・ニューヨーカー』（銀河出版、二〇〇二年）の著者であり、アドバルーンの中心人物だった鳴海昌明が、「ヒッチコック劇場」のファンであり、ヒッチコック編纂アンソロジーを持っていて、それを当時アメリカの生活様式に憧れを抱いていた多くの日本の若者に送り届けたかったのではないだろうか。

「●ヤングのジーンズブックス！」と題した発刊の辞を読むと、こんな推理も、あながち的外れではないのではと思えてくる。曰く、「一九七六年――、アメリカ合衆国は建国二〇〇年祭に賑わっている。この記念すべき年に、アメリカの象徴、ジーンズの名を借りた〝ジーンズブックス〟を出版することは、なにか意義深い／若者は、本を読まなくなった……／そんな声が多いようだが、それは正確な評ではない。われわれは、多くの本を読んでいる。ただ、それが活字ではない、というだけの事で、マンガであったり、写真であったりそれだけの違いである。この活字以外の情報、知識、教養によってわれわれは、十分人間関係を、保ち生きてるんだ／われわれと一緒に語り、考え、作っていく〝ジーンズブックス〟／「ヤングが作るヤングのためのヤングの本である」／だから〝ジーンズブックス〟は、若者の会話であり、広場である。企画やアイデアを〝ジーンズブックス〟に連絡しょう。どんどん採用して〝ジーンズブックス〟を増やそうではないか！／もちろんキミの手で、やってもらいたいのだ」。

　また巻末の広告ページではキャッチコピーとして、「青春…／情熱…／愛…／ロマン」（『死霊の館』）、「ステージスクリーン／コンサート／ショー」（『蜂』）、「ピラミッド／UFO／宇宙／テレパシー」（『謎のキャンパス殺人』）、「ヒッチハイク／キャンプ／ドライブ／バケイション」（『蠅人間』）と、各巻の内容とは無関係に、七〇年代半ばの若者の関心を引くキーワードを羅列し、続けて「…そしてジーンズブックス 絶賛発売中！」とアピールしている。その上、定価表記を1＄（￥３００）と、当時の為替相場で記す徹底ぶりだ。

そんなパッケージの中に、以下の作品が収められていた（☆は単行本初収録作、★は初訳。括弧の中の題名は同作品の別の邦題）。

■『死霊の館』（全編★）

①「死霊の館」ロバート・アラン・ブレイアー、②「子供は嫌い」ジェイムス（ジェイムズ）・ホールディング、③「静かなる殺人」エリジャア（イライジャ）・エリス、④「とかく女は」C・B・ジルフォード（ギルフォード）、⑤「プラン19（脱走計画No.19）」ジャック・リッチー、⑥「夜の声」ロバート・コルビー

■『蜂』（全編★）

⑦「蜂（刺した！）」アーサー・ポージス、⑧「証拠は夢にきけ」C・B・ジルフォード、⑨「冷凍庫14」トルメイジ（タルメッジ）・パウエル、⑩「死神は棺桶の中」ジョナサン・クレイグ、⑪「殺人訪問」ロバート・コルビー、⑫「スペードの2」エド・ラッシー（レイシイ）

■『謎のキャンパス殺人』

⑬☆「謎のキャンパス殺人（ホリス教授の優雅な生涯）」C・B・ジルフォード、⑭☆「引き裂かれた新聞広告（ある記事、新聞広告）」ヘンリー・スレッサー、⑮★「虎の吠える日」ジャック・ウェッブ、⑯★「ニセ札」フランク・シスク、⑰★「人知れぬ楽しみ」ミッチェル・ブレッド（マイケル・ブレット）、⑱★「隣の視線」リチャード・ハードウィック

■『蠅人間』

⑲★「蠅人間」シド・ホフ、⑳★「桃（桃の収穫の季節）」ジャック・ウェッブ、㉑☆「著作権（天才の夢）」エド・ラッシー、㉒★「命の値段」フレッチャー・フローラ、㉓★「バーゲン狂」ジェームス・ホールディング、㉔☆「掟（ようこそお越しを）」ジャック・リッチー、㉕☆「警官に手を出すな（巡査殺し）」ジェームス（ジェイムズ）・ホールディング

これらの短篇は、本叢書が編纂される数年前の六〇年代後半から七〇年代前半にかけて刊行された以下の七冊のアンソロジーに収録されたものだ。

1 *Alfred Hitchcock: Murders I Fell in Love With*（1969）⑧⑳㉔の三篇を収録
2 *Alfred Hitchcock Presents: This One Will Kill You*（1971）②④⑤⑥⑩⑭⑰㉑の八篇収録
3 *Alfred Hitchcock's Death Can Be Beautiful*（1972）⑮㉕の二篇収録
4 *Alfred Hitchcock's Happy Deathday!*（1972）⑨㉒の二篇収録
5 *Alfred Hitchcock's Death-Mate*（1973）⑲㉓の二篇収録
6 *Alfred Hitchcock's Boys and Ghouls Together*（1974）①⑦⑬の三篇収録
7 *Alfred Hitchcock's Murder Racquet*（1975）③⑪⑫⑯⑱の五篇収録

第二章

一

続いて、もう一つの叢書【松本清張編・海外推理傑作選】を探っていく。謎に包まれた【ジーンズ・ブックス】とは違い、【松本清張編・海外推理傑作選】は、発刊に至る経緯や編纂の意図がはっきりしている。これは、松本清張とエラリー・クイーンという東西の巨匠の手になる、日米のミステリ界をつなぐ画期的なプロジェクトの一環として誕生したシリーズなのだ。

本叢書刊行の八ヵ月前、即ち七七年九月にエラリー・クイーンことフレデリック・ダネイは初めて日本を訪れた。光文社から要請されて編んだ、クイーン初の日本人作家アンソロジー『日本傑作推理12選』*Ellery Queen's Japanese Golden Dozen* と第二弾『日本傑作推理12選　第2集』が同年に刊行されたこと、及び《Ellery Queen's Mystery Magazine》（以下、《EQMM》と略記）との特約契約を解消した「ミステリマガジン」に代わって、新たな《EQMM》日本版となる雑誌「EQ」が、翌七八年一月に同社から創刊されることに合わせての来日であった。光文社と仲介に当たった（株）スエディット、そして松本清張の招きに応じたクイーンは、ミステリの魅力や創作手法に関して清張と白熱した議論を展開（「8000マイルを超えた共感」、「EQ　No.1」掲載）、翌日、新作『熱い絹』（講談社文庫）の取材に行く清張に同行して香港を訪れた。

その帰りの機中でクイーンは、清張にアメリカン・ミステリのアンソロジー編纂を持ちかける。その時の二人のやりとりは、【松本清張編・海外推理傑作選】の各巻冒頭に置かれた「親愛なる読者のみなさまへ」というクイーンからのメッセージに、次のように記されている。「「松本氏が、アメリカの推理小説を読者としてだけでなく、編集者や評論家の立場で取り扱う労をとられれば、アメリカの作家達も松本氏をはじめとして日本の作家の作品にもっと関心を持つようになるでしょう」／幸い松本氏は私のこの言葉を受け入れられ、その後すぐにこのアンソロジーのシリーズで、氏の慧眼に叶う秀れた作品を選び出すことになりました／松本氏はこのアンソロジーを、六つのジャンル――アリバイ、サスペンス、探偵、クライム、密室そしてサイコロジーに分類しました。私には、この六つのカテゴリーが日本推理小説の傾向を象徴しているように思われます」

かくして、【松本清張編・海外推理傑作選】（全六巻）が編まれることとなった。ただし版元は光文社ではなく集英社。さらに、クイーンからの申し入れであるにもかかわらず《ＥＱＭＭ》ではなく《ＡＨＭＭ》掲載作から選出している。なぜ清張の著作を一作も出していない縁の薄そうな版元が選ばれたのかは不明だけれど、《ＡＨＭＭ》が選ばれた理由は何となく想像できる。「ＥＱ」との特約契約に配慮して《ＥＱＭＭ》を避け、同じくDavis社から刊行されていた《ＡＨＭＭ》をベースとすることでアンソロジーとしての特徴を出そうとしたのだろう。いや、そんな複雑な話ではなく、単に《ＡＨＭＭ》の方が清張の好みの作品が多かっただけなのかも知れないけれども。

二

こうして二大巨匠の交流から生まれた本叢書は、「松本清張の厳しい眼が多彩な現代海外推理の中から代表的な傑作を選びぬく！」という堂々たる謳い文句を帯に記し、四六判上製、平均二百七十ページ全六巻からなる随所に力の入った造本となっている。

山岡茂率いるスタジオ・ギブ――ミステリ関係では、後に【ミステリアス・プレス文庫】でアーロン・エルキンズの《ギデオン・オリヴァー》シリーズのデザインを手掛けたデザイン事務所――による装幀は、表表紙はシンプルな抽象画に、編者・松本清張の名前とタイトルを大きく記し、「海外推理傑作選」というシリーズ名は、その上に小さく配して、収録作家と作品名を八級（二ミリ）の細かい英文で羅列。背表紙にも大きく記されているのは〝松本清張編＋各巻のタイトル〟のみで、シリーズ名は帯に記されているものの、カバー本体には天辺に小さく横書きで印字されているのみ。そして裏表紙には、日本を代表する写真家・秋山庄太郎による光量をギリギリまで絞った松本清張のポートレートが全面に印刷され、邦題と作家名が表表紙の英語表記と同じ大きさで並べられている。

人気作家が選んだというウリを前面に押し出すのは、こうした企画の常套手段だけれども、本叢書の場合、あまりにも強調しすぎて、ちらっと外見を見ただけでは海外ミステリのアンソロジーだと解りづらく、古書店でも清張作品として日本文学の棚に並べられていることがあるのでご用心。

ちなみに、カバー折り返し最下部の帯をめくらないと見えない部分に、ちゃんとFrom the Alfred Hitchcock Anthology Seriesと記載されているので、注意深い読者ならば、この叢書が何をベースに編まれたのかが解るようになっている。

そんなパッケージ面ではちょっと首をかしげてしまう本叢書だが、作品のセレクトに関しては一切不満はない。なぜかプロの翻訳者を起用していないので、ちょっとぎこちない訳文が見受けられるのが玉に瑕(きず)だが、三十一人の名手による五十七篇の収録作すべてが一級品という、まさに捨て曲無しのアルバム・コレクション。これまでに編まれたアンソロジー・シリーズの中でも、上位を争う出来映えだ。

各巻の収録作は以下の通り（☆は単行本初収録作、★は初訳。括弧の中の題名は同作品の別の邦題）。

■『完全殺人を買う』〈心理サスペンス〉
①☆「完全殺人を買う（殺人双曲線）」ジャック・リッチー、②★「フェア・ゲーム」ジョン・コーテズ、③☆「とぎれた記憶」C・B・ギルフォード、④★「小さな声（見なれぬ乗客）」リチャード・ハードウィック、⑤☆「第一容疑者（容疑者ナンバー・ワン）」リチャード・デミング、⑥☆「昔の罪（黄昏(たそがれ)の雷鳴）」エドワード・（D・）ホック、⑦★「招かれざるダディ」ダヴィッド（デイヴィッド）・アレクサンダー、⑧☆「リンゴの木の下にすわらないで（リンゴの木の下で）」ヘレン・ニールセン（ニールスン）、⑨★「最終章」リチャード・O・ルイス

■『決定的瞬間』〈アリバイ工作〉
⑩★「睡蓮」リチャード・ハードウィック、⑪★「ねずみとり」エドウィン・P・ヒックス、⑫★「つながれた男」ジャック・リッチー、⑬★「絞殺魔」リチャード・デミング、⑭☆「災いの海（わざわいの海、

海のごとき憂(うれ)い）」ヘンリー・スレーサー（スレッサー）、⑮☆「証人」ヘレン・ニールセン、⑯★「決定的瞬間」ローレンス・トリート、⑰★「消えた六〇マイル」アーサー・ポージス、⑱★「鳩時計」リチャード・デミング

■『黒い殺人者』〈探偵、刑事、保安官〉

⑲★「けちんぼハリー」リチャード・ハードウィック、⑳★「血なまぐさい家系」リチャード・デミング、㉑★「サマー・キャンプ」ドナルド・ホニッグ（ホーニグ）、㉒★「相続人の死」エド・レイシー（レイシイ）、㉓☆「黒い殺人者（証言する馬）」ロバート・C・アクワース、㉔★「うそつき」ウィリアム・ブリテン、㉕★「静かなる逆流」スタンレー・アボット、㉖☆「テーブルの男（ポーカー・テーブルの男）」C・B・ギルフォード、㉗☆「観察（ひな菊は知っていた）」アーサー・ポージス、㉘「七番目の男」ヘレン・ニールセン

■『密輸品』〈サイコロジー〉

㉙★「催眠術師」ヘレン・ニールセン、㉚☆「事実と判決（神々は裁く）」オーガスト・デーレス（ダーレス）、㉛★「密輸品」ジェイムス（ジェイムズ）・ホールディング、㉜★「骨董品」ハル・エルソン（エルスン）、㉝☆「満潮（あげ潮）」リチャード・ハードウィック、㉞★「中身は死体」C・B・ギルフォード、㉟★「ある日花咲く庭で」フレッチャー・フローラ、㊱☆「マレーボーンへ3マイル（死へ3マイル）」ヘンリー・スレーサー、㊲★「感度のいい陪審員」リチャード・デミング、㊳☆「捨て台詞（商売を忘れるな）」ボーデン・ディール

■『優しく殺して』〈犯罪小説〉

㊴★「プロフェッショナル」ロバート・コルビイ、㊵★「ヒッチハイカー」ブルース・ハンズバーガー、㊶★「ベッドからの眺め」ハル・ドレスナー、㊷★「チンパンジーはばかではない」タルメージ・ポーエル（パウエル）、㊸「信用できる男（助太刀稼業）」ジャック・リッチー、㊹☆「ルースの悩み（手長姫）」ヘンリー・スレーサー、㊺☆「お膳立ては完璧（冷たい料理）」ログ・フィリップス、㊻★「ルクレジア」H・A・デロッソ、㊼☆「優しく殺して（やさしく殺

して）」C・B・ギルフォード、㊽★「空包」フレッチャー・フローラ

■『犯罪機械』〈密室〉

㊾★「ミネルバは死なない」アーサー・ポージス、㊿☆「錠をかけろ（鍵をかけろ！）」ドナルド・E・ウェストレイク、(51)☆「女の感覚（ちゃっかりした女）」リチャード・デミング、(52)☆「もうひとりのセールスマンの死（贋作・セールスマンの死）」ドナルド・ホニッグ、(53)★「ぼくにぴったりの犯罪」ハル・ドレスナー、(54)☆「金庫破り（魔の指サミー）」ヘンリー・スレーサー、(55)★「美女にご用心」マイケル・ブレット、(56)☆「呪われた図書室（図書館の怪、呪われた書斎）」オーガスト・デーレス（ダーレス）、(57)「犯罪機械（クライム・マシン）」ジャック・リッチー

各作品が収録されている元々のアンソロジーは、六〇から七〇年代半ばにかけて刊行された以下の二十四冊（◆は【ケイブンシャ・ジーンズ・ブックス／ヒッチコック・スリラーシリーズ】の元本でもある）。

1 *Alfred Hitchcock's A Hangman's Dozen*（1962）②⑮の二篇を収録

2 *Alfred Hitchcock Presents: 16 Skeletons from My Closet*（1963）⑦㉖(52)(57)の四篇を収録

3 *Alfred Hitchcock's Once Upon a Dreadful Time*（1964）⑤⑲㉜の三篇を収録

4 *Alfred Hitchcock Presents: Stories Not for the Nervous*（1965）㊶の一篇を収録

5 *Alfred Hitchcock's Anti-Social Register*（1965）㊸㊾の二篇を収録

6 *Alfred Hitchcock's Noose Report*（1966）㉚㉝㉞㊳㊹の五篇を収録

7 *Alfred Hitchcock's Coffin Corner*（1967）⑨⑳の二篇を収録

8 *Alfred Hitchcock: Murders I Fell in Love With*（1969）㉓の一篇を収録 ◆

9 *Alfred Hitchcock's Get Me to the Wake On Time*（1970）㊻㊼(54)の三篇を収録

10 *Alfred Hitchcock's Down by the Old Bloodstream*（1971）④(55)の二篇を収録

11 *Alfred Hitchcock Presents: I Am Curious*

(*Bloody*)(1971)⑥㉗の二篇を収録

12 *Alfred Hitchcock Presents: This One Will Kill You*(1971)⑱の一篇収録 ◆

13 *Alfred Hitchcock's Death Can Be Beautiful*(1972)③㉟の二篇収録 ◆

14 *Alfred Hitchcock's Happy Deathday!*(1972)⑩㉑㉕㊱の四篇収録 ◆

15 *Alfred Hitchcock's a Hearse of a Different Color*(1972)⑰㊺(56)の三篇を収録

16 *Alfred Hitchcock's Boys and Ghouls Together*(1974)⑭㊿の二篇収録 ◆

17 *Alfred Hitchcock's Bleeding Hearts*(1974)⑫㊲㊷の三篇を収録

18 *Alfred Hitchcock's Behind the Death Ball*(1974)⑯㉘㊵の三篇を収録

19 *Alfred Hitchcock's Coffin Break*(1974)⑧(51)の二篇収録

20 *Alfred Hitchcock's Grave Business*(1975)㉙㊴の二篇収録

21 *Alfred Hitchcock's Murder Racquet*(1975)⑪⑬㉛の三篇収録 ◆

22 *Alfred Hitchcock's Murderers' Row*(1975)㉔の一篇収録

23 *Alfred Hitchcock's Speak of the Devil*(1975)㉒㊽の二篇収録

24 *Alfred Hitchcock's Witches' Brew*(1975)①(53)の二篇収録

三

これら収録作すべてに対して中扉が設けられ、左端に作品名と作家名が日本語と英語で縦に記され、真ん中には作品内容に相応(ふさわ)しいカットが描かれている。作者の安藤茂樹は、後の売れっ子ギャグ漫画家・安藤しげきですが、イラストレーター時代は、こんな小洒落た画風だったんだとちょっとびっくりしてしまい

完全殺人を買う――ジャック・リッチー
WHEN BUYING A FINE MURDER, JACK RITCHIE

ました。

　さらにこの中扉の裏に、松本清張による実作者ならではの短評が掲載されているので、二つ三つ引用してみると、

「この編中、もっとも感心した作品のひとつである。商業用手紙の口述を入れたテープと、戦時のナツメロ音楽を入れたテープと、そのつかいかたのうまさ。雰囲気の平板を破り、流動的な場面に仕上げた作者の腕の冴え」（「リンゴの木の下にすわらないで」）

「「なんてすごい殺人計画！　完全に利害関係のない第三者を証人に仕立て上げ、……」。これがこの小説を思いついた作者のモチーフであり創作の原動力であったにちがいない。それを実作にどのように配列していったか、読後にその技法を検討してみるのも興味があろう」（「鳩時計」）

「本屋での立ち読みほど身につく読書はない。店頭に一冊しか残ってなかった密室ものの探偵小説。むりに買わされたその本には一ページぶんが破りとられていた。――泥棒学生の読書と、その実践との「同時進行」的描写。めずらしい構成」（「ぼくにぴったりの犯罪」）

　短くも興味を駆り立てる評に感心する一方で、当時多忙を極めていたであろう清張が、はたしてこれだけのアンソロジーを編む時間をとれたものだろうか、という疑問が頭をかすめてしまう。というのも、クイーンに話を持ちかけられてから第一巻『完全殺人を買う』が刊行されるまでわずか八ヵ月しかなかった上に、その後の半年で全六巻を完結させているからだ。

　本叢書のベースとなった二十四冊に収録された作品は全部で三百四十九篇。それだけの量の英文を読み、各巻からほぼ均等に二、三篇ずつ選出し、その上で五十七篇をテーマ毎に編纂して六巻のアンソロジーを編むのは並大抵の仕事量ではない。

　では誰が編纂したのだろうか。奥付を見ると編者兼解説者・松本清張の名前と並んで、編集人として株式会社スエディットと記載されている。ここからは憶測となるが、実際の編集作業はこの会社が行い、清張自身はセレクトされた作品を読んで短評を書くにとどめたのではないだろうか。

　その傍証となるのが、先述した二冊の『日本傑作推理12選』だ。前書きに記されているように、これらは、

ＥＱＪＭ（エラリー・クイーンズ・ジャパニーズ・ミステリー）委員会という予選委員会が候補作を選出し、英訳してクイーンに送ったものの中から、巨匠の眼鏡にかなった作品が十二篇貯まった段階で一冊の本とする方式で編まれた。この委員会を編成したのがスエディット社なのだ。同社が、クイーンに対する返歌とも言える本叢書を編集するに当たって同じ方式を採ったことは、まず間違いないと思う。

その中心人物として活躍したのが、クイーン来日の陰の立て役者でもあった同社社長の五十嵐鋼三だ。総合商社勤務後、同社を設立した氏は、数少ない日本人のＭＷＡ会員であり、本叢書編纂から七年後の八五年には、*Ellery Queen's Prime Crimes* に短篇 The Visitor が掲載されている。その後、九四年には、『ヴィオロンのため息の高原のＤデイ』（角川文庫）で第十四回横溝正史賞を受賞、五十嵐均の筆名でミステリ作家としてデビューする。ちなみに実妹の夏樹静子は、氏の影響でミステリに目覚めたという。

氏は松本清張とも親交が深く、本叢書刊行と同じ七八年に、清張や野村芳太郎とともに（株）霧プロダクションを設立した。

【松本清張編・海外推理傑作選】は、そんな五十嵐鋼三なくしては、成立し得なかったといっても過言ではないだろう。

四

さて、肝心の中身だけど、さすがに三十七作家八十二作品すべてに触れることは無理なので、ジャック・リッチーやヘンリー・スレッサーといった内実ともに高い作家は敢えて外して、《ＡＨＭＭ》では人気作家だったけれども、なぜか日本では人気が出なかった作家と、両叢書収録作以外には、ほとんど訳されなかった作家の中から、特に印象に残ったものを挙げてみる。

前者を「ヒッチコック・マガジン」訳出数の多い順に見てみるとこんなところ。リッチー、ホックに続いて《AHMM》掲載作品数第三位のC・B・ギルフォード「謎のキャンパス殺人」「証拠は夢にきけ」「テーブルの男」「優しく殺して」は、どれもラストのひね り方が秀逸。「リンゴの木の下にすわらないで」「証人」は、『死への回り道』（1953、ハヤカワ・ミステリ）を始め、硬質かつ冷徹でサスペンスフルな犯罪小説に秀でたヘレン・ニールスンの面目躍如たる逸品。スレッサーに次いで第五位の掲載数を誇るジェイムズ・ホールディングの思わずニヤリとしてしまうユーモラスな「バーゲン狂」「密輸品」。トリッキーなハードボイルドの傑作『ゆがめられた昨日』（1957、ハヤカワ・ミステリ文庫）、『さらばその歩むところに心せよ』（1958、ハヤカワ・ミステリ）の作者エド・レイシーによる意外な動機もの「著作権」。三百篇以上のミステリに加えて二百篇もの他分野の短篇を発表する一方、クイーンのペイパーバック・オリジナル（PBO）四作を代作したタルメッジ・パウエルの小粋な幽霊譚「冷凍庫14」。同じくクイーンのゴーストとして『摩天楼のクローズドサークル』（1968、原書房）等十作を書き、マックス・フランクリン名義では《刑事スタスキー&ハッチ》シリーズを始めとする数多くのノベライゼーションをものし、本名では日本オリジナル短篇集として『クランシー・ロス無頼控』（ハヤカワ・ミステリ）が編まれたペイパーバック・ライター、リチャード・デミングの「第一容疑者」「絞殺魔」「鳩時計」「女の感覚」は、緊張感漲る展開とラストの落とし方が秀逸な犯罪小説だ。

　後者の中では、ナイトクラブのピアノ弾きで、《87分署》シリーズに一年先駆けて《マンハッタン6分署》シリーズで警察捜査小説を始めたジョナサン・クレイグの意外な結末の人情譚「死神は棺桶の中」、禿げ頭のノミ屋《サム・ダッカース》の連作や、六〇年代末のニューヨークの雰囲気を味わわせてくれる軽ハードボイルド《ピート・マクグラス》シリーズ（『デス・トリップ』1967、河出書房新社）の作者マイケル・ブレットの都会派犯罪小説「美女にご用心」、『ちびっこ大せんしゅ』（1976、大日本図書）を始め絵本作家としても活躍したシド・ホフのノスタルジックな怪異譚「蝿人間」、ジェフリー・ディーヴァーの短篇を彷彿させるブルース・ハンズバーガー「ヒッチハイカー」。

　他にもジャック・ウェッブ「桃」、ロバート・コルビー「夜の声」、リチャード・O・ルイス「最終章」、ハル・ドレスナー「ベッドからの眺め」、ログ・フィリップス「お膳立ては完璧」等々、どれも人生の一瞬を切り取り、キレのあるオチで魅了する小味な短篇ばかりだ。

五

海外ミステリが、かつてほど読まれなくなってしまったことには様々な理由があるけれども、作品そのものの問題として一番大きいのは、今世紀に入ってから特に顕著となった重厚長大化だと思う。この流れ自体は、おいそれとは変わらないだろう。

一方で、二〇〇〇年代では藤原編集室による【晶文社ミステリ】や【KAWADE MYSTERY】の発刊、早川書房による【異色作家短篇集】のリニューアル、二〇一〇年代では文春文庫のアンソロジー『厭な物語』や小鷹信光が〈ポケミス〉で編んだ二冊のジャック・リッチー短篇集が好評価をもって迎えられていることからも、良質な短篇ミステリこそが、海外ミステリの魅力を新たな読者に伝える最良の素材ではないかと思うのだ。先述したメッセージのラストで、クイーンは、次のように述べている。

「私は松本氏と共にこれからも相互の橋渡し役であり続けたいと念願しております。それぞれの最も秀れたものを交流させることによって、私達は東西の推理小説界の間に橋を架けることが可能となるはずです。そして私の願いは、数多くの日米の読者と作家たちがこの橋を渡るようになり、そこに交通史上最大のジュウタイが出現することであります」

［附記］

本文連載終了後、翻訳ミステリ界の二本柱である東京創元社と早川書房で、海外短篇ミステリ紹介に関する重要な動きが二つあった。

一つは、創元推理文庫で小森収編『短編ミステリの二百年』（全六巻）（二〇一九年〜二一年）が刊行されたこと、もう一つは、「ハヤカワミステリマガジン」で「おやじの細腕新訳まくり」（翻訳所感：田口俊樹、解説：杉江松恋、二〇一七年一月号〜現在）の連載がスタートしたことだ。

前者は、エドガー・アラン・ポオ「モルグ街の殺人」

(1841)を嚆矢とする約二百年間に及ぶ英米短篇ミステリの変遷及び日本での受容をたどる考察と、実例となる七十一の珠玉短篇からなる大部の評論書兼アンソロジーだ。同社のロングセラーである江戸川乱歩編『世界推理短編傑作集』(全五巻)を引き継ぎ、その後の時代を振り返った〈Webミステリーズ!〉での全百五十三回にわたる長期連載(二〇〇九年~二一年)をベースに、評論で言及した作品の中から厳選し併録した本書は、今後、翻訳ミステリ短篇を語る上で外せないマスターピースであり、乱歩のアンソロジーと並んで長く読み継がれて行くに違いない。

後者は、「翻訳界のおやじスタア・田口俊樹が過去のミステリマガジンから厳選した短篇を新訳し、埋もれた名作に脚光を当てようという企画である」と前説に謳うように、同誌に掲載されたのを最後に書籍未収録の短篇の中から毎回一作を発掘し、名匠による翻訳で甦らせる画期的な試みだ。田口による思わずクスッとしてしまう翻訳裏話エッセイと、取り上げた作品の成立背景を核に新たな切り口から作家論を展開する杉江松恋の解説が附されている点もポイントが高い。「ミステリーズ!」の連載をベースに書籍化された杉江によるブックレビュー集『路地裏の迷宮踏査』(東京創元社)の、実作付き再起動とも言える本連載が書籍化されて、『短編ミステリの二百年』と双璧となり、海外ミステリの多様な魅力が新たな読者に届くことを願ってやまない。

これら過去の名作に新たな光を当てる取組と並んで、東京創元社からは、ロバート・ロプレスティのような現代の優れた短篇の書き手を見いだす試みもなされている。『日曜の午後はミステリ作家とお茶を』(2014、2016、創元推理文庫、二〇一八年)と『休日はコーヒーショップで謎解きを』(創元推理文庫、二〇一九年)の二つの短篇集は、訳者の高山真由美が、定期購読している《AHMM》でロプレスティに魅せられ、同社に出版を持ちかけた所謂〝持ち込み〟により実現し、年末のランキング企画でも好評を持って迎えられた。特に後者は、雑誌やアンソロジーに発表された作品群の中から選び抜き、作者本人からの案も参考に収録順を決めた日本オリジナル短篇集で、「まえがき」と「著者よりひとこと」も寄せられている。そもそも原書での短篇集が長篇と比べて圧倒的に少ない中、こうした地道で良質な試みがなされていることは、とても心強い。

《【ケイブンシャ・ジーンズ・ブックス／ヒッチコック・スリラーシリーズ】収録作品リスト》

勁文社　全四巻　（一九七六年七月刊行）　訳・構成：株式会社アドバルーン
●カバーデザイン：中野智雄　●判型・体裁：新書版変型（90ミリ×172ミリ）・縦帯

No.	邦題	原題	編者	翻訳者	発行年月日	国籍
1	**死霊の館**	Fat Jow and the Manifestations＊	監修アルフレッド・ヒッチコック	アドバルーン	1976/7/10	／
2	**蜂**	Stung＊	監修アルフレッド・ヒッチコック	アドバルーン	1976/7/10	／
3	**謎のキャンパス殺人**	Devil in Ambush＊	監修アルフレッド・ヒッチコック	アドバルーン	1976/7/10	／
4	**蠅人間**	The Human Fly＊	監修アルフレッド・ヒッチコック	アドバルーン	1976/7/10	／

＊　日本で独自につけた英題

《【松本清張編・海外推理傑作選】収録作品リスト》

集英社　全六巻（一九七八年五月から十一月刊行）　編集：株式会社スエディット
●装幀：1・2……山岡茂、3～6……スタジオ・ギブ　●カット：安藤茂樹、写真：秋山庄太郎
●判型・体裁：四六判上製・紙カバー・帯

No.	邦題	原題	編者	翻訳者	発行年月日	国籍
1	完全殺人を買う	When Buying a Fine Murder＊	松本清張編	桜井滋人・他	1978/5/25	／
2	決定的瞬間	Perfect Shot＊	松本清張編	桜井滋人・他	1978/5/25	／
3	黒い殺人者	Ebony Killer＊	松本清張編	桜井滋人	1978/6/25	／
4	密輸品	Contraband＊	松本清張編	桜井滋人	1978/7/25	／
5	優しく殺して	Murder Me Gently＊	松本清張編	桜井滋人	1978/11/25	／
6	犯罪機械	The Crime Machine＊	松本清張編	桜井滋人	1978/11/30	／

＊　日本で独自につけた英題

【ゴマノベルス】編

一

恰好良く装幀された叢書や全集を眺めていると、とても幸せな気分になってくる。

古くは花森安治の手になるスマートなデザインが心地よい【クライム・クラブ】や山藤章二による小粋でインパクトのある表紙絵が際立つ【ウイークエンド・ブックス】、そして全五巻を並べると背表紙で一枚の絵が出来あがる松田行正（まつだゆきまさ）の力作【ブラック・マスクの世界】が好きだし、新しいものではモダンでユーモラスな和田誠（わだまこと）の凝った装本――カバーを外してみると、あらびっくり――が愉しい【KAWADE MYSTERY】、勝呂忠（すぐろただし）から水戸部功（みとべいさお）にデザイナーが変わり〈新生ポケミス宣言〉を発した【ハヤカワ・ミステリ】が特に気に入っている。

さらにミステリのシリーズではないけれど、「新潮クレスト・ブックス」や、緒方修一（おがたしゅういち）による「エクス・リブリス」のシックなデザインにも心惹かれる。

こうした好みの意匠が施（ほどこ）されたシリーズに収録された作品だと、たとえ初対面の作家のものでも一気に購買欲が高まってしまう。そして大概の場合、お気に入りの作家として新たに加わることになる。装幀を通じて選者の意図が明確に伝わってくるので、当たりを引く率が高いのだ。

二

叢書や全集にとって、シリーズ全体のコンセプトを解りやすく呈示することはとても大切なことだ。そのために判型とデザインを統一しシンボルマークを記して、送り手の思いを目に見える形でアピールする。装幀の出来の善し悪しが、シリーズの成功に果たす役割はとても大きい。

その際、重要なのはバランスだ。凝った意匠＝優れた装幀というわけではない。極論すると、いかに野暮（やぼ）ったかろうが、版元が想定した読者の潜在欲求に訴えるものこそが優れた装幀なのだ。

今回取り上げる【ゴマノベルス】は、まさにそんなシリーズだ。百近くある翻訳ミステリの叢書・全集の中でも、これほど垢抜けない上にインパクト抜群というシリーズもない。その特長を一言で言うと、ずばり悪目立ち。具体的には、まず背が高すぎる。一見新書サイズなのに高さは百九十ミリと四六判並み、通常の新書より十七ミリも高いので他のノベルスと並べると頭一つ出っ張り、そのくせ奥行きは百五ミリと新書サイズなので単行本と並べると二歩引っ込む。なんとも収まりの悪い判型だ。

おまけに表紙が真っ赤っか。「ゴマノベルスは赤い表紙が目印です」という謳い文句に偽りなく、通常の新書よりも出っ張った上から十七ミリの部分が白い帯状になっている以外は、表・裏・背とすべてが深紅。その赤い表と背の上に、黒くて太いゴチック体で、でかでかとタイトルが書かれ、表紙の下半分にはどアップで登場人物の顔のイラスト、背には白抜きのシンボルマークが附されているのだから、そりゃ目立ちますって。

ではなぜ、こんな特異な造りなのかというと、この【ゴマノベルス】が同じ版元から刊行されていたノンフィクションの新書〈ゴマブックス〉の姉妹シリーズとして誕生したためだ。先行するヒットシリーズに合わせたという訳だ。

〈ゴマブックス〉の装幀は、表・裏・背ともに白地だけれど、上から十七ミリ下がったところから横に幅十八ミリの帯状に赤く塗り、表にはタイトル、背にはシンボルマーク、裏にはシリーズ名を記すというスタイルだった。【ゴマノベルス】は、この赤い部分を思い切って一番下まで広げた。その結果、真っ赤っかな叢書が誕生。本としての美しさを捨てて、店頭で目を引くことに特化した実用本位の装幀は、ノンフィクションのシリーズが成功したので、次はフィクション部門に踏み出すという流れから生まれたのだ。

この戦略は、五〇年代から八〇年代にかけて新書の代名詞でもあった〈カッパ・ブックス〉が、〈カッパ・ノベルス〉を創刊した際に用いたものだ。版元のごま書房は、七〇年に始まった労働争議をきっかけに光文社を去った篠原直と福島茂喜（作家・柳下要司郎）という、それぞれ〈カッパ・ビジネス〉と〈カッパ・ブックス〉の編集に携わっていた二人が中心となって七一年に発足した出版社であり、彼らは〈カッパ〉で学んだノウハウを活かして新たなレーベルを立ち上げたのだ。

ちなみにこの時、資本金を出したのが、心理学者で当時は千葉大学助教授だった多湖輝とソニーの創業者・井深大、そして山種証券（現・SMBCフレンド証券）の二代目社長・山崎富治——ビジネス・コミュニケーションの基本「ほうれんそう」(「報告」「連絡」「相談」)の発案者――の三人だ。〈カッパ〉時代に《頭の体操》シリーズ等を担当した二人の意気に感じた多湖が、親交のあった井深と山崎に声を掛けてスポンサーとなり、井深の発案でごま書房という社名に決まったという。新海均『カッパ・ブックスの時代』(河出ブックス)には、こうしたごま書房発足の顚末が、関係者本人の証言を基に詳述されており、大変興味深い。

「おもしろい、ためになる、わかりやすい　三拍子そろった《ゴマブックス》」というキャッチコピーのもと、「植物のゴマのように、たとえ小粒でも、中身はすばらしい栄養価にあふれた本」によって「『開けゴマ!』の呪文のように、あなたの未来を切り開く鍵」になることを目指して発刊したこのシリーズは、井深大『幼稚園では遅すぎる』、多湖輝『心理トリック』、川上源太郎『親の顔が見たい』、井上赳夫『魔の特異日』といった実用書・教養書のベストセラーを連発していく。

そして七六年十月、姉妹シリーズとして【ゴマノベルス】を創刊。ポール・アードマン『1979年の大破局』、ディーン・クーンツ『もう一つの最終レース』、スティーヴ・ニックマイヤー『殺し屋はサルトルが好き』の三冊を一挙に刊行し、それまで縁のなかったフィクションの出版に乗り出す。

投げ込みチラシに記された「刊行のことば」を読むと、ごま書房がどんなマーケットを狙ってこのシリーズを立ち上げたのかが見えてくる。曰く、

> 「いま新しい小説の時代が始まろうとしています。われわれをとりかこむ現代の状況は、従来の小説という概念では捉えきれないほど複雑多岐になり、まさに〝事実は小説よりも奇なり〟という状態を現出しています。この「虚実の皮膜」をいく、事実以上の〝真実〟を感じさせる小説、頭で考えるより〝足で書いた〟小説、読んでおもしろいだけでなく、読み終わって、読者の知的世界がぐんと広くなるような情報をふんだんに含んだ小説を目ざして、内外の新人・ベテランを執筆陣に迎えていきます。いわば、人間や社会の内面に鋭くきりこんだ情報を広く集めた〝小説でない小説〟がゴマノベルスの特色です。

「おもしろい、ためになる、わかりやすい」と三

拍子そろったゴマブックスの姉妹シリーズとして、かならずや読者の皆さんに満足いただけるものと確信しています」

【ゴマノベルス】が発刊した七六年当時、世界は不況のまっただ中にあった。三年前に勃発した第四次中東戦争に端を発するオイルショックにより一部の産油国を除く世界全体が経済危機に陥り、日本でも高度経済成長期が終焉を迎え、不穏な空気が社会全体を覆っていた。そして、ウォーターゲート事件、ロッキード疑獄、ミグ25事件といった、まさに「〃事実は小説よりも奇なり〃という状態」を実感させる事件が相次いだ。

★ベストセラー〃ゴマブックス〃に続く
内外の傑作長編小説の新シリーズ!
GOMA NOVELS
●ゴマノベルスは赤い表紙が目印です。

刊行のことば

いま新しい小説の時代が始まろうとしています。われわれをとりかこむ現代の状況は、従来の小説という概念では捉えきれないほど複雑多岐になり、まさに〃事実は小説よりも奇なり〃という状態を現出しています。この「虚実の皮膜」をいく、事実以上の〃真実〃を感じさせる小説、頭で考えるより〃足で書いた〃小説、読んでおもしろいだけでなく、読み終わって、読者の知的世界がぐんと広くなるような情報をふんだんに含んだ小説を目ざして、内外の新人・ベテランを執筆陣に迎えていきます。いわば、人間や社会の内面に鋭くきりこんだ情報を広く集めた〃小説でない小説〃がゴマノベルスの特色です。

「おもしろい、ためになる、わかりやすい」と三拍子そろったゴマブックスの姉妹シリーズとして、かならずや読者の皆さんに満足いただけるものと確信しています。

ごま書房がターゲットにしたのは、そうした明日が見えない状況下にあって、指針を求める〃一般大衆〃だったと思う。「読者の知的世界がぐんと広くなるような情報をふんだんに含んだ小説」を望む層に対して、彼らはどのような「〃小説でない小説〃」を提供したのか。以下、個別に見て行こう。

三

まずは、『1979年の大破局』から。裏表紙に書かれた、「激化する石油戦争が、ついに世界を破滅させる!イラン国王、ヤマニ石油相などが実名で登場する〃経済情報小説〃」「現実に立脚したこの恐るべき〃予言〃から、誰も目をそらすことはできないだろう」というセンセーショナルな内容紹介から解るように、これは、オイルショックから三年たった七六年に、一九七九年の世界情勢を予測して書かれた近未来スリラーだ。

イタリアの国家破産が引き金となって金融恐慌が発生。中東諸国の軍事バランスが崩れてサウジアラビアと対立するイランが核兵器を保有し、世界全体が破滅に向かって突き進むというシナリオは、発表当時、きわめて確度の高い未来予測ととらえられ、本国アメリカを始め各国でベストセラーとなった。彼の〃予言〃

は、一〇〇%実現したわけではないけれども、イランの核兵器保有疑惑を始め、いまだに可能性を秘めた箇所も少なくない。

作者のポール・E（エミール）・アードマンは、三二年にカナダで生まれた小説家兼経済評論家だ。頭取を務めていたスイスの銀行が破産したことにより、十ヵ月の間バーゼルで収監された際に書いた『十億ドルの賭け』（1973、TBS出版会）で七四年のMWA賞最優秀処女長篇賞を受賞した。その後、アメリカに移住、二〇〇七年に亡くなるまでに発表した著作は、日本でも二十世紀の終わりにかなりの人気を博し、九作の小説以外に、四作の経済評論書もすべて翻訳されている。

GOMA NOVELS
1979年の大破局
The Crash of '79
ポール・アードマン／池 央耿 訳

豊富な経験に裏付けられた正確な情報をベースとして書かれた、迫真性に満ちた本書は、まさに【ゴマノベルス】のコンセプトにぴったりの「事実以上の〝真実〟を感じさせる」「〝小説でない小説〟」だ。

七八年に、同じ版元の【四六判海外小説シリーズ】の第二弾として、前年に『油田！』で作家デビューした堺屋太一の解説つきで復刊され、翌〝七九年〟には、『オイル クラッシュ』と改題されて新潮文庫に収められた。本叢書に収録された四作の中では、最も売れた作品だと思う。

続いては、ディーン・クーンツの『もう一つの最終レース』を。六〇年代の終わりから五十年以上にわたって、SF、ホラー、ミステリ、ロマンスと様々なジャンルの要素をミックスしたエンターテインメントを発表し続けている世界的なベストセラー作家クーンツ。彼は、日本でも、『ファントム』（1983）、『ウィスパーズ』（1980、ハヤカワ文庫NV）、『邪教集団トワイライトの追撃』（1984）、『雷鳴の館』（1982、扶桑社ミステリー）、『ライトニング』（1988）、『ウォッチャーズ』（1987、文春文庫）等々、八〇年代末から九〇年代初頭にかけて次々と翻訳された作品群で一躍ブレイクし、モダンホラー・ブームの一角を担った。そんなクーンツの、本邦初紹介長篇となったのが、本書『もう一つの最終レース』だ。

「センチュリ・オークスの最終レースは終わった。だが、彼らの最後の賭けは、これから始まろうとしている！」「どんな危険を犯しても金が欲しい。彼らは、体制と権力に対する報復として、競馬場の現金強奪を計画する」と裏表紙の紹介文にあるように、この作品は、競馬場をターゲットとした強奪小説（ケイパー）である。

厩舎火災によって愛馬と名声と、さらに妻までも失った元調教師ギャリスンは、競馬界に復讐すべく、ヴェトナム戦争で夫を失ったアニイと手を組み、五人のプロを引き込んで、二百万ドルの現金強奪を計画する。

着々と準備を進めていく犯人側の動きと、馬券偽造を始め、次々と降りかかる大小のトラブル対応で支配人が奔走するさまを交互に描くことにより、競馬場という巨大システムの内側を立体的に描き出しているところが面白い。ディック・フランシスの《競馬》シリーズで鳴らした菊池光の翻訳は、まさに適材適所。『ホテル』や『大空港』といったアーサー・ヘイリーの諸作に通じる、「関係者以外には馴染みの薄い機構の内部を覗きたい」という読者の知的好奇心を満たしてくれる点がポイントとなって、本叢書に収録されたのだと思う。

無論それだけではなく、七〇年代特有の虚無感と殺伐とした空気が漂うサスペンスフルな犯罪小説であり、今でも読むに足る作品だ。『逃切』と改題されて、前述したブームに先立つ八八年に創元推理文庫で再刊されたので、機会があれば手に取ってみて欲しい。

同時刊行された三冊のうちの残り一冊、スティーヴ・ニックマイヤーの『殺し屋はサルトルが好き』は、元ＦＢＩ捜査官の私立探偵スティーヴ・クランマーとその助手ブッチ・マネーリの活躍を、随所にユーモアを利かせながら軽妙な筆致で描いた、ちょっと毛色の変わったミステリだ。

どこが変わっているのかというと、まずは舞台。私立探偵（プライヴェート・アイ）ものを読む愉しみの一つは、探偵と場とのコラボによって醸し出される特有の空気を味わう点にあり、主人公のホームグラウンドをどこにするかという問題は、非常に重要だ。フィリップ・マーロウとロサンゼルス、名無しのオプとサンフランシスコ、マッ

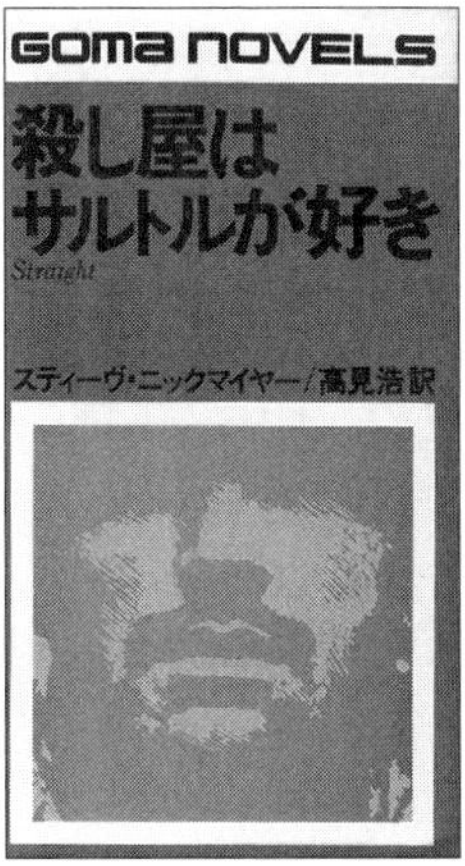

ト・スカダーとニューヨーク、パトリック＆アンディとボストンなど、このジャンルの作家は、彼らが生みだしたヒーローを主に西海岸と東海岸の大都会で活躍させてきた。

　ところがニックマイヤーは、主人公のオフィスを、アメリカ合衆国の真ん中にあるオクラホマ州の州都オクラホマ・シティという、失礼ながらあまり華があるとは言えない街に設定した。しかも本書で探偵コンビが、自殺として処理された宝石商の愛人の依頼を受けて事件の調査に赴くのは、さらに辺鄙な地にある田舎町だ。

　加えて、この二人を始めとする登場人物の造形もまた、どこかちょっとヘンだ。FBI時代に撃たれた右膝が今も痛み、杖と薬とバーボンが手放せない、スポーツ賭博狂いでポーカーの名手のオヤジ、クランマー。ビリヤードの達人で女に手が早いが、いざ相手とつきあい始めるとストレスで胃が痛くなる色男の若者マネーリ。サルトルとスピノザに傾倒し、チャイコフスキー作品を愛聴する元ニューヨーク市警刑事の殺し屋ストレート。彼の手下で、七秒間かけて人を絞め殺すことに至上の喜びを覚えるコーディー。みんなどこか、ズレている。

　そして中西部の田舎町を舞台に、突然現れたこのズレた余所者たちが、小さなコミュニティの中を引っかき回すにつれて、錯綜した人間関係の陰に隠された秘密が徐々に暴かれ、最後には意外な犯人が指摘されて、さらりと幕を閉じる。

　この味わいには、どこか覚えがあるけど何だっけ、と悩んでいたのだけど思い出した。フランク・グルーバーだ。パルプ・マガジンで活躍し、『コルト拳銃の謎』を始め、謎解きとアクションの面白さを兼ね備えたユーモア溢れるコンビ探偵ものを次々と生みだしたB級ミステリの帝王グルーバーの遺伝子は、スティーヴ・ニックマイヤーに受け継がれていたのだ。

　残念ながら翻訳はこの一作しかないけれど――そもそもジャーナリストが本業だったので、本書の後に前日譚 *Cranmer*（1978）を発表した以外には、小説は書いていないようだ――、八八年に『ストレート』と改題されて創元推理文庫で再刊されているので、懐かしきアメリカン・エンターテインメントを読んでみたい方は、ぜひどうぞ。お代の分は、十分に愉しませてくれると思う。でも、なんでこの叢書に選ばれたのだろう。読み終わっても、「知的世界がぐんと広く」はならないと思うんだけど。

【ゴマノベルス】最後の作品は、オランダ出身の作家ヤンウィレム・ヴァン・デ・ウェテリンクが、制服警官として奉職した経験を基に生みだした警察小説シリーズの二作目『キュラソー島から来た女』だ。

　アムステルダムの運河に浮かぶ豪華なハウスボートに暮らすオカルト趣味の高級娼婦が殺された。警部補フライプストラと巡査部長デ・ヒールは彼女の顧客だった政財界や軍の大物に疑惑の目を向ける。一方、上司である警視は、事件の遠因を求めて彼女の生まれ故郷キュラソー島に赴く。

　『アムステルダムの異邦人』に始まるこのシリーズの特長は、世代も嗜好も信条も異なる三人の警察官が、職務を通じて社会や人生のあり方、生と死、罪と罰などについて深く考える点にある。底辺に流れるのは禅の思想だ。十九歳で出国した作者は、南アで働きロンドンで哲学を学んだ後、京都の禅寺で修行した。「心を動かされた唯一の宗教は仏教」（「EQの顔　日本で禅修行した異色派　J・ヴァン・デ・ウェテリンク」、「EQ　No.48」掲載）と語り、禅に関する著作を三作上梓した彼のミステリには、正邪は相対的なものという諦観が常に漂う。これは、異文化に寛容で、大麻の所持・使用を許容し、安楽死を認め、〝飾り窓〟のあるオランダという国の国民性とも無縁ではないと思う。

【ゴマノベルス】に選ばれたのは、警察小説として面白いだけでなく、禅の思想に根ざし、「人間や社会の内面に鋭くきりこんだ情報を広く集めた〝小説でない小説〟」と受け止められたからだろう。

　『オカルト趣味の娼婦』と改題され、八一年に創元推理文庫に収録された。

長篇十四作中四作、短篇十三作中五作が訳された本シリーズを書くかたわら、MWAの年間アンソロジー『遠い国の犯罪』（1988、ハヤカワ・ミステリ文庫）——日本を舞台にした自作《斉藤警視》シリーズの一篇「愚か者の報告書」も収録——を編纂(へんさん)、『ひとりぼっちになりたいよ！』（1980、文研出版）に始まるヤマアラシのヒュー・パインを主人公にした児童書のシリーズや、同国人で《ディー判事》シリーズの作者であるロバート・ファン・ヒューリックの伝記 *Robert Van Gulik: His Life, His Work*（1987）を上梓するなど、二〇〇八年に亡くなるまでに、移住先のアメリカで精力的に活動した。

四

【ゴマノベルス】が刊行された七〇年代半ば、出版界では、小松左京(こまつさきょう)『日本沈没』と五島勉(ごとうべん)『ノストラダムスの大予言』が大ベストセラーとなり、〈横溝正史ブーム〉が日本中を席巻、映画界ではパニックものとオカルトものが次々と封切られていった。

そんな〝早すぎる世紀末〟の到来を予感させる時代にあって、「未来を切り開く鍵」をめざして実用書・教養書を続続と送り出し、ヒットを飛ばしていたごま書房が、フィクション、それも翻訳ミステリというまったくの未体験ゾーンに敢えてチャレンジした心意気を高く評価したい。

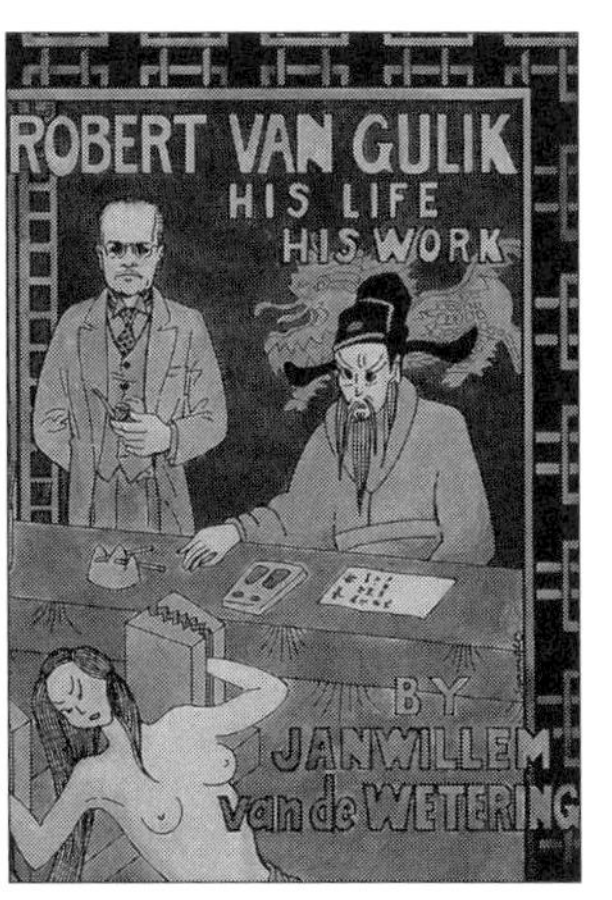

前述した新海均『カッパ・ブックスの時代』の中で、「ごま〔書房〕も、おこがましくも出版界のソニー、出版界のモルモットたることをめざした」（〔　〕内、引用者判断で補足）と、創始者の一人、篠原直が語っているように、ポール・アードマンを除く三人が日本初紹介作家というラインナップは、とてもアグレッシブだ。その後、四作すべてが文庫化・再刊されていることからも、作品そのものは皆、面白い。

もっとも、この挑戦が当初ごま書房が想定した読者層に受けたのかというと、恐らくはそうではなかったと思う。その証拠に、十月に三作同時刊行した後は、残念ながら十二月に『キュラソー島から来た女』を出したきり打ち止めとなってしまった。

　編者の意図とは裏腹に、『１９７９年の大破局』以外の三作は、「事実以上の〝真実〟を感じさせる」「〝小説でない小説〟」というよりは、読者を愉しませることを第一義とした〝小説〟であり、〈ゴマブックス〉の購買層の嗜好に合わなかったと思われる。

　しかし、ごま書房の挑戦はこれで終わったわけではない。【ゴマノベルス】の終刊から一年半後の七八年五月、判型を四六判ハードカバー装に、表紙・背を赤から黒に、タイトルを黒から赤にチェンジして、【四六判海外小説シリーズ】として、再度、翻訳小説の出版に挑んだのだ。

　現代のニューヨークをペストが襲う、ジョン・S・マー&ギネス・クレイヴンスによるパンデミック・スリラー『ブラック・デス』に始まり、ジョナサン・ブラックの実録風経済謀略小説『世界強奪銀行』、三十年前にナチスの人体実験を受けた五人のユダヤ人女性が復讐を図るオリヴァー・クロフォード『処刑ゲーム』、企業テロ集団の内幕を描いたジョン・D・スプーナー『テロの帝王』、そして『１９７９年の大破局』の再刊の五作を刊行。

　各作品のテーマに対する権威筋――国立予防衛生研究所所長、経済評論家、東京大学教授、朝日新聞社編集委員――による解説を巻頭に載せた、まさに【ゴマノベルス】が掲げた編集方針を見事に徹底したラインナップであった。

《【ゴマノベルス】収録作品リスト》

ごま書房　全四巻（一九七六年十月から一九七六年十二月まで刊行）

●カバーデザイン：上條喬久　●表紙絵：1・3……上條喬久、2……福田隆義、4……安久利徳　●本文写真：1・4……井原真作、2……北出博基　●判型・体裁：ポケット・ブック判変型・紙カバー・帯　●全巻訳者あとがき

No.	邦題	原題（原著刊行年）	作者	翻訳者	発行年月日	国籍
1	1979年の大破局	The Crash of '79（1976）	ポール・アードマン	池央耿	1976/10/5	米
2	もう一つの最終レース	After the Last Race（1974）	ディーン・クーンツ	菊池光	1976/10/5	米
3	殺し屋はサルトルが好き	Straight（1976）	スティーヴ・ニックマイヤー	高見浩	1976/10/5	米
4	キュラソー島から来た女	Tumble Weed（1976）	J・ヴァン・デ・ウェテリンク	池央耿	1976/12/10	蘭

※　米＝アメリカ、蘭＝オランダ

新訳・再刊等　（　）内は発行年月日

1 ごま書房（1978/5/10）→『オイル クラッシュ』新潮文庫（1979/9/25）

2『逃切』創元推理文庫（1988/4/22）

3『ストレート』創元推理文庫（1987/3/27）

4『オカルト趣味の娼婦』創元推理文庫（1981/5/22）

《【四六判海外小説シリーズ】収録作品リスト》

ごま書房　全五巻　（一九七八年五月から一九七八年十二月まで刊行）
●カバーデザイン：上條喬久　●表紙絵：1・3・4……辰巳四郎、2……滝野晴夫、5……後藤一之
●判型・体裁：四六判上製・紙カバー・帯　●訳者あとがき：1〜3　●解説：1……福見秀雄、2……堺屋太一、3……飯塚昭男、4……西義之、5……高木正幸

No.	邦題	原題（原著刊行年）	作者	翻訳者	発行年月日	国籍
1	ブラック・デス	The Black Death (1977)	ジョン・S・マー&ギネス・クレイヴンス	村上博基	1978/5/10	米
2	1979年の大破局	The Crash of '79 (1976)	ポール・E・アードマン	池央耿	1978/5/10	米
3	世界強奪銀行	The World Rapers (1972)	ジョナサン・ブラック	井上一夫	1978/8/10	米
4	処刑ゲーム	The Execution (1978)	オリヴァー・クロフォード	榊原豊治	1978/11/1	米
5	テロの帝王	The King of Terrors (1975)	ジョン・D・スプーナー	近藤洋一郎	1978/12/10	米

※　米＝アメリカ

【イフ・ノベルズ】編

第一章

一

今から四十六年前の一九七七年二月に誕生し、その年の十二月までのわずか一年足らずの間に二十九冊を刊行して幕を閉じた番町書房の【イフ・ノベルズ】は、まるで雑居ビルのような叢書だ。そこでは黄金時代の巨匠たちの傑作選やテーマ別アンソロジー、そして古典本格ミステリの初完訳長篇が、お色気アクションスパイ小説や最新の異色警察小説シリーズ、重厚な謀略大河ドラマなどと軒を接している上に、ＳＦ風味漂うスリラーも同居している。おまけにアカデミー賞を受賞した社会派ドラマのノベライゼーションなんていうミステリとは縁遠いけれども世間では名の通った有名人までがちゃっかりと店を構えている。ヴァラエティ－豊かというよりは、雑多なテナントが入居した貸しビルとでも言いたくなる、なんともカオスな叢書なのだ。

なぜ、こんなごった煮のようなシリーズが生まれたのか。結論から言ってしまうと、すみません、よく判りません。すべての収録作をひっくり返してみたけれども発刊のことばの類いは一切なし。裏表紙のシリーズ名ロゴの下に書かれた「イフ・ノベルズは興奮・熱狂・ロマンとサスペンスを海外の名作と最新作で紹介！」というキャッチコピーは、熱い割には何一つ語ってくれないし、創刊に際して「ミステリマガジン No.252」の巻末に掲載された広告にも、「新しいミステリの世界を拓く傑作シリーズ！」とあるだけだ。版元の番町書房が三十年以上前に消滅していることもあって、今となっては発刊に至る経緯や意図、編集方針や選者、セレクションの基準といった叢書の本質に関するあれこれを知ることは極めて難しい。

また、収録作に対する書評もほとんど見当たらず、当時どのように受け止められていたのかもよくわからない。

もっともこの点に関しては、【イフ・ノベルズ】だけの問題ではない。本シリーズが発刊した七七年は、今と比べると出版点数も少なく版元も限られていたこともあって、唯一の専門誌であった「ミステリマガジン」は、新刊翻訳ミステリの書評にさほど力を入れていなかった。同誌が読書の手助けとなるように書評欄を充実させるのは、翌年の「ミステリマガジン No.267」

からだ。同じく七八年に隔月刊誌「ＥＱ」が創刊。翻訳ミステリ関連書籍を網羅的にレビューするという画期的な企画は、ネット検索で容易に情報が入手できる今と違い、情報に飢えていたあの頃のミステリ・ファンにとって、実にありがたいものであった。

ちなみに七七年という年は、年次ミステリ・ベスト企画の草分けである「週刊文春」の「ミステリー・ベスト10」が始まった年でもある。栄えある第一回のベスト・ワンに輝いたのはルシアン・ネイハムによる不朽の金字塔『シャドー81』（1975、新潮文庫→ハヤカワ文庫ＮＶ）。国内と海外とに部門分けされる以前（八三年度以降分離）の総合ランキングで、ぶっちぎりの一位に輝いたこの作品により、それまでなんだかんだいって一部のマニアの読み物であった翻訳ミステリが、幅広い読者からエンターテインメントとして受け入れられるようになり、その後のブームへと発展していくのだが、それはまた別のお話。

二

閑話休題。以上のような理由から発刊意図や選出基準などに関する客観的な資料を探るのは諦めて、代わりに個々の収録作を読み込み、あわせて当時の翻訳ミステリ界の状況を調べることで本質に迫っていきたい。さて、うまくいきますやら。

まずは全体像から見ていこう。【イフ・ノベルズ】が誕生したのは、一九七七年二月二十五日。前掲した広告にあるように、一挙六点刊行というかなり力の入った立ち上げであった。

内訳は、黄金時代の巨匠の新訳傑作選二作（『クリスティー傑作集』『チャンドラー傑作集』）、スパイ小説二作（『偽ドル殺人事件』『秘密指令　ネオ・ナチ壊滅作戦』）、謀略大河ドラマ一作（『シーザーの暗号』）、そしてノベライゼーション一作（『ネットワーク』）。まさにこの叢書の特色を凝縮したかのような雑然としたラインナップであり、裏を返せば最後までその視線はぶれていないといえよう。ただ、どこを見つめていたのかが今ひとつ不明ではあるが。

第一回配本以降は四月と五月に各四点、その後は毎月二点をキープし、十二月十日の最終配本『はぐれ刑事』『バミューダ海の女』までに全部で二十九冊を刊行した。最終的には、収録作品リスト（292ページ～294ページ）にあるように、雑居ビルのような叢書ができあがったわけだが、よく見ると大きく三つのグループに分けられる。即ち、「スパイ&国際謀略小説」、「短篇集&古典長篇ミステリ」、そして「その他の七〇年代作品」の三グループだ。最後の「その他～」は警察小説、SFスリラー、映画原作とバラバラだが、とりあえず叢書刊行の直近に出た最新作ということで一括りにしておきます。強引ですが、ご勘弁。

次に版元について。奥付に記された発行所名に「番町書房（主婦と生活社内）」とあるように、叢書刊行当時、この会社は主婦と生活社の子会社だった（ただし六〇年代に出た本にはこの記載はなく住所も異なるので、いつから子会社だったかは不明）。確認できた限

り一九八七年以降書籍の刊行はなく、この頃に消滅したと思われる。

主な刊行物は、第二次世界大戦絡みのノンフィクションや社会科学系の堅い本、生活実用書、詩歌、時代小説等で、調べた限りではミステリの類いは数点の例外を除いて発行していない。そんな版元から、なぜ突然【イフ・ノベルズ】のような〝軟らかい叢書〟が出たのかはやはりよくわからない。ただ、七〇年に刊行が始まった「日本伝奇名作全集」に折り込まれた愛読者カードには「お読みになりたいテーマと内容」として先に挙げたジャンルと並んで「推理小説」、さらには「スパイ小説」なんていう項目まで記載されているので、この頃から出版する意図はあったようだ。

三

さて、叢書の概要についてはこれくらいにして個々の作品を見ていこう。まずは「スパイ&国際諜略小説」のグループに分類した九作品——即ち『シーザーの暗号』、《秘密情報員ゴリラ》シリーズ三作、《コックスマン》シリーズ五作——からだ。このジャンルは、「短篇集&古典長篇ミステリ」と並んで本叢書の二大勢力を形成しているが、中でもシリーズ・ナンバーの1と2を振られた、J(ヨハネス)・M(マリオ)・ジンメルの『シーザーの暗号』は、二段組み上下巻で全七百ページ超という【イフ・ノベルズ】を代表する堂堂たる大河小説である。

「毒殺された父親の謎を追求する青年が主人公。冬のウィーンを舞台に展開される各国諜報員の暗躍、暗いナチの時代の陰を背負って生きている人物たち、エロティックな売春宿の実態等が克明に描かれる第一級のサスペンス推理小説! 本書は現実の事件にもとづいている」

という裏表紙の紹介文から想像されるように本作は、親しい人の死亡状況に不審を覚えたごく普通の若者が、

独自の調査を進めるうちに意外な事実を掘り起こし、命の危険にさらされるという所謂(いわゆる)巻

き込まれ型サスペンス小説だ。

　冷戦下のウィーンを舞台にしたミステリといえば、まず最初に思い浮かぶのはグレアム・グリーン『第三の男』（1950、ハヤカワepi文庫）だが、『シーザーの暗号』にはこの名作との共通点が散見される。例えば、オープニングとエンディング・シーンを親しい人の眠る墓地に設定した点、被害者が実は後ろ暗い商売に手を染めていた点、謀略を企てる舞台としてプラーターの大観覧車を効果的に組み込んだ点といった作劇上の共通点に加え、外国人である主人公の探索行を通じて、第二次世界大戦後に東西両陣営の狭間で微妙な立ち位置を取らざるを得なかったオーストリアが抱える諸問題を読者に提示するといったテーマに関する点、さらには実際に起きた忌まわしい事件をベースとしている点等々。

　これらは偶然の一致でも時代や舞台がもたらした必然の結果でもなく、意図的になされたものだと思う。一九二四年にウィーンで生まれたジンメルは、オーストリアとイギリスで少年時代を送り、大戦後は英・米・仏・ソの四ヵ国で連合統治されたウィーンでアメリカ駐留軍の通訳を務めた後、五〇年に西ドイツのミュンヘンに移住しジャーナリストとして国内外で活躍を始める。

　映画「第三の男」がオーストリアと西ドイツで上映されたのはまさにその年のことだ。当時、記者として働く傍ら映画の脚本を書き、さらに本格的な作家活動を開始するも、まだ人気を博すには至っていなかった彼にとって、世界的な大成功を収めたこの作品は大いなる刺激となったのではないだろうか。ウィーンという複雑な背景と歴史を兼ね備えた都市に生まれた地元の人間であると同時に、イギリスを始め西側先進国で暮らした経験もあるジンメルは、自身の強みを生かして故国を舞台とした作品を書いてみたいと思ったのではないだろうか。

　無論、これは勝手な想像に過ぎない。けれどもジンメルの父親がユダヤ人の科学者で、大戦中にナチの迫害を逃れるために妻子をウィーンにおいてロンドンに移住していたという事実が、本作『シーザーの暗号』の中で二人の主要キャラクターに割り振られているという点からも、彼にとって特別な一作だったことは明らかだ。

　アルゼンチンで化学薬品メーカーを経営する老人が

遠い異国の地であるウィーンで、偶々訪れた古書店の老女に毒殺された背景には何があったのか。犯人である老女は、ナチス・ドイツ支配下のオーストリアでいかなる悲惨な体験をし、家族を守るために凄絶な戦いを挑んだのか。彼女の古くからの知人で娼館を営む妖艶な中年女性は、大戦中に二重スパイとしてどんな役割を果たしたのか。一九六九年と第二次世界大戦前後のウィーンとを往還しつつ語られる、これら三本の大きな物語が渾然一体となり、忌まわしき過去の陰謀とおぞましき現在の犯罪とを浮かび上がらせクライマックスへと至る。暗号解読を巡る諜報合戦という側面はあるのだが、スパイ小説というよりは濃密な歴史大河ドラマのような味わいでお腹いっぱいにさせられる大作である。

ジンメルは二〇〇九年に亡くなるまでに二十七作の長篇と五冊の短篇集、六作の子供向けの本を発表。英・仏・独の三重スパイにならざるをえなかった青年銀行家が、第二次世界大戦開戦前夜から終戦にかけて、料理の腕と機知を武器にヨーロッパ大陸を股にかけて各国諜報員を手玉に取る痛快な冒険譚であり出世作となった『白い国籍のスパイ』（1960、祥伝社）や、唾棄すべき卑劣漢のお抱え運転手となった男が、なぜか自分自身を告訴するシーンで幕を開ける異色の犯罪小説『ニーナ・B事件』（1958、中公文庫）など、七〇年代半ばから九〇年代初頭にかけて十作が翻訳された。

ちなみに本国での評価についてドイツ・ミステリの現状に詳しいマライ・メントラインさんに伺ったところ、権威的評論家の意見が重視されるドイツ文壇では、〝エンタメ＝通俗〟作家というレッテルを貼られて長く冷遇されてきたが、一般読者からは確実に熱く支持されていたとのこと。死後、その知性や社会観が再評価されているそうなので、かの国のミステリが脚光を浴び始めた今、新たな読者の為に前述した代表作が容易に読めるようになってほしいものだ。

四

続いてはフランスの作品を。《秘密情報員ゴリラ》シリーズは、総理直属の謎の機関に属するジェオことジョルジュ・パケ（通称ゴリラ）を主人公にしたエスピオナージュだ。作者のA（アントワーヌ）・L（ルイス）・ドミニック（一九一七～八六）は、元レジスタンスの闘士で、戦後はド・ゴールが組織したフランス国民連合で外交官として執務に当たり、一九六四年にはボリビアに大使として赴任した。五四年から六一年にかけて、フランス最大の犯罪小説叢書《セリ・ノワール》に五十作を発表。五〇年代に大ブームを引き起こし、〝ゴリラ〟という呼称は、〝ひげ（バルブーズ）〟と並んで秘密諜報員を指すようになったそうだ。

このシリーズの最大の特徴は主人公が妻子持ちという点だろう。頑固で無骨な力持ちの大男、その上仲間思いの愛妻家で子供好きである〝ゴリラ〟は、ジェームズ・ボンドとは対極に位置する等身大のヒーローだ。おまけにアルコールが大嫌いで、武器に対するこだわりもなく得意技は掌底突き。

当然、美女の誘惑など歯牙にもかけず（『偽ドル殺人事件』）、かつての同僚が殺されれば身の危険も顧みず敵地に乗り込み（『復讐する』）、諜報活動の最中に出会った悪玉の子女に同情して保護してしまう（『偽ドル殺人事件』）。

本叢書には、新開発のミサイルに関する極秘文書を巡って殺された仲間の仇を討つ第一作『復讐する』、パリの運河を舞台に、第二次世界大戦直後のドイツにばらまかれた偽札の謎を追う第二作『偽ドル殺人事件』、戦略物資密輸の証拠を押さえるべく、ハンブルグからセネガルに向かう木造輸送船に乗り込む第八作『カマレ号殺人事件』の三作が収録されている。

で、肝心の作品の出来はどうかというと、正直、悩ましい。壊滅的なまでに翻訳が拙くて、このシリーズの持ち味と言われる「綴りを分断した、しばしばわかりにくい、しかしジャズのリズムのようにピリッとした文体」（ボワロー＆ナルスジャック『推理小説論』紀伊國屋書店）を味わうどころか文意がとれないところも少なくないのだ。

同じ頃に書かれたジャン・ブリュースの《O.S.S.117》シリーズやセルジュ・ラフォレの《ポール・ゴーンス》シリーズと異なり、アメリカではなくフランスの諜報部員を主人公とした貴重なシリーズであり、何とも残念だ。

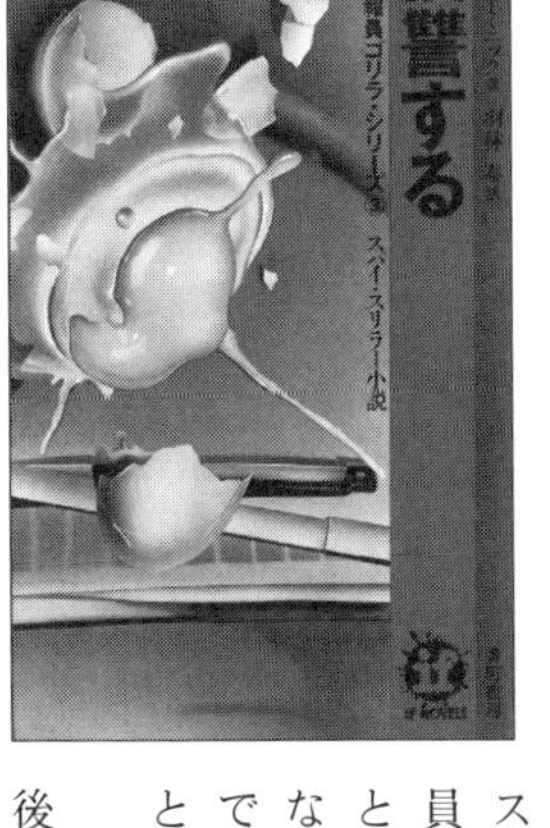

ちなみに後者は、本

叢書の版元である番町書房が六二年に発刊し、わずか四冊で打ち止めとなった【ポイント・ブックス／スパイ・サスペンス・シリーズ】で翻訳されている。ここに【イフ・ノベルズ】へと続く細い糸を見るのは穿ち過ぎだろうか。

最後は《コックスマン》シリーズだ。一九六二年に公開された映画「007は殺しの番号（007 ドクター・ノオ）」に始まる《ジェームズ・ボンド》シリーズの世界的なヒットにより、六〇年代半ば以降に雨後の筍の如くニョキニョキと現れたアクションとお色気をウリにしたスパイ・シリーズの中でも、エロチックという点で本書の上を行くものはないだろう。裏表紙に書かれた「頼れるのは、わたしの明晰な頭脳と性的テクニックと強力な肉体だけだ」というキャッチコピーに嘘偽り無し。アメリカの大学でセックス学の講座を持ちL・S・D（League for Sexual Dynamics：性的力学開発連盟）という怪しげな組織を設立した社会学博士ロッド・デイモンが、いけない所行をネタに超愛国団体コックス財団に脅されて、世界平和と人類愛（対象は女性のみ）のために日夜〝お仕事〟に励む羽目に陥るシリーズなのだ。

作者トロイ・コンウェイは五人の作家によるハウスネームで、本シリーズは六七年から七三年にかけて全部で三十四作も刊行された。中でも中心となったのがマイクル・アヴァロンで、二十作以上を書いたといわれている。真偽のほどは定かではないが、《私立探偵エド・ヌーン》シリーズで軽ハードボイルドに先鞭をつけ、複数作家の手になる《ナポレオン・ソロ》や《キルマスター》のシリーズで先陣を切って執筆し、本名と十七のペンネームを駆使して生涯に二百二十三冊を発表した彼ならば、むべなるかなと思う。本叢書には、第一作『秘密指令 ネオ・ナチ壊滅作戦』、第三作『呪われた女』、第七作『最後のチャンス』、第十三作『バミューダ海の女』、第三十四作『エーゲ海の決闘』の五作が収録されている。

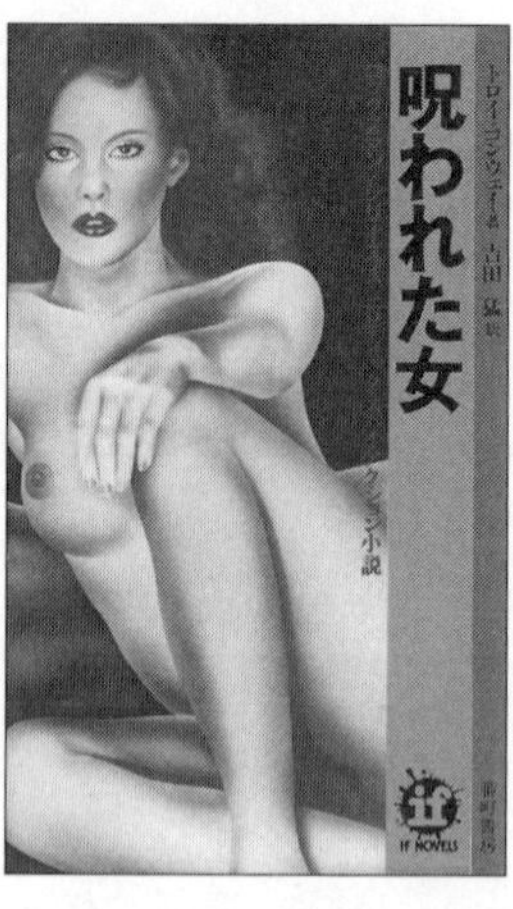

内容に関

しては、うーん、まぁいいでしょう、これ以上は。興味のある方は古本屋で入手して確かめてみてください。

ただし、カバーを掛けるのを忘れずに。

第二章

一

続いて、「短篇集&古典長篇ミステリ」を見ていこう。ここには、翻訳ミステリに縁の深い二人の名前を見いだすことが出来る。即ち、「ミステリマガジン」編集長を経て翻訳家・評論家となった各務三郎と、フランス・ミステリ研究家で翻訳家・作家でもあった松村喜雄だ。

　この二人と【イフ・ノベルズ】との具体的な関わりは以下の通り。各務は、『クリスティー傑作集』『チャンドラー傑作集』『ガードナー傑作集』『エラリー・クイーン傑作集』『探偵 人間百科事典』という五冊の日本オリジナル短篇集を編纂、加えて矢野浩三郎編『世界怪奇ミステリ傑作選　オカルトと超神話』『続 世界怪奇ミステリ傑作選　〝13〟のショック』にも深く関わっていると思われる。一方松村は、F・W・クロフツ『スターベルの悲劇』の完訳と『世界暗号ミステリ傑作選』『続 世界暗号ミステリ傑作選』の紹介を斡旋した上、S・A・ステーマン『三人の中の一人』を自ら翻訳している。

二

　まずは、各務三郎がらみの作品から見ていこうと思うが、その前に氏の現在までの経歴を簡単に振り返っておく。本名・太田博。一九六四年に早川書房に入社、校正部を経て翌六五年編集部に異動、常盤新平の後を受けて六九年八月号から七三年六月号まで「ミステリマガジン」の編集長を務めた。

　もっとも、小森収編・著『はじめて話すけど……小森収インタビュー集』（フリースタイル↓創元推理文庫）に収められた記事「ミステリがオシャレだったころ」によると、編集長の常盤新平が、それほどミステリが好きではなかった上に、［ハヤカワ・ノヴェルズ］や単行本の編集で多忙だったために、異動して間もない頃から掲載作をセレクトし、六七年からは事実上一人で同誌を切り盛りしていたとのことだ。この頃、特に力を入れていたことの一つが幻想小説や怪奇小説の紹介で、「ミステリマガジン」誌上で毎年恒例となった〈幻想と怪奇特集〉は、氏が企画した一九六七年八月号の〈恐怖・怪奇小説特集〉に端を発する。

　七三年に編集長の座を降りるとともに早川書房を退

社。以後、翻訳家としてジュニア向けにクリスティやドイルの作品を数多く訳出、評論家としてハードボイルドを中心に手広く活動、九五年に『チャンドラー人物辞典』（柏書房）で日本推理作家協会賞の「評論その他の部門賞」を受賞した。

こうして様々な立場で翻訳ミステリに関わってきた各務の仕事の中でも、特に重要なのがアンソロジストとしての功績である。

早川書房を退社した年に刊行した初のエッセイ集『ミステリ散歩』（中公文庫）の中で各務は、「アメリカにあって日本にない職業は？」と訊かれて言葉に詰まった後、「精神分析医とアンソロジスト」と答えて切り抜けたと語っている。「アンソロジストやーい」と題されたこの小文で、当時のアメリカの状況を語り、ミステリや怪奇・幻想小説のジャンルにおける著名な選者の名前を挙げた上で、「すぐれたアンソロジストが日本にも出現すれば、作品中心の選定ができ、作家の顔ぶればかりが並んでいるだけで、アンソロジスト不在のアンソロジーは数が少なくなるはずです」と述べている。「ミステリマガジン」という、いわば月刊アンソロジーの編纂に携わってきた者の矜持（きょうじ）に満ちたこの提言を実践するかのように、フリーとなってからの各務は、『世界ショートショート傑作選』（全三巻）、『安楽椅子探偵傑作選』、『ホームズ贋作展覧会』（ともに講談社文庫）、『クイーンの定員　傑作短編で読むミステリー史』全三巻（光文社）といった珠玉の短篇を揃えたアンソロジーを次々と編纂していく。

その皮切りとなったのが、【イフ・ノベルズ】に収められた五冊の日本オリジナル短篇集なのだ（ちなみにアンソロジスト各務三郎の初仕事は、七五年に訳・編した『消えた人間のなぞ』（学習研究社）。「折れた剣」を始め、死体処理と人間消失をテーマとした八篇を収録し、それぞれに「ミステリーがより楽しくなるページ」と題した解説を附した、無垢な子供をミステリ・ファンへと誘うナイスな児童書です）。

閑話休題。アンソロジストとして初の本格的な仕事となったこの五冊に対する各務の意気込みの大きさは、なによりも各巻に載録された作家論と作品リストからうかがえる。四百字詰め原稿用紙に換算して三十から四十枚に及ぶ質量ともに充実した論文と、すべての刊行物——長篇、中・短篇集、戯曲、ノンフィクション等――を網羅した詳細な書誌データは圧倒的だ。中でも『探偵 人間百科事典』に載せたフランク・グルーバー論と作品リストは、日本語で書かれた初の本格的な資料であり、その意義はとても大きい。

　勿論、本体も十分に吟味されている。各短篇集に収録された作品は以下の通りだ（☆は単行本初収録作、★は初訳。括弧の中のタイトルは他の邦題）。

■『クリスティー傑作集』
《エルキュール・ポアロ》「すずめばちの巣（スズメ蜂の巣）」、「二十四羽の黒つぐみ」、「バグダッドの櫃の秘密（バグダッド大櫃の謎）」、《ミス・マープル》「青いゼラニウム」、「風変わりな悪戯（奇妙な冗談）」、《トミー&タペンス》「鉄壁のアリバイ」、《ハーリー・クィン》「ハーリー・クィン登場（クィン氏登場）」、「ヘレンの顔」、《パーカー・パイン》「明けの明星消失事件（レガッタ・デーの事件）」、〈幻想と怪奇〉「ランプ」、「人形（洋裁店の人形）」

■『チャンドラー傑作集』
序説、《ジョン・ダルマス》「殺しに鵜のまねは通用しない（スマートアレック・キル）」、「怯じけついてちゃ商売にならない（トラブル・イズ・マイ・ビジネス）」、《サム・デラグエラ警部補》☆「スペインの血」、《テッド・マルバーン》☆「〝シラノ〟の拳銃（シラノの拳銃）」、《トニー・レセック》「待っている」、評論「殺人の簡単な芸術（むだのない殺しの美学）」

■『エラリー・クイーン傑作集』
《リチャード&エラリー・クイーン》「アフリカ帰り（アフリカ旅商人の冒険）」、「正気にかえる」、《エラリー・クイーン》「七匹の黒猫（七匹の黒猫の冒険）」、☆「結婚記念日」、「神の燈火（神の灯）」、《リンカーン・ピアス保安官補》☆「動機」

　以上三つの短篇集に採られた諸作は、現在でも他の版で読むことが出来る。それぞれお薦め作品を挙げておくと――

　クリスティが生んだ四人＋一組の名探偵の活躍譚に怪奇・幻想作家としての側面を伝える二品を加えた『クリスティー傑作集』では、ハーリー・クィン氏の作品を。

人生というドラマにおいて、舞台の隅から俳優たちにあれこれと指図し、男女の愛憎劇を当事者にとって最善と思われるクライマックスへと導く時空を超えた演出家であるクィン氏は、ミステリ史上唯一無二の超自然探偵だ。一、二篇読むだけではその真価を味わうのは難しいので、出来れば『謎のクィン氏（ハーリー・クィンの事件簿）』（1930、クリスティー文庫）を丸ごと一冊読んで欲しい。

レイモンド・チャンドラーが一九三九年に長篇第一作『大いなる眠り』（ハヤカワ・ミステリ文庫）でフィリップ・マーロウをデビューさせる以前のパルプ・マガジン時代に書いた短篇十二篇と「序説」及び「殺人の簡単な芸術」を収録した *The Simple Art of Murder*（1950）を底本とした『チャンドラー傑作集』からは、珍しく警察官、それもヒスパニックを主人公にした「スペインの血」を。

チャンドラー・ワールドにおいては、通常ヒーローである私立探偵に対する敵役として登場する警察官を主役に据えて、組織内部の人間に腐敗と向き合わせている点が面白い。謎解きミステリとしての練り具合も割合高めだ。

あと、忘れてはいけないのが評論「殺人の簡単な芸術」。黄金期英国探偵小説をばっさりと切っている点とハメット賞賛という点ばかりが強調されているきらいがあるが、きちんと通して読むと、四、五〇年代のポスト黄金期に活動したミステリ作家の真摯な決意表明としてとても興味深い。

『エラリー・クイーンの冒険』（1935）と『新冒険』（1940、ともに創元推理文庫）の二冊の代表的な短篇集から各二作ずつを選出、併せて本国でも単行本未収録の〈ライツヴィルもの〉「結婚記念日」と、ノン・シリーズ作品でミッシング・リンクものの傑作「動機」を収録した『エラリー・クイーン傑作集』からは、本格ミステリ好きのマスト・リード「神の燈火」と、雑誌掲載時に、異常で意外な動機に関してクイーンが自賛コメントを掲載した「動機」を強くお薦めします。

一方、『ガードナー傑作集』と『探偵 人間百科事典』に収録された作品は、残念ながら、現在、手軽に読むことが出来ない。

「二十世紀の最も著名な法律家は、ペリイ・メイスンという名のロサンゼルスの弁護士である」（ドロシイ・B・ヒューズ『E・S・ガードナー伝　ペリイ・メイスン自身の事件』早川書房）と記されるくらいに世界中で親しまれたミステリ史上最も頼りになる刑事弁護士ペリイ・メイスンや、A・A・フェア名義で書いた《私立探偵バーサ・クール&ドナルド・ラム》シリーズを始めとして、百四十冊以上の小説を刊行、亡くなる前年の一九六九年までに、母国アメリカだけで一億七千万部という空前の売り上げを達成したというE（アール）・S（スタンリー）・ガードナー。

開拓時代の西部史に関する該博な知識を核に、謎解きとアクションをバランスよく組み合わせ、ユーモアたっぷりでテンポが良いエンターテインメントを書き続けたB級ミステリの巨匠、フランク・グルーバー。

ともにパルプ・マガジン出身で、「ブラック・マスク」誌を中心に書きまくっていた二人の作品の中から、各務三郎が選んだのは以下の通り。

■『ガードナー傑作集』

《怪盗レスター・リース》☆「インドの秘宝（リース式探偵法）」、☆「レスター・リース作家となる（鵜をまねるカラス）」、《ペリイ・メイスン》「緋の接吻」、「燕が鳴いた（叫ぶ燕）」、《ペギー・カッスル嬢》☆「宝石の蝶」

■『探偵 人間百科事典』

《オリヴァー・クエイド&チャーリー・ボストン》☆「鷲の巣荘殺人事件」、★「ドッグ・ショウ殺人事件」、★「不時着」、★「州博覧会殺人事件」、★「漫画映画殺人事件」

前者では、パルプ作家時代に生みだした十五を超える主人公の中でも特に作者のお気に入りだった青年義賊レスター・リースの活躍を描いた二篇がお薦めだ。従僕スカットルが持ってくる新聞に掲載された犯罪記事を読んでたちどころに事件の真相を見抜き、悪党が別の悪党から盗んだものを横から頂戴しては、その大半を不幸な人々に分け与えるという魅力的な設定にさらに一工夫加えて、スカットルを警察側のスパイとした点がミソ。レスター・リースとは英国上流階級さながらの慇懃（いんぎん）なやりとりを交わし、自分を送り込んだ間抜けな上司とは丁々発止（ちょうちょうはっし）と渡り合うスカットルの姿には、思わず笑いが漏れてしまう。当初は何をもくろんでいるのか解らないレスターの行動の意味が、ラストで鮮やかに明かされ、思わず膝を打つ痛快なシリーズだ。

後者は、百科事典のセールスマンで、自らの商品を四回読破し、そのすべてを記憶している〈人間探偵百科事典〉ことオリバー・クエイドと巨漢の相棒チャーリー・ボストンが活躍する十五作の短篇の中から五篇をセレクトした短篇集だ。

編者の各務自身が、「脇役のチャーリーの役目があまりよくわからないのが、へんにおもしろい。ワトソン博士より腕力において数倍まさり、知能に関して数倍劣るあたりもけっこう。こんなユーモアたっぷりのパズル小説＋冒険小説が本にならないのはおかしい」と昨年、短篇集『探偵・人間百科事典』（番町書房）を翻訳してしまったくらいだ」（「ヒーロー売ります」、「EQ No.6」初出、『わたしのミステリー・ノート』一九八三、読売新聞社、所収）と語るように、頭脳明晰で口八丁手八丁なクエイドの八面六臂の活躍を楽しむシリーズだ。殺人事件の起きた山荘に逃亡中の脱獄囚が押し入ってくる「鷲の巣荘殺人事件」が特に秀逸。このまま埋もれさせるにはあまりに惜しいシリーズなので、ぜひとも全十五作を収録したコンプリート版を訳出して欲しいものだ、とこれは一グルーバー・ファンとしてのお願いです。

以上五冊は、後に講談社文庫で再刊され、その際ダシール・ハメット傑作選として『ハメット 死刑は一回でたくさん』を新たに加えて全六巻のコレクションとなった。これらに載録された作家論と作品リストは、評論集『わたしのミステリー・ノート』に再録されている。六人の巨匠への手引きとして絶好のガイドであると同時にマニアにとっても読み応えのある評論なので、是非とも多くの人に読んでみて欲しい。

さて、これら自ら編んだ巻のほかに、『世界怪奇ミステリ傑作選』（正・続）にも各務は深く関わっていたと思われる。なぜそう思うのかというと、前述したように「ミステリマガジン」時代に各務が特に力を入れていたことの一つが、幻想・怪奇小説の紹介だったからだ。

編者の矢野浩三郎は元早川書房の社員で、退社後、六七年に「矢野著作権事務所」（現・日本ユニ・エージェンシー）を設立、翻訳エージェント兼翻訳家として活躍し、「ミステリマガジン」でも多数の作品を訳している。同年輩で親交のあった各務が、月刊ペン社の『恐怖と幻想』（全三巻）や、これをベースに再編纂した角川文庫の『怪奇と幻想』（全三巻）といった幻想・怪奇小説アンソロジー編纂で実績のある矢野を紹介して、この二冊のアンソロジーを叢書に組み入れたのではないだろうか。

それぞれの収録作は以下の通り。

■『世界怪奇ミステリ傑作選　オカルトと超神話』

《吸血鬼たち》☆「河を渉って」シャイラー・ミラー、《悪と魔法》☆「蠅の悪魔（ベルゼブブ）」ロバート・ブロック、☆「魔女志願」ジャック・シャーキー、☆「三番目のシスター」アーサー・ポージス、☆「死の舞踏（死神よ来たれ）」ピーター・S・ビーグル、《錬金術と秘儀》★「錬金術の薔薇」W・B・イェイツ、★「秘儀聖典」ダイアン・フォーチュン、《超神話》☆「解放の呪文」アーシュラ・K・ル・グィン、「CTHULHUの喚び声（クトゥルフの呼び声）」H・P・ラヴクラフト、エッセー「超神話について」矢野浩三郎

■『続　世界怪奇ミステリ傑作選　〝13〟のショック』

《旋律》☆「目撃」スティーヴン・バー、☆「階上の部屋」シリア・フレムリン、《変身ものがたり》☆「黄色い猫」マイクル・ジューゼフ、「たましい交換（鏡の中の黒い顔）」ジェラルド・カーシュ、☆「樹」ジョイス・マーシュ、☆「へび」チェスター・ハイムズ、《もう一つの世界から》☆「バイオリンの弦」ヘンリー・ハッセー、☆「開かずの間の謎（開かずの間の秘密）」エリオット・オドンネル、☆「煙のお化け」フリッツ・ライバー、☆「おいでワゴン！（おいで、ワゴン！）」ゼナ・ヘンダースン、《幻覚》☆「頭の中の機械」アンナ・カヴァン、「待っている」クリストファー・イシャーウッド、

★「強制ゲーム」ロバート・エイクマン、エッセー「枯尾花奇談」矢野浩三郎

正・続合わせて二十二篇の収録作は、第一期「奇想天外」と「ミステリマガジン」を初出とする作品が大半で、ほぼ全作が初めて単行本に収められた。刊行当時、第二期「奇想天外」でSF小説の新刊レビューを連載していた川又千秋が「正」編を取り上げて、「傑作選であるからには、もうちょっとコンセプトを明確に作品を選んで欲しいと思うのだ、これではまるで雑誌だ。でも、楽しめることは確か」と評しているように、いずれも間口を広く採っておりヴァラエティに富んでいるものの、全体を通した解説がないこともあり、求心力が弱い。「死の舞踏」「黄色い猫」「へび」「開かずの間の謎」「おいでワゴン！」「待っている」など傑作も多いだけに、作品解題が貧弱なのも残念だ。ぱらぱらと読む分には十分面白いです。

三

続いて松村喜雄がらみの三作を見ていこう。まずは、『世界暗号ミステリ傑作選』（正・続）から。

レイモンド・ボンド編、長田順行（ながたじゅんこう）監修とあるように、本書は原書 *Famous Stories of Code and Cipher* (1947) のストレートな翻訳書ではなく、江戸川乱歩「二銭銅貨」と「暗号記法の種類」、ポー「暗号論」を追加した上で、紙幅の関係からポー「黄金虫」とハーヴィ・オヒギンズ「恐喝団の暗号書」を割愛した改訂版アンソロジーだ。

海上自衛隊で暗号専門部隊に所属し、後に日本暗号協会を設立した暗号研究の第一人者・長田順行が松村喜雄と知己を得たことによりこの企画は実現した。二人を結びつけたのは、本叢書発刊の前年に急逝した渡辺剣次である。正編のあとがきに記されているように、乱歩に協力して『十字路』を執筆したことでも知られるミステリ研究家の渡辺が、七五年に『13の暗号』

（講談社）を編んだ際に附した「暗号小説小論」の中で、長田の『暗号　原理とその世界』（ダイヤモンド社）の記述を引用したことが縁で二人は知り合いとなる。翌年、渡辺を偲ぶ会で出会った梶龍雄から長田は*Famous Stories of Code and Cipher*を借用。松村の発案により、原書を再構成した暗号ミステリ・アンソロジーの企画がまとまった。その内容は以下の通りだ。

■『世界暗号ミステリ傑作選』
★「序・暗号論」レイモンド・ボンド、「二銭銅貨」江戸川乱歩、★「ヒヤシンス伯父さん」アルフレッド・ノイエス、★「白象教会事件（屑屋お払い）」マージャリー・アリンガム、★「ミカエルの鍵」エルザ・ベーカー、☆「救いの天使」E・C・ベントリー、「QL 696,C9」アンソニー・バウチャー、★「キャロウェイの暗号」O・ヘンリー、「暗号記法の種類」江戸川乱歩、「あとがき」長田順行

■『続　世界暗号ミステリ傑作選』
「踊る人形」コナン・ドイル、「四人の容疑者」アガサ・クリスティ、★「奇妙な暗号の秘密（比類なき暗号の秘密）」F・A・M・ウェブスター、「大暗号」メルヴィル・デヴィスン・ポウスト、「ドラゴン・ヘッドの知的冒険（龍頭の秘密の学究的解明）」ドロシー・セイヤーズ、「暗号錠（文字合わせ錠）」R・オースティン・フリーマン、「トーマス僧上の秘密（トマス僧院長の宝）」モンタギュー・ローデス・ジェイムス、★「盗まれたクリスマス・プレゼント」リリアン・デ・ラ・トーレ、「暗号論」エドガー・アラン・ポー、「暗号小説は袋小路だろうか」長田順行

マイ・ベスト3は、日露戦争に派遣されたアメリカ人記者が、いかにして検閲官の目をかいくぐって日本軍の軍事作戦に関するスクープを打電するかという「キャロウェイの暗号」、アフリカ奥地で狂気の内に不可解な死を遂げたとされる探検家が遺した日記を読み解いてみたら、あっと驚くオチが待っていた「大暗号」、十八世紀イングランドの文学者にして「英語辞典」を編纂したサミュエル・ジョンスン博士がダイヤモンド盗難事件の謎を解く、後味爽やかな「盗まれたクリスマス・プレゼント」の三作。

なお本作は、八〇年に創元推理文庫から原書に忠実な新訳版が出ている。同社の文庫に収録済みの作品は重複を避けるために割愛されているが、【イフ・ノベルズ】版では抄訳されてしまった各作品の前説も完訳され、無論「恐喝団の暗号書」も初訳されているので、こちらで読むことをお薦めします。

第三章

一

古典ミステリの短篇集から最新映画のノベライゼーションまでを一つ屋根の下に収めた雑居ビルのような【イフ・ノベルズ】の中でも、一際異彩を放つ作品が二つある。S（スタニスラス）＝A（アンドレ）・ステーマンの『三人の中の一人』と、F（フリーマン）・W（ウィルス）・クロフツの『スターベルの悲劇（スターヴェルの悲劇）』だ。

というのも、この二作だけが極端に発表年代が旧い（ふるい）のだ。前者が一九三二年、後者が一九二七年。各務三郎が注力した黄金時代の巨匠の日本オリジナル短篇集や、原著刊行は五〇年代だけれど当時まだ母国フランスで人気を博していたという《秘密情報員ゴリラ》シリーズは例外として、発表間もない作品中心のラインナップにあって、半世紀前の古典本格探偵小説というセレクションは、なんとも落ち着かないというか、居心地が悪そうに見えてしまう。

もっとも、これらが翻訳されたこと自体には違和感は感じない。黄金期本格ミステリを求める気運は、読者・版元の双方でともに高まっていたからだ。前年の四月に、「ハヤカワ・ミステリは知識人の読みものです！」というキャッチコピーのもと、一挙三十点を揃えてハヤカワ・ミステリ文庫が誕生。長らく入手困難となっていたクイーンやカーの古典名作が次々と文庫化されていく。

一方、ライバルである創元推理文庫からは、【イフ・ノベルズ】発刊と同じ年の七七年に、〈シャーロック・ホームズのライヴァルたち〉の刊行が始まる。「名のみ知られた名探偵の幻の名作を選りすぐり、当代第一線の翻訳家を動員して全ミステリ・ファンに贈る!!」という威勢の良い旗印の下、《隅の老人》や《思考機械》の事件簿が、順次店頭に並びだす。

さらに七五年の探偵小説専門誌「幻影城」の創刊や、七六年の映画「犬神家の一族」の封切りで一段と拍車がかかった横溝正史ブームも、このムーブメントを力強く後押しする。

そんな中で、クロフツの長篇は毎年コンスタントに創元推理文庫で新訳・再刊されていたし、ステーマンも『三人の中の一人』が出る前年の八月に、『マネキン人形殺害事件』（1932）が角川文庫から刊行されている。だから、『スターベルの悲劇』や『三人の中の一人』が翻訳されたこと自体は不思議ではない。問題は器だ。なぜ馴染みの版元から出なかったのだろう。

　この二作にはフランス・ミステリ研究家で翻訳家・作家でもあった松村喜雄が深く関わっている。親交の深かった鮎川哲也から「本格物も好きだった氏は、ナルスジャックをはじめとする新しい作家の謎解き小説を訳出したが、本当にやりたかったのはステーマンの長篇と取り組むことであった」（「解説――ステーマンと松村喜雄氏」、『ウェンズ氏の切り札』所収）と書かれたように、松村にとってステーマンは特別な作家であった。外務省勤務時代にヴェトナム戦争の渦中にあった東南アジアに赴任した際、バンコクの古本屋で入手したステーマンの原書を、「わたしが死んだらこれを使って、だれかに翻訳させてください」と手紙を添えて鮎川に送ったというエピソードからも、この作家の紹介に対する並々ならぬ執念が感じられる。

　松村がこの時手に入れたのは長篇三本の合本であり、七六年四月に雑誌「幻影城」で連載していた評論「フランス探偵小説史の内」の中で、「「マネキン人形殺人事件」「六死人」「ウェンズ氏の切り札」の三作について（中略）角川文庫の翻訳シリーズは、この順序で二月からスタートする予定になっている」と述べているように、やはり当初、ステーマンの作品は、当時「世界推理小説傑作選」と銘打って文庫内シリーズを立ち上げ、翻訳ミステリの紹介に力を入れ始めていた角川文庫から刊行される予定だったようだ。

　けれども実際には、『六死人』は、【異色探偵小説選集】編で触れたように、八四年に三輪秀彦訳で創元推理文庫の【探偵小説大全集】の一環として、『ウェンズ氏の切り札』(1932）は松村が亡くなった翌年に、藤田真利子と松村の共訳で現代教養文庫の【ミステリ・ボックス】の一冊として刊行された。手元にある『マネキン人形殺害事件』は、二年間で六回版を重ねている。単に売れなかった訳でもなさそうだが、経緯に関しては、今となっては藪の中というしかない。

　では、氏がそこまで惚れ込んだステーマンとは、一体どんな作家だったのだろうか。それを知るには、松村のステーマン評を読んでもらうにしくはない。曰く、「ステーマンは探偵小説をゲームと割り切っていた。読者をアッとおどろかせるために探偵小説を書いた。そのためには手段を選ばなかった。要するに、彼の頭にあったのはトリックだけである。トリックのためなら、なりふりかまわず、稚拙とさえ思われる、小説を書いた」（松村喜雄『怪盗対名探偵　フランス・ミステリーの歴史』双葉文庫）。

　もう、いっそ潔いくらいのトリック至上主義者である。この点で、ほぼ同時期にデビューした同じくベルギー出身の作家シムノンとは対照的だ。中でも、『三人の中の一人』は、フランスの片田舎の城館で暮らす三人の中の一人が雷雨の夜に正面から額を撃ち抜かれた事件の謎を巡って、手相学の大家と名乗る黒衣の男が仮説を立てて検証した結果、とんでもない真犯人像が浮かび上がり唖然とする間もなく、さらに意外な解決が導き出される珍作だ。

　もっとも、「思いついちゃったんだね、うんうんわかるよ」、と優しい気持ちで読み進めていると最後で斜め上から降ってくる真相に思いっきり頭をはたかれるのでご用心。既訳六長篇の中では一番出来が良く、冒頭の登場人物一覧に、なぜ〝原人〟と〝人間ガエル〟が並んでいるのかを知るためだけでも今なお読む価値のある一作です。いや、小説としては、稚拙ですが。あっ、翻訳もね。


　一方『スターベルの悲劇』に関して松村は、「本書「スターベルの悲劇」が、三人の青年の人生を狂わしたと書けば、いささか大げさになるであろうか」という一文に始まる解説の中で、戦前、『樽』に感心しなかった江戸川乱歩——松村は乱歩の従甥——が、『スターベルの悲劇』には感動した、という逸話を核に、この作品の翻訳に至った経緯をいささか私怨を交えて綴っている。即ち、惚れ込んだ『スターベルの悲劇』を、戦前最大のミステリ評論家で欧米作品の紹介に尽力し乱歩とも親交の深かった井上良夫に先に訳されてしまい、それが抄訳だった上に、戦後、【ハヤカワ・ミステリ】にそのままの形で収録されたことに長年不満を抱いていたが、今回ようやく原書を入手し、翻訳を斡旋したことで解消された、と訳出に至る因縁を明かしているのだ。ただ版元に関しては、「創元推理文庫でクロフツの作品を二十冊以上とりあげているが、これにも「スターベルの悲劇」が入っていない」と記しているだけで、入手した原書を東京創元社に持ち込んだか否か、なぜ【イフ・ノベルズ】で出すことにしたのかといった点は残念ながら判然としない。

ちなみに十年後の八七年に、大庭忠男による新訳版が、無事、創元推理文庫に収録された。ただし巻末に収録された解説座談会でも、戦前の井上良夫版については言及されているが、【イフ・ノベルズ】版についてはスルーされているため、依然経緯はわからないままである。それはさておき、肝心の内容はというと——

ヨークシャーの荒野に立つ屋敷が炎上し、当主を含む三人の住人の遺体が発見される。しかも金庫の中に貯めておいた大量の紙幣は灰に。原因不明の事故として処理されたものの、当主と取引のあった銀行支配人が疑念を抱いたことがきっかけとなり捜査が再開され、スコットランド・ヤードはフレンチ警部を派遣する。

作者の代名詞のように語られてきたアリバイ崩し要素がほとんどない本作は、入念に布石が打たれ丁寧に伏線が張られた堂々たる本格ミステリだ。二転三転するプロットの妙味と読者の予想をいい意味で裏切る緊迫感溢れるクライマックス・シーンに思わず唸ってしまう。フレンチ誕生以前にクロフツが主役に据えた『ポンスン事件』のタナー警部と『製材所の秘密』のウィリス警部がカメオ出演し、重要な役割を果たす点も愉しい。全作品中でも上位にくる傑作であり、クロフツに手を出そうかどうか迷っている方に、まずお薦めしたい一作だ。

二

さて、【イフ・ノベルズ】を巡る探訪もそろそろ大詰め。大きく三つに分けたグループのうち、残る一つ「その他の七〇年代作品」について見ていこう。

まずは、ジェローム・チャーリンの異色警察小説《アイザック・シーデル》シリーズからだ。本叢書には、現在までに書かれた十二作中、七五年から七八年にかけて刊行された初期四部作の内の、最終作 *Secret Isaac* を除いた三作――『ショットガンを持つ男』『狙われた警視』『はぐれ刑事』――が収録されている。

ニューヨーク市を舞台にした警察小説は数あれど、これほど風変わりなシリーズもないだろう。そもそも警察小説と呼んで良いのかどうか悩ましい。というのも、ここには警官が犯人を追い詰めていく捜査の過程はおろか、社会の秩序と安寧を守るために日夜奮闘する彼らの姿や、組織の中で生きる個人の苦悩や葛藤から生じるドラマといった、このジャンルの優れた作品が備えている魅力が一つも見られないのだ。ニューヨークをモデルにした架空の街アイソラを舞台に刑事たちの活躍を描いた《87分署》シリーズのような味わいを期待してはいけない。

代わりに描かれているのは、深すぎる愛と憎しみに囚われてしまったパラノイアたちの織りなす群像劇だ。インタビューの中で、「ぼくの小説では暴力が必要なんだ。殺人鬼、悪党がいると、暴力をふるうし、警官も同じように暴力をふるう。警官と犯罪者は共存している、と感じるね」（木村二郎『尋問・自供 25人のミステリ・ライター』早川書房）と語るように、チャーリンは正邪一体となったエネルギッシュな人々を〝腐った大都会（Big Rotten Apple）〟から拾い出し、玉石混淆のモザイクを造り上げた。

ブロンクスを根城とし、賭博とスリを生業にするペルーからの移民のガズマン一家とニューヨーク市警察監査局主任アイザック・シーデル警視の対決という図式を取ってはいるが、両者の距離は驚くほどに近い。犯罪者と睨んだ相手に対しては、証拠捏造も美男の部下を使った美人局による恐喝も厭わないアイザックと、身内を護るためならば捜査当局の人間も取り込もうとするガズマン一家とは、同じ穴の狢だ。

一九三七年にブロンクスで生まれ、ニューヨーク市を知悉しているチャーリンが、警察官である兄に取材し、ジェイムズ・ジョイスやウィリアム・フォークナーに影響されていた文学的過去から逃れて生みだしたと語るこのシリーズは、現実味を出すことに力点を置いた、読者の共感を誘うタイプのエンターテインメントではない。では何なのか。チャーリン自身は次のように述べている。曰く、「ニューヨークを書く時は、神話を作り出そうとする。現実的舞台がいやなんだよ。あれらの登場人物はどこにも存在しないんだ、自然な人物じゃない。グロテスクなんだ」（前掲書）。

　彼は、殺し屋ホールデンというアイザック警視と対極にあるキャラクターを主人公とする二部作――『パラダイス・マンと女たち』（1987、ミステリアス・プレス文庫）、*Elsinore*（1991）――で、よりスタイリッシュに進化した〈現代の神話〉を創造して見せた。その信条は、〝言葉の魔術師〟ジョナサン・レセムがハード・ボイルド形式で書いた『マザーレス・ブルックリン』（1999、ミステリアス・プレス文庫）や、マイケル・シェイボンの歴史改変SFミステリ『ユダヤ警官同盟』（2007、新潮文庫）といったチャーリンと親交のある境界解体文学（スリップ・ストリーム）の書き手の諸作に今も受け継がれている。

　ちなみに、この異色の犯罪小説シリーズが本叢書に収録された経緯について、翻訳をされた小林宏明（こばやしひろあき）氏に編集部を通じて伺ったところ、詳細は憶えていないが担当編集者だった下村紀男が大変優秀な方だったと記憶しているという貴重な証言を得ることができた。残念ながら下村に関してこれ以上詳しいことを調べることはできなかった。

　ただ、七五年に主婦と生活社――番町書房の親会社だ！――から刊行された小野耕世・編『60年代のカタログ』の中に、下村紀夫「すべてはアイビーで」というコラムが載録されている。この方が下村紀男と同一人物である可能性は高いと思う。であれば、アメリカ東海岸の流行文化に対して造詣が深かったであろう氏のアンテナにジェローム・チャーリンが引っかかったのではないかと推測しても、あながち妄想とは言い切れないのではないだろうか。

　続いては『暴走族殺人事件』を。女性が暴行されている表紙絵に加えてこの邦題だ。容易に中身の予想がつくと思った人も多いだろう（ちなみに【イフ・ノベルズ】はカバーの袖にまで絵が続いているので表紙を見ただけでは全体像が解らない。この作品の場合、バイクに乗った暴走族は、開いて初めて目に触れるようにできている）。

　古本屋で見つけても、まず手を伸ばさないだろうし、仮に持っていたとしても限りなく積読（つんどく）率が高いに違いない。はい、私もそんな一人でした。でもやっぱり本は読んでみないと解らない。今回、購入以来二十三年間寝かせてきたこの作品を紐解いてみて驚いた。実に読み応えのある犯罪小説ではないか。上田公子による訳者あとがきにあるように、「この作品は、一つの犯罪、一つの事件を契機にした、人間存在への問いかけ」である。

若く美しい妻スウと六歳になる愛らしい娘とともにバカンスを過ごすために車を走らせていたグラントは、休憩しようという妻の提案に従ってハイウェイを降り、ショッピングモールへと向かった。だが、これが運命の分かれ道だった。付近にたむろしていた暴走族がスウのなまめかしい姿態を目にして欲情に駆られたのだ。食事を終え運転を再開した彼らの車に、三台のオートバイがまつわりつく。必死に逃げようとする努力もむなしく脱輪してしまったグラントは、家族を守るために暴漢へと向かっていくが袋叩きにあい意識を失ってしまう。やがて目覚めた彼が目にしたのは、無残にもレイプされ殺された妻と娘の死体だった。

不条理な暴力により愛する者を殺され日常生活を奪われた者が、自ら復讐に乗り出す。個人による正義の履行の是非という繰り返し取り上げられてきたテーマに基づく数多（あまた）ある作品の中でも本書が一際異彩を放っているのは、これが復讐の実行＝物語の終結となっていない上に、復讐の準備を進めるグラントの体温が常時極めて低いためだ。彼は激情に駆られることなく、なすべき仕事をこなすがごとく犯人の日々の行動を探り、銃を購入する。それが殺人という人としての一線を越える行為であることは理解しており、決して善だとは思っていないものの、復讐を行わないのはさらに悪いことなのではないかと考え、淡々と射撃練習を繰り返す。郊外住宅（サバービア）で平穏無事な家庭生活を営んでいたものの、突然襲ってきた災難により感情が仮死状態に陥ってしまった主人公が、社会とのつながりや生きる意味といった喪（うしな）ってしまったものをいかにして取り戻すのか。その過程こそが本書の読みどころだ。【イフ・ノベルズ】の中では、《アイザック・シーデル》シリーズとともに復刊に値する傑作である。

作者のジョン・ブューアルは、一九二七年、カナダのモントリオールに生まれた。シェイクスピアに関する論文で博士号をとり、コンコルディア大学の名誉教授を務める。本書を含め五作の犯罪小説を上梓、デビ

ュー作 *The Pyx*（1959）と本作は映画化され、それぞれ、「マインドコントロール殺人　ザ・ピクス」、「ヘルバスター　避暑地の異常な夜」のタイトルでDVDがリリースされている。前者は一見の価値あるオカルト・ミステリの傑作だが、後者は原作とは似ても似つかないフランス産ラブ・サスペンスなので、敢えて見る必要はないですよ。

さてさて、ここからはやや駆け足気味に。ラッセル・フォアマンの『ビールス』は、未知のインフルエンザ・ウィルスの感染爆発により、人類がじわじわと滅んでいく様を、冷徹かつ緻密に描き上げた破滅もの小説（Apocalyptic fiction）の力作だ。

オーストラリアへ旅行に行った英国人一家の一人娘がインフルエンザに罹り、治療の甲斐なく帰国途上で死亡。ついで、旅先で彼らと接触したオーストラリアからの研修医が同様の症状を示して亡くなる。同僚の死を調べ始めた研究医ジュリアンは、これが人類がかつて遭遇したことのない恐るべきインフルエンザ・ウィルスであることを突き止め、政府関係者に進言するが……。

死亡率一〇〇％の病原体に対してなすすべもなく崩壊していく文明社会。一発逆転の妙手や画期的な発明といったフィクションに欠かせない救世主はここにはいない。煽ることのない抑制の利いた筆致と詳細なデータの提示に基づく物語の構築ゆえ、まるでノン・フィクションを読んだかのような読後感を憶える。

作者は、一九二一年にオーストラリアのメルボルンで生まれ、二〇〇〇年にイタリアのフィレンツェで没した。第二次大戦中は航空機の技師として働く。画家、美術評論家、旅行家、教師、そして美食家といくつもの顔をもっていたフォアマンは、長年に亘って南太平洋を放浪していた時の経験を生かして、一九五九年にフィジーが舞台の食人習慣を題材にした *Long Pig* で作家デビュー、本作を含め三作の小説を発表した。

三

最後はノベライゼーション三作で締めくくろう。『ネットワーク』『未来世界　デロスワールドの謎』『エンブリヨ』は、いずれも七六年にアメリカで制作・公開された映画の小説化作品であり、翌七七年、日本公開日程に合わせて順次翻訳刊行されていった。

まずは『ネットワーク』から。長年、トップを走ってきたものの、最近では人気が凋落し解雇通告を受けた全米ネットワークのアンカーマン、ビールが、番組の中で、来週の放映中にピストル自殺すると発言。怒った上層部は彼を降板させようとするが、野心的な女性プロデューサーのダイアナは、ビールの過激な発言を逆手にとって彼を〝現代の偽善を糾弾する怒れる予言者〟として利用することで視聴率を稼ごうとする。

視聴率という〝神〟の前ではモラルなど何の意味もなく、何をしても許されるという信念のもと、次々と過激な番組を編成していくダイアナの言動を通じて、当時のアメリカにおけるテレビ業界の内幕を暴露し、高度な風刺劇としても話題になった硬派な社会派ドラマだ。監督は「十二人の怒れる男」や「評決」を撮ったシドニー・ルメット。ダイアナを演じたフェイ・ダナウェイによる主演女優賞を始めとして、アカデミー賞の四部門に輝く。中でも脚本を書いたパディ・チャイエフスキーは、本作で三度目の受賞という快挙を成し遂げた。

『未来世界 デロスワールドの謎』は、マイクル・クライトン脚本・監督による映画「ウエストワールド」の続編だ。古代帝政ローマ、中世ヨーロッパ、開拓時代のアメリカ西部という三つの世界からなるテーマパーク〈デロス〉で、人間に奉仕するはずのロボットが制御不能となり、襲ってくる恐怖を描いた前作に対して、本作では新たに加わった未来世界を主な舞台に、人間と見分けのつかないロボットが遍在する世界で進行する陰謀劇が描かれる。

ノベライズを担当したジョン・リーダー・ホールはグレゴリイ・ベンフォードと『シヴァ神降臨』(ハヤカワ文庫SF)を共作したウィリアム・ロッツラー(一九二六〜九七)の別名義。ロス市警風紀犯罪特捜班とサディスティック・キラーの対決を描いた『戦慄の街』(1982、日本公開名「ザ・モンスター」、ヘラルド映画文庫)等、多数のノベライゼーションを執筆する一方、ポルノ映画製作者、漫画家、グラフィック・アーティストとして活躍し、ヒューゴー賞のファン・アーティスト部門賞を過去に五回(含レトロ・ヒューゴ賞)受賞、ロサンゼルス市警察本部の玄関に作品を寄贈するなど多才な人物である。

『この地球のどこにも』（1958、ハヤカワ・SF・シリーズ）や『コンピューターの身代金』（1979、日本経済新聞社、ルイス・シャーボーノー表記）などの作者ルイ・シャルボノーによって小説化された『エンブリヨ』もまた、発達しすぎたテクノロジーに警鐘を鳴らすSFスリラーだ。

事故死させてしまった妻と共同開発した成長促進剤を、受精後四ヵ月に満たない胎児に投与した医師ポール。異常なスピードで成人女性へと成長した胎児にビクトリアと名付けた彼は、その美しさと聡明さに惹かれていく。だが、破局はすぐそこに迫っていた。

映画「まごころを君に」（原作ダニエル・キイス『アルジャーノンに花束を』）を撮ったラルフ・ネルソンが人為的な成長促進に再び挑んだ、後味最悪のスリラーだ。

「興奮・熱狂・ロマンとサスペンスを海外の名作と最新作で紹介！」という売り文句を掲げたものの、わずか一年を待たずしてシャッターを閉じてしまった雑居ビル、【イフ・ノベルズ】。率直に言って二流三流の収録作も少なくない。けれども私はこの叢書に惹かれてしまう。それは、これが専門出版社では決して作り得なかったであろう、七〇年代後半の不穏で不思議な燦（きら）めきを放つ玉石混淆のモザイクだからだ。

［附記］

【イフ・ノベルズ】収録作家の中で、本文連載終了後に新たに翻訳された作家は三人いる。そのうちF・W・クロフツとフランク・グルーバーについては、【六興推理小説選書〈ROCCO CANDLE MYSTERIES〉】の［附記］で記したとおり。残る一人はS・A・ステーマンで、二〇一六年に『マネキン人形殺害事件』等で探偵役を務める《エイメ・マレイズ警部》シリーズの第一作『盗まれた指』（1930）が【論創海外ミステリ】で訳出された。

《【イフ・ノベルズ】収録作品リスト》

番町書房　全二十九巻（一九七七年二月から一九七七年十二月まで刊行）
●装幀：山下秀男（現・ペドロ山下）●判型・体裁：新書判・紙カバー・帯 ●訳者あとがき：2・5・6・8・9・11～13・19～23・28
●編者あとがき／作家論：3・4・9・13・24～27 ●解説：7……青木日出夫、10……長島良三、16……土田研一、17……中島河太郎、18……松村喜雄

No.	邦題	原題（原著刊行年）	作者	翻訳者	発行年月日	国籍
1	シーザーの暗号（上）	Und Jimmy Ging zum Regenbogen（1970）	J・M・ジンメル	小菅正夫	1977/2/25	墺
2	シーザーの暗号（下）	Und Jimmy Ging zum Regenbogen（1970）	J・M・ジンメル	小菅正夫	1977/2/25	墺
3	クリスティー傑作集		アガサ・クリスティー	各務三郎編 深町真理子	1977/2/25	英
4	チャンドラー傑作集		レイモンド・チャンドラー	各務三郎編 清水俊二	1977/2/25	米
5	ネットワーク	Network（1976）	サム・ヘドリン	石川周三	1977/2/25	米
6	偽ドル殺人事件 秘密情報員ゴリラ・シリーズ①	Gaffe au Gorille !（1954）	A・L・ドミニック	谷亀利一	1977/2/25	仏
7	秘密指令ネオ・ナチ壊滅作戦 コックスマン・シリーズ①	Berlin Wall Afair（1967）	トロイ・コンウェイ	泉信也	1977/2/25	米
8	暴走族殺人事件	The Shrewsdale Exit（1972）	ジョン・ブューアル	上田公子	1977/4/5	加
9	ガードナー傑作集		E・S・ガードナー	各務三郎編 池央耿	1977/4/5	米
10	カマレ号殺人事件 秘密情報員ゴリラ・シリーズ②	Le Gorille dans le Pot au noir（1955）	A・L・ドミニック	伊東守男	1977/4/5	仏
11	エーゲ海の決闘 コックスマン・シリーズ②	A Hard Man is Good to Find（1973）	トロイ・コンウェイ	野中重雄	1977/4/5	米
12	ショットガンを持つ男	Blue Eyes（1975）	ジェローム・チャーリン	小林宏明	1977/5/5	米
13	エラリー・クイーン傑作集		エラリー・クイーン	各務三郎編 真野明裕	1977/5/5	米
14	復讐する 秘密情報員ゴリラ・シリーズ③	Le Gorille vous salue bien（1954）	A・L・ドミニック	羽林泰	1977/5/5	仏

15	呪われた女 コックスマン・シリーズ③	The Billion Dollar Snatch (1967)	トロイ・コンウェイ	吉田猛	1977/5/5	米
16	未来世界 デロスワールドの謎	Future World (1976)	ジョン・リーダー・ホール	中上守	1977/6/5	米
17	三人の中の一人	Un Dans Troit (1932)	S・A・ステーマン	松村喜雄	1977/6/5	白
18	スターベルの悲劇	Inspector French And the Starvel Tragedy (1927)	F・W・クロフツ	田中海彦	1977/7/5	英
19	最後のチャンス コックスマン・シリーズ④	Last Licks (1968)	トロイ・コンウェイ	片瀬礼二	1977/7/5	米
20	エンブリヨ	Embryo (1976)	ルイ・シャルボノー	野中重雄	1977/8/5	米
21	狙われた警視	Marilyn the Wild (1976)	ジェローム・チャーリン	小林宏明	1977/8/5	米
22	ビールス	The Ringway Virus (1976)	ラッセル・フォアマン	吉野美耶子	1977/9/10	豪
23	探偵 人間百科事典		フランク・グルーバー	各務三郎	1977/9/10	米
24	世界暗号ミステリ傑作選	Famous Stories of Code and Cipher (1947)	レイモンド・ボンド編／長田順行監修		1977/10/10	
25	世界怪奇ミステリ傑作選 オカルトと超神話		矢野浩三郎編		1977/10/10	
26	続 世界暗号ミステリ傑作選	Famous Stories of Code and Cipher (1947)	レイモンド・ボンド編／長田順行監修		1977/11/10	
27	続 世界怪奇ミステリ傑作選 〝13〟のショック		矢野浩三郎編		1977/11/10	
28	はぐれ刑事	Education of Patrick Silver (1976)	ジェローム・チャーリン	小林宏明	1977/12/10	米
29	バミューダ海の女 コックスマン・シリーズ⑤	Whatever Goes Up (1969)	トロイ・コンウェイ	清水正二	1977/12/10	米

※ 米＝アメリカ、英＝イギリス、仏＝フランス、加＝カナダ、墺＝オーストリア、白＝ベルギー

新訳・再刊等 （ ）内は発行年月日

3『クリスティーの6個の脳髄』講談社文庫（1979/8/15）

4『チャンドラー 美しい死顔』講談社文庫（1979/11/15）

9『ガードナー 怪盗と接吻と女たち』講談社文庫（1979/12/15）

13『クイーン 推理と証明』講談社文庫（1979/11/15）

18『スターヴェルの悲劇』創元推理文庫、大庭忠男訳（1987/9/25）

23『グルーバー 殺しの名曲5連弾』講談社文庫（1980/2/15）

24・26『暗号ミステリ傑作選』創元推理文庫（1980/2/1）、宇野利泰ほか訳 コナン・ドイル「踊る人形」、アガサ・クリスティ「四人の容疑者」、元版時も未収録のエドガー・アラン・ポオ「黄金虫」及び元版時追加した江戸川乱歩「二銭銅貨」「暗号記法の種類」、エドガー・アラン・ポオ「暗号論」は割愛。初収録作はハーヴィ・オヒギンズ「恐喝団の暗号書」

《【ポイント・ブックス／スパイ・サスペンス・シリーズ】収録作品リスト》

番町書房　全四巻（一九六二年十二月から一九六三年五月まで刊行）

●装幀：501……松田穰、502・503……勝本冨士雄、504……粟津潔

●挿絵：501……津神久三、502……土井栄、503……栗林正幸　●判型・体裁：新書判・紙カバー　●全巻訳者あとがき

No.	邦題	原題（原著刊行年）	作者	翻訳者	発行年月日	国籍
501	赤い霧	Le Temps Des Sorciers（1961）	セルジュ・ラフォレスト	川崎竹一	1962/12/10	仏
502	闇ドルの女王	Trafic Triangulaire（1961）	セルジュ・ラフォレスト	川崎竹一	1963/1/25	仏
503	計画破壊網	Réseau en déroute（1956）	アンリ・フェルヴァル	久野四郎	1963/3/10	白
504	売国奴	Traitor Betrayed:The True Story of George Blake（1962）	E・H・クックリッジ	井上一夫	1963/5/15	英

※　仏＝フランス、白＝ベルギー、英＝イギリス

【ワールド・スーパーノヴェルズ／北欧ミステリシリーズ】編

一

二十一世紀になって書かれたミステリの中で最もエポックメイキングな作品といえば、スティーグ・ラーソンによる《ミレニアム》を措いてほかにないだろう。二〇〇五年から〇七年にかけて刊行された三部作――『ドラゴン・タトゥーの女』『火と戯れる女』『眠れる女と狂卓の騎士』（ともにハヤカワ・ミステリ文庫）――は、人種差別、国粋主義、言論弾圧、倫理観なき巨大資本による不正工作、人身売買と強制売春、さらには過熱化するマスコミによる人権侵害といった深刻な社会問題をテーマにしつつ、行動力溢れる魅力的な男女を主人公に配し、ありとあらゆるミステリのジャンル――古典本格、警察小説、ハードボイルド、サスペンス、冒険活劇、法廷小説、エスピオナージュ――の手法を駆使して生みだされた第一級のエンターテインメントだ。

　人口九百万人余（二〇〇五年の刊行当時）のスウェーデンで累計二百九十万部という記録的な大当たりとなり、〇六年以降、ヨーロッパ大陸の各国――フランス、デンマーク、ノルウェー、ドイツ、イタリア等――で次々に翻訳され、あっという間に七百万部の売上を達成。〇八年から翌年にかけて英訳されるや一気に全世界に広まり、一一年末には、なんと六千五百万部というミステリ史上稀に見るメガヒットとなった。三作すべてがスウェーデンで映画化され、その後ハリウッドでリメイクが進行中だ。

　日本でも〇八年十二月から翌年の七月の間にすべて翻訳され、その年の「週刊文春」の「ミステリー・ベスト10」で一位に輝いたのを筆頭に数々の年次ベスト・テン企画で上位にランク・インした。かくいう私も、ネットとリアルの二つの世界を股にかけて文字どおり命懸けで闘うヒロイン・リスベットと、その勇姿に魅了されて彼女をサポートする主人公ミカエルを始めとする〝騎士〟たちの活躍を描いた〈サガ〉に夢中になり、各所で票を投じたものだ。三部作の刊行を前にした〇四年に、生みの親であるスティーグ・ラーソンが急逝し、続編が読めないのが残念でならない。

閑話休題。こうした《ミレニアム》三部作の成功を受けて、北欧ミステリは俄然注目の的となり、ノルウェーのジョー・ネスボ（『コマドリの賭け』2000）やカリン・フォッスム（『湖のほとりで』1996）、アイスランドのアーナルデュル・インドリダソン（『湿地』2000）といった《ミレニアム》以前から良質な作品を発表し、評判が聞こえてきていた中堅実力派から、ラーソンが亡くなった年にデビューしたアンデシュ・ルースルンド&ベリエ・ヘルストレム（『制裁』2004）、さらにはスウェーデンのヨハン・テオリン（『黄昏に眠る秋』2007）、オランダのユッシ・エーズラ・オールスン（《特捜部Q》シリーズ）といった《ミレニアム》以降にデビューした新鋭まで、優れた作家が次々に紹介され始める。

そうしたニュー・フェイスに勝るとも劣らない人気を博しているのが、《クルト・ヴァランダー》シリーズの作者ヘニング・マンケルだ。激変する世界情勢を背景に、国内外の社会問題を直視し、九〇年代スウェーデン社会の変遷を描いたこのシリーズは、北ヨーロッパというよりはスウェーデンに、これほどまでに質の高い作品があったのか、と世界中のミステリファンの目を開かせた。《ミレニアム》登場以前に北欧ミステリ・ブームの端緒を開いたこのシリーズは、原著刊行から十年を経た〇一年に第一作『殺人者の顔』（創元推理文庫）で日本に上陸。以後、ほぼ年一冊のペースで翻訳され、常に年次ベスト・テン企画で上位にランク・インし、マンケルは、名実ともに〝北欧ミステリの貌（かお）〟として不動の地位を保っている。

そんな九〇年代以降にデビューした勢いのある作家たちの作品を中心に、二〇〇八年からの四年半に四十作近くも紹介されたことからも明らかなように、これら北の国々のミステリに対する関心は既にブー

ムの段階を終えており、北欧五ヵ国は優れたミステリ——とりわけ警察小説——の供給元として、今やしっかりとポジションを確保している。

結構年季が入ったファンの間でも、北欧ミステリといえばスウェーデンのマイ・シューヴァル&ペール・ヴァールー夫妻による全十巻からなる大河警察小説《マルティン・ベック》シリーズぐらいしか名前が挙がらず、実際、ほとんど訳されることのなかった七〇年代から二十世紀末にかけての状況を思い起こすと、まさに隔世の感があるというものだ。

二

【ワールド・スーパーノヴェルズ/北欧ミステリシリーズ】は、そうした過少供給の時代にあって、北欧産ミステリを初めてまとめて日本に紹介した珍しくも貴重な叢書である。一九七七年九月から七九年九月までにスウェーデン、フィンランド、デンマークと北欧五ヵ国の内、三国の作品を各一冊ずつ刊行、全三巻をもって終了した。

そう、たったの三冊だ。終戦直後に企画されたものの、まだ翻訳代理店がなかったために外国へ原作料を送金するルートがなく、わずか一、二冊でポシャってしまった【世界傑作探偵小説集】(未来社)や【現代欧米探偵小説傑作選集】(オリエント書房)——唯一刊行されたカルロ・アンダーセン『遺書の誓ひ』(1938)は、戦後初めて紹介されたデンマーク・ミステリ——等は別として、これほど収録作品の少ないシリーズも他にない。

しかも最初の一冊となったオッレ・ヘーグストランド『マスクのかげに』は四六判ハードカバーで出たものの、あとの二冊マウリ・サリオラ『ヘルシンキ事件』とアネルス(アーナス)・ボーデルセン『轢き逃げ人生』は四六判ソフトカバーと体裁がバラバラな上に、装幀も、最初の二冊が蔦本咲子で最後の一冊は田沢司と不統一。

さらに凄いことに、『マスクの

かげに』には、シリーズ名が記されていない。この本の発売から丸二年近く間を置いて刊行された『ヘルシンキ事件』の帯に〝北欧ミステリ・シリーズ第2弾〟と銘打たれたのを見た当時の読者は、「あれっ、第一弾はどこ?」と疑問に思ったに違いない。ソフトカバーで出た二冊の巻末に附された版元の刊行作リストや雑誌「EQ No.14」に掲載された広告に、三作のタイトルを並べて【北欧ミステリシリーズ】と明記されているのでかろうじて同一叢書だと解るものの、発刊の辞はおろかキャッチコピー一つなく、まったく編纂意図をアピールしていない、なんともゆるやかなシリーズなのだ。

というよりも、後追いでシリーズのレッテルを貼ったというのが正解だろう。結果的に第一弾となる『マスクのかげに』の帯に、「〝マルティン・ベック〟シリーズと並ぶ北欧ミステリ界の代表作」というキャッチコピーが記されていることからも明らかなように、当初は特にシリーズ化を目論んでいた訳ではなく、同国人作家の人気にあやかって刊行したようだ。《マルティン・ベック》シリーズを翻訳していた高見浩を訳者に起用したのも、そんな意図というか意気込みの表れではないだろうか。

その後、約二年間のブランクの後、フィンランドとデンマークの人気作家であったマウリ・サリオラとアーナス・ボーデルセンの作品を刊行しようとした際に、三冊まとめた方が商業的に有利だと判断して、シリーズ名を冠した、といったところが真相だと思う。

版元であるTBS出版会は、奥付に記された所在地が「TBSサービス内」となっていることからも解るように、東京放送(現・東京放送ホールディングス)が多角化経営の一環として設立した出版事業を担う子会社だ。一九六九年に株式会社東京放送教育事業本部として発足、コンピュータやアナウンスの専門学校を経営し、数学のパズル本等を出版していたが、七二年に解消されて東放学園（現・学校法人東放学園）となり教育事業を継承、同時に設立されたTBS出版会が出版事業を担うことになった。

九二年以降、書籍の刊行はないようなのでこの頃に活動を停止したと思われる。発行元と発売元とが異なることは、規模が小さく流通に弱い版元の場合珍しくないが、ビジネス分野に強くミステリとは縁の薄い産学社が発売元なのは、東京放送教育事業本部時代からの名残だろう。

ちなみに九〇年代半ばの一時期、クラーク・ハワード『シティ・ブラッド』(1994)やヤン・ギルー『白夜の国から来たスパイ』(1994)――スウェーデン版007と言われる《コック・ルージュ》シリーズの一作だ――などの翻訳ミステリを出版していたTBSブリタニカは、まったくの別会社なので、念のため。

個別の作品について見て行く前に、もう一つだけ寄り道を。【ワールド・スーパーノヴェルズ／北欧ミステリシリーズ】という名称が示すように本シリーズは叢書内叢書である。元々は、ヘミングウェイの孫娘がフランス人ジャーナリストと合作し、オットー・プレミンジャー制作・監督で映画化されたポリティカル・スリラー『ローズバッド』を七五年に出したのが【ワールド・スーパーノヴェルズ】の始まりで、その一環として刊行した北欧産の作品をまとめたのが本叢書なのだ。

収録作品リスト（312ページ）にあるように、トレヴェニアンの山岳スパイ・アクション『アイガーサンクション』、MWA賞最優秀新人賞を受賞したポール・アードマンの金融スリラー『十億ドルの賭け』、ビル・プロンジーニの傑作逃避行サスペンス『パニック』など、なかなか多彩なラインナップを揃えている。

蛇足ついでにもう一つ。《ハードマン》シリーズ（『死の街の対決』、『チャールストン・ナイフが町に戻ってきた』）二冊の判型はともに新書サイズ。一つの叢書で三つの判型というなんともアバウトなシリーズなのである。

三

さて、叢書全体を巡るあれこれについてはこれぐらいにして、個別の作品を見ていこう。まずはスウェーデンの作家オッレ・ヘーグストランドの『マスクのかげに』からだ。

過激派学生によるアメリカ大使爆殺事件で生じた緊張を緩和するために渡米していたスウェーデンの首相スンデリンが帰宅すると、五歳になる一人娘のクリスティーナが子守兼家庭教師のアニカともども誘拐され、あとには暗殺犯であるフォッシュを「釈放し、適切な国に亡命させよ。国の選定はそちらの一存に任せる」という手紙が残されていた。

感情を押し殺して政務につく首相、事件の裏を探るジャーナリスト、犯人特定に尽力する公安警察、降ってわいた〝幸運〟を当然のことと受け止めて釈放の時を待つ暗殺犯、隠し事がばれるのを危惧して名乗り出ることを躊躇う目撃者、そして脱出の機会をうかがう家庭教師。作者は、ドナルド・ダック、グーフィー、ポーキーのマスクを被った三人の誘拐犯の狙いがどこにあるのかを明かさないまま、これら関係者の間で頻繁に視点を切り替えてテンポ良くストーリーを展開していく。犯人グループの間に当初から漂っていた不穏な空気が徐々に圧縮されていく中、終盤近くになって意外な動機が明かされ、単純な政治的誘拐事件は、まったく別の顔を見せ始める。そして思わずニヤリとさせられる皮肉な結末。

七〇年代という冷戦時代に書かれた本作は、東西陣営が対立し過激派によるテロが頻発するという大きな図式の中で、ノルディックバランスを保とうとするアメリカ寄りの中立国スウェーデンの政治情勢を巧みに生かしてサスペンスを醸成した秀作だ。意外と言っては失礼かもしれないが、ちょっとした技巧を凝らして、謎解きミステリとしても楽しませてくれる。

作者は、マイ・シューヴァル＆ペール・ヴァールー夫妻同様、ジャーナリスト出身で、コンゴ動乱の際には国連報道機関の一員として活躍。一九三三年に生まれ九四年に亡くなるまでに十一の作品を発表した。このうちデビュー作である本作と *Från säker källa* (1975) で二度シャーロック賞を受賞。この賞はスウェーデンの夕刊紙《エクスプレッセン》が、年間の最も優れたミステリに対して授与するもので、《マルティン・ベック》シリーズの第四作『笑う警官』（1968、角川文庫）も、七一年のMWA賞最優秀長篇賞の受賞に先立って六八年に受賞している。

　ちなみに同賞は、八六年を最後に幕を閉じたのだが、その理由について主催者が、スウェーデンにおいてミステリというジャンルが勢いを失ったため、と語っているのは興味深い。ヘニング・マンケルの登場によりルネッサンスが始まるのは、この五年後のことである。 

　続いてはマウリ・サリオラの『ヘルシンキ事件』を。これは日本で初めて紹介されたフィンランド・ミステリだけれど、いわゆる北欧ミステリっぽさ――人生や社会の問題に対する真摯な眼差し、真面目だけれども無骨な主人公、全編を覆う静寂と陰鬱なトーン――といったものとはまるで無縁の作品だ。ではどんな話なのかというと――

「ヘルシンキの新進弁護士オスモ・キルピの閑古鳥鳴く事務所に、ある春の朝、奇妙な依頼人が訪れる。美しい秘書マリータの助力を得て、キルピ弁護士は調査を開始するが……脅迫、殺人、愛、緊迫の法廷シーン、そして意外な結末」

と帯の紹介文にあるように、E・S・ガードナーの《ペリイ・メイスン》シリーズのスタイルに倣って書かれた、若さはあるけれど金のない青年弁護士がセクシーで有能な女性秘書とともに恐喝と殺人の謎に取り組む本格ミステリなのだ。しかも、ノリの軽さと事件の卑近度という点で本家比二割増し（推定）という、ある意味オリジナル以上に徹底した娯楽作品だ。

　物語は、四十歳になる知的な寡婦と二十歳にも満たない奔放なウェイトレスという、二人の愛人を抱えた老資産家が主人公キルピの元を訪れるシーンで幕を開ける。かつて彼女らに送った熱烈なラブレターを公開されたくなければ金を払えと記された脅迫状の送り主を探り出して欲しいというのだ。先立つものを得るために依頼を受けたものの、「脅迫などという犯罪はフィンランドでは、ごく稀」で、「この種の問題をどうさばいたらよいのか、まるで知識がない」キルピは、悪戦苦闘したあげくアッと驚く事態に直面する羽目に。

作者のマウリ・サリオラ（一九二四～八五）は、生涯に百作以上も発表した人気作家であると同時に、E・S・ガードナーやパトリック・クェンティン、さらにはイアン・フレミングといった英米ミステリをフィンランドに紹介した翻訳家でもあった。なんとも北欧ミステリらしからぬ肩の凝らない作風は、これらの英米流エンターテインメントの影響下に形作られたに違いない。

ところで本作の主人公だが、実はオスモ・キルピという名前ではない。正しくはマッティ・ヴィーマ。なぜそんなことになったのかと言うと、フランス語版を底本としているからなのだ。*Un printemps finlandis*（フィンランドの春）というタイトルで《マスク叢書》から六九年に刊行され、その年のフランス犯罪小説大賞（Prix du Roman d'Aventures）を受賞したこの版では、なぜか主人公の名前が変えられてしまっている。フランスの読者には発音しにくいと思ったのかしらん。

最後は日本に二番目に紹介されたデンマーク人ミステリ作家アーナス・ボーデルセンの『轢き逃げ人生』。

前述したカルロ・アンダーセンの『遺書の誓ひ』（『悪魔を見た処女（おとめ）　吉良運平翻訳セレクション』論創社、所収）が、母国デンマークではなくイギリスの田舎のお屋敷を舞台に、私立探偵と新聞記者のコンビが、主である公爵殺しの謎を解く、お国柄や個性が感じられない〝古式ゆかしい（オールド・ファッションド）黄金期英国産本格ミステリ（マーダー・ケース）〟だったのに対して、『轢き逃げ人生』は、ボーデルセン特有の陰鬱な空気が全編を覆うダウナー系サスペンスです。

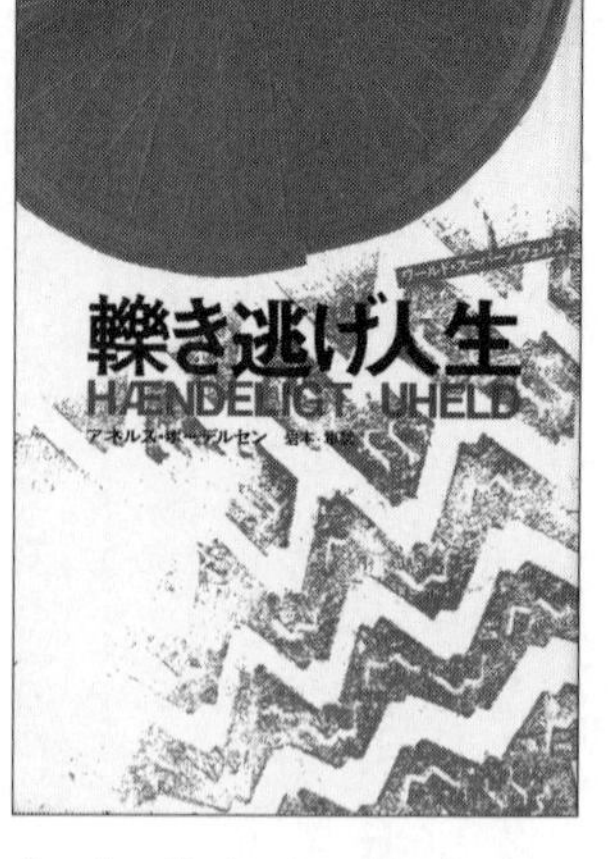

中産階級に属する主人公が、不幸にも犯罪に巻き込まれたり、出来心から罪を犯してしまった結果、

抜き差しならない羽目に陥り、保身を図ったり、得たものを手放したくないために足掻いているうちに、ずるずると深みにはまっていくというのがボーデルセン流サスペンスの特徴だ。

今回、既訳四作――銀行強盗に便乗し公金を横領した行員と彼の企みに気づいた犯人との静かな対決を描いた『罪人は眠れない』(1968)、デンマーク文壇No.2のミステリ作家による殺人計画を日記体を駆使して綴る、〈新本格ミステリ〉の先駆けのような『殺人にいたる病』(1971)、冷凍睡眠技術が確立された世界で人間存在の意義を問うディストピアSF『蒼い迷宮』(1969、ともに角川文庫)、そして本書――をまとめて読み直してみたけれど、続けて読むものじゃないな。いや、面白いんですけどね。

デンマークの自動車メーカーの若手幹部モルクは、ドイツの会社との合弁契約が成立し重役就任が内定したためでたい夜に、偶然知り合った若者たちのドラッグ・パーティに参加。帰り道に借りた自動車で自転車に乗った老人をひき殺してしまう。発覚を恐れつつも、小手先芸で保身を図る彼の前に、ついに一人の若者が現れて……。

六八年発表の本作は、当時流行していたアメリカン・ニューシネマを彷彿とさせる、若者と体制との対立を基調とした犯罪小説だ。主人公と一風変わった恐喝者の間で深く静かに展開される心理戦は、読み手の心をじわじわと侵食する厭な物語です。

一九七一年から七九年にかけて全十作が翻訳され、人気を博した《マルティン・ベック》シリーズのヒットがあってこその企画だったとは思うが、専門出版社が顧みなかった北欧諸国に目を向け、わずか三冊とはいえ個性的なミステリがあることを知らしめてくれた功績は忘れてはならない。

本叢書終了後も、思い出したかのようにぽつぽつと北欧ミステリは紹介され、やがてヘニング・マンケルを迎えることとなる。

[附記]

スティーグ・ラーソンの急逝により、三部作で幕を下ろしたかに思われた《ミレニアム》だが、第一部刊行十周年を記念して版元のノシュテッツ社が続編の刊行を発表。ラーソンと同じくジャーナリスト出身のダヴィド・ラーゲルクランツに白羽の矢が立てられ、第二シーズンとなる『ミレニアム4　蜘蛛の巣を払う女』(2015)、『ミレニアム5　復讐の炎を吐く女』(2017)、『ミレニアム6　死すべき女』(2019) の新三部作が刊行され、日本でも全てが本国と同じ年に翻訳された。

　オリジナル三部作を徹底的に読み込み、遺された布石を丁寧に拾って、伏線を回収し、未解決の謎を解き明かした新たなる三部作は、「続きが読みたかった」という世界中のファンの渇を癒やした上で、ラーゲルクランツ独自の社会問題に対する嗅覚とストーリーテリングを備えた正に理想的な続編である。

　二〇一八年には、アメリカとスウェーデンの合作により、この第四部を映画化した「蜘蛛の巣を払う女」が公開された。一一年に制作され第八十四回アカデミー賞の編集賞を受賞したデヴィッド・フィンチャー監督によるハリウッド版「ドラゴン・タトゥーの女」に続く映画化であり、第二部・第三部に先立つことからも、その人気の程がうかがえる。

　片や九〇年代以降二〇一五年に逝去するまで〝北欧ミステリの貌〟として活動し続けたヘニング・マンケルの《クルト・ヴァランダー》シリーズは、二〇年に完結編となる第十一作『苦悩する男』(2009) が、翌二一年に『手／ヴァランダーの世界』(2013) が刊行された。後者は、〇四年にオランダで開催されたブックフェアのプレゼントとして書き下ろされた中篇に、作者自身によるシリーズの作品紹介と人名・地名・文化索引を併録した特別な一冊だ。

　この二人のビッグネームを筆頭に、北欧ミステリ翻訳の流れは順調に続き、二〇〇八年末の《ミレニアム》上陸から二二年末までの十四年間に、五十人を超えるニュー・フェイスが紹介されてきた。

　本文が掲載された二〇一三年以降に初紹介された中から国ごとに重要な作家・印象に残った作家を挙げると以下の通り。

■スウェーデン

・レイフ・GW・ペーション（『許されざる者』2010、創元推理文庫）

・ニクラス・ナット・オ・ダーグ（『1793』2017、小学館→小学館文庫）

■ノルウェー

・ヨルン・リーエル・ホルスト（『警部ヴィスティング カタリーナ・コード』2017、小学館文庫）

■フィンランド

・ジェイムズ・トンプソン（『極夜 カーモス』2009、集英社文庫）※作者はフィンランド人と結婚し同国に移住したアメリカ人。二〇一四年没

・ティモ・サンドベリ（『処刑の丘』2013、東京創元社）

■デンマーク

・エーネ・リール（『樹脂』2015、ハヤカワ・ミステリ）

・セーアン・スヴァイストロプ（『チェスナットマン』2019、ハーパーBOOKS）

■アイスランド

・ラグナル・ヨナソン（『闇という名の娘』2015、小学館文庫）

反面、短期間に集中して多数の作家――とりわけ警察小説の書き手――が紹介されたために、やや食傷気味となり、実力はあれど話題にならず訳出が途絶えた例も少なくない。そんな不遇にも埋もれてしまった大物の一人であるスウェーデンのアルネ・ダールの翻訳が、二〇一二年の『靄の旋律 国家刑事警察 特別捜査班』（集英社文庫）以来、八年ぶりに『時計仕掛けの歪んだ罠』（小学館文庫）で復活し、年末ランキングで高評価を得たのは嬉しい限りだ。

　スウェーデン人大物作家と言えばもう一人、ホーカン・ネッセルも、《ミレニアム》旋風以前に一作（『終止符（ピリオド）』講談社文庫）出たきりだったが、二〇一九年に『悪意』が、翌々年に『殺人者の手記』が東京創元社から訳され、ようやく本格的な紹介が始まったのも喜ばしい。

　さらに二〇一七年には、「スウェーデン・ミステリ全体を見渡すアンソロジーとしては初めて英語で出版」されたヨン゠ヘンリ・ホルムベリ編『呼び出された男 スウェーデン・ミステリ傑作集』（ハヤカワ・ミステリ）も翻訳された。マンケルとネッセル共作のクリスマス・ストーリーからラーソンの幻の短篇、テオリンのシリーズ短篇、そして日本初紹介作家の犯罪小説ま

で多様な十七篇の収録作に詳細な解題を加え、編者によるスウェーデン・ミステリの全体像を歴史的・批判的に論じた序文を附した、スウェーデン・ミステリの過去と現在を知るのに格好の一冊だ。

尚、ニクラス・ナット・オ・ダーグは『1794』(2019)『1795』(2021、ともにヘレンハルメ美穂訳、小学館文庫)で、日本推理作家協会賞(二〇二三年)翻訳小説部門を受賞した。

《【ワールド・スーパーノヴェルズ／北欧ミステリシリーズ】収録作品リスト》

TBS出版会（発売：産学社）　全三巻　（一九七七年九月から一九七九年九月まで刊行）
●装幀：1・2……蔦本咲子、3……田沢司　●判型・体裁：1……四六判上製・紙カバー・帯、2・3……四六判並製・紙カバー・帯
●訳者あとがき：1　●解説：2・3

No.	邦題	原題（原著刊行年）	作者	翻訳者	発行年月日	国籍
1	マスクのかげに	Maskerat Brott（1971）	オッレ・ヘーグストランド	高見浩	1977/9/30	瑞
2	ヘルシンキ事件	Lavean Tien Laki（1961）	マウリ・サリオラ	牧原宏郎	1979/7/10	芬
3	轢き逃げ人生	Hændeligt uheld（1968）	アネルス・ボーデルセン	岩本隼	1979/9/20	丁

※　瑞＝スウェーデン、芬＝フィンランド、丁＝デンマーク

《【ワールド・スーパーノヴェルズ／その他】収録作品リスト》

TBS出版会（発売：産学社）　全七巻　（一九七五年四月から一九八五年七月まで刊行）
●装幀：4……蔦本咲子、6……高野紘造、7……Takeshi Takemura　●表紙絵：2・5……吉岡篤、4……新井田孝→蔦本咲子、7……Motomi Miyawaki　●判型・体裁：1・3・4・7……四六判上製・紙カバー・帯、6……四六判並製・紙カバー・帯、2・5……新書判・紙カバー　●訳者あとがき：1〜4・6・7　●解説：5仁賀克雄

No.	邦題	原題（原著刊行年）	作者	翻訳者	発行年月日	国籍
1	ローズバッド	Rosebu（1973）	ポール・ボンヌカレール&ジョーン・ヘミングウェイ	吉村淳	1975/4/10	仏・米
2	アイガー・サンクション	The Eiger Sanction（1972）	トレヴェニアン	上田克之	1975/10/25	米
3	ハードマン1／死の街の対決	Hardman #1 Atlanta Deathwatch（1974）	ラルフ・デニス	小菅正夫	1975/7/30	米
4	十億ドルの賭け	The Billon Dollar Sure Thing（1973）	ポール・アードマン	渡辺栄一郎	1975/10/25	米
5	ハードマン2／チャールストン・ナイフが町に戻ってきた	The Charleston Knife's Back in Town（1974）	ラルフ・デニス	筒井正明	1976/1/31	米
6	パニック	Panic!（1972）	ビル・プロンジーニ	野口迪子	1979/5/10	米
7	レジスタンス三銃士	Furioso（1971）	ヴォルドマール・レスティエンヌ	長島良三	1985/7/10	仏

※　米＝アメリカ、仏＝フランス

新訳・再刊等　（　）内は発行年月日

2河出文庫（1985/7/4）

【海洋冒険小説シリーズ】編

第一章

一

七〇年代の終わりから八〇年代末までの十年余にわたって翻訳ミステリ界を席巻した冒険小説ブームの幕開けは、一体どこにあるのだろうか。そんな疑問に駆られて調べている内に行き当たったのが「ミステリマガジン No.233」（一九七五年九月号）だ。

同誌として初めて本格的に冒険小説を特集したこの号は、巻頭言で「一時探偵小説のほうに流れこんでいた優秀な才能が、今や冒険小説に力をいれている。第二、第三のディック・フランシスを期待することも十分できるだろうと、ジュリアン・シモンズは語っています」と海外の趨勢を伝え、「冒険小説は単なるブッキッシュな作家には書けない、幻想の人生観にまで達したホビストのものだ」という各務三郎の持論を紹介、「自らが得意とする専門分野をもち、自己の〝冒険と危険〟の感覚と体験を有する新しい作家が日本でも出てきつつあるのは素晴らしいことです。「わが赴くは蒼き大地」の田中光二氏、「君よ憤怒の河を渉れ」の西村寿行氏、「友よ、また逢おう」の片岡義男氏、などはその中心的な作家でしょう（中略）どんどん日本独自の冒険小説を創り上げてほしいと願うものです」と、国内の新たな書き手に期待を寄せている。

内容的には、ジェフリイ・ジェンキンズの長篇『氷海の幽霊島』一挙掲載を目玉に、短篇四本（ディック・フランシス「悪夢」、ジョー・ゴアズ「白い峰」、C・S・フォレスター「夜の追撃戦」、シオドア・グリーン「0003号／ゴールドフィンク」）と、巻頭言で触れた三氏――田中、西村、各務――によるエッセイを所載。さらに「冒険への招待」と題して、わずか四ページの中で十七作家、四十五作品を紹介した編集部による濃密なブックガイドを附すという力の入れようで、そこからは専門出版社の自負と意気込みが伝わってくる。

これは十年近くにわたって海外の冒険小説の紹介に孤軍奮闘してきた早川書房が満を持して放った、〝冒険小説の時代〟を創るぞ、という力強い宣言だ。六六年に〈ポケミス〉でギャビン・ライアル『もっとも危険なゲーム』（1963）とアリステア・マクリーン『ナヴァロンの要塞』を刊行して以来、ディック・フランシス、ハモンド・イネス、デズモンド・バグリイといった第一線の書き手の名作を地道に紹介し続けてきた早川書房は、この特集以降、積極的な攻めに出る。即ち、翌七六年二月の『鷲は舞い降りた』(1975)を皮切りに次々とヒギンズ作品を刊行、七七年には二月から十二月にかけて『ナヴァロンの要塞』を始めとするマクリーン作品十作を連続して文庫で再刊し、より広範な読者層の取り込みを狙う。

一方「ミステリマガジン」誌上では、七六年に鎌田三平による見開き二ページの冒険小説ガイド兼エッセイ「冒険者たち」の連載を開始(No.240七六年四月号〜No.254七七年六月号、全十五回)、七八年七月号からは、書評・情報欄の拡大リニューアルの一環として「冒険小説情報」コーナーを新設し、原著と翻訳の両面から冒険小説に関する最新情報を提供していった。

こうした出版サイドからの展開に応えるかのように、七八年には北上次郎が「小説推理」誌上で月評「ミステリー・レーダー」を、内藤陳が「PLAYBOY日本版」誌上でオススメ本の紹介を開始。八三年に、それぞれ『冒険小説の時代』『読まずに死ねるか!』(ともに集英社文庫)として纏められた両氏の熱いレビューで面白さに目覚めた本好きは、かなりの数に上るはずだ。まさに実作と批評とが両輪となってジャンルを盛り立てた好例であり、八〇年代を通じて冒険小説は多くの読者を獲得し、エンターテインメント小説の中心を占めることになる。

二

今回探訪する【海洋冒険小説シリーズ】は、こうしたブームの台頭期に登場した全二十巻からなる叢書だ。七八年十月から七九年五月にかけて第一期十作、七九年十月から八〇年九月にかけて第二期十作が刊行された。発刊案内のチラシに記されたキャッチコピーに、「海を愛し、海とたたかい、海に逝く——行動する海の男たちの鮮烈な人間群像!!」とあるように、冒険小説の舞台の中でも、とりわけ人気が高く作品数も多い〝海〟を舞台にした作品ばかりを揃えた点が大きな特徴だ。編集・発行を担ったパシフィカは、発売元であるプレジデント社の子会社で、「海外読書界との新しい架け橋を目指す」というモットーの下、本シリーズ発刊以前にクライブ・カッスラー『タイタニックを引き揚げろ』(1976)やクレイグ・トーマス『ファイアフォックス』(1977)、スティーヴン・キング『シャイニング』（1977）といった海外エンターテインメントの話題作を日本に初紹介しており、翻訳ミステリの歴史を語る上で外すことの出来ない版元だ。

　本造りがまた、素晴らしい。生頼範義による海の荒荒しさを前面に押し出した美麗かつダイナミックなカバーイラストは、まさに本叢書にうってつけで、これらの絵をじっくりと眺めるためにもシリーズ全作を手元に置いておきたいと思わせる。

　第一期ではこの表紙絵の横に縦にスペースを取ってシリーズ名・タイトル・作者名を記しているのに対して、第二期では全面に配した装画にかぶせて白抜きでそれらを記しており、より迫力のある装幀となっている。裏表紙も第一期と第二期とで異なり、前者では碇やスクリューといった船のパーツのイラストと海外の書評を載せているのに対して、後者では表紙絵の縮小版と内容紹介に変更された。さらに第二期からは、山野辺進による本文イラストが加わった。その上、〈登場艦船案内〉と題して、竹内久、福井静夫、鎌田三平の三氏が、各々、帆船、両大戦期の軍艦、戦後の船舶を受け持ち、マニア以外の読者にとっては解りづらい船の構造や特徴、専門用語をイラスト付きで詳細に解説するコーナーが設けられた。こういう一手間が嬉しいのだ。

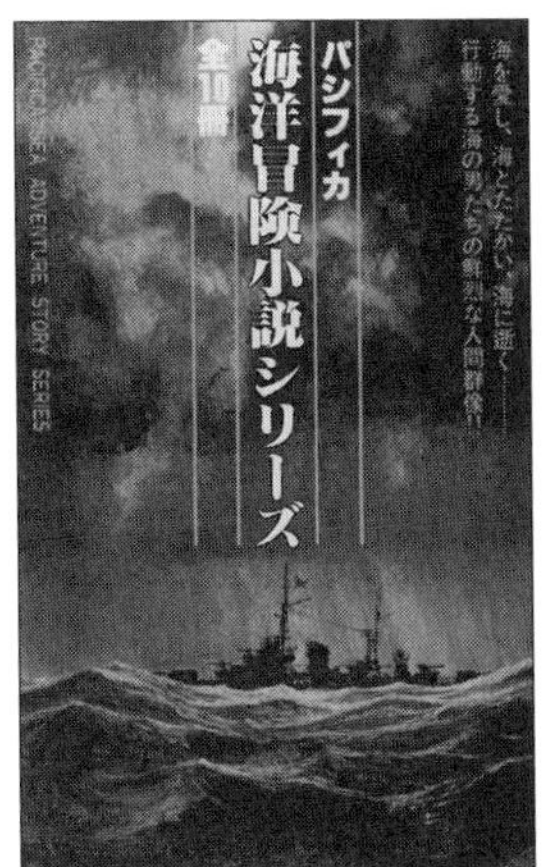

　それでは、個々の収録作を見ていこう。本叢書は、十八世紀後半の帆船時代から二十世紀末の原子力船時代まで、即ち大英帝国が世界の海を制覇していた時代から米ソ二大陣営を核とした東西冷戦構造の時代までの二百年間にわたって、様々な海で苦難に見舞われた船と人の闘いを描いた作品を揃えたシリーズなので、刊行順ではなく時代を追って各作品に触れていきたい。
　まずは、『キャプテン・クック最後の航海』から。表紙に「キャプテン・ジェイムズ・クックが残した「幻の日記」をもとに巨匠ハモンド・イネスが鋭く迫る海の英雄像！」と記されているように、これは英国随一の探検家が最後の航海で公式記録とは別に私的な日誌を残していたのを作者イネスが発見し、加筆・補綴（てい）を施し再構築したという体裁を取る極めて手の込んだ作品だ。

　一七七六年、〈レゾリューション号〉に乗って三回目の航海に出発したクックは、自然の猛威と闘う一方、乗組員の健康維持に腐心し、各地の原住民との友好関係を第一に考えつつ、ニュージーランド、南太平洋、ベーリング海峡と船を進めていく。次々と持ち上がる難題に不屈の精神で対応するクック。ヨーロッパからアジアへの最短航路である北西航路発見という任務に挑んだ末に夢破れ、ハワイで客死する直前までを、クック自身の視点から描いたこの作品は、史実の再現という性格上、他のイネス作品と比べるとスピードとダイナミズムに欠ける。だが氷に閉ざされたベーリング海にあって、大自然の猛威に臆さず挑んだ末に苦渋の決断を下すシーンを読むと、そんなもどかしさは吹っ飛んでしまう。これぞイネス。精緻（せいち）なドキュメンタリーと骨太な冒険ドラマの魅力を巧みに融合した逸品だ。

　続いてはナポレオンが政権を掌握し、ヨーロッパ諸国に闘いを挑んでいた時代の作品を二作。『闘う帆船ソフィー』は、パトリック・オブライアンが生みだした《ジャック・オーブリー》シリーズの記念すべき第一巻だ。表紙の紹介文に「英国海軍スループ艦〈ソフィー〉を駆って英仏海峡から地中海へ　行く手に待つはナポレオン艦隊かアルジェリアの海賊か――ネルソン艦隊の栄光をになって進め！　我らが艦長ジャック・オーブリー‼」とあるように、時は一八〇〇年、初めて軍艦を指揮することになった海尉艦長（コマンダー）オーブリーと、彼に招聘（しょうへい）されて軍医となった博物学者スティーブン・マチュリンを主人公に、海の男たちの闘いと絆を描いた大河ロマンの幕開けとなる作品である。

　帆船物の代名詞であるC・S・フォレスターの《ホーンブロワー》シリーズと並び称されるこの海洋冒険譚は、第十作の『南太平洋、波瀾の追撃戦』（1984、ハヤカワ文庫NV）が二〇〇三年にピーター・ウィアー監督、ラッセル・クロウ主演で「マスター・アンド・コマンダー」として映画化されたことがきっかけとなって、本書を含む既刊二作がハヤカワ文庫NVに収録され、以後、未刊の一作を含む全二十一作中、十作が訳された。

海の上のみならず陸上でのドラマも多く、細密画のようにみっしりと描く手法により、十九世紀初頭のヨーロッパ社会を生き生きと甦らせた歴史小説としても愉しめる。

一方、D・A・レイナーの『激闘 インド洋』は、一八〇八年にセイロン島近海で起きた海戦を史実に基づいて再現した作品だ。創元推理文庫版の裏表紙に、「東インド会社の貿易船団を護衛するため、インド洋を西に帆走していた大英帝国フリゲート艦。対するに、獲物を発見して、これを急襲すべく牙を研ぐフランス共和国海軍フリゲート艦。搭載砲数と乗組員数で遙かに劣る老朽イギリス艦が、強力な武装を誇る新鋭のフランス艦といかに戦ったか」とあるように、若く意気盛んな艦長の下、圧倒的な戦力差を知恵と技術でカバーして三日間にわたって死闘を繰り広げる様は、読んでいてぞくぞくしてくる。一騎打ち小説の傑作だ。

さて、時代は一気に百年ほど下り、第一次世界大戦を舞台にした作品をひとつ。「アルバート・ブラウン一等水兵は、レゾリューション島で瀕死の体を横たえていた」という印象的な一文で幕を開ける『たった一人の海戦』は、「ライフル銃を手にただ一人、独海軍巡洋艦に立ちむかう若き水兵像。巨匠C・S・フォレスターの描く〈英国海軍魂〉の精髄！」と表紙に謳われているように、一九一四年、独軍との海戦で唯一生き残った若き英国水兵が、一挺のライフル銃のみで巡洋艦と闘う様を描いた異色作だ。

荒涼たる孤島で死にゆくアルバートを淡々と描写した後、時代は

一気に二十年遡り、裕福な商人の娘アガサと海軍少佐との行きずりの恋物語が語られる。未婚の母となった彼女は、確固たる信念に基づきアルバートを海軍に入れるべく英才教育を施していく。冒険小説としては異色の展開といっていい。だが、全体の約四割を費やしてアガサという誇り高く自立した女性の肖像を彫刻しているからこそ、後半、ガラパゴス諸島で一片の勝算もないまま純粋な使命感に命をかけるアルバートの姿が説得力を持ち、感動を呼ぶのだ。作者は、C(セシル)・S(スコット)・フォレスター。同じく第一次世界大戦を背景に、冒険小説としては珍しく女性を主人公とした『アフリカの女王』(1935、ハヤカワ文庫NV)もお薦めです。

続いては、冒険小説の中でもとりわけ人気の高い第二次世界大戦期の作品を見ていこう。まずは、『南極海の死闘』からだ。表紙のコピーに、「火薬製造に不可欠なグリセリン入手のため、操業中の捕鯨船団に迫るナチの襲撃船――急派されたイギリスの巡洋艦は一路南極海をめざした」とあるように、四〇年十二月、連合国海軍の海上封鎖で南極に捕鯨船を送れなくなったドイツが、南氷洋で操業中のノルウェー・イギリス両船団の母船を鯨油ごと奪取し、本国まで回航しようとする奇抜で困難なミッションの顚末を描く一風変わった作品だ。

襲う側のドイツが貨物船を、迎え撃つ側のイギリスが豪華客船をベースにした共に改造巡洋艦同士の対決という設定が面白い。ドイツは極秘任務の為に一般船舶を装う必要から、イギリスは艦艇不足から、やむなく貧弱な兵力で対峙せざるを得ないのだ。来るべきイギリス侵攻作戦ではなく、裏方仕事のような任務に就かされて不満を抱く部下を、ナチスを嫌悪する昔気質の軍人が鼓舞するという設定も目新しい。ただし、広い南氷洋で相まみえるまでに多くの筆が割かれ、戦闘シーンにはほとんど筆が割かれていない点が、少し残念だ。作者のW(ウィリアム)・R(ラファン)・D(デヴィッドソン)・マクロクリンは、一九〇八年スコットランドに生まれ、半世紀あまりを海の上で過ごし、そのうち二十三年間にわたって捕鯨船員を務めた。その経験に裏打ちされた捕鯨と解体のシーンは、臭いまで漂ってきそうなくらい臨場感に溢れている。

『巡洋艦アルテミス』は、地中海の制海権を握る上で最重要拠点となるマルタ島を巡る攻防戦のうち、四二年に起きた第二次シルテ湾海戦をモデルとしたと思われる。

枢軸国軍の攻撃により物資不足となっていたマルタ。補給品を運ぶ輸送船団を護送するために英国海軍が派遣できたのは軽巡洋艦と駆逐艦のみ、一方イタリアは超弩級戦艦を含む虎の子の艦隊で襲い来る。

迫力ある戦闘シーンの中に、苛酷な戦争の実態と男たちの矜持を、冷徹にされど情感豊かに描き出す精緻な筆遣いに胸が熱くなる。大戦の真っ只中の四三年に書かれた本作は、*The Ship* というシンプルな原題に、自信と闘う男たちへの賞賛がうかがえる。『駆逐艦キーリング〔新訳版〕』（1955、ハヤカワ文庫NV）とともに巨匠フォレスターによる現代物の代表作であり、第二次世界大戦を背景とした海洋冒険小説群の中でもマスターピースとなる傑作だ。

さて、D・A・レイナーの『眼下の敵』だ。創元推理文庫版の裏表紙に、「魚雷攻撃と爆雷投下の応酬、虚々実々の駆け引き――大西洋を舞台に、潜水艦と駆逐艦との一対一の闘いを描く戦争小説の白眉」とあるように、【海洋冒険小説シリーズ】の第一巻として幕開けを飾るに相応しい不朽の名作だ。裏表紙に転載された「洋上で繰りひろげられる危険と死のチェス・ゲーム」（「タイムズ・リテラリイ・サプルメント」）という原書刊行時の評は、正に至言。互いの手の内を読み合う四日間の攻防戦に思わず手に汗を握ってしまう。

原著刊行の翌年（五七年）に、ディック・パウエル監督、ロバート・ミッチャム主演で映画化された。ただし英軍が米軍に変更され、結末も異なる。個人的には原作のあっさりとした幕切れの方が好みです。

最後は、若冠二十歳の英国海軍中尉ロイスが、沿岸防備隊の魚雷艇隊に配属されるシーンで幕を開

ける、ダグラス・リーマン『燃える魚雷艇』だ。

　自身、魚雷艇乗りとしてノルマンディー上陸作戦に参戦した作者ならではの迫真の戦争小説である。同時に、英仏海峡から北海にかけてドイツの高速魚雷艇と死闘を繰りひろげる中で、仲間を失い、負傷し、一人の女性との愛をはぐくむロイスが、二年足らずの従軍期間中に人間として成長していく様を描いた教養小説でもある。

　数多くの第二次世界大戦ものを書いた一方、アレグザンダー・ケント名義で《ボライソー》シリーズものしたが、その辺の詳細は、次章回しということで。

第二章

一

引き続き【海洋冒険小説シリーズ】に収録された五〇年代以降を舞台とする作品を訪れ、船と人がいかにして苦難に立ちむかったかを見ていこう。

まずは五〇年代の四作のうち、『スコーピオン暗礁』から。軍隊や諜報機関絡みの物語が大半を占める本叢書だけれども、民間人が苦闘する姿を描いた作品も三作ある。本作はその中でも最もスケールが小さい。人生を諦観しつつも諦めきれない男と女の軌跡が交わり幕を開ける小粋な犯罪小説だ。

メキシコ湾を航行中に不審なヨットと遭遇したタンカーの船長は、捜索のために部下を乗り込ませる。だが船内は無人だった。まだ温もりの残るコーヒー・ポットと八万ドルの現金が詰まった鞄を残したまま乗員はどこに消えてしまったのか？　そんな船長の疑問に答えてくれたのは航海日誌だった。そこにはユカタン半島沖に沈んだ小型飛行機の引き揚げにまつわる愛と欲に彩られた物語の顛末が綴られていたのだ。

作者のチャールズ・ウィリアムズは、五〇年代に大流行したペイパーバック・オリジナル（ＰＢＯ）を代表する書き手の一人。退役軍人にして元作家の潜水夫による一人称で語られる本作は、美しく謎めいた依頼人、迫り来る殺し屋、そして見え隠れする大金と陰謀の影というＰＢＯの読者が犯罪小説に求めるものを過不足なく備え、小気味よく事態が展開するツイストの利いた巻き込まれ型サスペンスだ。

作者は、「毎回おなじ男の話を書くなんて退屈だ」（『絶海の訪問者』扶桑社ミステリー、訳者あとがき）としてＰＢＯの主流だった私立探偵シリーズを書くことを拒絶したため、息の長い人気作家となることはなく、翻訳も他に『絶海の訪問者』（1962）と『土曜を逃げろ』（1963、文春文庫）の二作しか刊行されていない。前者は、大海原を行くヨットという開

放された閉塞空間での鬼気迫るサスペンスであり、ニコール・キッドマン主演で「デッド・カーム／戦慄の航海」（1989）として映画化された。後者はフランソワ・トリュフォーの遺作となった「日曜日が待ち遠しい！」（1983）の原作。本作も含めて全作、厚さも濃度も手頃な小味なサスペンスとして強くお薦めします。

続く『大暴風』も戦争が絡まない作品だ。表紙の紹介文に「故国英国を目前にした貨客船が大暴風に巻き込まれ遭難！　飛びかう無線、船は大破／生命の危機せまる乗組員、乗客とその家族たちの「生」への希求を描く海洋サスペンスの傑作！」とあるように、ブエノス・アイレスから英国を目指して航行中に大嵐と遭遇し、ランズエンド沖で大破した貨客船を救うべく奮闘する人々の姿を描いた群像劇だ。ただし残念ながら、救助に駆けつける恐れ知らずのスペイン船の船長を除いて、登場人物の個性が際立っておらず、物語の平板さと訳の拙さも相まってどうにも楽しめなかった。

作者はアダム・ホールことエルストン・トレヴァー。彼が書いたもう一つの生還劇『飛べ！　フェニックス号』は、【ウイークエンド・ブックス】編で触れた通り、砂漠に不時着した双発双胴機の乗員の死闘を描いた冒険小説で、こちらはお薦め。英国空軍従軍歴が活かされたと思しき傑作です。

続いては、秘宝探求型秘境冒険ロマンの語り部ジェフリー・ジェンキンズのデビュー作『砂の渦』を。「不規則な海流、砂洲と暗礁――人間をよせつけない海の墓場〝骸骨海岸〟／大自然の脅威に挑む人間の執念を描いた冒険小説」という不穏な表紙の紹介文に思わず心が躍る。荒涼たるナミブ砂漠――映画「マッドマックス　怒りのデス・ロード」（2015）のロケ地となった、あの真紅の不毛地帯だ！――と、暴風と濃霧によって難破した船がそこかしこに打ち上げられている骸骨海岸沖合を舞台に、特殊なカブトムシの探索にやむを得ず協力する羽目に陥ったトロール船の船長ジェフリーの奮闘を描いた冒険活劇だ。

第二次世界大戦期に優秀な潜水艦艦長だったジェフリーが軍を追放されるに至った顚末が現代（五九年）の活劇行の間に挿入され、全体の四割とかなりの部分を占めるために、興奮が一度トーンダウンするという瑕疵はあるが、異様な迫力と熱気に充ちた冒険譚は今読んでも十分面白い。特に〈砂の渦〉という大自然の猛威に船と人とが立ちむかうシーンは圧巻だ。

五〇年代最後の作品は、元海軍士官ダグラス・リーマンの『砲艦ワグテイル』だ。表紙の紹介文で、「中共軍進攻の迫るサンツ島——この島に住む英国人を救い出すべくオンボロ小型砲艦ワグテイルは出動した。迫り来る追手、切迫する時間……死地に追い込まれた人間の生きざまを克明に描き出した感動的名篇！」と謳い挙げられた堂々たる戦争文学だ。浅い喫水と小回りの利く船体を活かして揚子江通商路で保護と監視に活躍したものの、今やスクラップ寸前の老朽艦。士気を喪失した乗組員。退去を渋る住民。あまりにも不利な状況下で、事故を起こして左遷されてきた新任艦長が、再生をかけて任務に邁進する姿が心を打つ。

一九二四年、英国サリー州に生まれ二〇一七年に亡くなったリーマンは、第二次世界大戦と朝鮮戦争で海軍に従軍後、一九五八年に『燃える魚雷艇』でデビュー。十八世紀末から十九世紀初頭にかけての二世代にわたる英国海軍士官の活躍を描いた《海の勇士／ボライソー》シリーズ（アレグザンダー・ケント名義）は、六八年の開始以来、二〇一一年までに三十作が書かれた帆船物を代表する人気シリーズだ。

ここからは六〇年代の作品を五作見ていこう。まずは戦争や陰謀と絡まない三作中の一作、サバイバル小説の『けむりの島』だ。エンジン・トラブルで旅客機がインド洋に墜落。生き残った六人の男——内、黒人一名——と三人の女は、十二日間の苛酷な漂流の果てに孤島にたどりつく。果たして彼らは文明社会に戻れるのか。

協調と対立、愛憎と野心。裏表紙に転載されているように、六四年の発表当時、「極限状況下の人種問題、セックス、暴力——それが登場人物の過去と性格とにオーバーラップして独特の世界を形づくっている」（「マンチェスター・イブニング・ニュース」）と評された。確かに人種・国籍・年齢の異なる人々が織りなすドラマは、ディテールが書き込まれており、そこそこ面白いのだけれど、現在の人権や性差意識に照らすと、やはり時代を感じざるをえない。

作者のアントニー・トルーは、一九〇六年、南アフリカに生まれた。南ア海軍・英国海軍に従軍し、第二次世界大戦後は南アフリカ自動車協会に勤める。六三年に『破局への二時間』（リーダーズダイジェスト）でデビュー。本作は第二作にあたり、九六年に亡くなるまでに長篇十六作、短篇集一作を刊行、本叢書に収録された二作以外に『ムーンレイカー号の反乱』（1972、ハヤカワ・ノヴェルズ）など六作が翻訳されている。

　続いては、ジャック・ヒギンズの作品を二作。『獅子の怒り』（ハリー・パタースン名義）と『闇の航路』（ヒュー・マーロウ名義）は、共に六四年に発表された初期作品であり、構造もテーマもよく似ている。どちらも暗く辛い過去ゆえに人生を諦観している元軍人の男が、テロリストとの死闘と、美しく聡明で力強い女性との出逢いによって人生を取り戻す物語だ。

　一方の『獅子の怒り』は、六一年、アルジェリア独立戦争（五四～六二年）の直中に、独立容認路線をとるド・ゴール大統領に激昂した極右組織ＯＡＳがクーデターを起こし、鎮圧された史実を背景としている。表紙のコピーに「亡霊のように海中から現われ貨物船に襲いかかる小型Ｕボート！　英海峡の孤島に暗闘は渦巻き／秘密組織の魔手は次々にのびるが……？」とあるように、ＯＡＳの黒幕と噂される元仏軍大佐が隠棲するチャネル諸島の孤島に潜入した英国情報部員が、荒れ狂う海を舞台に陰謀に立ちむかうスパイ・アクション小説だ。

　もう一方の『闇の航路』は、五九年のキューバ革命及び六二年のキューバ危機を背景としている。裏表紙の紹介文に「キューバ革命で難民となったハリー・マニングはバハマでの無気力な生活に飽いていた。しかし、恋人マリアを飛行機爆破事件で失い、復讐の炎と化して犯人をキューバの孤島に追う」とあるように、革命で財産を没収され、バハマに逃れて観光客相手に大型クルーザーのチャーター業を営む主人公が、ギリシア人父娘と協力して、カストロ政権の陰謀に立ちむかう活劇謀略小説だ。

　古来連綿と語られてきた冒険物語の常道を行くこの二作は、七〇年代前半の最盛期の傑作と比べると、さすがに荒削りで物足りなさを感じるけれども、そこそこ楽しめるエンターテインメントだ。

　さて、海洋冒険小説を語る上で外すことの出来ない作家といえば、なんと言ってもハモンド・イネスだ。彼の生み出した主人公は、奸計（かんけい）を巡らす人間の他に、常にもう一種類の敵と戦わなくてはならない。それは、猛威をふるう大自然だ。『メリー・ディア号の遭難』におけるチャネル諸島近海に広がる暗礁域、『銀塊の海』の荒れ狂うバレンツ海の直中にポツンと顔を出す岩礁。いずれ劣らぬ苛酷な環境下で、スーパー・ヒーローならぬ等身大＋α（アルファ）の男が、誇りと情熱を胸に秘めて、欲に取り憑（つ）かれた輩（やから）を相手に死闘を繰り広げる。その姿が読むものを夢中にさせるのだ。

海洋冒険小説シリーズ
報復の海
ハモンド・イネス
パシフィカ

本叢書に収録された『報復の海』も、これらの傑作に勝るとも劣らぬ波瀾万丈の物語で、裏表紙の転載記事の通り、発表当時、「怒れる海を描かせれば、ハモンド・イネスの右に出るものはない。イネスの最高傑作」（《デイリー・テレグラフ》）と絶賛された。表紙に書かれた「暴風！　遭難！　救助！　荒れ狂う北大西洋上に展開される男たちの生きざま／絶海の孤島が秘める謎は、何か？」というキャッチコピーが読書欲を刺激する。

スコットランド西岸に広がるアウター・ヘブリディーズ諸島の沖八十マイルの海域に、水没した大陸の高峰のように突如突き出ている孤島・レールグ島では、ミサイル観測基地閉鎖に伴う撤収が迫っていた。同じ頃、画家であるロナルドの元に見知らぬ男が訪れ、第二次世界大戦中に戦死したロナルドの兄イアインが実は生きていると告げる。手掛かりを求めて、祖父の故郷レールグ島に渡るべく、ロナルドがヘブリディーズ諸島の海軍基地を訪ねたその日、撤収が始まる。だが、島には観測史上最大級の北極性低気圧が迫っていた。

吹き荒れる暴風とうねる波濤（はとう）が島と揚陸艇に襲いかかる臨場感溢れるシーンは、読んでいて思わず身がすくむ。惨事の後に、残された手記と自らの体験をもとに、天災と人災とが最悪の形で結合した事件の顛末を再現するという体裁をとっているため、主人公の生存は保証されているものの、それで興味が減じることはなく、むしろ一体何が起きたのかが気になって一気呵成に読み進めてしまった。本叢書中、一番の傑作であり強く復刊を望む。ちなみに徳間文庫版には、本叢書からの他の文庫化作品（『燃える魚雷艇』『たった一人の海戦』）と揃えるためだと思うが、元版にはなかった〈登場艦船案内〉が追加されているので、こちらの版で読むことをお勧めします。

　六〇年代ラストの作品はキース・ウィーラー『最後の救難信号』だ。裏表紙の紹介文に、「秘密指令を受け、米原潜スケート号はイスタンブールへ向った。同じ頃、ソ連邦元第一書記キロフは監視の眼を逃れ、脱出の道をたどっていた……両者の軌跡はいずれ交わり、その一点に戦後最大の亡命の成否がかかっているのだ」とあるように、ソ連の領海である黒海を舞台にした緊張感溢れる国際謀略小説だ。

　原子力潜水艦の気骨ある艦長、現政権を打倒し権力の座に返り咲くために亡命を望む元第一書記、彼を護衛する米ソの二重スパイといった主役クラスの個性が掘り下げられているために、単なるポリティカル・スリラーではなく、しっかりと血の通った物語となっている。ただしラスト・シーンに関しては賛否両論あるだろう。より〝リアル〟な結末ではあろうが、冒険小説ファンとしては、別の解を示して欲しかった。

　作者は一九一一年生まれのアメリカ人。第二次世界大戦中は《シカゴ・タイムス》の従軍記者を務め、五一年、雑誌《タイム》の編集者となり、中東の専門家として活躍。他に、第二次世界大戦を扱ったノンフィクション『日本本土への道』（1979、タイムライフブックス）が訳されています。

　本叢書の締めくくりとなる七〇年代以降の三作のうち、二作がノルウェーを舞台としている。東西冷戦中、アメリカの同盟国として北欧三国の中で唯一ＮＡＴＯに加盟する一方、ＥＥＣには加わらず、今に至るもＥＵには非加盟と、独自外交路線を歩むノルウェー。この国を舞台にした一作、アントニー・トルーの『坐礁』は、裏表紙の内容紹介に、「不慮の事故によって、ノルウェー沖ヴラコイ島に坐礁した最新鋭ソ連原潜ジューコフ。その性能をさぐりだそうと、英、米、仏情報部はきそって、巧妙に偽装したスパイを急派した。虚々実々のかけひきと牽制、必死の攻防戦が開始され、平和な小島は一夜にして〈影の戦場〉と化した」とあるように、東欧諸国とは異なる緊張感に充ちた空気が漂う〈最前線〉での冷たく非情な闘いを描いた国際謀略小説だ。

もっとも、設定はいいのに登場人物の描き分けが甘く、見せ場の描き方も今ひとつ。脚本はそれなりだが、役者と演出が酷い映画のようで、文庫化・再刊されなかったのもむべなるかなという凡作だった。残念。

残る二作、『謀略マラッカ海峡』と『氷雪の脱出行』は、ともにジョー・ポイヤーが六〇年代末に発表した近未来ハイテク・スリラーで、前者は七〇年代前半、後者は七〇年代後半から八〇年代前半を想定したと思われる。

まずは前者から。表紙に、「マラッカ海峡制圧をたくらむベトナムは海底に核兵器を設置した！　阻止に立ちあがる米英豪ほかSEATO諸国——海面下に繰りひろげられる暗闘をぬってイルカ＝チャーリーの任務とは？」とあるように、敵役がベトナムという点が目新しい。当時はまだベトナム戦争の真っ最中だったが、作者は、既にアメリカが敗北し、共産主義国家として統一された同国が東南アジアの覇権を握ろうと画策中と設定。その上で、人間と会話できるイルカを主人公に、海底基地に潜入・撤去する異色の活劇小説を生み出した。

物語の展開がやや都合よすぎたり、今の目で見ると社会主義陣営の捉え方が類型的すぎるきらいはあるものの、細かいことは言わずにチャーリーの活躍を楽しむのが正解だろう。イルカの一人称を味わうというだけでも一読の価値はあると思う。

一方後者の内容は、創元推理文庫版の裏表紙に、「ノルウェイ最北端、ノールカプ岬に不時着した偵察機パイロットの決死の脱出行と、それを捕えようとするソ連側、救出に向かうアメリカ最新鋭の原子力巡洋艦。瀕死のパイロットは、おりからの猛吹雪をついて厳寒の雪原をただひたすら歩く、歩く……」と記された通り。鏡明（かがみあきら）が「冒険者たちの休息」の中で述べた、「冒険物語は、死の物語である。まず、そう定義しておかねばならない。冒険するということは、言い換えるならば、いかにして死に肉薄し、そこから生還するかということなのだ」（「SFマガジン」七九年十月臨時増刊号）という見解にぴたりと合致する〈潜入・遂行・脱出〉パターンの国際謀略小説だ。
超高性能機とパイロットの奮戦を描いた点で、クレイグ・トーマスによる航空冒険小説の金字塔『ファイアフォックス』『ファイアフォックス・ダウン』（1983）に先駆けている点が興味深い。アンフェタミンとLSDをパイロットに適宜投入して自身を機の一部と幻覚させ、反応速度を上げるという、思わず引いてしまう設定にも、なるほど六〇年代の作品と妙に納得してしまう。

作者は一九三九年生まれのアメリカ人。大学で教鞭を執るかたわら、アリステア・マクリーンとロバート・A・ハインラインの作品に刺激されて、六八年、『トラリーの霧』『謀略マラッカ海峡』（1973、ハヤカワ・ノヴェルズ）等を発表した後、軍事関連のノンフィクションに興味を移し、自身の経営する出版社から多数の著書を刊行し続けている。

二

以上、全二十巻で二百年間をカバーする【海洋冒険小説シリーズ】の収録作品を時代を追って眺めてみた。最後に、どのような経緯でこの日本初の冒険小説専門の翻訳ミステリの叢書が編まれたのかを述べて締めくくりとしよう。

【海洋冒険小説シリーズ】は、リスト（334ページ〜335ページ）に記したように、基本的に編集発行はパシフィカが担当しているが、発売は親会社であるプレジデント社が担っていた。

元々、アメリカの経済誌《フォーチュン》の日本語版「プレジデント」を刊行するために、六三年にダイヤモンド社とタイム・ライフ・インターナショナルとの合弁事業として立ち上げられたダイヤモンド・タイム社が、七七年にプレジデント社に社名変更。経済・経営を中心としたノンフィクションの出版に軸足をスライドしたのに伴い、同年、子会社のパシフィカを設立し、それまでに刊行してきたタイムライフブックスを引き継ぐと同時に、「海外読書界との新しい架け橋をめざす」という旗印の下、翻訳エンターテインメントの出版に乗り出す。その第一弾として刊行されたのが、クライブ・カッスラー『タイタニックを引き揚げろ』だ。以後、単発的に海外の話題作を出した後、七八年【海洋冒険小説シリーズ】で本格的に娯楽作品の刊行を開始する。

もっとも依然翻訳出版には不慣れで、早川書房を辞めて同社の編集者となっていたK氏から企画の相談を受けた鎌田三平が作品選定に当たったという。当時早川書房に勤めていた鎌田は同ジャンルに対する造詣が深く、［ハヤカワ・ノヴェルズ］のラインナップに積極的に冒険小説を取り入れるかたわら、「冒険小説情報」コーナーを担当、その普及に尽力していた。八五年には、〝冒険小説マスト・リード150〟ともいうべきガイドブック『世界の冒険小説総解説』（自由國民社）を責任編集している。そんな氏が、冒険小説の中でも、とりわけ人気が高く作品数も多い〝海〟に舞台を絞って選出した本叢書は、売れ行きも好調で第一期はすべて重版がかかり、すぐさま第二期も打診され、こちらも好成績を収めたそうだ。続いて航空冒険小説のシリーズも依頼されたが作品のセレクトに苦労しているうちにK氏が退社、企画は文字どおり空中分解したそうだが、これはぜひ読んでみたかった。

　その後八三年にセゾングループとタイム・インコーポレイテッドの合弁会社として西武タイムが創業され、タイムライフブックスの日本語版書籍の発行が同社に移るとパシフィカは出版業を停止し、本叢書中で売れ行き良好だった十三作が、八五年に西武タイムより、【BEST SEA ADVENTURE】として再編・刊行された。ちなみにこのシリーズの装画は、一見元版と同じに見えるが、よく見ると細部が異なっている。生頼範義の真摯な職人魂を見た思いがします。

　ところで当時の折り込みチラシには、全二十巻の他にニコラス・モンサラット『マスター・マリナー1・2（仮題）』、パトリック・オブライアン『英仏海峡の嵐（仮題）』が収録作として記載されている。これらは二期目の版権取得中に代理店が売り込んできたため、後からラインナップに付け足されたものであり、鎌田はセレクトに関わっていないそうだ。いずれもパシフィカを退社したK氏が徳間書店の外注を請け負うようになって、手土産代わりに同社に売り込み、前者が

『海の勇者たちⅠ・Ⅱ・Ⅲ』(1978)、後者が『死闘！私掠船対貿易船』と『出撃！ 黄金奪取作戦』(いずれも1972)に分冊されて刊行された。本叢書中の三作が徳間文庫で再刊されたのも、この縁によるものだろう。一方、戸川安宣の申し入れにより東京創元社で七作が文庫化された。

七、八〇年代のブームが嘘のように、九〇年代以降、停滞が続く冒険小説だけれど、ここ数年人気再燃の兆しが見えている。二〇一六年には早川書房から『新・冒険スパイ小説ハンドブック』(ハヤカワ文庫NV)が刊行された。新たな読者の眼に、読書好きを熱狂させた物語がどう映るのか、一ファンとしてとても興味深い。

[附記]

本文中で、「ここ数年人気再燃の兆しが見えている」と記したのは、二〇一二年に登場したマーク・グリーニーの《暗殺者グレイマン》シリーズが大きな評判を得ていたためだ。北上次郎をして「二十一世紀に冒険小説の神が降臨した」と言わしめた『暗殺者グレイマン』は、多くの冒険小説ファンから昂奮と絶賛の声を以て迎えられ、第四作『暗殺者の復讐』(2013)は、「このミステリーがすごい！ 2015年版」の第九位にランクインした。二三年刊の第十二作『暗殺者の屈辱』まで、年一作ペースで順調に翻訳が進んでいる。

同シリーズと並行して、トム・クランシーの《ジャック・ライアン》シリーズを共に書いたグリーニーは、二〇一九年に元海兵隊中佐H・リプリー・ローリングス四世との共著『レッド・メタル作戦発動』(2019、ここまですべてハヤカワ文庫NV)を発表。版元の早川書房は、日本での刊行に合わせて、「ハヤカワミステリマガジン No.741」(二〇二〇年七月号)で、〈冒険小説の新時代〉特集を組んだ。

巻頭言で七〇年代から八〇年代にかけてのムーブメントを担った国内外の名手に言及した後、「いまやムーブメントは去り、刊行される冒険小説・スパイ小説の数もめっきり減ってしまった。もうあの熱はどこかへ行ってしまったのか？ 本特集では、あの時代の熱気と最新の冒険小説・スパイ小説事情について、エッセイや評論で迫ってゆく」と謳い上げ、次いで同書の刊行はグリーニーによる「冒険小説新時代の幕開けの狼煙なのではないか」、と特集の扉で期待を込めた紹介をしている。

　また海洋冒険小説の分野でも、映画化に合わせてハヤカワ文庫NVから、ジョージ・ウォーレス&ドン・キース『ハンターキラー潜航せよ』(2012)を二〇一九年に刊行、翌年、本文中で触れたC・S・フォレスター『駆逐艦キーリング』(映画化名「グレイハウンド」トム・ハンクス脚本・主演)を新訳版で再刊し、冒険小説ムーブメントの再燃に取り組んでいる。

　こうした動きは早川書房だけに止（とど）まらず、東京創元社からは、第二次世界大戦という空前の災禍の中で互いを信じ闘う女性同士の紐帯を描いたエリザベス・ウェインの二部作『コードネーム・ヴェリティ』(2012)、『ローズ・アンダーファイア』(2013、ともに創元推理文庫)が、ハーパーコリンズ・ジャパンからは、ケイト・クインによる第一次世界大戦下で暗躍した女性スパイの実話をベースにした『戦場のアリス』(2017)と、第二次世界大戦末期に姿をくらましたナチの戦犯女性を核に展開する、時代も生まれも異なる三人の女性の壮大な闘いの物語『亡国のハントレス』(2019)、第二次世界大戦下の英国でドイツの暗号解読に挑んだ三人の女性の人生を描いた『ローズ・コード』(2021)、第二次世界大戦下ソ連の伝説の狙撃手で〝死の淑女（レディ・デス）〟の異名を取るリュドミラ・パヴリチェンコを主人公とする歴史小説『狙撃手ミラの告白』(2023、ともにハーパーBOOKS)が刊行され話題を呼んだ。さらに一九九〇年代末から《スワガー・サーガ》を中心にスティーヴン・ハンター作品を訳し続けている扶桑社から二〇二〇年に、初期の名作『真夜中のデッド・リミット』(1989、扶桑社ミステリー)が復刊された。〈冒険小説の時代〉末期の一九八九年に新潮文庫から刊行され、「このミステリーがすごい! '89」で海外編第二位に輝いた本作は、テロリストに占拠された核ミサイル基地奪還作戦の攻防を活写した、知略縦横するタイムリミット・サスペンス型冒険小説の傑作だ。

　こうした各社の動きの一つ一つは小さいかも知れないが、SNSを通じて確実に波及し始めている。〈冒険小説新時代〉が、いつ、どのような形でブレイクスルーするか目が離せない。

《【海洋冒険小説シリーズ】収録作品リスト》

パシフィカ（発売：1～7、9～16……プレジデント社、8、17～20……パシフィカ）全二十巻（一九七八年十月から一九八〇年九月まで刊行）

●装幀：1～10……島津義春、11～20……須野武　●カバーイラスト：生頼範義　本文イラスト：11～20……山野辺進

●判型・体裁：四六判並製・紙カバー　●全巻訳者あとがき

No.	邦題	原題（原著刊行年）	作者	翻訳者	発行年月日	国籍
1	眼下の敵	The Enemy Below（1956）	D・A・レイナー	宮田洋介	1978/10/16	英
2	報復の海	Atlantic Fury（1962）	ハモンド・イネス	竹内泰之	1978/10/16	英
3	けむりの島	Smoke Island（1964）	アントニー・トルー	尾坂力	1978/10/16	南ア
4	謀略マラッカ海峡	Operation Malacca（1968）	ジョー・ポイヤー	井坂清	1978/11/6	米
5	大暴風	Gale Forth（1956）	エルストン・トレヴァー	風見潤	1978/11/6	英
6	砂の渦	A Twist of Sand（1959）	ジェフリー・ジェンキンズ	新津一義	1979/4/6	南ア
7	巡洋艦アルテミス	The Ship（1943）	C・S・フォレスター	高橋泰邦	1979/2/8	英
8	砲艦ワグテイル	Send A Gunboat（1960）	ダグラス・リーマン	高橋泰邦	1979/4/6	英
9	闘う帆船ソフィー	Master and Commander（1969）	パトリック・オブライアン	高橋泰邦	1979/5/8	英
10	獅子の怒り	Wrath of the Lion（1964）	ジャック・ヒギンズ	池央耿	1978/12/15	英
11	キャプテン・クック最後の航海	The Last voyage（1978）	ハモンド・イネス	池央耿	1979/10/5	英
12	激闘 インド洋	The Long Fight（1958）	D・A・レイナー	鎌田三平	1979/10/5	英
13	たった一人の海戦	Brown on Resolution（1929）	C・S・フォレスター	高橋泰邦	1979/10/25	英
14	闇の航路	Passage by Night（1964）	ジャック・ヒギンズ	竹内泰之	1979/11/5	英
15	南極海の死闘	Antarctic Raider（1960）	W・R・D・マクロクリン	尾坂力	1979/12/10	英

16	最後の救難信号	The Last MAY-DAY (1968)	キース・ウィーラー	中山俊	1979/12/25	米
17	スコーピオン暗礁	Scorpion Reef (1955)	チャールズ・ウィリアムズ	鎌田三平	1980/4/25	米
18	燃える魚雷艇	A Prayer for the Ship (1958)	ダグラス・リーマン	中根悠	1980/7/10	英
19	坐礁	The Zhukov Briefing (1975)	アントニー・トルー	井坂清	1980/7/28	南ア
20	氷雪の脱出行	North Cape (1969)	ジョー・ポイヤー	鎌田三平	1980/9/4	米

※ 米＝アメリカ、英＝イギリス、南ア＝南アフリカ

新訳・再刊等　（　）内は発行年月日

1西武タイム（1985/12/25）→創元推理文庫（1986/11/21）

2西武タイム（1985/12/25）→徳間文庫（1987/9/15）

3西武タイム（1986/4/18）

5西武タイム（1986/4/18）

6西武タイム（1986/1/28）

7西武タイム（1985/12/25）

8西武タイム（1985/12/25）→創元推理文庫（1986/2/26）

9分冊『激闘！地中海　ソフィー号新任艦長J・オーブリー』徳間書店（1993/10/31）『燃えるバルセロナ沖　苦い勝利』徳間書店（1993/11/30）→『新鋭艦長、戦乱の海へ』（上・下）ハヤカワ文庫NV（2002/12/31）

10西武タイム（1985/12/25）→創元推理文庫（1986/5/30）

11創元推理文庫（1986/3/28）

12西武タイム（1986/1/28）→『インド洋の死闘』創元推理文庫（1986/12/12）

13西武タイム（1986/1/28）→徳間文庫（1987/7/15）

14西武タイム（1986/1/28）

15西武タイム（1986/4/18）

17 創元推理文庫（1987/3/20）

18 西武タイム（1986/1/28）→徳間文庫（1988/2/15）

20 『ノールカプ岬』創元推理文庫（1987/2/20）

【河出冒険小説シリーズ】編

第一章

一

一九八〇年代は、翻訳ミステリ界にとって〝冒険小説の時代〟だった。ジャック・ヒギンズ（『鷲は舞い降りた』）、クライブ・カッスラー（『タイタニックを引き揚げろ』）、クレイグ・トーマス（『ファイアフォックス』）、ロバート・ラドラム（『暗殺者』）といった、七〇年代から紹介されていたものの実力の割に認知度が低かった作家が脚光を浴び、ケン・フォレット（『針の眼』）、A・J・クィネル（『燃える男』）、トマス・ブロック（『超音速漂流』）、S・L・トンプスン（『A-10奪還チーム出動せよ』）、J・C・ポロック（『樹海戦線』）、スティーヴン・ハンター（『真夜中のデッド・リミット』）、ボブ・ラングレー（『北壁の死闘』）といった新鋭が続々と紹介され人気を博していく。

そうした海外勢の隆盛と機を同じくして、七〇年代末から八〇年代初頭にかけて谷恒生（『喜望峰』）、森詠（『さらばアフリカの女王』）、船戸与一（『非合法員』）、佐々木譲（『鉄騎兵、跳んだ』）、逢坂剛（『裏切りの日日』）、志水辰夫（『飢えて狼』）、北方謙三（『弔鐘はるかなり』）がデビューし、英米の作品と肩を並べる傑作を次々に生み出していく。日本中を席巻した横溝正史ブームも下火となり、「刑事コロンボ」もシーズンを終了し、雑誌「幻影城」が終刊したこの時期に、〈冒険小説〉という新たなジャンルは入れ替わるかのように台頭し、百花繚乱の時代へと突入する。

ちょうどその頃私は、金田一耕助とコロンボがヒーローだった幸せな少年期を卒業し、父の書斎にあった東京創元社の【世界推理小説全集】に手を伸ばして謎と論理の王国へ本格的に足を踏み入れ始めていた。そんな中学三年生に対して、ミステリには名探偵が快刀乱麻を断つ活躍譚とはまるで異なる〈冒険小説〉という沃野があることを教えてくれたのが「PLAYBOY日本版」の〝BOOKS〟欄だった。

「ジャック・ヒギンズを知らない？　死んで欲しいと思う」という挑戦的な小見出しで幕を開けるこのコラムは、「例えば、俺はただの冒険小説きちがいだ。書評というのは、全く畑ちがいで、多分、そんなことはその道のプロがやればいいいと思う」という一文に始まり、「でも、ホントにいいぜ、冒険小説は。その思い入れだけは誰にも負けない。だからこうしてシャシャリでて来たわけだ」と威勢よく名乗りを上げた後、「今やマクリーンは堕落し、ギャビン・ライアルはおとろえを感じさせる。今、このヒギンズと『タイタニックを引き揚げろ』のクライブ・カッスラーしかいないじゃないか」と力強く言い切り、新鋭ジャック・ヒギンズの『脱出航路』（1976、ハヤカワ文庫NV）を「これはまさに5冊分の本だ」と絶賛し、その魅力を熱く語り、ススメ倒す。

　新聞や週刊誌なんてほとんど読んだことがなく、書評家どころか書評の存在すら碌に認識していなかった――そのくせ、父親が購読していた「PLAYBOY日本版」は親の目を盗んでしっかり読んでいる――中坊にとって、内藤陳という耳慣れぬ本好きなおじさん――コメディアンだと知ったのは連載が大分進んでからだ――が書いたこの文章こそが、ブックレビューとのファースト・コンタクトであった。そして知ったのだ。世の中には面白い本をおススメする職業があるということを。

　ちなみにブック・レビュアーとしての私の姿勢は、内藤陳と北上次郎、そして瀬戸川猛資の三氏によって形作られている。中でも原体験としての内藤陳の影響は大きく、「本を読みたい買いたいと思わせるのは、理屈じゃなくって思い入れと語り口」という信念は、この仕事を始めて三十年近く経つが、一度として揺らいだことはない。

　閑話休題。毎月心待ちにしていたこのコラムは、一九七八年七月号から一九九四年八月号まで足かけ十七年にわたって連載された。そのすべては、他誌掲載文も併せて、八三年刊の『読まずに死ねるか！』（集英社文庫）に始まる全五巻の《読ま死ね》シリーズにまとめられている。

　古今東西、数多（あまた）のブックレビューが書かれてきたけれども、取り上げられている本に対し

て、「早く読みたい、いや、今すぐ買わねば！」という衝動を駆り立てられるという点で、このシリーズの右に出るものはないだろう。その秘密は何よりも、内藤陳独特の名調子にある。例えば二〇一四年に創元推理文庫で再刊されたラッセル・ブラッドンの息詰まるスポーツ・サスペンス『ウィンブルドン』（1977）に対しては、「一読、二読、三読、四読、お読みにならなきゃお気の毒」と煽り立て、同年、文春文庫で復刊したアメリカ大陸横断ウルトラマラソンを描いたトム・マクナブ『遥かなるセントラルパーク』（1982）には、「愉快痛快命懸け。読むほどに血湧き足躍るアア感動涙の本筋大冒険小説なのだ！」とぶち上げる。

こんな具合に熱弁を振るわれたら、書店に足を運ばずにはいられないではないか。シリーズ三作目までで二十一万部という、この手の本としては桁違いの販売数を達成したのもむべなるかな。面白い本を狩り出し、ススメ、読む気にさせるという点において、内藤陳は江戸川乱歩をも凌駕するカリスマだったといっても過言ではない。

二

今回探訪する【河出冒険小説シリーズ】は、そんな内藤陳が面白さを保証することをウリとしたシリーズだ。河出文庫の文庫内叢書として発刊、八五年七月のトレヴェニアン『アイガー・サンクション』に始まり、八八年六月にその続編である『ルー・サンクション』で幕を下ろすまで、丸三年の間に全十巻が刊行された。

背表紙の色を当時の同文庫統一色の白ではなく黄とし、タイトルの上にAdventure Fiction（冒険小説）の略称AFを組み合わせたロゴを記し、帯には「内藤陳のオススメマーク」として南伸坊画伯によると思しき、ニッコリ笑ってバンザイしている皺っぽいブルース・リー（失礼！）のごとき内藤陳の似顔絵がでっかく刷られている。〝顔〟が太鼓判になるレビュアーなんて、後にも先にも内藤陳ぐらいなものだろう。

この〝冒険小説の時代〟の申し子のようなシリーズには、二つの大きな特徴がある。一つは、全十巻の内の過半数、即ち最初の六巻が再刊本という点だ。その背景には、冒険小説というジャンルがごく一部のマニアの愛好物から、広く一般の本好きに受け入れられるメジャーな娯楽となり、過去の名作を読みたいという声が高まってきたことがあったと思われる。

実際、『アイガー・サンクション』や『サンタマリア特命隊』のように、内藤陳が面白さを語る一方で入手困難な状態を嘆く様を誌面を通して繰り返し見させられてきた者の一人として、古本屋をハシゴしても見つけられなかったこれら幻の名作の再刊は、なによりの朗報だった。

もう一つは、器の問題だ。五九年に誕生した創元推理文庫を唯一の例外として、文庫形態でミステリの新作が出ることはほとんどなかった。ライバルの早川書房は、七二年にハヤカワ文庫NVを、七六年にハヤカワ・ミステリ文庫を創刊するも、主力の［ハヤカワ・ノヴェルズ］や〈ポケミス〉の名作を再録する受け皿と位置づけ、いきなり文庫で新作を出すことに関してはまるで前向きではなかった。

そんな状態に一石を投じたのが大手版元で、その皮切りとして文藝春秋が七九年に《オリジナル海外サスペンス》と銘打って毎月のように新刊ミステリを出し始める。また新潮文庫も、七七年に始まった「週刊文春」の「ミステリー・ベスト10」で栄えある第一回のベスト1に輝き、冒険小説ブームの先駆けとなったルシアン・ネイハムの『シャドー81』を手始めに、徐々に点数を増やしていく。

その一方で、【立風ミステリー】（七四年～八五年）や集英社の［Playboy Books］（七七年～八四年）といった、冒険小説ブーム到来以前から単行本で広くミステリ全般を紹介してきたシリーズが終刊。『タイタニックを引き揚げろ』や『ファイアフォックス』の版元であり、【海洋冒険小説シリーズ】（七八年～八〇年）全二十巻を刊行したパシフィカも、翻訳ミステリの刊行を止めてしまう。

こうした潮流にあって河出書房新社も、【河出冒険小説シリーズ】を文庫内シリーズという特殊な形で出していく。それには、名作の再刊に力を入れるという方針も、重要な決定要因となったに違いない。

ちなみに、八六年に二見文庫が、八七年にサンケイ文庫（八八年五月以降、扶桑社ミステリーと改名）が参入したことで、文庫による刊行点数は一気に増え、さらに八九年には早川書房と東京創元社も、それぞれミステリアス・プレス文庫と創元ノヴェルズを刊行する。冒険小説を筆頭に、海外ミステリ全般の翻訳が活気づいていった八〇年代に、その器は高価な単行本から安価な文庫本へと急速に移行していったのだ。

三

さて、シリーズ全体に関する考察は一旦措(お)いておいて、個々の収録作品を眺めていこう。本叢書は十作品からなるが、このうちジャック・ヒギンズが三作、トレヴェニアンが二作収録されているので、取り上げられた作家は全部で七人と決して多くはない。

これを国別に見てみると、アメリカ人が三人で、イギリス人とフランス人が二人ずつ。まずは、三人のアメリカ人の内、トレヴェニアンから見てみよう。

【河出冒険小説シリーズ】は、前述したように第一弾から第六弾までが再刊、第七弾から第十弾が新刊というように、前半と後半とで収録方針が明確に分かれている。スタート時点では入手困難な名作でファンを惹きつけて、徐々に新作もという方針だったのだろう。そのトップバッターとして刊行されたのが、トレヴェニアンの『アイガー・サンクション』だ。元版は七五年にTBS出版会から【ワールド・スーパーノヴェルズ】の一冊として、クリント・イーストウッド監督・主演の映画公開に合わせて刊行された。

それから十年、本書を皮切りとする【河出冒険小説シリーズ】の誕生に当たって当の内藤陳は、「PLAYBOY日本版」誌上で、「捨てる神ありゃ拾う神。出ます出します買わせます。ヤッタヤッタの河出文庫より〝冒険小説〟シリーズがスタートしたのです。生きて再び陽の出を拝む超豪華配役陣(オール・スタア・ラインナップ)にて続々登場というから万々歳のおたのしみ」と、口上商人さながらの内藤陳節全開で悦びと期待を露(あら)わにした上で、「これぞ山岳冒険小説中のまさに〈最高峰〉なのである」と褒めあげている。

国際的に名声を博した登山家であると同時に、超人的な鑑定眼を備えた美術評論家であり、弱冠三十七歳にして芸術学部の大学教授の座を得たジョナサン・ヘムロック。彼には、もう一つ公(おおやけ)に出来ない顔があった。合衆国の諜報(ちょうほう)組織CIIの捜索制裁局(サーチ・アンド・サンクション)——エージェントを殺した者に対して死をもって罰する超法規部局——からの〝仕事〟を請け負う、パートタイム暗殺者でもあったのだ。

〝人食い鬼の壁〟と呼ばれ何人もの登山家を死に至らしめたアイガー北壁の登攀(とうはん)中に、登山隊の中に潜んでいるターゲットを探り出し〈制裁〉すべく、〝仲間〟の一挙一動から目が離せないヘムロック。死と隣り合わせの状況下で展開される静かな闘いに、思わず息を詰めて読んでしまう。確かにこれは傑作だ。

住居に改築した教会の修繕と名画の蒐集に莫大な金が必要なので〈制裁〉を請け負う。取っ替え引っ替え女性をものにするが一度も快楽を感じたことがない。こうした特異な主人公像は、所謂正統派ヒーローとは明らかに異なり、それが本作に深みを与えているのだけれど、実はこれが「当時人気のあったスーパースパイ物の浅薄な男性至上主義や物質至上主義をあざわらうパロディとして書いた」（《パブリッシャーズ・ウィークリー誌》のファクス・インタビューに対する回答、『ワイオミングの惨劇』新潮文庫、解説より）というのだから何ともはや。もっともトレヴェニアンの意図を見抜いた書評はほとんどなかったそうですが。

この意図をより歪んだ形で強調したのが、前作とは打って変わって大自然ではなく大都会を舞台にした続編『ルー・サンクション』だ。アイガーでの死闘から数年後、隠退生活を送っていたヘムロックだが、のっぴきならない事情により再び権謀術数の世界に引きずり込まれてしまう。英国社会全体を揺るがしかねない陰謀を阻止するために、ロンドンの暗部を彷徨するヘムロック。暗く退廃的な迷宮を手探りで進む彼を過剰なセックスと暴力が待ち受ける。前作を陽とするなら本作は陰。一作毎にまったく作風を変えるトレヴェニアンならではの二部作を、ぜひ味わってみて欲しい。

長年に亘って謎の覆面作家と言われてきたトレヴェニアンは、本名ロドニィ・ウィリアム・ウィテカーという元テキサス大学の教授で、七二年に『アイガー・サンクション』でデビュー、二〇〇五年に亡くなるまでに長篇九冊、短篇集一冊を刊行した。毎回作風を変え、シリーズ以外の既訳五作――警察小説の『夢果つる街』（1976、角川文庫）、冒険スパイ小説の『シブミ』（1979、ハヤカワ文庫NV）、スリラーの『バスク、真夏の死』（1983、角川文庫）、西部小説の『ワイオミングの惨劇』（1998）、そして半自伝小説の『パールストリートのクレイジー女たち』（2005、集英社文庫）――すべてが傑作という恐るべき小説巧者だ。

とりわけ、大恐慌時代の直中から第二次世界大戦終結までのニューヨーク州のスラム街を舞台に、瑞々しい筆致で感傷に溺れることなく描かれた悲喜こもごも至るエピソードの連なりからなる青春小説『パールストリート〜』は、作者の到達点といえる畢生(ひっせい)の大作であり、あらゆる物語愛好家に読んで欲しい傑作だ。

　続いてはハロルド・ロビンスが、六六年に発表した大河冒険ロマン『冒険に賭ける男』を。南米の架空の小国コルテガイで豪農の息子として生まれたダクスことディオゲネス・アレハンドロ・クセノス。その死後十年が経ち、旧知の新聞記者が人気のない墓地を訪れて、「彼が行くところ、目の前で大地はひらけ、男は彼を愛し彼を恐れ、女は彼の股倉の力におののき、人は彼の恩顧を求めたものだ」と述懐するシーンで幕を開ける本作は、革命と戦争と大量消費の時代を駆け抜けたヒーローの物語だ。

　血と暴力と金とセックスに彩られ、権力と野心、国家と民意に翻弄され続けたダクスの波瀾万丈の生涯を描いた、良くも悪くも大時代的な大衆娯楽小説の王道を行く作品であり、今の目で見ると、贅肉(ぜいにく)が目立つ。さらに、ダクスのモデルとなったに違いない、ドミニカ共和国の外交官にして世界的なプレイボーイとして名を馳せたポルフィリオ・ルビロサ——独裁者トルヒーヨ大統領の女婿(じょせい)——の存在を知っていると、その面白さも大きく減ぜられてしまうのはいなめない。

　元版は六七年に恒文社(こうぶん)から上下二冊の箱入りセットで刊行された。十八年ぶりの再刊は本叢書中最長であるが、手元の元版が七九年に十刷していることを考えると、あまり飢餓感はなかったかも知れない。ちなみに本書は、『大いなる野望』、『死の天使（ＵＳＡブルース）』（1960）、『愛よいずこへ』（1962）に続く、同社からの四作目の刊行で、全て井上一夫が訳している。

　作者のハロルド・ロビンスは、一九一六年ニューヨーク生まれ。ユニバーサル映画に勤めた後独立し、プロデューサーとして働くかたわら小説を執筆、六一年発表の『大いなる野望』でベストセラー作家となる。世界三十二ヵ国で七億五千万部を売り上げ、一世を風靡（ふうび）、映像化された作品も数多く、本作も、七〇年に「007は二度死ぬ」のルイス・ギルバート監督により映画化された（日本公開名「冒険者」）。

六五年から八五年の間に、『ベッツィー』（1971、角川文庫）『野望の血』（1977、集英社）、『キサナドゥ』（1984、光文社）等十四作が訳されたが、今やほぼ忘れられた作家といえよう。重厚長大で冗長な作風は今読むと辛いものが多いが、ボルジア家の末裔でマフィアの殺し屋となった男の生涯を描いた小品『死の天使（USAブルース）』（角川文庫）は、お薦めだ。

最後は、二十世紀後半のアメリカが生んだ大ベストセラー作家マイクル・クライトンがジョン・ラング名義で書いた『スネーク・コネクション』だ。【河出冒険小説シリーズ】の第六弾、即ち、再刊本としては最後の収録作である。

早川書房から『毒蛇商人』のタイトルで元版が刊行されたのは七一年。［ハヤカワ・ノヴェルズ］の一冊として、七〇年に同叢書から出たSF『アンドロメダ病原体』（1969）と〈ポケミス〉千点記念作品として鳴り物入りで訳されたジェフリイ・ハドスン名義の医学ミステリ『緊急の場合は』（1968）に次ぐ、早川書房三冊目のクライトン作品である。

主人公のチャールズ・レイノーは、ユカタン半島在住の毒蛇捕獲人。四つのパスポートを駆使して研究機関や動物園に毒蛇を販売する他に、密輸や更に危険な仕事にも手を染める彼は、ふとしたことから五十億ドルの遺産を巡る争奪戦に巻き込まれていく。嘘と裏切りと謀略の果てに、遺産を手にするのは一体誰なのか。

三人称多視点を頻繁に切り替える構成によって、誰と誰が繋がっているのか、誰が何をしているのか、隠しているのかを見えにくくすることで読者の興味を捉えて放さない。同時に展開もスピーディーなので、

ついついページを繰ってしまう。

怒りという感情を人為的にコントロールする研究に没頭している科学者という設定は、まさにクライトンならではで、莫大な遺産の争奪戦とどう絡んでくるのかが、読み処の一つだ。

六六年のデビュー作『華麗なる賭け』（角川文庫）から死後刊行された二〇〇九年の『パイレーツ　掠奪海域』まで二十六作の長篇を執筆、一一年、未完の遺作『マイクロワールド』（ハヤカワ文庫ＮＶ）がリチャード・プレストンによって完成された。さらに七四年に書かれた *Dragon Teeth* の原稿が死後発見され、一七年に刊行された。

『ジュラシック・パーク』（1990、ハヤカワ文庫ＮＶ）を始め多くの作品が映像化されており、ノンフィクション『五人のカルテ』（1970、ハヤカワ文庫ＮＦ）をベースとした大ヒットドラマ「ＥＲ　緊急救命室」では制作総指揮を務めた。

第二章

一

よく、「イギリスは冒険小説の本場だ」と言われるけれど、あらためて第二次世界大戦後の英国冒険小説界を眺めてみると、なるほどと思う。四〇年代にはハモンド・イネス（『銀塊の海』）、五〇年代にはアリステア・マクリーン（『ナヴァロンの要塞』）、六〇年代にはギャビン・ライアル（『もっとも危険なゲーム』）とデズモンド・バグリイ（『高い砦』）というように、立役者が途切れることなく現れて、このジャンルの里程標となる傑作をいくつも遺しているのだから。そんな彼らの後を受けて、七〇年代から八〇年代にかけて世界的なベストセラーを連発し、日本でも冒険小説ファンの心を捉え熱い支持を受けた作家が、ジャック・ヒギンズとクレイグ・トーマスだ。

【河出冒険小説シリーズ】も、この二人の作品はしっかりと押さえており、特にヒギンズは『サンタマリア特命隊』『地獄の鍵』『地獄の群衆』と三作も収録されている。この中では『サンタマリア特命隊』が、頭二つ三つ抜けて面白い。

裏表紙の紹介に、「矛盾だらけの人生にぼろぼろになりながらも誇りと愛を失わない男たちが、革命の余燼くすぶるメキシコの辺境に特命を帯びて行く。機関銃をもつ神父、ＩＲＡのガンマン、世の裏道の全てを知りつくした太っちょ実業家、言葉を失った美貌のインディオの娘、裏切りに復讐を誓った山賊の頭目――神の怒りしか存在しない荒野にくりひろげる壮絶劇」とあるように、メキシコ革命とアイルランド独立戦争を背景に、憎悪と不満が渦巻き、欺瞞と暴力が支配する〝神が最後につくった土地〟に生まれし者と流れついた者が織りなす、愛と死と再生の物語だ。

語り手である元ＩＲＡの闘士ケオーを始め、理想と現実の差に傷つき、憤り、魂を失った者たちが、己の過去と向き合い現実を直視して、信じるもののために闘い、新たな一歩を踏み出す勇気が胸を打つ。

七一年にジェイムズ・グレアム名義で発表された本作は、七二年に映画化され、翌年日本での公開に合わせて角川文庫から刊行された。代表作『鷲は舞い降りた』の翻訳に先駆けること四年、記念すべきヒギンズの日本初紹介作となった本作だが、七〇年代に映画の原作本として刊行された一連の角川文庫海外エンターテインメントの例に漏れず、当時、古本屋をハシゴしてもまず見つけられない幻の本と化していた。

　解説で内藤陳が「生きて再び『サンタマリア』を拝むことができようとは！　エッ、長生きはするもんだネ、飛びあがっちゃうじゃないか！」と狂喜乱舞するように、本叢書中、最も再刊が待たれていた作品だ。

　簡潔で抑制が利き陰影のはっきりとした文章から漂う情感、いわゆるヒギンズ節も見事に決まっていて、同じく元ＩＲＡのテロリストを主人公とし、信仰と贖罪というテーゼが通底する『死にゆく者への祈り』（1973、ハヤカワ文庫ＮＶ）と対をなす傑作だ。『鷲は舞い降りた』や『脱出航路』（ハヤカワ文庫ＮＶ）のような堂堂とした建て付けの正統派冒険小説もいいけれども、狭く小さな世界で悩み闘う男の物語もまたヒギンズの大きな魅力なのだ。

　他の二作のうち『地獄の鍵』は、六〇年代にマーティン・ファロン名義で全六作が書かれた、英国情報部〈ビューロー〉の諜報員ポール・シャヴァスを主人公とするシリーズの三作目だ。

　舞台は、ソ連と袂を分かち中華人民共和国に接近し、社会主義陣営の中でも独自路線を歩み、ほぼ鎖国状態にあるアルバニア。かの国での任務から帰還したばかりのシャヴァスは、暴漢に襲われていた若く美しいアルバニア出身の同僚を助ける。彼女に惹かれたシャヴァスは、弾圧下にあるキリスト教徒にとって希望の象徴である黒い聖母像を取り戻したいという願いを叶えるために再度、アルバニアへと潜入する。

　一方の『地獄の群衆』は、六二年にハリー・パタースン名義で発表されたノン・シリーズのサスペンス小説だ。愛する女と結婚するためにクウェートのダム建設現場で十ヵ月間働き、有り金全てを女の口座に振り込んできた土木技師ブレイディがロンドンに帰ってきた。だが女は、預金を全て下ろして別の男と結婚するために消えてしまっていた。自暴自棄に陥り酔い潰れたブレイディは、不思議な女と出会い彼女の部屋で前後不覚となる。翌朝警察官に叩き起こされた彼が見せられたのは、女の惨殺死体だった。刑務所に収監されたブレイディは、誰が何のために自分を塡め、その上命を狙うのかを知るべく脱獄を決意する。

　前者は、六〇年代のスパイ小説ブームに乗って生まれたスーパー・エージェントものであり、後者は〝目が覚めたら隣に見知らぬ女性の死体が〟タイプの巻き込まれ型サスペンスだ。ともにヒギンズ節の片鱗はあるものの、人物造形よりも派手なアクションとスピーディーな展開で引っ張っていくスリラーであり、そこそこ読ませてはくれるが、まだ習作の域を出ていない。

　出世作でありジョン・スタージェス監督で映画化もされた『鷲は舞い降りた』が刊行された七六年から八〇年代の終わりまでが名実ともに日本でのヒギンズ人気の絶頂期で、この間に新作二十七作、再刊十五作と年平均三作以上が刊行された。九〇年以降衰えが目立ち始めるも、二〇〇八年に翻訳がストップするまでに新刊二十一作、再刊十五作と年平均二作弱の本が出続けている。八十七歳となる一六年までほぼ年一作のペースで書き続けた。九二年にスタートした『嵐の眼』（ハヤカワ文庫NV）に始まる《ショーン・ディロン》シリーズの第二十二作 *The Midnight Bell* が、現時点での最新作だ。

　そんな英国冒険小説界の巨匠が、デビュー十六年目に『鷲は舞い降りた』で注目を集め、ようやく世界的なベストセラー作家となった翌年の七六年に、七〇年代から八〇年代にかけて彼と人気を競い合うことになるクレイグ・トーマスが『ラット・トラップ』でデビュー。翌七七年には第二作『ファイアフォックス』（ともにハヤカワ文庫NV）で、一躍新時代の冒険小説の書き手として脚光を浴びた。

　ソ連が開発した驚異的な性能を誇る戦闘機を奪取せよ、という西側情報機関の命を受けて敵地に潜入したベトナム戦争帰りのエースパイロット、ミッチェル・ガントの手に汗握る活躍を描いた『ファイアフォックス』は、日本でも原著刊行と同年にパシフィカから訳出され、超弩級の新人の登場に冒険小説ファンは驚喜した。元版の帯裏には、「実際ぬきんでている……寒けのするほど見事な調査に裏付けられたこのスリラーは最後のページにたどりつくまであなたを離れさせないだろう」というヒギンズの辞が記されているが、賞賛と同時に強力なルーキーの登場に対する警戒心を感じてしまうのは穿ち過ぎというものだろうか。

この日本初紹介作に続いて訳されたのが、本叢書に収録された第三作『狼殺し』で、元版は七九年に同じくパシフィカから刊行された。前作とは打って変わって、第二次世界大戦中の秘密工作に端を発する個人の復讐劇を、六〇年代の冷戦構造を背景とするスパイ小説のフレームの中で活写した本作で、トーマスは『ファイアフォックス』に熱狂した読者を、再度、興奮させた。

四四年、レジスタンス支援の密命を帯びて解放直前のパリに潜入した特殊作戦執行部(SOE)の情報部員〝アキレス〟ことガードナーは、仲間の密告によりゲシュタポに逮捕されてしまう。苛酷な拷問を耐え抜き奇跡的に生き延びた彼は、戦後、事務弁護士となり、市井の人として過去を忘れ平凡な日々を送っていた。だが、十九年後の六三年、偶然の再会が眠っていた記憶を呼び起こし、甦った〝アキレス〟を復讐へと駆り立てる。

大義により人生を狂わされ組織の論理に翻弄される男が、過去を清算し己を取り戻すために闘うというがっしりとした物語を前面に押し出し、同時に組織の中の裏切り者を狩り出す虚々実々の諜報戦を背景としてしっかりと描く。血が沸き立つ復讐譚であると同時に、精緻に構築されたエスピオナージュでもある冒険・スパイ小説を語る上で外すことのできないマスターピースだ。

作者は、四二年、ウェールズのカーディフに生まれ、二〇一一年没。九七年に筆を折るまでにクレイグ・トーマス名義で十六作、デイヴィッド・グラント名義で二作の小説を発表した。内、後者の一冊を除いて全て翻訳されたが、残念ながら現在、『ファイアフォックス』を除いて入手困難な状況だ。せめて続編の『ファイアフォックス・ダウン』と『狼殺し』(ハヤカワ文庫NV)だけでも復刊して貰えないだろうか。いや、できれば『闇の奥へ』(1985)と『ウィンターホーク』

（1987、ともに扶桑社ミステリー）も。

二

お次は、二人のフランス人作家の作品を見ていこう。まずはジョゼ・ジョバンニからだ。氏に対しては個人的な思い出があるのだけれど、それは後ほど。

十一年間にわたる服役を終えて出所した後、「自分の中にあることを両手一杯につかみ取って、紙の上にぶつければいいいんですよ」（ジョゼ・ジョヴァンニ『父よ』1995、白亜書房）という弁護士の言葉に従って、自身の脱獄経験をもとに書いた限りなく事実に近いフィクション『穴』（1957、ハヤカワ・ミステリ）で衝撃的なデビューを飾ったジョバンニは、一躍暗黒小説（ロマン・ノワール）の旗手となり、ジャン・コクトーを始め多くの文学者から賞賛された。

日本では、映画「墓場なき野郎ども」「冒険者たち」の原作者として認知されていたが、すぐには翻訳はなされず、六七年に日本で公開された映画「ギャング」の原作である第二作『おとしまえをつけろ』（1958、ハヤカワ・ミステリ）が、翌年訳されて、初めて活字として読者の目に触れ、衝撃を与えることになる。

というのも岡村孝一（おかむらこういち）による訳文は、原文の味わいを活かすためだろうか、体言止めと極端に切り詰めた単文の連なりからなり、そこから生まれる独特のリズムは、他に類を見ないものだったからだ。以後、二年三ヵ月の間に、五八年のデビューから一旦筆を措く六四年までに書かれた初期九作中七作が、一気に訳された。

本叢書で再刊された『生き残った者の掟』は、六〇年に書かれた第六作であり、元は「ハヤカワ・ノヴェルズ」の一冊として七一年に刊行された。『穴』で共にパリのサンテ監獄の地下に脱走路を掘った、固い友情で結ばれた二人の男――作者の分身であるマニュと親友ローラン――が、再び主役を務める静けさと激しさが同居する物語だ。

裏表紙の紹介に、「巨万の財宝を手に入れ、仲間の柩（ひつぎ）とともに南の島から帰ってきた男たち」「囚われの女。女を救いだすための新たな冒険。秘められた過去。マニュは裏切り者を許せない。――友情と冒険のシンプルな生き方を描く男のロマン」と記されているように、人として生きて死ぬ掟を描いたこの話は、出所した後、南太平洋に沈んだ財宝を求めて自家用ヨットで冒険の旅に出ていた二人が、殺されたもう一人の仲間ロレントの故郷コルシカに、彼の遺体とともに入港するシーンで幕を開ける。

仲間の死と冒険の終わりという現実を前に、懊悩するマニュの姿を描く憂愁を湛えた前半から、愛する女とともに生きる為に、再び冒険に乗り出すマニュの姿を活写する後半へと転調する手際が光る本作は、「筋の展開がすべて友情から発していると言える」「ノワール的な側面が現われてくるのは、裏切られ失われた友情が描かれるときである」（J－P・シュヴェイアウゼール『ロマン・ノワール　フランスのハードボイルド』1984、白水社文庫クセジュ）と指摘されるジョバンニ・ワールドの総決算と言ってよい。

本作をベースにロベール・アンリコ監督が撮った映画「冒険者たち」（主演アラン・ドロン、リノ・ヴァンチュラ）の出来に不満を抱いたジョバンニは、自らメガホンを取り「生き残った者の掟」として映画化、以後、映画監督として「暗黒街のふたり」「ル・ジタン」等、数多くの傑作を手掛けることになる。

ちなみにジョゼ・ジョバンニは、九七年に開催された「みちのく国際ミステリー映画祭'97 in 盛岡」で、この「冒険者たち」が上映されるのに合わせてスペシャル・ゲストとして来日した。そして舞台挨拶の前に、別の会場で行われていた逢坂剛、大沢在昌、北方謙三による「ミステリー作家映画談議」に事前予告無しに突如登壇。その瞬間、鼎談中だった三氏が、一斉にファンモードとなり、ジョバンニに質問を繰り出し傾聴していた姿は、当時客席にいた私の脳裏に、今も強烈に焼き付いている。その後、『ひとり狼』（1958、ハヤカワ・ミステリ）に頂いた為書き付きのサインは、この体験と併せて私の大切な宝物だ。

二三年、パリに生まれ、二〇〇四年、後半生を過ごしたスイスで亡くなる。晩年は小説から遠ざかっていたが、九五年に自伝的小説『父よ』を発表。死刑判決を受けたジョバンニを自由の身にすべく孤独な闘いを続けた父の一生を描き、親子の絆を謳(うた)い上げたこの畢生の大作は、ジョバンニ未体験者にもぜひ読んで欲しい。

ラストの一冊、フレデリック・ダールの『恐怖工作班』は再刊ではなく、本叢書の為に訳出された。

裏表紙の紹介に、「行方不明になったイギリスの科学者ミッチェルの写真がスイスのグラビア雑誌に掲載された。だが写真のミッチェルは巧妙にメークをほどこして生きているように見せかけた死体であった……敵を欺く策略か？　見破られるのを予期した挑発か？――太陽光線を瞬時にエネルギーに変換する発明をめぐって、イギリス情報部と第三国スパイとの虚々実々の駆け引きと暗闘」とあるように、軍事バランスを危うくする画期的な発明を巡る典型的なスパイ・アクション小説だ。

ただし、一筋縄ではいかないこのフランス・ミステリ界の巨匠は、変なところで読者に目配せしてくるので面白い。例えば、敵組織の一見非合理的な策略を、主人公のウィンがポーの「盗まれた手紙」をヒントに解決する件(くだり)とか、敵方のメンバーの一人である売れない女優と接触するために、ダフネ・デュ・モーリア原作の映画に対するオファーがあると持ちかけてみる点とか。

五九年に発表された本作は、シリアス路線のエスピオナージュとは違って、個人と組織の葛藤や立場の違いから生じる正義のあり方に対する疑問といったテーマとは一切無縁だ。そもそも死体に化粧を施して税関の眼を誤魔化し国境を越えるというアイディア自体がギャグすれすれだし、無闇に派手な、主人公おいてきぼりのラスト・シーンは、伏線を張っていただろ、という作者の声が聞こえてきそうで唖然とするしかない。野暮なことは言わずに、《狐》と渾名されるスーパーエージェント、ジェイムズ・ウィンの八面六臂(はちめんろっぴ)の活躍ぶりを気軽に愉しめばいい娯楽作品だ。

三

さて最後に、【河出冒険小説シリーズ】が誕生した経緯について触れておこう。

本叢書に対しては、大学生時代に第一回配本の『アイガー・サンクション』を見た時から、実は違和感を憶えていた。なぜ河出書房新社なのだろうかと。

同社は、伝統的に海外文学の紹介に熱心で、「世界文学全集」を始め、戦後、数々の全集・個人全集を出し続けてきたものの、そのほとんどが主流文学である。【メグレ警視シリーズ】全五十巻（七六年〜八〇年）や【アメリカン・ハードボイルド】全十巻（八四年〜八五年）といった例外を除いて、エンターテインメントの翻訳は皆無といっていい堅い版元から、なぜ冒険小説のような軟らかい大衆娯楽小説のシリーズが刊行されたのか。面白本おススメの水先案内人・内藤陳と、雑誌「文藝」を基軸に内外ともに純文学中心に活動してきた版元・河出書房新社という意外な結びつきは、どのようにして生まれたのか。

そんな長年の疑問が、河出書房新社のＯＢである野口雄二、小池信夫、小池三子男の三氏にお話を伺う機会を得ることで、ようやく氷解した。

そもそものきっかけは、『ブック・ガイド・ブック１９８２』だったのだ。これは、表紙に「いま、日本で買える面白い本の特集２０００冊。」と記し、ミステリーやＳＦ、ポルノに歴史小説といったジャンルからノンフィクション、絵本、そして実用書に至るまで、およそ思いつく限りのあらゆる分野を網羅した前代未聞のブック・ガイドだ。このＡ５版四段組四百ページ超という大部の巻頭を飾っているのが、「冒険小説への熱き思い　愚かなるわが心にかくも深く」と題した内藤陳の見開き六ページにわたる冒険小説ガイドなのだ。

前年の八一年末に日本冒険小説協会が結成され、「いま、なぜ冒険小説か静かなるブームの背景

を考える」（『出版ニュース』一九八二年三月）という記事を始め、十数社のマスコミが取材に訪れるなど、注目が集まっていたとはいえ、破格の扱いと言っていいだろう。

それには理由がある。この本を企画した小池信夫は、当時、内藤陳が冒険小説ファンの為に歌舞伎町に開き、自らカウンターの中に立っていた酒場「深夜＋1」に通うほどの冒険小説フリークだったのだ。依頼を受けた内藤陳は、名だたる執筆者が並ぶ中で、プロではない自分の原稿がトップに掲載され冒険小説について語れることに、いたく感激したという。

その後、「『アイガー・サンクション』が手に入らない」と内藤陳がこぼすのを耳にした小池信夫が、「じゃあ河出で再刊しましょう」と言ったのが、【河出冒険小説シリーズ】の始まりであった。

セレクトに当たって、内藤陳がどこまで関与したかは、小池信夫氏も正確には憶えていらっしゃらなかったが、少なくとも『アイガー・サンクション』『冒険に賭ける男』『サンタマリア特命隊』『生き残った者の掟』は話題に上ったそうだ。さらに、ヒギンズは新作も入れたい、ということで意見が一致したという。こうして文庫形態による初の冒険小説シリーズがスタートしたのだが、残念ながら売れ行きは今ひとつで、後半は刊行ペースも間遠（まどお）となり、『ルー・サンクション』で打ち切りとなってしまう。

ちなみにフレデリック・ダール『恐怖工作班』は、訳者の長島良三（ながしまりょうぞう）と野口雄二との繋がりからラインナップに加えられたそうだが、両氏の親交は、日本におけるフランス・ミステリ翻訳の歴史と深く関わっており大変興味深い。

野口氏は、六五年に人文書院から河出書房新社に移られた後、主にフランスの文学的なポルノグラフィーと前衛的な幻想小説を集めた「人間の文学」全三十巻（六五年～六九年）を編纂（へんさん）した。その一冊として、丸谷才一（まるやさいいち）にブリジッド・ブローフィ『雪の舞踏会』（1964、中公文庫）の翻訳を依頼したのだが、その際、折り込み栞（しおり）に載せるアイリス・マードックによる書評を自ら訳した。その話が、丸谷から早川書房の編集者だった常盤新平経由で長島良三に伝わった。当時、フランス・ミステリの翻訳者を求めていた長島は、野口に翻訳を打診し、氏は、六七年に野口雄司名義でユベール・モンテイエの『愛の囚人』（1965）を訳し翻訳者としてデビュー、以後、アルベール・シモナン『現金に手を出すな』（1953、ともにハヤカワ・ミステリ）、フレデリック・ダール『蝮のような女』（1957、河出書房新社）等を手掛けていく。

　また、編集者としてもミステリとの関わりは深く、長島良三の協力を得て【メグレ警視シリーズ】を編纂した。


　話が幾分逸れてしまったところで、最後の最後に、お三方から伺って判明した本叢書絡みのトリビアを記して結びとしたい。

　トリビアその一。『アイガー・サンクション』と『ルー・サンクション』を訳した上田克之の名前は他では見かけないが、実はピエール・ボアロー『死のランデブー』（1951、河出書房新社）やピエール・スーヴェストルとマルセル・アランの共著『ファントマ』（1911、ハヤカワ文庫ＮＶ）を訳したフランス文学翻訳者・佐々木善郎の別名義。なぜ、これだけ別名義なのかは不明。

　トリビアその二。カバーイラストを描いたローレンス・カレとカバー写真を提供した青山進は、カバー・デザインを担当した渋川育由の別名義。即ち、第九弾『恐怖工作班』と第十弾『ルー・サンクション』以外の八作は、実は渋川一人の仕事ということだが、なぜ三つの名前を使用したのかはやはり不明。

　トリビアその三。帯に記された〈内藤陳のオススメマーク〉を描いたのは、実は南伸坊画伯ではなかった！　氏が描く似顔絵に似せて、別の漫画家に描いてもらったそうで、実は、これが一番のサプライズでした。Oh!　大胆不敵。

《【河出冒険小説シリーズ】収録作品リスト》

河出書房新社　全十巻　（一九八五年七月から一九八八年六月まで刊行）
●装幀：粟津潔　●カバーイラスト：1～5・7・8……ローレンス・カレ　●カバー写真：6……青山進、9・10……折原恵
●カバーデザイン：6～10……渋川育由　●判型・体裁：A6版（文庫）・紙カバー・帯　●訳者あとがき：1・2・4・6～10
●解説：3・5内藤陳

No.	邦題	原題（原著刊行年）	作者	翻訳者	発行年月日	国籍
1	アイガー・サンクション	The Eiger Sanction（1972）	トレヴェニアン	上田克之	1985/7/4	米
2	冒険に賭ける男（上・中・下）	The Adventurers（1966）	ハロルド・ロビンス	井上一夫	1985/8/4	米
3	サンタマリア特命隊	The Wrath of God（1971）	ジャック・ヒギンズ（ジェイムズ・グレアム）	安達昭雄	1985/9/4	英
4	狼殺し	Wolfsbane（1978）	クレイグ・トーマス	竹内泰之	1986/2/4	英
5	生き残った者の掟	Les Aventuriers（1960）	ジョゼ・ジョバンニ	岡村孝一	1986/4/4	仏
6	スネーク・コネクション（上・下）	The Venom Business（1969）	ジョン・ラング	高見浩	1986/10/4	米
7	地獄の鍵	The Keys of Hell（1965）	ジャック・ヒギンズ	佐宗鈴夫	1987/3/4	英
8	地獄の群衆	Hell is Too Crowded（1962）	ジャック・ヒギンズ	篠原勝	1987/8/4	英
9	恐怖工作班	Brigade de la Peur（1959）	フレデリック・ダール	長島良三	1988/4/4	仏
10	ルー・サンクション	The Loo Sanction（1973）	トレヴェニアン	上田克之	1988/6/4	米

※　米＝アメリカ、英＝イギリス、仏＝フランス

新訳・再刊等　（　）内は発行年月日

2『DAX』（上・下）ザ・マサダ、落合信彦訳（1995/10/30）→『冒険者たち』（上・下）集英社文庫（2001/1/25）

【フランス長編ミステリー傑作集】編

第一章

一

二〇一〇年代の初頭、三色旗(トリコロール)の旗色はすこぶる悪くなっていた。海外ミステリの翻訳が始まった十九世紀末以来、供給元として、イギリスとアメリカという二つの超大国に次ぐ立場にあったはずなのに、気がつくとスウェーデンを筆頭に勢いづく北欧五ヵ国はおろか、長らくミステリ不毛の地と言われ、数えるほどしか作品が紹介されてこなかったドイツ語圏諸国にさえ出版点数で抜かれてしまっていた。

どれくらい減っていたかというと、なんと二〇一三年は、新訳・再刊を除くとわずかに一作、フランク・ティリエのグラン゠ギニョル臭が芬々(ふんぷん)と漂う科学スリラーで、二年前に出た『シンドロームE』(2010)の続編『GATACA』(2011、ともにハヤカワ文庫NV)しか訳されなかった。

ちなみに二〇一二年は、モーリス・ルブランの死後七十年ぶりに発見された幻の遺作『ルパン、最後の恋』(2012、ハヤカワ・ミステリ)という特殊ケースを除くと、フレッド・ヴァルガスの二作——『裏返しの男』(1999)と『彼の個人的な運命』(1997、ともに創元推理文庫)——のみだし、一一年は、前述した『シンドロームE』だけ。〇二年から十年の間は、〇五年を除いて毎年六作以上刊行されていたのだが、極端に減ってしまった。

新たな作家も、二〇〇九年には五人——ジャック・ルーボー(『麗しのオルタンス』1985、創元推理文庫)、マルセル・F・ラントーム(『騙し絵』1946、創元推理文庫)、P・J・ランベール(『カタコンベの復讐者』2007、ハヤカワ・ミステリ)、モーリス・G・ダンテック(『バビロン・ベイビーズ』1999、太田出版)、ピエール・ルメートル(『死のドレスを花婿に』2009、柏書房→文春文庫)——紹介されたが、続く四年間はゼロであった。

一方、ドイツ語圏に目を遣ると、二〇一一年に、現役弁護士であるフェルディナント・フォン・シーラッハが、現実に起きた事件をベースに創造した十一の短篇からなる『犯罪』(2009、創元推理文庫)で彗星のごとく登場。罪科を犯すに至った顚末を極端に切りつめた文章で綴(つづ)ることで咎人(とがびと)となってしまった人の人生を浮き彫りにする粒揃いの作品集は、各種ミステリ・

ベスト企画で上位にランキングされただけでなく、本屋大賞の翻訳小説部門で見事一位に選ばれた。

　爾来、俄然注目の的となり、翻訳家でドイツ語圏ミステリの福音伝道者(エバンジェリスト)でもある酒寄進一(さかよりしんいち)のパワフルな活動も相まって、二〇一三年には年間二桁の作品——シーラッハの初長篇『コリーニ事件』(2011)、フォルカー・クッチャーによる大戦間のベルリンを舞台にした大河警察小説の第二弾『死者の声なき声』(2009)、自費出版でスタートし、世界累計一千万部を突破する人気シリーズとなったネレ・ノイハウスの《刑事オリヴァー&ピア》シリーズの二冊目の紹介となる『白雪姫には死んでもらう』(2010)、オーストリアの新鋭アンドレアス・グルーバーの初紹介作『夏を殺す少女』(2011、すべて創元推理文庫)等——が翻訳されるようになった。

二

　そんなドイツ語圏諸国と、二〇〇八年の《ミレニアム》三部作上陸以来、しっかりとポジションを確保した北欧五ヵ国という勢いのある新興勢力に押されて、ひとりフレッド・ヴァルガスだけが人気を保っていた感のあるフランス・ミステリだけれど、一九五〇年代から七〇年代にかけては、第三勢力として独自の存在感を示し、英米流ミステリに対するカウンターカルチャーとして少なからず愛好されていた。

　カトリーヌ・アルレー、ボワロ&ナルスジャック、セバスチアン・ジャプリゾ、ミッシェル・ルブラン、ルイ・C・トーマ、シャルル・エクスブライヤ、ユベール・モンテイエ、そしてジョゼ・ジョバンニといった独立不羈(ふき)の名匠の手になる、憂愁を湛えた小味でサスペンスフルな犯罪小説が、本国での発表後に日を置かずしてコンスタントに訳され、読まれていたのだ。

　彼らがこしらえるアラカルトは、英米流の味付けに食傷した時など、とりわけ美味に感じられる。作りも小ぶりなので、ボリューム満点かつカロリーたっぷりの現代ミステリを堪能した後なんかには、まさにうってつけの逸品だ。

　まだ未体験の方は、まずは平岡敦による新訳で、原書の魅力を十二分に引き出され生まれ変わったトリッキーな二品、『シンデレラの罠』(1963、創元推理文庫)か『殺人交叉点』を試してみることをお薦めする(時代を超越して読み継がれている二人の巨匠——メグレ警視と怪盗ルパンの生みの親であるジョルジュ・シムノンとモーリス・ルブランは、別格として挙げなかったけれども、この間も定期的に刊行され続けていたので念のため）。

けれども、これら五〇年代から七〇年代にかけて盛んに新作を発表し、訳されていた作家たちも、八〇年代に入ると、アルレーを除いて徐々に創作ペースを落とし、それにともなって翻訳も途絶えていく。

そして、名匠たちの退場と入れ替わるようにして、ジャクマール&セネカル（『グリュン家の犯罪』1976、ハヤカワ・ミステリ文庫）、ミシェル・グリゾリア（『海の警部』1977、ハヤカワ・ミステリ文庫）、ドミニック・ルーレ（『寂しすぎるレディ』1979、ハヤカワ・ミステリ）、モーリス・ペリッセ（『メリーゴーランドの誘惑』1982、ハヤカワ・ミステリ）、アラン・ドムーゾン（『マドモアゼル・ムーシュの殺人』1976、講談社文庫）、ブリス・ペルマン（『穢（けが）れなき殺人者』1982、創元推理文庫）、ジャン・フランソワ・コアトムール（『真夜中の汽笛』1976、角川文庫）といった新たな顔ぶれが紹介されたものの、あまり評判になることなく、数点しか訳されないままに消えて行った。

唯一の例外は、ジェラール・ド・ヴィリエが生んだ〝フランスの007〟ことプリンス・マルコのシリーズだ。神聖ローマ帝国第十八代大公殿下（SAS）のマルコ・リンゲが城の修復費を稼ぐために、CIAの非常勤エージェントとして世界中を飛び回るこのシリーズは、一九七六年から八三年にかけて、シリーズ六十作目まで全て訳され（立風書房十作、東京創元社五十作）、一時、大いに評判になったものの、程なくブームは去ってしまった。

三

【フランス長編ミステリー傑作集】は、そんなフランス作品の人気が下火になっていった直中（ただなか）、八六年の六月から十月にかけて一月おきに二冊ずつ刊行された。しかも版元は、かつて【アメリカン・ジュニア・ミステリー・ブックス】（一九七六年）と銘打って、ハーディー・ボーイズとナンシー・ドルーという少年・少女向けのシリーズを各十巻ずつ出した経験はあるものの、翻訳ミステリとは縁の薄い読売新聞社だ。そんな会社から、よりにもよって日本初のフランス・ミステリに特化したシリーズが出たのだから、驚くなという方が無理というものだ。

全六冊というコンパクトな叢書とは言え、よく企画が通ったものだ、と不思議に思っていたのだけれど、今回、調べてみて納得した。むしろ、この版元だからこそ出せたということが。というのも読売新聞社とフランス・ミステリの間には、実は深い縁があったのだ。【フランス長編ミステリー傑作集】発刊当時、読売新聞社図書編集部長だった谷亀利一には、フランス文学の翻訳家という顔もあり、本叢書発刊以前に、既にジルベール・タニュジの『赤い運河』（1971、ハヤカワ・ミステリ）、ボワロ&ナルスジャックの『嫉妬』（1970、ハヤカワ・ミステリ）、『ルパン、100億フランの炎』（1977、サンリオ）、ジョルジュ・シムノンの『メグレと火曜の朝の訪問者』（1958、河出文庫）など、いくつものフランス産ミステリを訳していた。

しかも、この叢書に収録された六作品中、二作を訳した長島良三と谷亀利一は旧知の間柄であった。七二年に刊行されたシムノンの『帰らざる夜明け（片道切符）』（1942、ハヤカワ・ノヴェルズ→集英社文庫）を始めとする谷亀の早川書房での仕事を担当したのが、後に「ミステリマガジン」の編集長となる長島良三だったのだ。

さらに、谷亀の部下で、谷亀悟郎名義で上梓したアルベール・カミュ論『幸福と死と不条理と　アルベール・カミュの青春と思想』（虎見書房）の共著者でもある篠原義近もまた、長島良三と面識があった。

篠原は、長島が初めて訳したメグレものの

長篇『メグレの回想録』(1950、北村良三名義、早川書房)にならってメグレの履歴書を書くという企画を考えた。そして七八年、二年前に早川書房を辞めて翻訳者として一本立ちしていた長島に、初の著作となる『メグレ警視』(読売新聞社)という研究書を書かせている。その後八四年には、長島が「ミステリマガジン」に連載したエッセイ「メグレのパリ」を中心にした『メグレ警視のパリ　フランス推理小説ガイド』という評論集の企画を進め、自社から刊行した。

逆に長島は、七九年に、パトリック・セガルのノン・フィクション『翔べ、わが車椅子』(1977、早川書房)の訳者として篠原を推薦している。

フランス・ミステリの地位が低下し、人気が下り坂にあった八〇年代半ばに、敢えてフランス産に絞ったシリーズが刊行できた背景には、こうした密接な繋がりがあったのだ。実際、第五巻のピエール・ボアロー『死のランデブー』を訳した佐々木善郎は、訳者あとがきで「本訳書の出版に際して、企画の段階から翻訳完了まで、いろいろとお世話になった、翻訳家の長島良三氏と読売新聞社図書編集部長谷亀利一氏とに、心からお礼を申しあげたい」と記している。

さて、前置きはこれくらいにして、個々の収録作について見ていくことにするが、その前に若干、叢書全体について触れておきたい。

判型は新書サイズ、表紙には縦横ともに三分の二くらいの範囲に杉本典巳——角川文庫のルース・レンデルの諸作や文春文庫のスティーヴン・キング『シャイニング』(1977)の旧装版などの表紙画を書かれた方です——の洒落(しゃれ)たイラストが配され、その左横に縦書きで作品名と作者名、上部には「ROMAN POLICIER EXTRA」というシリーズ名のフランス語訳が記されている。

そして緋色の背表紙に

は、白抜きで作品名と作者と翻訳者の名前が書かれ、下三分の一を覆う緑色の帯には、表に白抜きでキャッチコピーと簡潔な解説、裏に内容紹介、背に叢書名と版元名が表記されている。

全体的に、とてもオシャレな装幀で、長く手元に置いておきたいと思わせる仕上がりになっている。

収録された作家は、雑誌「EQ No.53」（一九八六年九月号）に掲載された広告にあるように、フレデリック・ダール、シャルル・エクスブライヤ、ジョルジュ・シムノン、ピエール・ボアロー、フランシス・リックの五人。全員、本叢書発刊以前に複数の長篇が翻訳されており、初紹介作家はいないけれども、六作品すべて――ダールが二作採られたので――が初訳な上に、とても質が良い。

知名度と目新しさのバランスが上手くとられているので、初心者にもマニアにも自信を持ってお薦めできるシリーズとなっている。なかなかないですよ、こういう絶妙なセレクションは。

四

それでは個別の作品について見ていこう。まずは唯一複数の作品が収録されたフレデリック・ダールの『並木通りの男』から。

本叢書の第一巻を飾ったこの作品は、帯裏の内容紹介に、

「パリの並木通りで起きた奇妙な自動車事故。死者からの電報をめぐる謎、部屋に漂う香り、女性心理のアラベスク。終幕にいたるまで息もつかせぬサスペンスの連続。切れ味鋭利な結末…」

とあるように、友人宅でのニューイヤー・パーティに向かう途中の並木通りで、突然飛び出してきた男を轢き殺してしまったアメリカ人男性が体験する、悪夢の中で迷宮を彷徨うかのような底知れぬ不安感が漂う一夜を描いたサスペンスだ。

わずか二百ページの中で、事態は目まぐるしく変化し、ショッキングな出だしから予想外のラストまで一気に突き進む。やがて五里霧中のまま夜を徹して疾駆し続けた男が事件の全貌を摑んだ瞬間、思わず膝を打ってしまった。

犯罪の直中に身を置いた主人公の心理描写に重点を置き、トリッキーな構成とスピーディーな展開で、暗い情念を抱えた男と女の愛憎劇を鮮烈に描くという作

者の特徴が最も巧妙に発揮された、サスペンスのお手本のような傑作だ。

一方、『蝮（まむし）のような女』は、尾羽うち枯らした男と裕福なれど何やら訳ありな姉妹の間でくり広げられる、ねじれた愛憎劇の顚末を描く、ひねりの利いたサスペンスだ。

ラジオのトーク番組を降ろされ、パリから南仏に流れついた挙げ句にカジノで一文無しになった男が、ある夜、あてもないままに海岸沿いを歩いていたら、どでかいアメ車を運転していた女性にナンパされ、あっという間に車中でコトに及んだものの、用が済んだら興味なしとばかりに放り出されてしまう。ここまででわずか七ページ。冒頭からアクセルを踏み抜くフレデリック・ダール節は、この作品でも健在だ。

当然、男は頭にくる。そこでナンバープレートの番号から車の持ち主の住み家を探り出し、押しかけてみたら思いも掛けない大邸宅で、中には三十がらみの堅苦しい雰囲気を漂わせた姉と、車椅子に乗った若く美しい妹が住んでいた。そして見覚えのある車も。けれども姉は、車を使ったことを否定する。果たして昨夜の女は誰だったのか。ひょんなことから姉妹の家に居候することになった男は、やがてのっぴきならない状況に追い込まれ……。

一夜の相手が姉妹の内のどちらだったのかという、主人公以外にはどうでもいい謎で最後まで引っ張るのかと思って読み進めていると、中盤からあれよあれよと言う間に事態はねじれ、一気にカタストロフに。

ラスト一行の台詞が脳裏にへばりつき、何とも複雑で居心地の悪い読後感を覚えるサスペンスです。「EQ No.53」に掲載された広告に謳（うた）われた「悪女もののなかの最高傑作！」というキャッチコピーはいくらなんでも大げさだけれど、「あなたは毒である」という意味の原題が実にぴったりとくる、厭な物語だ。

こんな、一読忘れられないサスペンスの傑作をいくつも生みだしたフレデリック・ダールは、一九二一年、フランス南東部のリヨン近郊で生まれた。世界恐慌のあおりで家業が倒産したため、親の意向を受けて商業学校に進むものの、卒業後はリヨンの新聞社に勤め、四〇年に、リヨンの小出版社から初の小説を発表し小説家としてデビューする。

　五一年に、シャンゼリゼ社の《ル・マスク》、ガリマール社の《セリ・ノワール》、プレス・ド・シテ社の《アン・ミステール》と並ぶフランスを代表するミステリ叢書であるフルーヴ・ノワール社の《スペシャル・ポリス》に参入し、『悪者は地獄へ行け』（1956、潮書房）、『絶体絶命（ピンチ）』（1956、三笠書房）などを経て、五六年に発表した『甦える旋律』（文春文庫）でフランス推理小説大賞（Grand prix de littérature policière）を受賞。

　選考委員の一人であった芸術家のジャン・コクトーに才能を高く評価され、「フレデリック君、右手でフレデリック・ダール名義の作品を書き、左手でサン・アントニオ名義の作品を書きつづけるなんて、たいへんすばらしいことではないか。きみを好きな人も、嫌いな人もいるだろうが、だれ一人きみに無関心ではいられない」（『並木通りの男』訳者あとがきより）と激賞される。

　このコクトーの言葉にあるように、サン・アントニオ名義でも執筆、同名の警視の超人的な活躍を描いたシリーズを、四九年から二〇〇一年の半世紀の間に全部で百七十五作も書いた。アンドレ・ヴァノンシニ『ミステリ文学』（2002、白水社文庫クセジュ）によると、そのうちの百冊以上が少なくとも六十万部以上印刷された大ヒット・シリーズであり、彼の死後は、息子のパトリス・ダールが書き続けている。

　もっとも、造語、地口、隠語、風刺が入り交じった俗語を駆使した作品は翻訳者泣かせで、本国での人気とは裏腹に、『フランス式捜査法』（1959、ハヤカワ・ミステリ）一作しか訳されていない。

二〇〇〇年に亡くなるまでに、二百八十八作の小説と二十の戯曲を発表、ロベール・オッセン監督による「悪者は地獄へ行け」を始めとして多くの作品が映像化された。

《サン・アントニオ》シリーズの人気が高くなりすぎたために、本叢書に収められたようなフレデリック・ダール名義のコクのあるサスペンスは、『並木通りの男』を発表した六二年以降、極端に減ってしまう。日本での紹介も止まったままなのは、残念な限りだ。

前述した三作と【河出冒険小説シリーズ】編で触れた『恐怖工作班』の他に、『甦える旋律』と同じ文春文庫の文庫内レーベル海外サスペンス・シリーズから『生きていたおまえ…』(1958)が訳されている。

いずれも、率直に言ってあまり同情したくない人物——たいていの場合、犯罪者——が、予想外のハプニングから急速に取り返しのつかない事態に陥っていく様を、心理描写に重点を置いて描いた厭なサスペンスだ。

プライドが高く思い込みが激しい男と、愛のためなら非常手段にも訴える女が織りなす愛憎劇なんて、下手な作家が書いたら胸焼けがして途中で放り出してしまうものだけど、フレデリック・ダールの手に掛かると、あら不思議、夢中になって読み切ってしまう。文庫本にして二百ページ程度のライト・ボディーを細かく章立てし、頻繁に場面を切り替えて、次々に意外なカードを切る手際に魅せられてしまうのだ。しかも最後には、常に予測を上回る結末が待っているのだからたまらない。

どれも皆、サスペンスのお手本の様な傑作ばかりだけれど、中でも『絶体絶命(ピンチ)』が頭一つ抜けて面白い。死刑執行が迫る中、死刑囚が同房の男に対して、妻と夫と妻の愛人との三つ巴の愛憎劇の顛末を語るという回想形式の物語。精緻に組み上げられた復讐計画が刻々と進み、カタストロフへと収斂(しゅうれん)していく様に、喉がひりつく。絶版にしておくには、あまりにも惜しい傑作中の傑作だ。乞う、新訳・復刊!

第二章

一

フランス・ミステリの主流は、なんといってもサスペンスやロマン・ノワールといった広い意味での犯罪小説(クライム・ノヴェル)であり、謎解きを重視した所謂(いわゆる)本格物は英語圏の国々や日本と比べて極端に数が少ない。

にもかかわらず、日本初のフランス作品に特化した叢書【フランス長編ミステリー傑作集】には、本格物が二作も収録されている。全六巻のコンパクトなシリーズであることを考えるとこの割合は結構高く、そこに編纂者(へんさんしゃ)の強い意志が感じられてとても興味深い。

そのうちの一作、ピエール・ボアローの『死のランデブー』は、「訳者あとがき」によると原書の冒頭に次のような作者の前口上が載っているそうだ。曰(いわ)く、

「誰が？　なぜ？　いかにして？

本格（クラシック）探偵小説が提出するこの三つの質問のどれに優先権を与えるべきか？　これは、作者、理論家（中略）読者が、いまだに全然意見の一致をみていない論点である（中略）『死のランデブー』がめざす目的は、三つの基本的疑問をうまく回避することなのだ（中略）読者が最初から殺人の動機と実行の詳細を知っており、犯人の発見が、読者には興味がないように見える一篇の探偵小説が出来あがった。

『誰が？』でもなく、『なぜ？』でもなく、『いかにして？』でもない。

にもかかわらず、ひとつの本格探偵小説なのである」

これは、犯人も動機も犯行方法もすべて最初から自明と思(おぼ)しき状況にもかかわらず読者が興味を持って読み進められる謎解きミステリを書きました、という、なかなかに挑発的で自信に満ちた宣言だ。具体的には、彼は何を試みたのか。

ガブリエルという女性と浮気中であると噂されている会計係のジ

ュリアン。彼女からの電話を受けて早退した彼を、社長命令で尾行することになった少年ラウールは、二人が隠れ家にしけ込んだ直後に、もう一人の男が鍵を開けて入っていくのを目撃する。

翌日、会社で顛末を報告していると、警察からの電話が。件の屋敷でジュリアンと思しき射殺死体が発見されたというのだ。探偵志望のラウールは、ジュリアンの従兄弟で彼の妻マルティーヌに恋い焦がれている青年アシルとコンビを組んで、姿を消した男とガブリエルの捜索を開始する。

名探偵アンドレ・ブリュネルを頼るべきだというラウールの忠告に耳を貸さず、自ら犯人を見つけてマルティーヌに一人前の男として認められたいアシル。素人探偵コンビによる犯人探索は、危なっかしい上にもどかしくて、ついページを繰ってしまう。その過程で作者は手掛かりを差し出し、布石を打ち、伏線を張り、ラストに到って、全体の一割を費やして名探偵の口から、一見単純明快な事件の裏で何が起きていたのかを明らかにする。

作者ボアローが前口上で言いたかったこと、それは、Who、Why、How ではなく What（何が？）に重点を置いても魅力的な謎解きミステリは書けるに違いない、ということだ。

三〇年代の所謂本格ミステリ黄金時代に書かれた『三つの消失』（1938、『大密室』晶文社、所収）や『殺人者なき六つの殺人』（1934、講談社文庫）のような、Who（誰が？）と How（いかにして？）に拘った初期作品が、骨組みむき出しの味気ない陋屋と映る一方、五一年に刊行された本作が、現在では無理な土台に立脚してはいるものの、十分居住可能な風情あるアパルトマンと感じられるのは、重点の置き方の違いによるところが大きい。

作者ピエール・ボアローは一九〇六年、パリのモンマルトルに生まれ、八九年、コート・ダジュールのボーリュー・シュル・メールで亡くなった。子供の頃にファントマやルパン、ホームズなどの活躍譚に夢中になり、商業学校卒業後、職を転々とする中で中・短篇を発表。三四年、探偵アンドレ・ブリュネルものの第一作『震える石』（論創社）で長篇デビュー。三八年、第三作『三つの消失』でフランス犯罪小説大賞（Prix du Roman d'Aventures）を受賞した。本書『死のランデブー』は、ブリュネルものの第七作にして最終作である。

第二次世界大戦後、トーマ・ナルスジャックの推理小説論を読み感銘を受け、ともにロマン・ノワールの流行に不満を覚えていた二人は意気投合して合作チームを結成、五二年の『悪魔のような女』以降、『死者の中から』（1954、ともにハヤカワ・ミステリ文庫）、『私のすべては一人の男』（1965、ハヤカワ・ノヴェルズ）など謎解き要素の強いサスペンスの名作を発表した。

二

もう一つの本格物であるシャルル・エクスブライヤの『チューインガムとスパゲッティ』は、イタリアのヴェローナ警察に勤めるロメオ・タルキニーニ警部の破天荒な活躍を描いたユーモア・ミステリ・シリーズの第一作だ。

個性的で型破りな名探偵は多数いれど、ロメオ警部ほどインパクトの強い御仁も珍しい。五十がらみの丸々とした小男の彼は、口髭の両端をピンとはね上げて固め、黒い礼服に白いチョッキ、両手の薬指に派手な指輪を塡め、頭のてっぺんからつま先まで一分の隙もない服装で決めた洒落者だ。

けれども、その派手な外見以上に特異なのが彼の信条だ。ロメオとジュリエットの舞台となった地元ヴェローナと妻子（ちなみに妻の名前はジュリエット）を心から愛し、人生を満喫しているロメオは、すべての犯罪は愛故に起きる、と一片の疑問なく信じる〝愛の探偵〟なのだ。

そんな彼の元に、ボストンの名家の子息で、司法警察の比較研究の為に西欧諸国を歴訪している青年リーコックが訪れる。初めて目にする旧大陸の混沌たるありさまにショックを受け、侮蔑の念を抱くようになっていたリーコックは、遠い祖先から受け継いだ宣教師魂に燃え、〝野蛮な〟人々に忠告を与えるのが義務であると思い込むようになっていた。

清廉潔白かつ勤勉で遵法精神に富む、くそ真面目な合衆国至上主義者の若者リーコックに対して、愛こそすべてを信条とする情熱溢れる中年男ロメオは、「アメリカ人ときたら……」と憐れみと寛容さを持って接しつつ、自殺か他殺か判然としない事件の捜査に融通無碍に当たっていく。その過程でリーコックは、様々なイタリア人と出会い反発しつつも、ロメオの揺るぎなき信念に感化され、徐々に人生の悦びに目覚めていく。

　この展開の面白さに加えて、カリカチュアライズされた登場人物の言動が目くらましとなり、つい伏線や手掛かりを見落としてしまうが、本書は非常に良く練り込まれた謎解きミステリだ。

　シリーズ二作目の『ハンサムな狙撃兵』（1962）では、捜査の腕を買われトリノ警察に招聘されたロメオが、「冷たく計算高い」トリノ人を相手に奮闘し、続く『キャンティとコカコーラ』（1966、ともに現代教養文庫）では、止むに止まれぬ事情から渡米し、リーコックの家に滞在することとなったロメオが、ボストンの上流階級で起きた殺人事件に首を突っ込む。どちらも絶版だけれども探して読む価値はある。未訳の五作もぜひ翻訳して欲しいシリーズだ。

　この《ロメオ》シリーズと並んでシャルル・エクスブライヤの代表作とされるのが、祖国スコットランドに限りなき誇りを抱きイングランドを軽蔑する六十がらみの赤毛の女傑イモジェーヌ・マッカーサリーの傍若無人の活躍を描いたシリーズで、『火の玉イモジェーヌ』（1959、ハヤカワ・ミステリ）以下、三作が訳された。

　一九〇六年、ロワール県に生まれたエクスブライヤは、四七年のデビュー以来、八九年に亡くなるまでの約四十年間に、フランスを代表するミステリの叢書である《マスク叢書》を中心に百七作を刊行、さらにミシェル・ローガン名義（ジャック・ドビュッシーとの共作）で十七作のエスピオナージュを発表した多作家だ。ノン・シリーズの作品では、バルセロナを舞台に潜入捜査を題材にして謎解きの妙味とサスペンスフルな展開で読ませる、五八年のフランス犯罪小説大賞受賞作『パコを憶えているか』（1958、ハヤカワ・ミステリ）、連合軍によるイタリア侵攻の砲声が迫る中、ファシストと反ファシストとが対立する寒村で死体を巡るドタバタ騒動を描いた『死体をどうぞ』（1961、ハヤカワ・ミステリ文庫）、イギリスで修業中の東側スパイが、可愛いけれどもちょっとおつむが残念なお針子に夢中になってしまう『素晴らしき愚か娘』（1962、ハヤカワ・ミステリ）が訳されている。フランス人作家なのに、既訳作すべてにフランスが出てこないというなんとも珍しい作家です。

三

続いてはちょっと毛色の変わったエスピオナージュ、フランシス・リックの『パリを見て死ね！』を。

イギリスやアメリカと並んでフランスでも、第二次世界大戦後の冷戦期を中心に盛んにスパイ小説が書かれた。翻訳のあるものだけでも、『蠅』（1962、ハヤカワ文庫NV）の作者で第二次世界大戦中MI5のスパイだったジョルジュ・ランジュランの《NATO情報部員》シリーズや、五〇年代に大ブームを巻き起こし、〝ゴリラ〟という呼称が〝ひげ〟と並んで秘密諜報員を指すようになったA・L・ドミニック《ゴリラ》シリーズといったフランス人を主人公にした作品から、ジャン・ブリュースの《O.S.S.117》シリーズ、セルジュ・ラフォレの《ポール・ゴーンス》シリーズ、ジェラール・ド・ヴィリエの《プリンス・マルコ》シリーズといったアメリカの諜報機関に所属するヒーローの活躍を描いたものまで、数多くの作品が人気を博した。

フランシス・リックもまた、エスピオナージュの書き手と言われ、特にフランス最大の犯罪小説叢書《セリ・ノワール》初参入作となった六六年の *Operation Millibar*（ミリバール作戦）に始まる初期三作ではシリーズ・キャラクターに諜報部員を起用している。

けれども、アンドレ・ヴァノンシニが『ミステリ文学』の中で、「どこに分類すべきであるか、頭を悩ませる作家である。その作品はスパイ小説のかたちをとりながら、心理分析がほどこされ、ロマン・ノワールの雰囲気をたたえている」と述べているように、リックの書く〝エスピオナージュ〟は、所謂標準的なスパイ小説の型からは、かなりはみ出している。《ジェームズ・ボンド》シリーズのようなスーパー・ヒーローが世界を股に掛けて八面六臂の活躍をする娯楽路線とも、ジョン・ル・カレに代表されるリアルで硬質なタイプとも、共通する点があまり見当たらない。

　例えば、一九六九年に発表された『パリを見て死ね！』の場合、五月革命の余波が収まらぬパリで、セーヌ川を就航する観光船が、橋の上から投げ込まれた手榴弾で爆破され、多数の死傷者を出すシーンで幕を開ける。続いて中華人民共和国安全省所属の共産主義活動家ヘルマンが、テロ活動を目的として創設された新軍事組織と接触するためにパリに移動中との情報が中央総合情報局に寄せられる。この状況を千載一遇のチャンスととらえた上層部により、潜入捜査を命じられた諜報部員ロックは、ヘルマンに成りすましてテロリストと接触する。

　こうした出だしは、エスピオナージュの定石を踏んだものだが、この後、ロックが組織に潜入し、テロリズムに身を投じた四人の若者と行動を共にし、物語の力点がロックと若者たちとの交流に置かれ始めると、徐々に既定路線から外れて行く。毛沢東よりもチェ・ゲバラの著作を愛読し、疑似家族のように清楚なコミューンを営む若者に惹かれていくロックの内面を、リックは以下のように描写している。

「何もかも卒直、寛大で、かなり心を引かれた。みな仕合わせそうで、すっかり身を捧げる気でいた。古い共産主義者の陰気で独断的な態度とは大違いだ。他のことは一切忘れている。この雰囲気の中ではロックは自分が時代遅れの消費社会から来た、悲しいスパイのような感じがした」

　そして、結末に到り一連のテロ活動の真の目的が明かされた時、この作品が諜報部員を狂言回しに、今目の前にある社会問題を剔出し、将来起こりうる危機を予測して警鐘を鳴らす一種の社会批評小説であることが判明する。

　その際、リックが危惧するのは、国家や世界といった曖昧で抽象的なものの行く末ではない。J－P・シュヴェイアウゼールが『ロマン・ノワール』（白水社文庫クセジュ）において、「彼の書くロマン・ノワールは（中略）ときとしてスパイ小説とも政治小説とも決めかねるものだが、常にその中心にあるのはひとりの人間である」と語るように、リックにとってエスピオナージュは〝手段〟の一つに過ぎず、それによって描いているものは、「自分を落伍者と感じながらも敗北は断固認めず、自己の人間性を警察に、弱者を虐げる者たちに、そして社会に向けて大声でぶつけていく人間なのである」（同）。

一九二〇年パリに生まれ、二〇〇七年パリで没したフランシス・リックは、五七年のデビュー以降、三つのペンネームを用いて四十八作の長篇を発表した。本作の他に、『奇妙なピストル』（1969）と『危険な道づれ』（1972、ともにハヤカワ・ミステリ）が訳されている。六九年のフランス推理小説大賞を受賞した前者は、KGBから足を洗おうと決意したスパイが途中で巡り合った犬とともに逃げる様を、後者は、人里離れた場所で隠遁生活を送る作家夫婦が看守を殺し脱獄した男の主張するままに遁走する様を、冷徹な筆致で描き、全編にわたって緊迫感を漂わせたサスペンスの逸品だ。特に後者のラストには慄然とした。いずれも、本作同様、絶望的な状況下にあって、自己の人間性を主張する人間に焦点を当てた小説だ。

六〇年代に入って、質・量ともに低下し、人気が凋落していたロマン・ノワールを再生した中興の祖としてフランシス・リックが高く評価されているのは、こうした彼の創作姿勢による。〝時代の証言者〟たらんとするその姿勢は、ジャン・ヴォートラン、J・P・マンシェット、A・D・G、ピエール・シニアックを経て、ネオ・ポラールの作家たちに受け継がれていく。

四

さて、【フランス長編ミステリー傑作集】最後の一冊は、ジョルジュ・シムノンの『メグレと死体刑事』だ。百作以上に及ぶ《メグレ警視》シリーズの中で、この作品は、どういった位置づけにあるのかを明らかにするために、まずはシリーズの全貌をざっと見てみたい。

一九三一年に刊行された『怪盗レトン』（創元推理文庫）に始まる《メグ

レ警視》シリーズは、七二年の『メグレ最後の事件』でシムノンが小説家として筆を折るまでの四十年以上にわたって、全部で百三作（長篇七十五作、短篇二十八作）が執筆された。

ただし、執筆順＝事件発生順というわけではない。それぞれのエピソードがいつ起きたのかは明記されていない場合も多く、正確な年代記を作ることは、まず不可能といっていい。

執筆時期と作中年代が一致しない一番の理由は、シムノンがこのシリーズを書くのを二回中断した点にある。一度目の中断は一九三四年。前作『第1号水門』（1933、『13の秘密／第1号水門』創元推理文庫収録）で引退間近のメグレを描いたシムノンは、『メグレ再出馬』（1934、河出書房新社）で、メグレの後押しで司法警察局に入った甥の窮地（きゅうち）を救うために、引退してロワール河畔で夫人と二人で閑居していたメグレがパリに戻って調査をする、いわばシリーズのエピローグと言える作品を発表。開始以来四年目に書いた十九番目の作品で、シリーズに幕を下ろした。

そして、かねてからの望みだった本格的な小説、即ち〈硬い小説（ロマン・デュール）〉の執筆に専念し、『倫敦（ロンドン）から来た男』（1934、河出書房新社）、『ドナデュの遺書』（1937、集英社文庫）、『汽車を見送る男』（1938、新潮社）、『家の中の見知らぬ者たち』（1940、読売新聞社）、『片道切符』といった代表作を次々に生みだしていく。

ただし、この間も短篇は発表し続け、四四年に初のメグレ物の短篇集を刊行。自身の楽しみのために書いていた中篇六作も、出版社の執拗な要請により、三作ずつまとめて四二年と四四年に発表した。本書『メグレと死体刑事』は、後者に収められた一篇で、三六年から四三年の間に書かれた中短篇二十二作、長篇六作の中では、最後に書かれた作品だ。

やがて第二次世界大戦が終わり、シムノンはシリーズを本格的に復活させる。四五年に書かれ、二年後に刊行された『メグレ激怒する』と続く『メグレ、ニューヨークへ行く』（1947、ともに河出文庫）では、メグレはまだ引退したままであったが、翌年『メグレのバカンス』（河出書房新社）で現役時代のメグレ警視譚を発表。以後、『メグレと殺人者たち』（1948）、『モンマルトルのメグレ』（1951、ともに河出文庫）、『メグレ罠を張る』（1955、ハヤカワ・ミステリ文庫）、『メグレと首無し死体』（1955、河出文庫）といった傑作を次々と刊行し、最終作となる『メグレ最後の事件』（河出書房新社）まで、長篇五十作、短篇六作を書きつづけた。ちなみにこの時期のシムノンは、これらメグレ物と並行して、『雪は汚れていた』（1948）、『ベルの死』（1952、ハヤカワ・ミステリ）、『ストリップ・ティーズ』（1958、集英社文庫）、『証人たち』（1955、河出書房新社）、『離愁』（1984、ハヤカワ文庫NV）、『青の寝室』（1964、河出書房新社）といったメインストリームの傑作を上梓していった。

　以上、百三作に及ぶ《メグレ警視》シリーズは、おおざっぱにメグレが現役か引退しているか、お膝元のパリが舞台か地方やフランス以外の国といったアウェーが舞台かといった感じにざっくり四分割できる。

　それぞれ味わい深い作品がいくつもあり、本書『メグレと死体刑事』は、〈現役&地方もの〉として、『黄色い犬』『サン・フィアクル殺人事件』（1932、ともに創元推理文庫）、『メグレのバカンス』『メグレ保安官になる』（1949）、『メグレと田舎教師』（1954、ともに河出書房新社）などと並ぶ、シリーズを代表する逸品だ。

　フランス西部、ヴァンデ県の沼沢地帯にある辺鄙（へんぴ）な村サン・オーバンを走る線路の上で、二十歳になる青年アルベールの死体が発見された。当初、事故死と思われたが、やがて地元の名士エチエンヌが殺したという噂が流れ始める。娘のジュヌヴィエーヴがアルベールと密会していることを知り、怒ったエチエンヌが殺したというのだ。義弟の身を案じる予審判事は、旧知の間柄にあるメグレに非公式に調査を依頼する。

　気が進まないまま現地へと向かうメグレは、列車の中で見知った顔を見かけ驚く。それは《死体（カダーヴル）》と渾名（あだな）された、警視庁随一の頭脳を誇ったかつての同僚だった。これは偶然なのか。

　予審判事の心配とは裏腹に、メグレを敬して遠ざけようとするエチエンヌ、夜中にメグレの寝室を訪れ、アルベールに妊娠させられたと告げるジュヌヴィエーヴ、示し合わせたように口を閉ざす村人たち。誰もが触れたがらない青年の不審死の裏には、いったい何が隠されているのか。

メグレに敵対心を抱く《死体（カダーヴル）》に、ことごとく先を越されつつも、ようやく真相にたどり着いたメグレが下した決断を飲み込めない読者も少なくないだろう。ラストで思わずメグレが吐露した心情は、認めたくはない人生の真理であるが故に、何ともやるせない。《運命の修理人》と称せられるメグレの本領が発揮された、異色作にしてシリーズを代表する傑作だ。

五

以上六作からなる【フランス長編ミステリー傑作集】が、フランス・ミステリの人気が低落した八〇年代半ばに、翻訳ミステリとは縁の薄い読売新聞社から刊行された背景に、長島良三という立役者がいたことは先述した通りだ。北村良三・三枝研二名義でシムノンやボワロ&ナルスジャック作品を、川北祐三・安部達文名義でエマニエル・アルサン『エマニエル夫人』（1959、二見文庫）を、中村真一郎のゴーストとして『私のすべては一人の男』を日本の読者に届けたフランス・ミステリ、取り分けシムノンの諸作を愛する長島良三。「僕はいつもこちらから企画を持ち込むばかりで、向こうからこれをやってくれといわれたことは一度もないんですよ」（「蘇（よみがえ）りつつあるフランス・ミステリー」、「EQ No.112」掲載）と語った氏の尽力なくして、この企画はあり得なかったと思う。

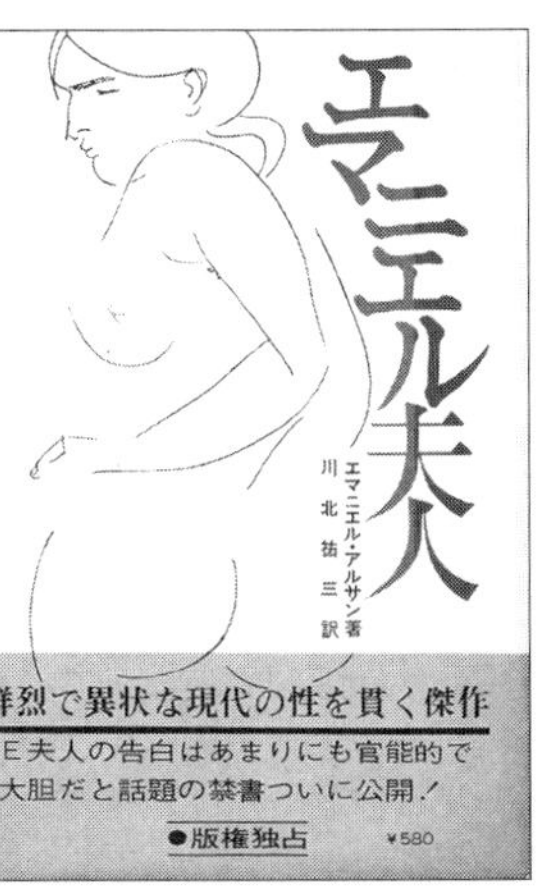

そんな氏の最後の仕事となった「シムノン本格小説選」全九巻（河出書房新社）は、日本ではメグレ警視の生みの親としてばかり認識されがちなシムノンが、いかに優れた小説家であったかを知る格好の書だ。『倫敦から来た男』『証人たち』を始め、ミステリとしても十分に面白い作品が多いので、是非とも手に取ってみてほしい。

［附記］

二〇一一年から一三年まで壊滅的だったフランス・ミステリの翻訳状況だが、翌一四年になって事態は急変した。前年の英国推理作家協会（ＣＷＡ）賞インターナショナル・ダガー賞を受賞したピエール・ルメートルの『その女アレックス』（2011、文春文庫）が、「このミステリーがすごい！」「週刊文春ミステリーベスト10」「本屋大賞翻訳小説部門」等で軒並み一位に輝き、発売五ヵ月で四十三万部という翻訳ミステリとしては破格のベストセラーとなったのだ。

翌一五年にはデビュー作にしてシリーズ第一作の『悲しみのイレーヌ』（2006）が、一六年には、再度ＣＷＡ賞インターナショナル・ダガーを獲得した三部作の掉尾を飾る『傷だらけのカミーユ』（2012）が訳され、三年連続で「週刊文春ミステリーベスト10」一位という快挙を果たす。一九年の中篇『わが母なるロージー』（2013、すべて文春文庫）刊行時点で、シリーズ累計百二十万部突破、〇九年に柏書房から刊行されていた『死のドレスを花婿に』も一五年に文春文庫に収録され、『監禁面接』（2010、二〇一八年）、『僕が死んだあの森』（2016、二〇二一年、ともに文藝春秋→文春文庫）と着々と翻訳され続けている。

あわせて早川書房からは、三度目のインターナショナル・ダガー受賞となり、映画化された『天国でまた会おう』（2013、二〇一五年）に始まり『炎の色』（2018、二〇一八年）、『われらが痛みの鏡』（2020、すべてハヤカワ・ミステリ文庫、二〇二一年）と続く、大戦間フランスを舞台にした波乱に富む冒険ロマン《災厄の子供たち》三部作が刊行される。

このルメートル・インパクトに触発されて、まるでフランス・ミステリの面白さを版元があらためて思い出したかのように、以後、年平均七作という過去にないペースで刊行が続いている。しかも二〇〇九年以来止まっていたニューフェイスの紹介も復活し、毎年二、三人の新たな才能を日本語で読めるようになった。

中でもミシェル・ビュッシ（『彼女のいない飛行機』2012、集英社文庫、二〇一五年）、ベルナール・ミニエ（『氷結』2011、ハーパーBOOKS、二〇一六年）、そしてミステリ作家に舵を切ってから初紹介となるギヨーム・ミュッソ（『ブルックリンの少女』2016、集英社文庫、二〇一八年）の名実ともに兼ね備えた三人は、本国同様日本でも人気が高く順調に翻訳が続いている。他にもエルヴェ・コメール（『悪意の波紋』2011、集英社文庫、二〇一五年）、カリーヌ・ジェベル（『無垢なる者たちの煉獄』2013、竹書房文庫、二〇一九年）、エルザ・マルポ（『念入りに殺された男』2019、ハヤカワ・ミステリ、二〇二〇年）といった独創的なサスペンスの書き手からも目が離せない。

　これら新鋭の刊行後間もない新作の紹介と並んで、ジャン＝クリストフ・グランジェ（『通過者』2011、TAC出版、二〇一八年）、フレッド・ヴァルガス（『ネプチューンの影』2004、創元推理文庫、二〇一九年）、ポール・アルテ（『あやかしの裏通り』2005、行舟文化、二〇一八年）といった久しく訳出が止まっていた作家の刊行も復活、【フランス長編ミステリー傑作集】に収録された作家では、戦前『自由酒場』（1932、アドア社、一九三六年）として抄訳されたきりだったジョルジュ・シムノンの『紺碧海岸のメグレ』（二〇一五年）と同じく抄訳の『ダンケルクの悲劇』『猶太人ジリウク』（ともに1932、春秋社、一九三七年）の合本『十三の謎と十三人の被告』（二〇一八年）、そしてピエール・ボアロー『震える石』（1934、二〇一六年）が【論創海外ミステリ】から、フレデリック・ダール『夜のエレベーター』（1961、二〇二一年）が扶桑社ミステリーから刊行された。

　さらにシムノンは、二〇二三年にパトリス・ルコント監督による同名映画の公開にあわせて、『メグレと若い女の死』（1954）が平岡敦による新たな翻訳で出版されたのに続いて、『サン＝フォリアン教会の首吊り男』（1931）が伊禮規与美訳で、『メグレとマジェスティック・ホテルの地階』（1939、すべてハヤカワ・ミステリ文庫）が高野優訳で刊行された。その上、初期の〈硬い小説〉を代表する『運河の家』（1933）と『人殺し』（1937）の合本『運河の家　人殺し』（二〇二二年）が、小説家でシムノン研究家の瀬名秀明による詳細な解説を附して幻戯書房の［ルリユール叢書］から刊行された。

　英米や北欧のミステリでは味わえない独特の才気（エスプリ）に根ざしたサスペンス豊かで技巧的なフランス・ミステリの供給が復活し、需要も増えていることは嬉しい限りだ。

一方、ドイツ語圏ミステリに目をやると、年平均六作、内初紹介作家二人とフランスに比べて若干少ないものの堅実に翻訳が続いている。

年一作ペースで《刑事オリヴァー&ピア》シリーズ既刊九作全てが訳されているネレ・ノイハウスと、読者が結末を選択する衝撃の法廷劇『テロ』(2015、東京創元社、二〇一六年)を始め八作が訳されたフェルディナント・フォン・シーラッハの二大人気作家を筆頭に、英米流ミステリの影響を強く受けたアンドレアス・フェーア(『弁護士アイゼンベルク』2016、創元推理文庫、二〇一八年)や、「〈物語〉には力がある」という言い回しに思わぬしっぺ返しを食らう奥深いサスペンスの書き手ユーディト・W・タシュラー『国語教師』(2013、集英社、二〇一九年)といった新鋭まで多種多様だ。

さらに、騙し絵の中に騙し絵を潜ませ、読者の予測をことごとくかわして、斜め上から驚愕の真相を放つセバスチャン・フィツェックの翻訳が、『乗客ナンバー23の消失』(2014、文藝春秋→文春文庫、二〇一八年)で再始動、「週刊文春ミステリーベスト10」で見事三位に輝いた。

《【フランス長編ミステリー傑作集】収録作品リスト》

読売新聞社　全六巻　（一九八六年六月から一九八六年十月まで刊行）

●装幀：福島一夫　●装画：杉本典己　●判型・体裁：新書判・紙カバー・帯　●訳者あとがき：1〜3・5・6　●編集部あとがき：4

No.	邦題	原題（原著刊行年）	作者	翻訳者	発行年月日	国籍
1	並木通りの男	L'Homme de l'avenue（1962）	フレデリック・ダール	長島良三	1986/6/25	仏
2	チューインガムとスパゲッティ	Chewing-gum et spaghetti（1960）	シャルル・エクスブライヤ	堀内一郎	1986/6/25	仏
3	メグレと死体刑事	L'inspecteur Cadavre（1941）	ジョルジュ・シムノン	長島良三	1986/8/10	仏
4	蝮のような女	C'est toi le venin（1957）	フレデリック・ダール	野口雄司	1986/8/10	仏
5	死のランデブー	Les Rendez-Vous de Passy（1951）	ピエール・ボアロー	佐々木善郎	1986/10/10	仏
6	パリを見て死ね！	Paris Va Mourir（1969）	フランシス・リック	山本岳夫	1986/10/10	仏

※　仏＝フランス

【シリーズ　百年の物語】編

第一章

一

ミステリの関連書が好きだ。エッセイ集、レビュー本、ガイドブック、対談集、評論・研究書、事典、果ては出版目録や書誌に至るまで、これぞと思うものを手に入れては読み耽ってしまう。もちろん一番愉しいのはミステリ作品そのものを読むことだけれども、偉大な先達や視野の広い同時代の識者がミステリについて語ったり、調べたりした文章を読むことも、それに劣らず好きなのだ。

例えば日本のものだと、北上次郎『冒険小説論　近代ヒーロー像100年の変遷』（早川書房）、小鷹信光『私のハードボイルド　固茹で玉子の戦後史』、高山宏『殺す・集める・読む　推理小説特殊講義』（創元ライブラリ）、宮脇孝雄『書斎の旅人　イギリス・ミステリ歴史散歩』（早川書房）、山口雅也『ミステリー倶楽部へ行こう』（国書刊行会）、若島正『殺しの時間　乱視読者のミステリ散歩』（バジリコ）。海外のものだと、ジュリアン・シモンズ『ブラッディ・マーダー　探偵小説から犯罪小説への歴史』（新潮社）、ジャン＝ポール・シュヴェイアウゼール『ロマン・ノワール　フランスのハードボイルド』（白水社文庫クセジュ）、アメリカ探偵作家クラブ著／ローレンス・トリート編『ミステリーの書き方』（講談社文庫）、*St. James Guide to Crime & Mystery Writers* といったところだ。

ただし、これらとは別格の、私にとっての謂わば聖典のような書物がある。それは、瀬戸川猛資が遺したエッセイ集『夜明けの睡魔　海外ミステリの新しい波』だ。

八〇年代前半に「ミステリマガジン」に連載された原稿に加筆したこの本は、「まえがき——『ミステリ』から『ミステリー』へ」に記されているように、「さまざまなタイプの作品が陸続と出現してきて、もはや、本格、ハードボイルド、サスペンス・スリラー、スパイ小説といった昔の単純なジャンル区分では捌ききれなくなっている」混沌とした状況、即ち、七〇年代後半から起きた海外ミステリのパラダイム・シフトをいち早く察知した瀬戸川猛資が、「独創と工夫に満ちた作品を読みたいと願っている方、ミステリを〝ひまつぶしの道具〟以上のものと考えて中身にこだわってみたい方など」に向けて、本当に面白い作品のガイドを試みた読書案内の書だ。これがいかに画期的なものだったかは、以下に紹介する触りからうかがえるだろう。

第一部「夜明けの睡魔」では、英国本格ミステリの新たな担い手であるコリン・デクスターやピーター・ラヴゼイを早々に紹介する一方で、警察小説作家ヒラリー・ウォーとハードボイルド作家ロス・マクドナルドの諸作が実は優れた本格ミステリであると喝破、さらにSF界の当時の新鋭ジェイムズ・P・ホーガンのデビュー作『星を継ぐもの』(1977、創元SF文庫)を「本格推理小説そのもの」と熱弁する。

第二部「昨日の睡魔／名作巡礼」では、「ミステリの概念そのものが大きな変貌を遂げているというのに、それに気づかず、現代ミステリを読もうとせず、昔読んだ古典作品の思い出ばかりを口にするファンが非常に多いのが気になって」、「読者に次のページをめくらせ、小説としてのこくをもたらす力であり、ミステリでいちばん大事な要素」であるサスペンスをものさしとして、『Yの悲劇』(1932、創元推理文庫)、『樽』『アクロイド殺し』(1926、クリスティー文庫)等の古典的名作とされている作品を定説に囚われることなく一個のミステリとして味わっていく。

さらに、書き下ろしとなる第三部「明日の睡魔」では、本書刊行の前年である八六年に、翻訳ミステリ・シーンで「不思議なブーム」を巻き起こした〝新人〟エルモア・レナードの本質について、映画と小説、とりわけ西部劇とミステリに並々ならぬ造詣を有する瀬戸川猛資ならではの鋭い考察を加えている。

本のセレクトから着眼点、切り口、評価に至るまで、従来のミステリ関連書とは一線を画す独創的で明快なエッセイ集『夜明けの睡魔』。その斬新さは、刊行から三十年以上経っても輝きを失わず、読んでいてこれほどワクワクするミステリ関連の書は、今に至るも他にない。

それは、瀬戸川猛資独特の語り口によるところも大きい。氏の文章を読んでいると、あたかも目の前に瀬

夜明けの睡魔
海外ミステリの新しい波
takeshi setogawa
瀬戸川猛資
ぼくたちのミステリがここにある。
博覧強記の俊英がいまの海外ミステリと作家たちの
たぐいまれな面白さについて、明快に分析し、
語り尽くす独創のエッセイ集。
早川書房　定価1300円

戸川猛資がいて、目を輝かせて生き生きと本について語ってくれているような気になってくるのだ。その絶賛ぶりは、本書の中で、「何ごとにもオーバーな男だから、すぐにこういう言い方をしたくなる。〝十年に一度〟というのは、わたしが、気に入った本や映画を人にすすめる際の常套句である」と認めているように、しばしば過剰になるものの、押しつけがましいどころか、むしろ微笑ましく感じられる。まさに〝瀬戸川マジック〟とでも呼ぶしかなく、時に、とりあげた本そのものよりも面白い、と言われることもあるくらいだ。

　九三年刊の第二エッセイ集『夢想の研究　活字と映像の想像力』（創元ライブラリ）では、ミステリという枠を取り払い、「本と映画を中心に、二つのメディアの想像力をクロスオーバー」させて、テーマを浮かび上がらせ、現実との関わりにこだわりつつ、大胆に想像力を巡らせている。映画「市民ケーン」のルーツを説得力に満ちた奇説で解き明かす「硝子玉とコルク玉」を始め、収録された評論はすべて独創的かつ刺激的で気宇壮大。丸谷才一から「想像力のエネルギーにみちている」（毎日新聞「今週の本棚」）と賞賛されたこの本は、博覧強記の人・瀬戸川猛資の真骨頂が味わえる、『夜明けの睡魔』と並ぶ、私の座右の書だ。

二

　さて、そんな瀬戸川猛資が娯楽小説の叢書を編んだら、一体どんなものができるのだろうか。この素朴な興味に答えてくれるのが【シリーズ 百年の物語】だ。版元は自身が設立した出版社トパーズプレスで、九六年三月から十一月にかけて第一期全六巻が刊行された。

　同社から発行されていた伝説の〝本の探検マガジン〟「BOOKMAN」でアートディレクターを担当した葦工房による装幀は、手に取りやすい四六判変型ソフトカバー装で、イエローやグリーンといった淡色の表紙の中心に、赤い輪で囲まれた内容に合わせた具象画が描かれ、天辺右寄りにシリーズ名と通し番号を小さく記し、その下に邦題、作者名と翻訳者名、そして原題が上から順に配されている。背表紙の中程の色を巻ごとに変えて、その上に邦題を記載。裏表紙の袖には、無記名だが明らかに瀬戸川猛資によるものと思われる、熱意に溢れた作者及び作品の紹介文が簡潔に記載されている。

　収録された作品は、ミステリを始め、冒険小説、SF、幻想小説と色とりどり。幅広く物語を愛した瀬戸川猛資ならではのセレクトは、一見、ばらばらに見えるけれども、折り込みチラシに謳われた発刊の辞を読むと、この叢書が実に単純明快なコンセプトに基づいて編纂されたことがわかる。即ち、

　「百年たってもおもしろい。百年読んでもスリリング。まさしく不滅の物語。20世紀を代表する冒険小説から最新のSFまで、精選されたこの100年のおもしろ小説が続々登場！（中略）あなたを冒険・推理・ファンタジィの新天地へご案内いたします」

という、これぞ瀬戸川節という他にない名調子で、自信を持って不朽の面白い本のみを取り揃えた、と宣言しているのだ。

　ちなみに、第一期刊行のペネローピ・ファーマー『イヴの物語』とマーク・マクシェーン『雨の午後の降霊術』の献本に添えられた〈新刊のご案内〉には、編纂意図について、以下のようにもう少し詳しく記されている。

　「百年たってもその輝きを失わない不滅の物語。老いも若きも熱中できる普遍的なおもしろさ。程よい長さで一気に読める爽快感。

　〈シリーズ 百年の物語〉では、こうした条件を備えた優れた小説だけを選りすぐって刊行します。二〇世紀は未訳の傑作や絶版になった名著の宝庫です。古いものには作者の圧倒的な筆力や明快なストーリーなど、現在のものにはない魅力がたくさんあります。本シリーズは、歴史的価値を持つ

記念碑的作品ばかりを揃えました。もちろん、最新の話題作や隠れたベストセラーもラインナップに加えてあります。
　いずれも、今後百年間読みつがれてほしい傑作ばかりです」

　こうしたコンセプトの下、まず第一期として選ばれた六作を眺めてみると、ジャンル面では、半分にあたる三作がサスペンスで、冒険小説、ファンタジイ、SFが各一作ずつ。原著刊行年的には、三冊のサスペンス（『雨の午後の降霊術』『狩人の夜』『魔女の館』）が五、六〇年代、ファンタジイ（『イヴの物語』）とSF（『インターステラ・ピッグ』）が八〇年代と比較的新しく、逆にジャック・ロンドンの冒険小説『海の狼』が、一九〇四年と極端に古い。二十年近く前に刊行され入手困難だった『海の狼』を新訳で再刊した以外は、すべて本邦初訳。内、マーク・マクシェーンは、本シリーズ収録作が、初の日本での書籍刊行となる。

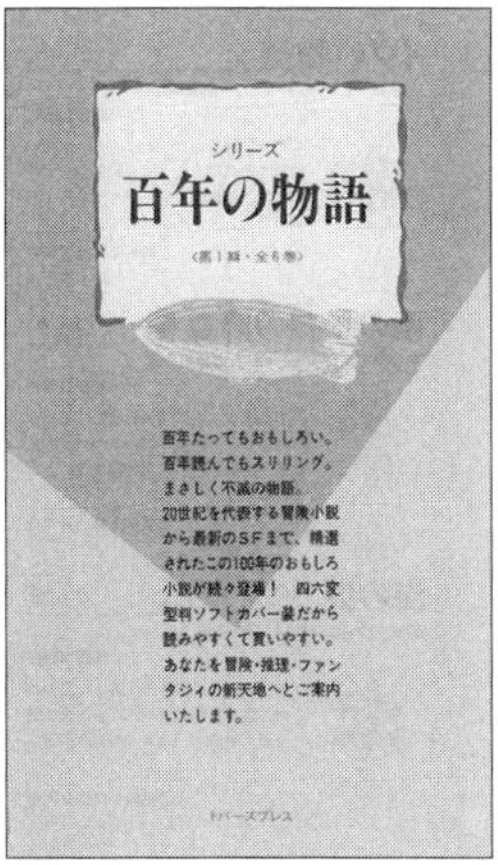

三

　個々の作品に関しては後で詳細に触れるので、一旦作品を離れて、不世出の批評家であり出版人でもあった瀬戸川猛資と彼が興した出版社トパーズプレスの功績について探っていくことにしよう。

　瀬戸川猛資は、一九四八年七月五日、東京都に生まれた。中高一貫の芝中学校・芝高等学校から早稲田大学文学部に進学、演劇科を卒業。ワセダミステリクラブ（WMC）の幹事長を務め、在学中に「ミステリマガジン」誌上で最新の海外ミステリの原書にあたってエッセイに仕立てるコラム「ミステリ診察室」のメンバーの一人として執筆、続いて翻訳ミステリ時評「二人で殺人を」（七一年一月～六月）を連載し、評論家としての第一歩を踏み出す。卒業後は東宝に入社し、テレビ部にてテレビドラマの企画を作る。

　その一方で、「ミステリマガジン」にて、日本ミステリ時評「警戒信号」（七一年八月～七三年九月）を連載、七二年二月から七三年九月にかけて刊行された【世界ミステリ全集】（全十八巻、早川書房）の月報に、各巻に収録された作家が生んだ主人公の中から一人を俎上に載せる「名探偵群像」を執筆（もっとも、第七巻では、「今回の配本は、エリック・アンブラーである。〝名探偵群像〟というタイトルは、どうもお呼びでない」として同全集に収録されなかったディクスン・カーの二大名探偵を強引に取りあげているところは、なんとも瀬戸川猛資らしく、微笑ましい）。また、七三年に紀田順一郎と荒俣宏が創刊した雑誌「幻想と怪奇」（歳月社）に、大学時代からの友人・鏡明とともに編集同人として参加する。

初の著作は、世界的な人気テレビドラマ「刑事コロンボ」のノベライゼーション・スタッフの一員として、七四年に藤崎誠名義で執筆した『二枚のドガの絵』（二見書房）。氏がこのエピソードを選んだ事情について、日本での〝コロンボ・ファンの第一号〟であり、同プロジェクトの主幹として瀬戸川猛資に声を掛けたWMCの先輩で映画評論家の石上三登志は、『権力の墓穴』の解説で次のように述べている。曰く、「ミステリ研究家の藤崎誠氏は、ご存じミステリ史上初の珍手掛りのある『二枚のドガの絵』じゃなきゃいやと、静かにわめく」、と。

翌七五年に、同じく藤崎誠名義で『世界名探偵図鑑』（立風書房）を刊行。小・中学生向けのシリーズ「ジャガーバックス」の一冊として刊行されたものだが、紹介されている五十一人の名探偵の中に、ホームズや明智小五郎と並んで、チェスター・ハイムズの墓掘ジョーンズ&棺桶エドやカーター・ブラウンのアル・ウィーラー（「とんだエッチな警部さんなんだ」というナイスな紹介文つき）が含まれるというとんでもなくマニアックな事典だ。

七八年に、七年間務めた東宝を退社。『二枚のドガの絵』で得た印税を基に、かねてからの願望であった出版事業に乗り出すために、八〇年、株式会社トパーズプレスを設立。慶応義塾大学推理小説同好会の代表を務めた、氏の生涯の友人でありミステリ研究家で大学教授の松坂健によると、元々は、出版界の名門ランダムハウスにあやかってランダムプレスとする予定だったが同名の会社が登記済だったため、ヒッチコックの映画「トパーズ」と合成して、この社名にしたそうだ。

具体的な出版計画がないままに起こされた同社の、刊行物第一号となったのが、翌八一年に松坂健が深野有名義で書き下ろした読書論『ペーパーバックス読書学』だ。

こうして会社を設立したのと同年に、《夜明けの睡魔》（八〇年七月～八二年十二月）の連載をスタートする。

そして八二年、イデア出版局の本谷裕二と武谷進から依頼されて、松坂健と文芸評論家で元「図書新聞」副編集長の矢口進也とともにアドバイザーとなり〝本の探検マガジン〟「BOOKMAN」を創刊。当初は企画・編集担当だったが、第五号（八三年七月一日発行）から発行元をトパーズプレスに移し、編集長に就任する。第十九号（八七年七月十日発行）以降は発売元も同社となり、第二十五号（八九年八月二十五日発行）での終刊予告通りに、第三十号（九一年六月十日）で幕を引いた。

毎号、七十ページ前後の誌面の内、三十ページ近くを費やして怖ろしく濃密な特集を組んだ。その中から、ミステリやSF、怪奇小説絡みのものを挙げると、「おお探偵小説大全集――ハヤカワミステリVS.創元推理文庫」（第六号）、「幻の探偵雑誌「宝石」を追う――ある雑誌の生涯」（第十二号）、「SF珍本ベストテン――謎の名作・噂の怪作」（第十六号）、「本物のホラーを！――エセ恐怖ブームを斬る」（第十九号）といったところだ。これらの特集の参加者がまた凄くて、ミステリだと、瀬戸川猛資、松坂健、東京創元社・戸川安宣、「ミステリマガジン」六代目編集長・菅野圀彦、デビュー前の北村薫と折原一。SFは、横田順彌、鏡明、会津信吾、伊藤典夫、浅倉久志。ホラーなら、荒俣宏、紀田順一郎というように、知の巨人たちをずらりと揃えている。

レギュラー陣として、荒俣宏や矢口進也を始め、「幻影城」の元編集者・山本秀樹（平七郎名義）、弁護士の白井久明らが執筆、瀬戸川猛資自身も宅和宏名義で「ペーパーバック映画館」の原稿を書いていた。加えて、元東京創元社社長・長谷川晋一（長谷川並一名義）による書痴マンガという異色の連載もあった。

　この「BOOKMAN」の編集と並行して、「ミステリマガジン」誌上で、「新夜明けの睡魔／名作巡礼」（八四年一月～八五年十二月）と《夢想の研究》（八九年一月～九一年九月）を連載。九二年には、丸谷才一が主宰した「毎日新聞」日曜版書評欄「今週の本棚」のメンバーとなる。九三年に「サンデー毎日」誌上で映画評の連載を開始。最初の二百回分は、『シネマ古今集』と『シネマ免許皆伝』（ともに新書館）として纏められた。

　九四年には、当時編集者だった三津田信三に請われて、雑誌「GEO」に《夢想の研究》の続編「夢想のクロニクル」（九四年十月～九五年九月）を連載。

　さらに、六人の専門家とともに、八〇年以降に翻訳出版された現代ミステリを対象に、ジャンル分けを廃して「いま何がおもしろいのか、どんなふうにおもしろいのか。その点にのみ的を絞った」画期的なガイドブック『ミステリ・ベスト２０１』（新書館）を九四年に刊行、翌九五年には、メンバーを再結集して古典を俎上に載せた姉妹編『ミステリ絶対名作２０１』（同）を編纂した。

　こうして批評家として活躍する一方で、出版人としては、内藤里永子編・吉田映子訳詩『笑いのコーラス　イギリス滑稽漫画帖』や、萩尾なおみ名義で「BOOKMAN」にコミック評を連載していた二代目・一条さゆりの『踊り子の日記』、同誌連載を中核とした矢口進也『世界文学全集』等の個性的な書物を刊行。

　中でもとりわけ心血を注いだのが、映画評論家・双葉十三郎が四〇年代から八〇年代にかけて観た六千四百本以上の映画についての批評を年代ごとに編纂した『西洋シネマ大系　ぼくの採点表』だ。八八年から九一年にかけて、毎年一冊ずつ計四冊を刊行。九七年に、戦前分千百本を収録した別巻と総索引を刊行

し、足かけ十年掛けて完結させた。世界的にも類例のない前代未聞のシネマガイドである。

　さらに、九四年から翌年に掛けて、オーストラリア人作家ポール・ジェニングスの奇想天外な短篇集の選書「ＰＪ傑作集」（全七巻）を出版、これが翌年スタートする【シリーズ 百年の物語】へと繋がっていく。

　また、変わったところでは、九四年と翌九五年に、戯曲『そして誰もいなくなった』と戯曲『ホロー荘の殺人』を翻訳し、大阪・近鉄劇場で公演された。

　その後、九七年から九八年にかけて雑誌「カピタン」誌上で、「今週の本棚」のメンバーの和田誠・川本三郎（かわもとさぶろう）と映画を巡る鼎談（ていだん）を連載、九九年に『今日も映画日和』（文藝春秋）として刊行された。

　九八年、イラストレーターのひらいたかこと組んで「ＥＱ」誌上で、童話を素直な目で読み直す「むかしむかし何かが」の連載を開始するも、病状の悪化により休筆、翌九九年三月十六日に亡くなった。享年五十。あまりにも早い死であった。

第二章

一

映画と小説をこよなく愛した博覧強記の人・瀬戸川猛資が、「百年たってもその輝きを失わない不滅の物語」だけを選りすぐって編んだ叢書【シリーズ 百年の物語】。二十世紀を代表する「歴史的価値を持つ記念碑的作品ばかりを揃え」たと謳ったこのシリーズに収められた作品は、さすがに瀬戸川猛資が太鼓判を押すだけあってどれもとてもおもしろい。無論、一口に〈おもしろい〉といっても千差万別で、実際ジャンルも作風も味わいもまるで異なるのだけれども、にもかかわらず六作すべてがおもしろいと感じられるのだから、それこそおもしろい。その要因がなんなのか、という考察は一旦措いておいて収録作を見ていこう。

まずは記念すべき第一巻として送り出されたペネローピ・ファーマー『イヴの物語』からだ。帯に記された「いままで誰も読んだことのないような物語であると保証いたします」というシンプルかつアグレッシブなコピーが秀逸。続く「イヴはなぜ禁断の木の実を食べたのか？　人類神話をひっくり返す衝撃のファンタジイ」という惹句まで読んで、ページを開かずにいられる読書好きはいないんじゃないだろうか。

ちなみに裏表紙の袖には、「1985年発表の問題作。その反響の大きさは、エイモス・オズの次の讃辞で充分だろう」として、ノーベル文学賞候補にもなったイスラエル人作家兼ジャーナリストによる「ペネローピ・ファーマーは、永遠のテーマについてのすごい小説を書いた。欲望と孤独について。神と悪魔について。そしてわれら人間が何のために生き、何を目指しているかについて」という評が載っていて、何だか難解で重厚な文学なんじゃないかと身構えてしまう方がいるかも知れないけれど、ご安心を。「禁断の木の実を食べ、エデンの園を追放された人類の祖先アダムとイヴ。その楽園追放に至るまでの真相を、蛇の誘惑に負けて神の掟を破った張本人とされているイヴがつまびらかにしていく過程は圧巻です。全編にあふれるミステリアスでスリリング、そしてちょっぴりエロチックな独特の味わいをお楽しみください」〈新刊のご案内〉より）とあるように、世界最古の物語である『聖書』の創世記を、フェミニズム的な視点からダイナミックかつ鮮やかに再構築した類例のない魅力的な物語なのだから。

「この物語を始めるにあたって、まず次のことをはっきりさせておきたいと思う。わたしが禁断の木の実、つまり知恵の実を食べたのは、自分で食べようと決めたからであって、そのことに関して蛇はまったく関係ない」という幕開けの一文に、開巻早々ぐっと心を摑まれる。そう、これは人類史上初の Whydunit を核とする物語なのだ。

この衝撃の告白に続いてわずか八ページの間に、イヴとアダムが楽園を追放され、天使によって四肢を切断された蛇が砂漠に捨て置かれる導入部は、訳者あとがきで金原瑞人が述べているように「長編小説はこう書けといわんばかりの巧みさで、ただただ舌を巻く以外にない」。

この先、イヴはどんな物語を語るのか。エデンの園で何が起こったのか。蛇の果たした役割とはなんだったのか。ミステリでありファンタジイであり、なによりも一人の人間の成長譚でもある多様で示唆に富む本書を読むと、物語の持つ力をあらためて実感する。これを絶版のままにしておく手はない。

作者のペネローピ・ファーマーは一九三九年生まれの英国人作家で、現在はカナリア諸島在住。大人向けの小説は本書しか訳されていないが、骨董屋で買ったタンスに財布をしまったら、次開いたとき生きた子豚が飛びだしてくるという幕開けに度肝を抜かれる『骨の城』(1972、篠崎書林)を始め、奔放なイマジネーションとアイディアに満ちた児童文学が数作紹介されている。

ところで、【シリーズ 百年の物語】は、発行者である瀬戸川猛資自身がセレクトした叢書だけれども、『イヴの物語』と第四巻『インターステラ・ピッグ』に関しては若干事情が異なる。この二作は、瀬戸川猛資から「ポール・ジェニングズの作品(『PJ傑作集』)がかなり売れたので、「とにかくおもしろい本のシリーズを出したいんだけど、なにかいい作品がない?」」(「児童文学書評」サイト内、「金原瑞人のあとがき大全」より。〔 〕内、引用者による補足)と問われた金原瑞人が提案した数作の中から選ばれたものなのだ。

この二人の間を取り持ったのがイラストレーターのひらいたかこであり、戸川安宣の紹介で『PJ傑作集』の表紙イラストと本文カットを担当した彼女が仲介役となったところに人の縁の不思議さと面白さを感じてしまう。

　というわけで続いてウィリアム・スリーター『インターステラ・ピッグ』を見ていこう。裏表紙の袖の内容紹介に、「海辺の別荘地を訪れた謎の3人組。彼らが熱中するゲーム「インターステラ・ピッグ」。それは、壮大なスケールのサバイバル・ゲームだった。彼らの真の目的は何か？　ゲーム感覚満点のＳＦアドヴェンチャー・ノヴェル」と記された本書は、帯のコピーに「アメリカの十代を興奮させたヴァーチャル感覚のベストセラー」とあるように、宇宙を舞台にしたボードゲームでの闘いが現実とリンクするヤング・アダルト向けの頭脳派冒険ＳＦだ。

シリーズ 百年の物語 4
インターステラ・ピッグ
ウィリアム・スリーター　斎藤倫子訳
Interstellar Pig
ゲームの果てに何が待つ？
アメリカの十代を興奮させたヴァーチャル感覚のベストセラー。お、おもしろすぎる。
トパーズプレス

　両親と共に貸別荘で休暇を過ごしている十六歳の少年バーニー。肌が弱くて海にも出られず、大好きなＳＦを読むのにも飽きてきた彼は、管理人から聞いた貸別荘に纏わる因縁話に俄然好奇心をそそられる。バーニーが使っている寝室が、実は百年ほど前に貿易船の船長が気の触れた弟を二十年間にわたって軟禁した部屋だというのだ。弟は、なぜか難破船から救助した乗組員を殺害し、意味不明の言葉を呟くばかりだったため、やむなく処罰を与えた後、閉じこめたという。一方、隣のコテージを借りた男二人と女一人は、バーニー一家が過ごす家に異常とも思える執着を見せる。やがて三人は、〈インターステラ・ピッグ〉と呼ぶゲームにバーニーを誘うが……。

　ごくごく普通の少年が、宇宙を舞台にした戦略型ＲＰＧで百戦錬磨の大人三人を相手に知恵を絞って闘う過程が実にスリリング。肝心のゲームが入念に作りこまれているので、実際に自分がプレイしているかのように手に汗を握ること必至。帯に書かれた「お、おもしろすぎる」という惹句に偽りなしの逸品だ。

　作者のウィリアム・スリーターは、一九四五年生、二〇一二年没のアメリカ人ＳＦ作家。本書以外には、初の著作である、アラスカ南部に住む北アメリカインディアンの一部族トリンギット族に伝わる昔話の再話

『おこった月』（1970、童話館出版）しか訳されていないが、本国では同じくＹＡ向けの人気ホラー作家でスリーターのファンであると公言しているＲ・Ｌ・スタインと並んで十代を中心に絶大な人気を誇る。とりわけ本作のファンは多く、子供の頃に魅了されたゲーム・デザイナーが、〈インターステラ・ピッグ〉の設定をベースにChaosmosというボードゲームを作ってしまったくらいだ。二〇〇二年に刊行された続編 *Parasite Pig* と合わせて、どこかで出して欲しいものだ。

二

さて、それでは瀬戸川猛資自身が直接セレクトした四作について見ていこう。まずは第二巻のマーク・マクシェーン『雨の午後の降霊術』からだ。

叢書の第一回配本には、自信のあるタマを投げるのが常識だろう。そこで『イヴの物語』という直球ど真ん中の〈魔球〉とともに、ストレートにみえる〈変化球〉の『雨の午後の降霊術』を、「ミステリ史の片隅に咲いた妖しい花。噂のみ高かった名作がついに登場」というコピーをつけて投じるところがなんとも瀬戸川猛資らしくて嬉しくなってしまう。

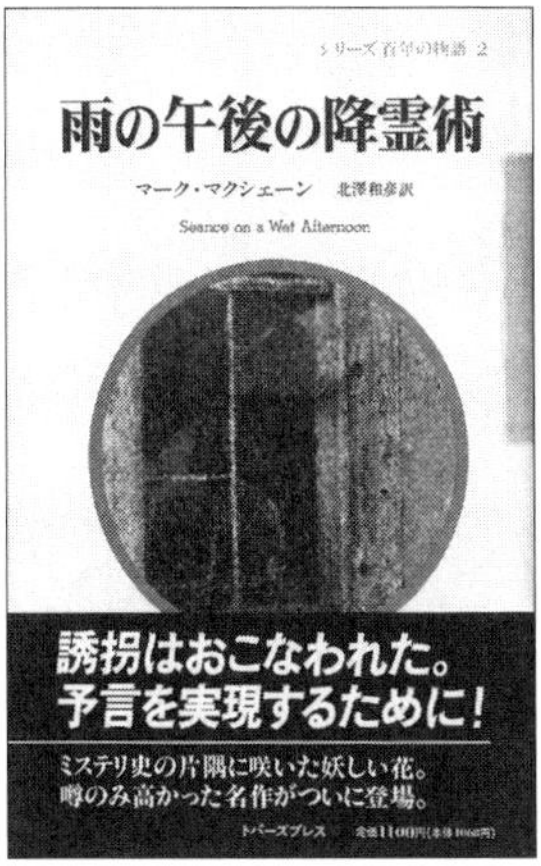

「女霊媒師マイアラと夫のビルは、金持ちの娘の誘拐を決行する。予知と称して娘の行方を正確にいいあてれば、一流の霊媒師としての地位と評判がころがりこんでくるはずだった……」「かつて植草甚一氏が絶賛したように「話の展開がわき道にそれたり、よけいな要素をもちこんだりすることなしに、もっぱら誘拐作業とその成りゆきを内側から、それもイギリスふうに」淡々とつづられていく過程は、三十年以上前の作品ではありますが、現代ミステリーに慣れ切った眼にはかえって新鮮に映ることと思います。一見子供じみた誘拐計画が果たしてどんな結末を迎えるのか、一気に読み終えることはうけあいます」（〈新刊のご案内〉より）とあるように、極めてシンプルなプロットの

サスペンスだ。にもかかわらず、ぐいぐいと読ませる。それは実行犯である気弱な夫と主導権を握る強気な妻の間に計画に対する温度差があるがゆえに、偶然と必然の両面から生じる阻害要因に対応する中で不穏な空気が漂い、想定外の結末へと進まざるを得なくなる展開から目が離せないためだ。

超常現象の専門家の間で、第一級の霊媒師であるという評判を確立したいという自己承認欲求の持ち主であるマイアラが、予知能力を備えた本物の超能力者である点もミソ。残酷なれど詩情漂うクライマックスとラストの一言が長く心に残る。六四年に「雨の午後の降霊祭」のタイトルで監督・脚本ブライアン・フォーブス、制作・主演リチャード・アッテンボローで映画化され、英国アカデミー賞主演男優賞、MWA賞最優秀海外映画賞を始め、数多くの賞に輝く。ただし日本では、制作から十五年が経った七九年にようやく公開された。

作者のマーク・マクシェーンは、一九二九年オーストラリア・シドニー生まれのイギリス人作家で、五つの大陸を転々とした後、スペイン・マジョルカ島に居住し、六〇年に作家デビュー。二〇一三年、同地で亡くなった。一九六一年刊行の本作は第二作にあたる。七二年に続編 *Séance for Two* を刊行。十代の頃に読んだジェラルド・カーシュの *Prelude to a Certain Midnight* でサスペンスの面白さに目覚め、作家として強い影響を受けたと語っている。二〇〇五年に『雨の午後の降霊会』と改題し再刊された創元推理文庫版には、小山正による詳細な書誌を備えた渾身の解説「知られざる作家　マーク・マクシェーンの奇妙な世界」が寄せられているので、ぜひ、この版で読むことをお薦めします。

第五巻のデイヴィス・グラッブ『狩人の夜』もまた、映画によってその名を知られた作品である。ただし五五年の制作当時は日本では未公開で、ミステリ映画ファンの間でカルト映画として語り継がれてきた。九〇年にようやく公開、原著刊行から四十三年後の九六年に本叢書に収録されて、めでたく日本語で読めるようになった。帯の惹句に、「現代ミステリのひとつの伝説。S・キングにも影響を与えた恐怖の名作。待望の刊行」とあるのは、こうした事情を踏まえたもので、ミステリと映画を愛した瀬戸川猛資がラインナップに加えたのは、実に納得がいく。

裏表紙の袖の紹介文に、「大不況時代のオハイオ川流域。父を亡くした幼い兄妹に、右手に「愛」、左手に「憎悪」の刺青をしたあいつが迫る！　ページを繰るごとに高まる恐怖。格調の高い文体。一読忘れ難い感銘を与えられる小説である」とあるように、本作はウェストバージニア州西部のオハイオ川沿いにある小さな波止場町を舞台に、わずか九歳の少年が妹を庇いつつ迫り来る殺人鬼からいかにして逃れるかを描いたサスペンス小説だ。

子供たちに楽な暮らしをさせてやりたくて銀行を襲い行員二人を殺して一万ドルを強奪したベンは、カネの隠し場所を妻にも告げないまま絞首刑となった。だが同房だった自称「伝道師」のパウエルは、子供たちが鍵を握っていると確信し、刑期を終えた後にベンの妻ウィラのもとを訪れる。慈悲深い宗教家という仮面の下、巧みな弁舌でウィラを始め町の大人たちの信頼を得た彼は、四歳になる娘パールを手なずけ秘密を聞き出そうとする。唯一パウエルの正体を見抜いた九歳の兄ジョンは、家族を守り、危険な闖入者を退けるべく孤軍奮闘するが……。

右手と左手の親指を除く四本の指に一文字ずつＬＯＶＥ（愛）とＨＡＴＥ（憎悪）と刺青した「伝道師」が展開する歪んだ論理に、まるで汚い手で心に触れられたかのような嫌悪感を覚える。まさにサイコ・スリラーの祖と呼ぶに相応しい作品だが、読後感が悪くないどころか良いものを読んだと満足できるのは、迫り来る性格異常の殺人鬼に怯えつつも、父との約束を果たすべく妹を守って魔の手から逃れようとする少年ジョンの奮闘を、情感溢れる文体できめ細かく鮮やかに描いているためだ。

作者のデイヴィス・グラッブは、一九一九年に、本作の舞台となったウェストバージニア州マーシャル郡に生まれた。子供の頃に大恐慌時代を経験した彼は、以後、八〇年にニューヨークで亡くなるまでに、主に二〇～三〇年代のオハイオ川流域を舞台とした幻想味と暴力性が同居するローカル色豊かな作品を発表。長篇八作と短篇集三作のうち、本作以外では、テレビ黎明期ならではの怪談「だれも見てないテレビ」やグラン・ギニョル味が漂う恐怖掌篇「マザーグースの三悪人」などヴァラエティに富んだ十二の不思議な物語からなる短篇集『月を盗んだ少年』(1964、ソノラマ文庫海外シリーズ)のみが訳されている。

　一九〇四年と、本叢書収録作中、最も発表年が古い『海の狼』もまた、映画との関わりが深い作品だ。前年の『野性の呼び声(荒野の呼び声)』(1903、光文社古典新訳文庫)に続いてジャック・ロンドンの二作目のベストセラー作品となった本作は、「ハリウッド映画化、実に7回!」「天才か、怪物か。狼ラーセン、恐るべし。凄絶無比、20世紀最大の海洋冒険文学」と帯に謳っているように、人生の知的な側面しか知らず、人間の獣性について無知なまま生きてきた三十代半ばのディレッタント青年が、暴力が支配する地獄絵図のような船上で、心身共に傷つきながらも生き残り、逞しく成長する様を描いた冒険小説である。

　サンフランシスコ湾で乗船が沈没し遭難した文芸評論家ワイデンは、偶々(たまたま)通りかかったスクーナー型帆船ゴースト号に救助され九死に一生を得る。だがそこは、「力は正義である――これがすべてだ。弱さは悪だ」と断言し、全乗組員から畏怖の念を持って〝狼ラーセン〟と呼ばれる船長が君臨し、暴力沙汰が日常茶飯事の地獄のような世界だった。無理矢理給仕にさせられたワイデンは、容赦ない残酷さと高い知性が同居するラーセンに対して憎悪と敬意を抱く。そして不慣れな船の上での作業に悪戦苦闘しつつ、乗組員の一人として毛皮の材料となるオットセイを追って、荒れ狂う北太平洋をベーリング海へと赴くことになる。

　十七歳の頃にアザラシ猟に従事した実体験に根ざす臨場感溢れる荒海の描写、ニーチェの〈超人〉に影響を受けて生み出されたといわれる狼ラーセンの造型、ラーセンとワイデンが人生観を闘わせる知的闘争シーンなど読み所満載の本書は、ジャック・ロンドンの代表作として欧米では高く評価されている。映像化もとぎれることなく、二〇〇九年には、ドイツでテレビシリーズが制作されている。

にもかかわらず、日本では、九六年に【シリーズ百年の物語】で新訳・再刊される以前には、五五年に三笠書房から、七七年に学習研究社から、それぞれ世界文学全集の一冊として訳されたのみで、現在、再び入手困難となってしまっている。同じく代表作と言われ何度も再刊されてきた『白い牙』（1906、光文社古典新訳文庫）、『野性の叫び声』と比べるとあまりに不遇な扱いを受けてきたこの傑作を、どこかで再刊してくれないものだろうか。

さて最後の一作は、第六巻のシャーロット・アームストロング『魔女の館』だ。帯のコピーに、「大学講師が〈魔女〉につかまった！」「サスペンスの女王がくりひろげる白昼夢のような世界。息づまる4日間の物語」と謳った本作は、重傷を負った身で、〈魔女〉と呼ばれて周囲の人々から疎んじられている精神を病んだ老女に監禁されてしまった青年と、行方不明となった夫を必死になって探す妻、そしてなぜか彼女の探索を阻もうとする双子の兄妹を中心に、様々な人々の思惑が交錯する緊迫感に包まれたカウントダウン・サスペンスだ。

苦学生に嫌疑が掛かっている盗難事件の犯人が実は同僚アダムズではないかと気づいた講師オシーは、義憤に駆られて彼を問い詰めるべく車で追跡劇を演じた果てに重傷を負い、一軒家に住む老女に監禁されてしまう。彼を自分の息子と思いこんだ彼女は、医者も呼ばず、解放しようともしない。失踪してしまった夫を見つけるべく奔走する妻アナベルは、時を同じくしてアダムズの行方も知れなくなっていることを知

り、彼の娘と後妻に事情を聞こうとするが、ネガティヴ思考の娘は非協力的な上に、なぜか後妻の双子の兄はアナベルの注意を逸らそうとする。徐々に状態が悪化していくオシー、果たしてアナベルは夫の元にたどり着けるのか？

　裏表紙の袖の内容紹介に「1分刻みの生と死のドラマが形づくられてゆく。戦慄のクライマックスは、ページを繰る手が震える！」とあるように、加速度をつけて急展開する物語から目が離せず、孤軍奮闘するアナベルを応援しつつ一気に読み終えること必至。『サムシング・ブルー』（1959、創元推理文庫）と並んでシャーロット・アームストロング中期を代表する逸品だ。MWA賞最優秀長篇賞を受賞した『毒薬の小壜』（1956、ハヤカワ・ミステリ文庫）は確かに素晴らしい作品だけれど、それだけの作家ではないのだ、シャーロット・アームストロングは。

　長篇二十九作と短篇集二作のうち、既訳作は前者が九作、後者が一作と合わせて三分の一に満たない。二〇一〇年の『風船を売る男』（1968、創元推理文庫）を最後に、翻訳も途絶えたままだ。マーガレット・ミラーやシャーリイ・ジャクスンら、同年代に活躍したアメリカの女性作家の未訳作の翻訳が進む昨今、アームストロング作品の再評価が行われることを願ってやまない。

三

「精選されたこの100年のおもしろ小説が続々登場！」と謳った【シリーズ 百年の物語】だが、残念ながら第一期・全六巻をもって幕を下ろしてしまった。その要因の一つが、瀬戸川猛資の健康状態の悪化にあったであろうことは想像に難くない。実際、本叢書完結後にトパーズプレスから刊行された書籍は、氏が心血を注いで編纂した双葉十三郎『西洋シネマ大系 ぼくの採点表』の別巻〈戦前篇〉を含めて三冊しかない。

　瀬戸川猛資が、〈夢想の研究〉の産物として編んだ【シリーズ 百年の物語】は、二十世紀を俯瞰して百冊を揃える壮大なシリーズを目指していたという。それがいかなるラインナップとなったかは、今となっては知るよしもないが、いくつかの証言からその片鱗を窺うことは出来る。

　例えば、創元推理文庫版の『魔女の館』の訳者あとがきを読むと、近藤麻里子が、元版刊行時に『風船を売る男』の原書を渡されて、「面白そうだから読んでおいて」「いつか出したいと思っているから」と言われたと記している。また、『狩人の夜』を訳した宮脇（みやわき）裕子（ゆうこ）は、いくつかのリーディングを依頼され、その中にはシャーリイ・ジャクスンの未訳作が含まれていたという。さらに、トパーズプレスの元編集者・大内達也（おおうちたつや）からは、「第二期としてコナン・ドイルのボクシング小説集 *Tales of the Ring and Camp*（1922）を出したい〔注：六〇年刊、新潮文庫『ドイル傑作選Ⅲ　ボクシング編』と、二〇〇八年刊、創元推理文庫『陸の海賊　ドイル傑作集4』に一部翻訳あり〕」と語っていたと伺った。

　ここから先は完全な憶測だけれども、氏が編纂し、私も編者の末席に加えてもらったガイドブック『ミステリ絶対名作201』の収録作を眺めていると、筑摩書房の【世界ロマン文庫】から刊行されたギルバート・フェルプス『氷結の国』（1963）、やリチャード・ヒューズ『ジャマイカの烈風』（1929）なんかも入れたかったんじゃないだろうか、ノエル・ベーンの『シャドウボクサー』（1969、ハヤカワ文庫NV）もあるいは、などと夢想を繰りひろげてしまうのだ。

《【シリーズ 百年の物語】収録作品リスト》

トパーズプレス 全六巻 （一九九六年三月から一九九六年十一月まで刊行）

●装釘：葦工房 ●判型・体裁：四六判変型並製・紙カバー・帯 ●全巻訳者あとがき

No.	邦題	原題（原著刊行年）	作者	翻訳者	発行年月日	国籍
1	イヴの物語	Eve:Her Story (1988)	ペネローピ・ファーマー	金原瑞人	1996/3/25	英
2	雨の午後の降霊術	Séance on a Wet Afternoon (1961)	マーク・マクシェーン	北澤和彦	1996/3/25	英
3	海の狼	The Sea-Wolf (1904)	ジャック・ロンドン	関弘	1996/5/25	英
4	インターステラ・ピッグ	Interstellar Pig (1984)	ウィリアム・スリーター	斎藤倫子	1996/7/25	米
5	狩人の夜	The Night of the Hunter (1953)	デイヴィス・グラッブ	宮脇裕子	1996/9/25	米
6	魔女の館	The Witch's House (1963)	シャーロット・アームストロング	近藤麻里子	1996/11/25	米

※ 米＝アメリカ、英＝イギリス

新訳・再刊等 （ ）内は発行年月日

2『雨の午後の降霊会』創元推理文庫（2005/5/31）

5 創元推理文庫（2002/12/27）

6 創元推理文庫（2010/12/24）

あとがき

ミステリが好きだ。叢書が好きだ。それだけならよくある話なのだけれども、本にシリーズ・ナンバーが振ってあると、もういけない。持っていないものが気になって、なんとも落ち着かなくなってしまうのだ。まこと困った性分である。

　そんなわけで暇を見つけては古本屋を巡り歩いていたものだから、二十世紀も終わりを迎える頃には、手元にある〈ポケミス〉が七百冊を超えてしまった。そのとき、ふっと頭をよぎったのだ。なんだ、あと半分か。

　これが回帰不能点（ポイント・オブ・ノーリターン）となった。思い切って全巻蒐集を目指し、五年ほどで任務完了。以来、気になる叢書を集めているうちに、戦後に日本で刊行された翻訳ミステリの叢書・全集の九割方を揃えてしまっていた。

　無論、読むために集めたのだけれども、日々刊行される新刊ミステリのレビューを優先してしまいがちな書評家の身としては、どうしても後回しになってしまい積読（つんどく）のまま月日が流れていく。【Q－Tブックス】、【イフ・ノベルズ】、【ウイークエンド・ブックス】、そして【クライム・クラブ】。これら夢中になって集めたシリーズを、まとまった時間を確保して読みまくり、その魅力について語りたい。そんな思いを抱いていたときに、東京創元社から「何か評論の連載をやりませんか」とお声を掛けていただく。正に渡りに舟の申し出に、暖めていた思いを語ったところ幸い興味を示していただき、「ミステリーズ！」誌上で足かけ七年間にわたって連載することになった次第。今思い返しても、よくもまあこんなニッチでマニアックな評論兼ブックガイドを載せていただけたものだと、感謝の念しかありません。

企画段階でまず頭に浮かんだのは、初回と最終回の訪問先だ。植草甚一で幕を開け、瀬戸川猛資で幕を閉じる。

〝海外ミステリの新しい波〟を鋭敏に把握し、お気に入りの作品を熱意を込めて紹介し続けた博覧強記な二人が編んだ斬新で色褪せない叢書――【クライム・クラブ】と【シリーズ 百年の物語】。数ある翻訳ミステリのシリーズの中でも、とりわけ好きなこの二つの叢書を最初と最後に置く。そうして第二次世界大戦後に編まれた翻訳ミステリの叢書・全集の中から個性豊かな顔立ちのものを、その時々の気分で気ままに訪れ、刊行に至る経緯や編纂の意図を深く探り、時に大胆に推測を巡らせつつ、個々の収録作をレビューして行く。

そんなざっくりとした構想の下、過去への遡航を重ねていくうちに、徐々に戦後の翻訳ミステリ・シーンの輪郭が摑めてきた。そこで、「まえがきにかえて」に記したように、単行本化に当たっては、戦後半世紀の翻訳ミステリの出版と普及、さらに流行り廃りの変遷について概要を見渡せるように、アトランダムだった探訪順を叢書の発刊順に並べ替えて全体を整えることにした。

そうして俯瞰してみてあらためて感じたのだけれど、一九九〇年代半ばまでと以降とでは明らかに様相が異なっている。

本書で訪れた叢書・全集は二〇〇〇年以前に発刊されたものばかりで、その理由は、先に挙げた大枠が頭にあったからなのだけれども、結果としてそれで良かったのだ。

というのも、一九九四年に国書刊行会が【世界探偵小説全集】を発刊して以後、大きく潮目が変わったからだ。所謂(いわゆる)本格ミステリ黄金期の未訳作品を中心に、選りすぐった名作を取り揃えるというコンセプトは、当時とても斬新に感じられた反面、ビジネスとして成り立つのだろうか、と余計な心配をしてしまったものだ。もっともそれは浅薄な危惧であり、同叢書の成功を受けて、他の版元からも同じ市場を狙った叢書が、ゼロ年代前半に掛けて次々に刊行され、二〇二三年までに新規発刊された叢書・全集の大半を占めている状況だ。

【世界探偵小説全集】の成功が引き起こしたパラダイムシフトによって、戦後の翻訳ミステリ叢書・全集の流れは大きく変化した。この二つの異なる局面を一冊の本の中で扱うのは、なんだか木に竹を接ぐようで、しっくりとこない。加えて、これらの叢書の編纂意図や発刊に至る経緯に関しては、【世界探偵小説全集】を企画・編纂された藤原義也氏を初め、各叢書に携わっている方の口から色々と明らかにされているので、敢えて本書で取り上げる意味も薄い。

もっともこうしたあれこれは後付けの理屈であり、結局の所、個人的な好みの一言に尽きる。本書をお読みいただければ明らかなように、私は〝ミステリ〟というジャンルをかなり幅広くとらえている。極端な話、謎があってそれが解明されれば（時には完全に解かれなくても）、立派にミステリだと思っている。

論理と謎解きを核とした所謂〈本格もの〉は勿論、〈ハードボイルド〉や〈犯罪小説〉、〈警察捜査小説〉、〈サスペンス〉と〈スリラー〉、さらには〈スパイ小説〉に、〈冒険小説〉〈謀略小説〉。二十世紀の終わり頃まで、これらすべてのサブ・ジャンルは、〝ミステリ〟という大屋根の下で、等しく読まれ、語られてきた。その融通無碍(ゆうずうむげ)な風通しの良さを愛する身としては、ミステリ＝〈本格もの〉という認識には、言いがたい違和感と寂しさを感じてしまう。すぐ隣に、未知の面白さがあるのだけれどどうですか、と差し出したくなってしまうのだ。

そんな風に考えることは余計なお節介なのかもしれない。けれども、ほんの半歩踏み出すだけで、今まで存在すら知らなかった面白い本に出会えたというのはよくある話だ。そうした自分でも意識していなかった潜在的嗜好に目覚めさせてくれる場として、叢書や全集はまさに打ってつけだと思う。まぁ、中にはハズレを引くこともあるだろう。でもそれも読書だ。本書を通じて、一人でも多くのミステリ・ファンの背中を押せたらこれに勝る喜びはありません。

ちなみに、本書で訪れなかった叢書・全集の中にも、翻訳ミステリ紹介史上重要で、今読んでも面白い作品を取り揃えたシリーズはいくつもある。取り上げなかった理由は様々だけれど、主には、収録作品数の多さと、発刊意図等が既に詳細に語られていることによる。

前者の代表は【ミステリアス・プレス文庫】で、後者は【ブラック・マスクの世界】。一九八〇年代から九〇年代にかけての海外ミステリの新しい波を体感するには絶好のバラエティに富んだ作品群からなる前者と、二〇年代から五〇年代にかけて刊行された伝説のパルプ・マガジンの最盛期の作品群の中から選りすぐった未訳作を収録した後者。どちらも自信を持ってお薦めできる屈指の叢書です。

さて最後に、お世話になった方々に謝辞を記して結びとしたいと思います。

貴重なお話をお聞かせいただいた、河出書房新社のOBの野口雄二氏、小池信夫氏、小池三子男氏。元トパーズプレス編集者の大内達也氏。翻訳家の金原瑞人氏、鎌田三平氏、白石朗氏、高野優氏。そして、慶應義塾大学推理小説同好会（ＫＳＤ）の先輩にしてミステリ評論家の故松坂健氏。

資料の探索を手伝ってくれた影山ちひろ氏。貴重な資料を貸していただいた小野家由佳氏。資料画像を提供いただいた日下三蔵氏。

ＫＳＤで知り合った畏友——小山正氏、村上貴史氏、杉江松恋氏、霜月蒼氏。長年の友好とミステリについて語り合うことを通じて得ることが出来た刺激と発見は何よりの財産です。また、一人一人お名前を挙げるのは控えますが、全日本大学ミステリー連合を通じて出会った方々とも、ミステリを巡って愉しい時間を過ごさせていただきました。

度重なる締切ギリギリでの入稿にもかかわらず、足掛け七年にわたる連載中、併走してくれた東京創元社編集者の古市怜子氏。単行本化に当たって大変な苦労をおかけした同社編集者の船木智弘氏。

最後に、いつも支えてくれる家族にも感謝を。


本書を、瀬戸川猛資氏と松坂健氏との想い出に捧げます。お二人との出会いがなければ、今、私はここに立っていることはなかったでしょうから。

二〇二三年十一月末日

川出正樹

四六判上製・紙カバー・帯　2019.6-2019.9
『八人の招待客』Q・パトリック

2020年代

【ベル・エポック怪人叢書】（3巻［内、上下巻1］）　国書刊行会
四六判上製・紙カバー・帯　2022.7-
『ジゴマ』（上・下）レオン・サジ
　※2023年12月現在、全4巻予告

【奇想天外の本棚】（10巻）　国書刊行会
四六判並製・紙カバー・帯　2022.9-
『恐ろしく奇妙な夜　ロジャーズ中短編傑作集』ジョエル・タウンズリー・ロジャーズ
　※2023年12月現在、第1期全12巻予告

※同社刊【異色作家短篇集（全18巻）】からアンソロジー『壜づめの女房』を削除、新たに3冊のアンソロジーを編纂し追加

【KAWADE MYSTERY】（全11巻）　河出書房新社
四六判上製・紙カバー・帯　2006.10-2008.11
『物しか書けなかった物書き』ロバート・トゥーイ、『ポドロ島』L・P・ハートリー、『道化の町』ジェイムズ・パウエル

【海外ミステリ Gem Collection】（全16巻）　長崎出版
四六判上製・紙カバー・帯　2006.12-2010.6
『蛇は嗤う』スーザン・ギルラス、『サファリ殺人事件』エルスペス・ハクスリー、『ランドルフ・メイスンと7つの罪』メルヴィル・D・ポースト

【現代短篇の名手たち】（全8巻）　早川書房
A6判（文庫）　2009.7-2010.1
『ババ・ホ・テップ』ジョー・R・ランズデール、『心から愛するただひとりの人』ローラ・リップマン
※ハヤカワ・ミステリ文庫内叢書。全10巻予告

【アジア本格リーグ】（全6巻）　講談社
四六判並製・紙カバー・帯　2009.9-2010.6
『蝶の夢　乱神館記』水天一色

2010年代

◎［ハーパーBOOKS］　ハーパーコリンズ・ジャパン
A6判（文庫）　2015.7-

【ハヤカワ・ミステリ文庫〈my perfume〉】（全5巻）　早川書房
A6判（文庫）　2015.10-2016.2
『ケチャップ・シンドローム』アナベル・ピッチャー
※ハヤカワ・ミステリ文庫内叢書

【海外ミステリ叢書「奇想天外」の本棚】（全3巻）　原書房

四六判並製・紙カバー・帯　2002.6-2004.1
『スモールボーン氏は不在』マイケル・ギルバート、『魔性の馬』ジョセフィン・テイ、『終わりなき負債』C・S・フォレスター

【タルト・ノワール】（全8巻）　新潮社
A6判（文庫）　2002.11-2003.8
『カレンダー・ガール』ステラ・ダフィ、『壁のなかで眠る男』トニー・フェンリー
　※新潮文庫内叢書

【論創海外ミステリ】（310巻［内、上下巻1］）　論創社
四六判上製・紙カバー・帯（300巻まで）　2004.11-
『絞首人の一ダース』デイヴィッド・アリグザンダー、『陶人形の幻影』マージェリー・アリンガム、『エヴィー』ヴェラ・キャスパリ、『ミステリ・リーグ傑作選（上・下）』エラリー・クイーン、『謀殺の火』S・H・コーティア、『ノヴェンバー・ジョーの事件簿』ヘスキス・プリチャード、『ジョン・ディクスン・カーを読んだ男』ウィリアム・ブリテン、『溺愛』シーリア・フレムリン、『ジェニー・ブライス事件』M・R・ラインハート、『ロンリーハート・4122』コリン・ワトソン
　※2023年12月現在

【グレート・ミステリーズ】（全12巻）　嶋中書店
A6判（文庫）　2004.10-2005.6
　※全20巻予告。中央公論社刊【世界推理名作全集】の再編

【イタリア捜査シリーズ】（全4巻）　柏艪舎
四六判上製・紙カバー・帯　2005.1-2005.9
『白紙委任状　デルーカの事件簿Ⅰ』カルロ・ルカレッリ

◎ **［ランダムハウス講談社文庫］→［RHブックス＋プラス］**　ランダムハウス講談社→武田ランダムハウスジャパン
A6判（文庫）　2005.9-2012.12
　※2010年4月改名、2012年12月倒産

【異色作家短篇集】（全20巻）　早川書房
小B6判上製・紙カバー・帯　2005.10-2007.5

四六判上製・紙カバー・帯　1999.4–1999.10
『悪魔に食われろ青尾蠅』ジョン・フランクリン・バーディン

【エラリー・クイーンのライヴァルたち】（全４巻）　新樹社
四六判上製・紙カバー・帯　1999.6–2000.11
『タラント氏の事件簿』C・デイリー・キング

2000年代

【ミステリーの本棚】（全６巻）　国書刊行会
四六判上製・紙カバー・帯　2000.6–2001.10
『悪党どものお楽しみ』パーシヴァル・ワイルド

【現代ウィーン・ミステリー・シリーズ】（全９巻）　水声社
四六判変型並製・紙カバー・帯　2001.5–2002.8
『『ケルズの書』のもとに』ペーター・R・ヴィーニンガー、『血のバセーナ　８人の女性ミステリー作家による短篇集』ミヒャエル・ホルヴァート編

◎**［ヴィレッジブックス］**　ソニー・マガジンズ→ヴィレッジブックス→ウィーヴ→フリュー
A6判（文庫）　2001.11–2022.3

【晶文社ミステリ】（全17巻）　晶文社
四六判上製・紙カバー・帯　2002.6–2005.9
『誰でもない男の裁判』A・H・Z・カー、『歌うダイアモンド』ヘレン・マクロイ、『クライム・マシン』ジャック・リッチー

【SHOGAKUKAN MYSTERY】（全12巻）　小学館
四六判並製・紙カバー・帯　2002.6–2003.10
『ゼルプの裁き』ベルンハルト・シュリンク ＆ ヴァルター・ポップ、『山火事』ネヴァダ・バー、『ビッグ・レッド・テキーラ』リック・リオーダン

【SHOGAKUKAN MYSTERY／クラシック・クライム・コレクション】（全９巻）　小学館

は誰も忘れない』ディディエ・ディナンクス

【シリーズ 百年の物語】（全6巻） トパーズプレス
四六判変型並製・紙カバー・帯 1996.3–1996.11
『狩人の夜』デイヴィス・グラッブ、『雨の午後の降霊術（雨の午後の降霊会）』マーク・マクシェーン

【新樹社ミステリ】（全20巻） 新樹社
四六判上製・紙カバー・帯 1996.11–2007.12
『閘門の足跡』ロナルド・A・ノックス、『最上階の殺人』アントニイ・バークリー、『三人の名探偵のための事件』レオ・ブルース

【世界の名探偵コレクション10】（全10巻） 集英社
A6判（文庫） 1997.4–1997.8
『エラリー・クイーン』エラリー・クイーン、『メグレ警視』ジョルジュ・シムノン

【ヴィンテージ・ミステリ・シリーズ】（35巻） 原書房
四六判上製・紙カバー・帯 1997.12–
『霧と雪』マイケル・イネス、『毒の神託』ピーター・ディキンスン、『納骨堂の多すぎた死体』エリス・ピーターズ、『死の相続』セオドア・ロスコー
※2023年12月現在

◎［**小学館文庫（海外）**］ 小学館
A6判（文庫） 1998.1–

【英米短編ミステリー名人選集】（全8巻） 光文社
A6判（文庫） 1998.10–2000.5
『ある詩人の死』ダグ・アリン、『ホーン・マン』クラーク・ハワード

【乱歩が選ぶ黄金時代ミステリー BEST 10】（全10巻） 集英社
A6判（文庫） 1998.10–1999.6
『Yの悲劇』エラリー・クイーン、『赤毛のレドメイン家』イーデン・フィルポッツ

【翔泳社ミステリー】（全4巻） 翔泳社

1990年代

【ミステリ・ボックス】（全49巻）　社会思想社
A6判（文庫）　1990.11–1997.2
『ある詩人への挽歌』マイクル・イネス、『兄の殺人者』D・M・ディヴァイン、『暗い夜の記憶』ロバート・バーナード
※全49巻中《修道士カドフェル》シリーズが21巻

【クライム・ブックス】（全5巻）　国書刊行会
四六判上製・紙カバー・帯　1991.8–1992.3
『エドマンド・ゴドフリー卿殺害事件』ジョン・ディクスン・カー
※全5巻中、小酒井不木のエッセイ集2冊収録

【M&A（Mystery & Adventure）】（全4巻）　至誠堂
四六判並製・紙カバー・帯　1993.8–1995.10
『迷惑な遺言』ブルース・チマーマン、『海狼の巣』ジェームズ・マギー

【ミステリ　ペイパーバックス】（全33巻［内、上下巻5］）　福武書店→ベネッセ
小B6判変型・紙カバー　1994.4–1995.3
『ウルフ連続殺人』ウィリアム・L・デアンドリア、『黄泉からの旅人』レイ・ブラッドベリ、『スワン・ソング』ロバート・R・マキャモン

【世界探偵小説全集】（全45巻）　国書刊行会
四六判上製・紙カバー・帯　1994.11–2007.11
『ストップ・プレス』マイクル・イネス、『愛は血を流して横たわる』エドマンド・クリスピン、『カリブ諸島の手がかり』T・S・ストリブリング、『第二の銃声』アントニイ・バークリイ、『赤い右手』ジョエル・タウンズリー・ロジャーズ

【ロマン・ノワール】（全5巻）　草思社
四六判上製・紙カバー・帯　1995.8–1995.12
『パパはビリー・ズ・キックを捕まえられない』ジャン・ヴォートラン、『死

◎［サンケイ文庫〈海外ノベルス・シリーズ〉］　サンケイ出版
A6判（文庫）　1986.6–1988.4

【海外ミステリー】（全6巻）　講談社
四六判並製・紙カバー・帯　1987.11–1988.4
『いい女の殺し方』ドロシー・カネル、『ジョージタウン殺人事件』マーガレット・トルーマン

◎［扶桑社ミステリー］　扶桑社
A6判（文庫）　1988.5–
※［サンケイ文庫〈海外ノベルス・シリーズ〉］から改名

【ミステリアス・プレス】（全11巻）　早川書房
四六判上製・紙カバー・帯　1988.7–1996.9
『夜の闇の中へ』コーネル・ウールリッチ／ローレンス・ブロック、『私書箱9号』ジャック・オコネル、『五百万ドルの迷宮』ロス・トーマス

【ミステリアス・プレス文庫】（全156巻）　早川書房
A6判（文庫）　1989.1–2001.1
『地上九〇階の強奪』ユージン・イジー、『踊る黄金像』ドナルド・E・ウェストレイク、『古い骨』アーロン・エルキンズ、『荒野の顔』バーナード・ショーペン、『Mr.クイン』シェイマス・スミス、『血と影』マイクル・ディブディン、『11の物語』パトリシア・ハイスミス、『魔力』トニイ・ヒラーマン、『バッキンガム宮殿の殺人』C・C・ベニスン

【創元ノヴェルズ】（全134巻［内、上下巻28］）　東京創元社
A6判（文庫）　1989.3–1999.3
『グール』マイケル・スレイド、『対決』スティーヴン・ピータース、『フィーヴァードリーム』ジョージ・R・R・マーティン、『アベル／ベイカー／チャーリー』ジョン・R・マキシム、『北壁の死闘』ボブ・ラングレー、『ライブラリー・ファイル』スタン・リー

A6判（文庫） 1984.2–2000.12?

【イエローブックス】（全５巻） 東京創元社
A6判（文庫） 1984.5–1984.9
『ステージの悪魔』ジョセフィン・ケインズ（ロン・グーラート）

【アメリカン・ハードボイルド】（全10巻） 河出書房新社
B6判変型上製・紙カバー・帯 1984.10–1985.7
『殺しのデュエット』エリオット・ウェスト、『灰色の栄光』ジョン・エヴァンス、『ハード・トレード』アーサー・ライアンズ

【河出冒険小説シリーズ】（全10巻 全13冊［内、上下巻１、上中下巻１］）河出書房新社
A6判（文庫） 1985.7–1988.6
『アイガー・サンクション』トレヴェニアン、『サンタマリア特命隊』ジャック・ヒギンズ（ジェイムズ・グレアム）

【BEST SEA ADVENTURE】（全13巻） 西武タイム
四六判並製・紙カバー・帯 1985.12–1986.4
※【海洋冒険シリーズ】（パシフィカ）中13冊を再刊

【ブラック・マスクの世界】（全５巻、別巻１） 国書刊行会
四六判上製・紙カバー、別巻：四六判上製・箱 1986.4–1987.5
『裏切りの街』ポール・ケイン ※１～５巻に分載

【フランス長編ミステリー傑作集】（全６巻） 読売新聞社
新書判・紙カバー・帯 1986.6–1986.10
『チューインガムとスパゲッティ』シャルル・エクスブライヤ、『並木通りの男』フレデリック・ダール

◎**［光文社文庫（海外シリーズ）］** 光文社
A6判（文庫） 1986.10–2011.12?

◎**［二見文庫］** 二見書房
A6判（文庫） 1986.12–
※創刊当初は《ザ・ミステリコレクション》の表記あり

【四六版海外小説シリーズ】（全5巻）　ごま書房
四六判上製・紙カバー・帯　1978.5–1978.12
『処刑ゲーム』オリヴァー・クロフォード

【松本清張編・海外推理傑作選】（全6巻）　集英社
四六判上製・紙カバー・帯　1978.5–1978.11
『完全殺人を買う』松本清張編

【海洋冒険小説シリーズ】（全20巻）　パシフィカ
四六判並製・紙カバー　1978.10–1980.9
『キャプテン・クック最後の航海』ハモンド・イネス、『スコーピオン暗礁』チャールズ・ウィリアムズ

◎［**文春文庫（海外）**］　文藝春秋
A6判（文庫）　1979.6–

1980年代

【海外傑作推理シリーズ】（全10巻）　光文社
新書判・紙カバー・帯　1980.2.29–1983.2.25
『わが子が消えた』シャーロット・ポール、『殺人者はまだ来ない』イザベル・B・マイヤーズ

【テーマ別ミステリ傑作集】（全5巻）　大和書房
四六判並製・紙カバー・帯　1983.8–1985.6
『とっておきの特別料理　美食ミステリ傑作集』『ブロードウェイの探偵犬　犬ミステリ傑作集』小鷹信光編

【Misaki Books 航シリーズ】（全6巻）　三崎書房
新書判・紙カバー　1983.12–1985.3
『狙われた秘密輸送船団』W・ハワード・ベイカー

◎［**徳間文庫（海外）**］　徳間書店

四六判上製・紙カバー・帯、四六判並製・紙カバー・帯、新書判・紙カバー　1975.4–1985.7
『ハードマン１／死の街の対決』ラルフ・デニス、『パニック』ビル・プロンジーニ

◎［**ハヤカワ・ミステリ文庫**］　早川書房
A6判（文庫）　1976.4–

【**ケイブンシャ・ジーンズ・ブックス／ヒッチコック・スリラーシリーズ**】（全４巻）　勁文社
新書判変型・縦帯　1976.7
『謎のキャンパス殺人』アルフレッド・ヒッチコック監修

【**ゴマノベルス**】（全４巻）　ごま書房
ポケットブック判変型・紙カバー・帯　1976.10–1976.12
『殺し屋はサルトルが好き（ストレート）』スティーヴ・ニックマイヤー

【**イフ・ノベルズ**】（全29巻［内、上下巻１］）　番町書房
新書判・紙カバー・帯　1977.2–1977.12
『秘密指令　ネオ・ナチ壊滅作戦』トロイ・コンウェイ、『三人の中の一人』S・A・ステーマン、『ショットガンを持つ男』ジェローム・チャーリン

◎［**集英社文庫（海外）**］　集英社
A6判（文庫）　1977.5–

◎［**Playboy books**］　集英社
四六判上製・紙カバー・帯　1977.7–1984.1
『十二夜殺人事件』マイケル・ギルバート、『メッカを撃て』A・J・クィネル、『11人目の小さなインデアン（『そして誰もいなくなった』殺人事件）』ジャックマール＆セネカル

【**ワールド・スーパーノヴェルズ／北欧ミステリシリーズ**】（全３巻）　TBS出版会
四六判上製・紙カバー・帯、四六判並製・紙カバー・帯　1977.9–1979.9
『轢き逃げ人生』アネルス・ボーデルセン

【世界ミステリ全集】（全 18 巻） 早川書房
四六判上製クロス装・ビニールカバー・箱・箱帯 1972.2–1973.9
『現金に手を出すな』アルベール・シモナン、『ウサギは野を駆ける』セヴァスチャン・ジャプリゾ、『37 の短篇（傑作短篇集）』石川喬司編

【世界推理小説大系】（全 12 巻） 講談社
B6 判上製・ビニールカバー・箱・箱帯 1972.4–1973.4
※東都書房刊【世界推理小説体系】をもとに再編成

【ペガサス・ノベルズ】（全 9 巻［内、上下巻 1］） 日本リーダーズダイジェスト社
B6 判並製・紙カバー 1972.7–1974.12
『懐かしい殺人』『お熱い殺人』ロバート・L・フィッシュ、『バビロン行き一番列車――三つのサスペンス』マックス・アーリック他

【世界の短篇】（全 5 巻） 早川書房
四六判上製クロス装・紙カバー・ビニールカバー・帯 1972.8–1973.1
『ゲイルズバーグの春を愛す』ジャック・フィニイ、『黒い天使たち』ブルース・J・フリードマン
※他に 1 作予告

【立風ミステリー】（全 46 巻［内、上下巻 1］） 立風書房
四六判並製・紙カバー・帯、四六判上製・紙カバー・帯 1974.1–1985.3
『女秘書』ヘンリイ・ケーン、『大博奕』ロス・トーマス、『現代アメリカ推理小説傑作選 1・2・3』アメリカ探偵作家協会編

◎［**講談社文庫（海外）**］ 講談社
A6 判（文庫） 1974.11–
※同文庫の分類記号 BX（推理・SF・ミステリー〈海外〉）の第一弾オルダス・ハックスリー『すばらしい新世界』の発行日をもって刊行開始とした

【ワールド・スーパーノヴェルズ】（全 7 巻） TBS 出版会

新書判・紙カバー・帯　1964.11-1965.11
『檻褸の中の髪と骨（愚か者の祈り）』ヒラリー・ウォー、『深夜に電話を待つ女』ジヤック・マッチャ

【5分間シリーズ】（全4巻）　日本文芸社
新書判・紙カバー・帯　1965.3-1965.9
『五分間スリラー』福島正実編著

【Q-T ブックス】（全48巻）　久保書店
新書判・紙カバー　1965.12-1979.3
『弾痕』フランク・ケーン、『おんな対 F.B.I.』ピーター・チェイニィ、『殺人鬼を追え』ウェイド・ミラー
※ミステリは16冊

【ウイークエンド・ブックス】（全28巻［内、上下巻1］）　講談社
B6判並製・ビニールカバー・帯→B6判並製・紙カバー　1966.7-1970.6
『淑女スパイ モデスティ・ブレイズ 唇からナイフ』ピーター・オドンネル、『愚なる裏切り』フランク・グルーバー、『原子力潜水艦ドルフィン（北極基地／潜航作戦）』アリステア・マクリーン

【世界ロマン文庫】（全20巻）　筑摩書房
B6判並製・ビニールカバー・箱・箱帯　1969.11-1970.12
『この荒々しい魔術』メアリー・スチュアート、『変身の恐怖』パトリシア・ハイスミス、『ジャマイカの烈風』リチャード・ヒューズ
※新装版（全16巻）B6判並製・ビニールカバー　1977.11-1978.6刊行

1970年代

◎［海外ベストセラー・シリーズ］　角川書店
四六判並製・紙カバー・帯→四六判上製・紙カバー・帯　1970.11-

◎［ハヤカワ文庫NV］　早川書房
A6判（文庫）　1972.1-

【世界推理名作全集】（全 10 巻） 中央公論社
小 B6 判上製クロス装・ビニールカバー・箱・箱帯 1960.7–1961.12
『歌う白骨』R・オースチン・フリーマン、「疑惑」ドロシー・L・セイヤーズ

【異色作家短篇集】（全 18 巻） 早川書房
小 B6 判上製クロス装・セロファンカバー・箱 1960.12–1965.10
『特別料理』スタンリイ・エリン、『くじ』シャーリイ・ジャクスン、『メランコリイの妙薬』レイ・ブラッドベリ、『血は冷たく流れる』ロバート・ブロック
※新訂版（全 12 巻） 小 B6 判・紙カバー・帯 1974.9–1976.6 刊行

【創元ブックス】（全 4 巻） 東京創元社
小 B6 判・紙カバー 1961.7–1961.8
『アメリカ探偵作家クラブ傑作選１・２』D・S・デイヴィス／G・H・コックス編

【世界推理小説名作選】（全 20 巻） 中央公論社
新書判・紙カバー 1962.4–1963.6
※同社の【世界推理名作全集】から一部短編を割愛、再編

【世界推理小説大系】（全 24 巻、別巻１） 東都書房
菊判上製・パラフィンカバー・箱 1962.6–1965.12
『リーヴェンワース事件』A・K・グリーン、『狩場の悲劇』アントン・チェホフ、『毒入りチョコレート事件』アントニイ・バークリー

【ポイント・ブックス／スパイ・サスペンス・シリーズ】（全 4 巻） 番町書房
新書判・紙カバー 1962.12–1963.5
『赤い霧』セルジュ・ラフォレスト

◎**［ハヤカワ・ノヴェルズ］** 早川書房
四六判並製・紙カバー・帯→四六判上製・紙カバー・帯 1964.10–

【世界秘密文庫】（全 10 巻） 日本文芸社

【現代推理小説全集】（全15巻）　東京創元社
小B6判上製クロス装・セルロイドカバー　1957.8–1958.5
『二人の妻をもつ男』パトリック・クェンティン、『飛ばなかった男』マーゴット・ベネット、『最悪のとき』ウィリアム・P・マッギヴァーン
※全20巻予告

【クライム・クラブ】（全29巻）　東京創元社
小B6判並製雁垂・箱・箱帯　1958.6–1959.10
『藁の女（わらの女）』カトリーヌ・アルレェ、『死刑台のエレベーター』ノエル・カレフ、『歯と爪』ビル・S・バリンジャー、『ハマースミスのうじ虫』ウィリアム・モール

【世界恐怖小説全集】（全12巻）　東京創元社
小B6判並製雁垂・箱・箱帯　1958.8–1959.11
『幽霊島』アルジャーノン・ブラックウッド、『黒魔団』デニス・ホイートリ、『死者の誘い』W・デ・ラ・メア

◎［**創元推理文庫**］　東京創元社
A6判（文庫）　1959.4–

【銀河文庫】（全7巻）　銀河文庫
新書判・セロファンカバー　1959.8–1960.7
※芸術社刊【推理選書】と【西洋講談】の中から再編

1960年代

【世界名作推理小説大系】（全25巻、別巻4）　東京創元社
小B6判上製クロス装・セロファンカバー・箱・箱帯　1960.6–1962.5
『月長石』ウィルキー・コリンズ、『ロシアから愛をこめて／世界をおれのポケットに』イアン・フレミング／ハドリー・チェイス、『九時間目（脱獄九時間目）／B・ガール』ベン・ベンスン／フレドリック・ブラウン

の鍵』ダシール・ハメット、『伯母殺人事件』リチャード・ハル、『検屍裁判―インクェスト―』パーシヴァル・ワイルド

【探偵小説文庫】（全11巻）　新潮社
小B6判並製・紙カバー　1956.4–1956.10
『モンパルナスの夜（男の首）』ジョルジュ・シムノン、『マルタの鷹』ダシール・ハメット
　※収録作全て既訳作

【推理選書】（全11巻）　芸術社
B6判上製・箱・帯　1956.6–1957.2
『バターシイ殺人事件（誰の死体？）』ドロシー・L・セイヤーズ、『鍵のない家』E・D・ビガーズ、『カインの末裔』M・L・フィッシャー

【世界大ロマン全集】（全65巻［内、上下巻5］）　東京創元社
小B6判上製クロス装・パラフィンカバー・箱　1956.9–1959.10
『第二の顔』マルセル・エーメ、『消え失せた密画』エーリッヒ・ケストナー、『人魚とビスケット』J・M・スコット、『魔人ドラキュラ』ブラム・ストーカー、『洞窟の女王』H・R・ハッガード、『緑のダイヤ』アーサ・モリスン

【モダン・ミステリー】（全3巻）　現代文芸社
B6判上製・紙カバー　1956.12–1957.6
『死体を探せ（死体をどうぞ）』D・L・セイヤーズ、『証拠の問題』ニコラス・ブレイク
　※他に4作予告

【西洋講談】（全2巻）　芸術社
小B6判並製・紙カバー　1957.2–1957.4
『兇賊ジゴマ』レオン・サジイ
　※全5巻予告

【六興推理小説選書〈ROCCO CANDLE MYSTERIES〉】（全13巻）
六興・出版部
B6判変型並製　1957.4–1958.1
『遺書と銀鉱』フランク・グルーバー、『製材所の秘密』F・W・クロフツ、『ライノクス殺人事件』フィリップ・マクドナルド

1952.10–1956.5→宝石社　1958.6–1963.10　A5判（雑誌）
「ハードボイルド三人篇」（『恋はからくり』ジェイムズ・M・ケイン、「ネヴァダ・ガス」「スペインの血」レイモンド・チャンドラー、『笑う狐（笑うきつね）』フランク・グルーバー）、「イギリス女流三人集」（『水車場の秘密（甘美なる危険）』マージェリー・アリンガム、『病院殺人事件』ナイオ・マーシュ、「西洋の星（〈西部の星〉盗難事件）」アガサ・クリスティ）、「アメリカ探偵作家クラブ受賞作特集」（『夜の監視』ジュリアス・ファスト、『地平線の男（水平線の男）』ヘレン・ユースティス、「やぶへび」ローレンス・G・ブロックマン）

【サスペンス・ノベル選集】（全9巻）　日本出版共同
B6判並製・紙カバー・セロファンカバー・帯　1953.6–1954.6
『シラノの冒険』ルイ・ガレ、『ミシシッピーの海賊』フリードリッヒ・ゲルシュテッカー
※全12巻予告

【異色探偵小説選集】（全9巻）　日本出版共同
B6判並製小口折・紙カバー・セロファンカバー　1953.7–1954.9
『殺意』フランシス・アイルズ、『聖者対警視庁（奇跡のお茶事件）』レスリー・チャーテリス、『ベラミ裁判』フランセス・N・ハート
※全12巻予告

【ハヤカワ・ミステリ】（1898巻）　早川書房
ポケットブック判　1953.9–
※2023年12月現在

【世界大衆小説全集】（全12巻）　生活百科刊行会
A5判並製・紙カバー・箱・箱帯　1954.12–1956.9
『魔法医師ニコラ／他』ガイ・ブースビー、『アトランティード／他』ピエール・ブノア

【世界推理小説全集】（全78巻、別巻2）　東京創元社
小B6判上製・セロファンカバー・箱　1956.1–1960.5
『フレンチ警部最大の事件』F・W・クロフツ、『ナイン・テイラーズ』ドロシー・セイヤーズ、『ブラウン神父』G・K・チェスタトン、『大いなる眠り』レイモンド・チャンドラー、『試行錯誤』アントニイ・バークリイ、『ガラス

【現代欧米探偵小説傑作選集】（全1巻）　オリエント書房
B6判並製　1947.1
『遺書の誓ひ』カルロ・アンダーセン
※全30巻予告

【苦楽探偵叢書】（全1巻）　苦楽社
B6判並製　1947.11
『ルルージュ事件』エミール・ガボリオ
※全30巻予告

【ぶらっく選書】（全18巻）　新樹社
B6判並製・帯　1949.12–1951.6
『怖るべき娘達（七人のおば）』パット・マクガー（マガー）、『第四の郵便屋（第四の郵便配達夫）』クレーグ・ライス、『盗まれた美女（モルグの女）』ジョナサン・ラティマー

1950年代

【雄鶏みすてりーず〈おんどり・みすてりい〉】（全18巻）　雄鶏社
B6判並製・セロファンカバー　1950.5–1951.7
『百萬長者の死』G・D・H・コール&マーガレット・コール、『影なき男』ダシール・ハメット、『プレード街の殺人』ジョン・ロード

【別冊宝石　世界探偵小説名作選】（全5巻）　岩谷書店
A5判（雑誌）1950.8–1952.4
「ディクスン・カア傑作特集号」

【世界傑作探偵小説シリーズ】（全10巻）　早川書房
四六判上製・紙カバー・帯　1951.2–1952.1
『疑惑の影』ジョン・ディクスン・カー、『第三の男』グレアム・グリーン、『オシリスの眼』オースティン・フリーマン

【別冊宝石　世界探偵小説全集】（全53巻）　岩谷書店

戦後翻訳ミステリ叢書・全集一覧

- 戦後刊行された翻訳ミステリ叢書・全集を刊行開始順に一覧にまとめた。
- 各叢書ごとに叢書名、巻数、版元、体裁・判型、刊行期間、叢書代表作を記載した。
- 作品名に代表的な別題がある場合は括弧内に記載した。
- 備考については、米印（※）で記載した。
- 翻訳ミステリを主体とする文庫叢書は二重丸印（◎）を付した。

（作成：川出正樹）

1940年代

【傑作探偵小説選集】（全2巻）　共和出版社
B6判並製　1946.2-1946.6
『最後に笑ふもの』（「最後に笑ふもの」オーエン・オリヴァ、「二重自殺事件」ピエール・ボアロオ、他1編）、『いたづら時計』（「或る殺人風景」「いたづら時計」「香水の戯れ」）ドロシイ・セイヤーズ
※戦前、雑誌「新青年」に掲載された作品のオリジナル・アンソロジー
他に1作予告

【世界傑作探偵小説選集】（全2巻）　未来社
A6判（文庫）　1946.11
『悪魔を見た処女』エツイオ・デリコ、『愛慾の輪舞』アルトゥール・シュニツレル
※他に2作予告

【歐洲大陸探偵小説シリーズ】（全1巻）　新東京社
B6判並製　1946.12
『怪盗』スヴェン・エルヴェスタード
※他に5作予告。明確なシリーズ名の記載がないため、「歐洲大陸探偵小説の新星」という刊行予告の題字より仮に付与

映像・音声作品など

わ

叢書・全集、雑誌・新聞など

や

ら

ま

さ

か

索　　引

- 人名・作品名を主として、章末の各叢書リストならびに巻末の戦後翻訳ミステリ叢書・全集一覧を除く、本文中で言及のある箇所をまとめた。
- 人名を姓→名の五十音順でならべたうえで、それぞれの人名に付属するかたちで著作をならべた。また、本文で言及のある原題は邦題の項に併記して、未訳の著作はアルファベット順でならべた。
- 編者のいるアンソロジーについては、編者の著作の一部として（編）と付した。代表して著者がたたないシリーズ名及び原書の叢書・全集、新聞・雑誌、映像・音声作品は、末尾に五十音順でならべた。
- 複数の邦題がある作品名、複数の日本語表記のある人名については、もっとも一般的と思われる表記で項を立てて、別表記の記載がされているページもまとめた。
- 本文中に著者の名前が出てこない作品については、著者名に星印（＊）を付けた。

なお、約物については本文中の凡例に倣って、
【　】……翻訳ミステリ叢書・全集
［　］……翻訳ミステリ以外の叢書・全集
『　』……単行本ならびに長篇
「　」……中篇・短篇、映像・音声作品、日本の雑誌・新聞
《　》……シリーズ名及び原書の叢書・全集、海外の雑誌・新聞
とする。

あ

KEY LIBRARY

ミステリ・ライブラリ・インヴェスティゲーション
戦後翻訳ミステリ叢書探訪

2023年12月15日　初版
2024年 5 月31日　再版

著　者　川　出　正　樹
発行者　渋　谷　健　太　郎
発行所　株式会社　東京創元社
〒162-0814　東京都新宿区新小川町1-5
電話　03-3268-8231（営業部）
03-3268-8204（編集部）
URL　https://www.tsogen.co.jp

装　幀　クラフト・エヴィング商會
［吉田篤弘・吉田浩美］

モリモト印刷・加藤製本

ISBN978-4-488-01544-2　C0095

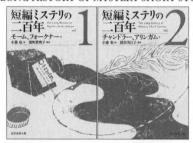